FURNAS CENTRAIS ELÉTRICAS

É um orgulho para Furnas Centrais Elétricas participar desse livro sobre os 100 anos da maior casa de espetáculos do Brasil e uma das mais importantes da América do Sul. Palco de grandes artistas nacionais e internacionais ligados a expressões culturais ricas e variadas, o Theatro Municipal do Rio de Janeiro ostenta há um século beleza arquitetônica irretocável.

O Municipal sempre foi referência do País e foi o berço cultural da burguesia da então capital da República. Com o passar dos anos, acompanhando o processo democrático brasileiro, abriu as portas para todas as classes sociais, promovendo uma programação a preços populares – ópera, balé e concertos musicais.

O acesso à cultura é um direito de todos e favorecer sua democratização também é nosso dever. É com esse compromisso social que Eletrobras Furnas, há mais de 50 anos, incentiva a cultura no Brasil.

Além de ser responsável por 40% da energia que move o País rumo ao desenvolvimento socioeconômico, a empresa patrocina e promove manifestações culturais que contribuem para a construção da identidade cultural brasileira.

De 2004 até hoje, apoiou, aproximadamente, 200 projetos habilitados pela Lei Rouanet. Em 2003, foi aberto o Espaço Furnas Cultural, em Botafogo, com atividades no campo das artes para o público em geral, reunindo novos talentos e artistas consagrados.

São promovidas também atividades culturais e artísticas para os empregados, como concursos culturais, teatro, dança e pintura, que ajudam a reduzir o nível de estresse e integram os funcionários.

Os investimentos em Cultura e em Educação incentivam manifestações artísticas e intelectuais que estimulam a criação de bases sólidas para uma sociedade cidadã. Parabéns ao Theatro Municipal pela grande contribuição ao Brasil.

FURNAS CENTRAIS ELÉTRICAS

Furnas Centrais Elétricas is proud to be part of this book that tells the story of the Theatro Municipal's 100 years as the greatest performing arts center in Brazil and one of most important in Latin America. As the stage for renowned Brazilian and international artists working in rich and diverse cultural traditions, the Theatro Municipal's breathtaking architectural beauty has been on display for a century.

The theater has been a reference point in Brazil as cultural cradle for the well-to-do classes since the time when Rio de Janeiro was the capital of the Republic. Over the years, the theater has kept pace with the Brazilian democratic process and opened its doors to all social classes by promoting accessibly priced tickets for opera, ballet, and musical performances.

We believe everyone is entitled to enjoy and benefit from cultural activities and it has been our duty to sponsor events for everyone in the most democratic way possible. Eletrobras Furnas has upheld this belief by promoting culture in Brazil for over 50 years.

As the company responsible for providing 40 of the energy that fuels a socially and economically developing country like Brazil, Eletrobras Furnas also sponsors and promotes projects that help build Brazil's cultural identity and awareness.

Since 2004, the company has supported and funded around 200 projects approved by the Lei Rouanet (government law to fund cultural iniciatives). In 2003, the Espaço Furnas Cultural center opened in Botafogo where it has presented both renowned and talented new artists for the general public.

Furthermore, the center promotes cultural and arts activities such as competitions, theatre, dance, and painting for its own employees. Not only does this reduce on-the-job stress, it also provides a pleasant place for employees to get together.

Investments in culture and education encourage artistic and intellectual expression and help set a sound foundation for a conscientious and responsible society. We congratulate the Theatro Municipal for what it has been doing for Brazil. º

01

No centro do telhado, a águia dourada de cobre abre as asas com a imponência do início do século 20, rodeada por milhares de folhas de ouro que adornam detalhes da cúpula e se estendem à fachada. Os vitrais, a escadaria de pedra, os painéis de Visconti no *foyer*, nada foi esquecido, ao fim dos três anos da restauração que celebra o centenário do Theatro Municipal do Rio.

Agora, como um número adicional exigido pela plateia ao fim do espetáculo de gala, surge este documento precioso. Um tributo à memória dos construtores e às performances de músicos, regentes, compositores, bailarinos, coreógrafos, grandes vozes do canto lírico e ao valor das equipes técnicas.

É um privilégio para a Oi patrocinar esta publicação, onde memórias, relatos, quase confidências, dão cores e textura à presença no palco de ícones como Maria Callas, Renata Tebaldi, Toscanini, Sarah Bernhardt, Bidú Sayão, Villa-Lobos, Stravinsky, Hindemith, Brailowsky e Ana Botafogo.

Acima de tudo, o livro homenageia o próprio Theatro Municipal, em seu relacionamento com um público apaixonado que o aplaude, geração a geração.

In the center of the roof, the golden copper eagle majestically spreads its wings for the opening of the 20th century. Around the eagle, thousands of gold leaves decorate the theater's façade. From the stained glass windows to the stone staircase to the Visconti panels in the foyer – no detail has been spared in the three-year restoration of the Theatro Muncipal.

At last this unique book and history is available as a vital record and a literary encore for Rio audiences. Inside are the recollections and secrets of builders, performers, conductors, composers, dancers, choreographers, great voices of opera, and the technical crews behind them.

For Oi, it's an honor to sponsor a book overflowing with memories, anecdotes, and whispered secrets that bring color and life to the stage that hosted such stars as Maria Callas, Renata Tebaldi, Toscanini, Sarah Bernhardt, Bidú Sayão, Villa-Lobos, Stravinsky, Hindemith, Brailowsky, and Ana Botafogo.

And above all, this book pays homage to the Theatro Municipal and its relationship with a passionate audience that, for generations now, has given it a standing ovation.

MOMSEN, LEONARDOS & CIA.

Já há alguns anos nosso escritório vem participando de projetos incentivados tanto pela Lei Rouanet, como pela Lei do Audiovisual. Sendo uma sociedade de prestação de serviços profissionais dedicada ao registro de Marcas e Patentes e à consultoria em Propriedade Intelectual, compreendemos e valorizamos a produção cultural de alto nível.

Nosso escritório tem suas raízes no Rio de Janeiro, pois foi nesta cidade que, em 1919, Richard Momsen, um americano de nascimento, que acabou se tornando um carioca de coração em grande parte pelo encantamento que a cidade lhe causou, fundou seu escritório de advocacia, que poucos anos depois, com o ingresso de Thomas Leonardos, viria a especializar-se na área de Marcas e Patentes. Portanto, podemos afirmar, com conhecimento do assunto, que o Theatro Municipal é parte fundamental da memória e da cultura do Rio, pois temos acompanhando sua histórica por mais de 90 anos.

Nos orgulhamos de estar presentes nesta iniciativa, que não é mais um livro sobre o Theatro Municipal, mas sim um trabalho detalhado, cuidadoso e apaixonado, feito com rigor histórico e artístico por profissionais altamente qualificados e que têm parte também de sua história ligada ao Theatro.

Esta obra vai tocar não só o morador da cidade, que passará a olhar o Theatro Municipal com ainda mais intimidade, depois de descobrir mais alguns de seus segredos, mas também o visitante, que, quando o conhece, se encanta.

MOMSEN, LEONARDOS & CIA.

For several years now, our firm has been participating in projects encouraged both by the Lei Rouanet (government law to fund cultural projects) and the Lei do Audiovisual (government law to fund cinema/audiovisual projects). As a professional service provider specializing in trademarks and patents, and a consulting firm for intellectual property, we both understand and value first-rate cultural products.

Our firm has had roots in Rio de Janeiro since Richard Momsen first opened his law firm here in 1919. Although American by birth, at heart, Momsen was a true citizen of Rio from the day he fell in love in with the city. A few years later, Momnsen's firm took on Thomas Leonardos as a partner and began specializing in trademarks and patents. We've been in this city for 90 years and know what we're talking about when we say the Theatro Municipal is a core part of the memory and cultural life of Rio de Janeiro.

We're proud to be involved in this initiative because it's not just another book about the Theatro Municipal, but an in-depth, careful, and passionate account of the theater's 100 years. Written by highly qualified specialists who've also been a part of the Theatro's history, this work meets the highest historical and artistic standards.

This book is sure to touch both the hearts of Rio residents who will discover some of the Theatro's unknown treasures and share some of its secrets, and visitors who will be enchanted by one of Brazil's most important cultural and historical landmarks.

Theatro Municipal do Rio de Janeiro
um século em cartaz * running for a century
@ 2011 Jauá Editora

COORDENAÇÃO EDITORIAL E ORGANIZAÇÃO | EDITORIAL COORDINATION AND ORGANIZATION
Jauá Editora > Nubia Melhem Santos

PRODUÇÃO EXECUTIVA | EXECUTIVE PRODUCTION
Crystal Rio Produções > Laís Chamma

TEXTOS | TEXTS
Barbara Heliodora (teatro | theater)
Beatriz Cerbino (dança | dance)
Bruno Furlanetto (ópera | opera)
Clóvis Marques (concertos e recitais | concerts and recitals)
Nubia Melhem Santos
Cláudio Figueiredo

ENSAIO FOTOGRÁFICO | PHOTO ESSAY
Paulo Santos Filho

PROJETO GRÁFICO | GRAPHIC DESIGN
eg.design
DIREÇÃO DE ARTE | ART DIRECTION
Evelyn Grumach
DIAGRAMAÇÃO | LAYOUT
Tatiana Buratta
ESTAGIÁRIA | TRAINEE
Deborah Piragibe

REPORTAGEM FOTOGRÁFICA E REPRODUÇÕES DE IMAGENS | PHOTO COVERAGE AND IMAGE REPRODUCTIONS
Bernardo Santos Cox

PESQUISA DOCUMENTAL | RESEARCH
Barbara Heliodora
Beatriz Cerbino
Bruno Furlanetto
Clóvis Marques
Cláudio Figueiredo

PESQUISA ICONOGRÁFICA | IMAGE RESEARCH
Nubia Melhem Santos
Laís Chamma
Ivana de Mello Medeiros

PESQUISA PERIÓDICOS | PRESS RESEARCH
Ivana de Mello Medeiros
PESQUISA COMPLEMENTAR | ADDITIONAL RESEARCH
Claudia Sampaio

CONSULTORIA | CONSULTANT
Roberto Cattan (arquitetura | architecture)

VERSÃO PARA O INGLÊS | ENGLISH VERSION
Barbara Harrington (coordenação | coordination)
Lis Horta Moriconi
Roberto Alex Previdi
Danielle Resnick
Silvia Escorel

VERSÃO PARA O INGLÊS DAS LEGENDAS | ENGLISH VERSION OF SUBTITLES
Alfredo Chaves

REVISÕES | REVISIONS
Shirlei Nataline
Barbara Harrington
Roberto Alexander Previdi
Ivana de Mello Medeiros

TRATAMENTO DE IMAGENS | IMAGE TREATMENT
Estopim Comunicação
Maria Eugênia Duque Estrada
Ismael Silva
Nilson Guimarães Júnior

IMPRESSÃO | PRINT
Ipsis Gráfica e Editora

COLABORADORES | CONTRIBUTORS
Flavio Silva
Glaucia Pessoa
Suzana Martins

COLABORAÇÃO ESPECIAL | ESPECIAL CONTRIBUTION
Jorge Delaura

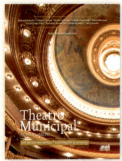 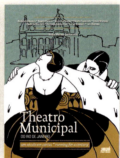

CAPAS | COVERS
ESTA EDIÇÃO (3000 EXEMPLARES) POSSUI DUAS CAPAS DIFERENTES. UMA COM FOTO DE PAULO SANTOS FILHO DO TETO SOBRE A PLATEIA DO MUNICIPAL, NA QUAL VEMOS A PINTURA "DANÇA DAS HORAS" DE ELISEU VISCONTI. E OUTRA COM EDIÇÃO GRÁFICA DE DESENHO ANÔNIMO PUBLICADO NO PROGRAMA DA TEMPORADA OFICIAL DE 1920 DO TMRJ.
THIS EDITION (3000 COPIES) HAS TWO DIFFERENT COVERS. ONE IS A PHOTOGRAPH BY PAULO SANTOS FILHO OF THE TMRJ AUDIENCE HALL CEILING, PAINTED BY ELISEU VISCONTI, DEPICTING THE "DANÇA DAS HORAS". THE OTHER IS A GRAPHIC ART EDITION OF AN ANONYMOUS DRAWING, PUBLISHED IN THE 1920 TMRJ OFFICIAL PROGRAM.

QUARTA CAPA | BACKCOVER
DA ESQUERDA PARA A DIREITA | LEFT TO RIGHT
HEITOR VILLA LOBOS (MVL); CECÍLIA KERCHE (PH. VÂNIA LARANJEIRA), A FLAUTA MÁGICA | THE MAGIC FLUTE, 2004 (COL. HELIO EICHBAUER); VESTIDO DE NOIVA (CEDOC-FUNARTE); LECUONA (PH. JOSÉ LUIZ PEDERNEIRAS)

LOMBADA | SPINE
LUNAR SEA (COL. MOMIX); ANA BOTAFOGO (PH. MARIO VELOSO)

PATROCÍNIO | SPONSORSHIP

APOIO CULTURAL | CULTURAL SUPPORT

ORGANIZAÇÃO | ORGANIZATION
NUBIA MELHEM SANTOS

TEXTOS | TEXTS
BARBARA HELIODORA
BEATRIZ CERBINO
BRUNO FURLANETTO
CLÁUDIO FIGUEIREDO
CLÓVIS MARQUES
NUBIA MELHEM SANTOS

VERSÃO PARA O INGLÊS | ENGLISH VERSION
BARBARA HARRINGTON
LIS HORA MORICONI
ROBERTO ALEX PREVIDI
DANIELLE RESNICK
SILVIA ESCOREL

ENSAIO FOTOGRÁFICO | PHOTO ESSAY
PAULO SANTOS FILHO

Theatro Municipal
DO RIO DE JANEIRO

um século em cartaz * *running for a century*

RIO DE JANEIRO, 2011

JAUÁ
EDITORA

Aos meus queridos pais, Paulo e Leila,
que me mostraram sem preconceitos as
emoções da arte erudita e popular.

To my dear parents, Paulo and Leila, who
devoid of prejudices introduced me to the
emotions of both erudite and popular art.

Theatro Municipal
DO RIO DE JANEIRO

*um século em cartaz * running for a century*

Apresentação | Foreword 20
> Carla Camurati

Introdução | Introduction 22
> Nubia Melhem Santos

>> O lugar e o prédio | The place and the building 34
>> Nubia Melhem Santos e Roberto Cattan

O ponto de partida: a cidade em busca do seu teatro 42
In the beginning: a city in search of its theater
> Cláudio Figueiredo

Teatro, ópera, concertos, recitais e dança
Theater, opera, concerts, recitals and dance 98

> Teatro | Theater | Barbara Heliodora
> Ópera | Opera | Bruno Furlanetto
> Concertos e recitais | Concerts and recitals | Clóvis Marques
> Dança | Dance | Beatriz Cerbino

1909 > 1919	 100
1920 > 1929	 148
1930 > 1939	 174
1940 > 1949	 210
1950 > 1959	 248
1960 > 1969	 294
1970 > 1979	 328
1980 > 1989	 358
1990 > 1999	 390
2000 > 2008	 414

summary

Notas | Notes 440
Bibliografia | Bibliography 444
Abreviaturas | Abbreviations 445
Sobre os autores | About the authors 446
Agradecimentos | Acknowledgments 448

APRESENTAÇÃO

CARLA CAMURATI
Presidente da Fundação Theatro Municipal do Rio de Janeiro

Realmente saborosa, a centenária programação do Theatro Municipal tem um significado especial: através dela podemos acompanhar a transformação de linguagens e abordagens artísticas ao longo de muitas décadas repletas de espetáculos, produzidos pelo Theatro ou não. Afinal, pelo nosso palco passaram os artistas mais célebres que visitaram nosso país.

É uma honra estar à frente desta instituição neste momento, um período particularmente feliz para o nosso Theatro, em que o Governo de Sergio Cabral Filho se empenha por recuperar sua excelência. Coube a nós restaurar um espaço que nasceu com a finalidade de estar aberto a todos nos momentos de alegria... Neste livro podemos observar como a nossa ópera e o nosso balé transportaram suas imagens através dos tempos e descobrir de que forma esses espetáculos foram desenhados. A história dessa programação é contada por um time que acompanhou muitas dessas apresentações de perto, no seu cotidiano. A programação do Theatro Municipal não é apenas parte integrante de sua história; é a inseparável alma e razão de ser desta que é a maior casa de espetáculos do Brasil.

Um passeio pelas mais de 400 páginas deste livro garante exatamente esta jornada. O leitor acompanha a evolução da arte no país, pelo seu palco mais respeitado e cobiçado. Além de estampar a memória de dez décadas, a publicação mostra que, ao mesmo tempo em que preserva o chamado repertório clássico, com a montagem de títulos tradicionais da ópera, do balé e da música de concerto, o Theatro Municipal também se permitiu experiências arrojadas e arriscadas, com a incorporação de peças contemporâneas, tanto no território da dança como no do canto lírico. Aos cem anos de idade, o Theatro Municipal não apenas honra o seu legado clássico como mostra estar inserido no tempo presente. Preserva a memória e todo um repertório de valor incalculável, enquanto assume também a função de espelhar seu momento.

Senhoras e senhores, boa viagem.

FOREWORD

CARLA CAMURATI
President of the Fundação Theatro Municipal do Rio de Janeiro

Tracking the absolutely captivating 100 years of programming at the Theatro Municipal enables us to follow the transformation of artistic languages and approaches over several decades filled with productions both homemade and imported. After all, our stage has welcomed some of the most celebrated names to ever set foot in Brazil.

It is an honor to be at the helm of this institution right now -- a particularly happy period for our theater – as Governor Sergio Cabral Filho strives to return the theater to its full glory. It is our job to restore a space whose goal is offer everyone the chance to experience moments of joy. In this book, we can observe the vision of Brazilian ballet and opera over the years and discover how these works were created. The story of the theater's programming is told by those who have followed these productions up close and on a daily basis. This programming is not only an integral part of the history of the Theatro Municipal, it is indistinguishable from the soul and raison d'être of Brazil's largest playhouse.

Flipping through the 400-odd pages of this book provides precisely that journey. The reader can track the evolution of art in Brazil via its most respected and coveted venue. Along with commemorating the theater's last ten decades, this book also shows that the Theatro Municipal has not only preserved the so-called classical repertory by staging traditional operas, ballets, and concerts, but has provided space for bold, daring experimentation by incorporating contemporary dance and opera productions. At the age of 100, the Theatro Municipal both honors its classical heritage and proves that it is firmly positioned in the present day, preserving both the theater's memory and an entire repertory of incalculable value while undertaking the role of mirroring its time.

Ladies and gentlemen, enjoy the ride!

introdução

introduction

[...] o Theatro Municipal não é uma necessidade imprescindível. Também eu sou do mesmo parecer: não é uma necessidade imprescindível, mas é uma necessidade.[1]
Artur Azevedo

introdução

NUBIA MELHEM SANTOS

ARTUR AZEVEDO EM DESENHO DE
HENRIQUE BERNARDELLI.
DRAWING OF ARTUR DE AZEVEDO
BY HENRIQUE BERNARDELLI.
1901, FBN

A proposta de construir um teatro subvencionado pelo município do Rio de Janeiro antecede muito a criação do projeto que tornou realidade nosso Theatro Municipal. Nas crônicas que o escritor e comediógrafo Artur Azevedo publicou durante 14 anos (de 1894 a 1908) em *A Notícia*, ele defendeu esta ideia com persistência incomum. O que ele desejava para este teatro era mesmo que fosse a sede de uma escola, oferecesse estudos teóricos e técnicas de interpretação aos atores brasileiros e fomentasse a produção de trabalhos exclusivamente nacionais. "*Que não peçam aos auctores francezes senão o segredo da sua technica e do seu engenho*"[2], aconselhou ao futuro diretor do Theatro Municipal. Se a França tinha a Comédie Francaise, nós poderíamos ter a Comédia Brasileira. Azevedo estava certo de que a nossa dramaturgia tinha assunto e talento, não precisava importar sentimentos e temas: "que bela peça teria este título – Rua do Ouvidor, ou este outro – Petrópolis? Que drama se desenvolveria nas ante-salas dos ministerios! Que truculento assumpto para uma tragedia domestica daria o jogo!"[3]. Falta-nos método, o que uma escola traria com o passar do tempo. *Il faut commencer pour finir*, resumia.

Em 1904, quando parecia estar próxima a realização do seu sonho, veio a primeira decepção com o edital do concurso para construção do Theatro Municipal:

Há nuvem no meu contentamento: quizera que o nosso querido prefeito insistisse na acquisição do S. Pedro de Alcantara, ou modificasse o edital para a construcção do Theatro Municipal, de modo que este, com aquella boca de scena de 12 a 14 metros, não se prestasse exclusivamente á exhibição de operas e peças de apparato. Um theatro com tal vastidão será o aniquillamento da idéa de levantar a arte dramatica. Não ha comedia que resista áquella imensidão.[4]

The Theatro Municipal isn't an absolute necessity. I agree: it's not an absolute necessity, but it's still a necessity.[1]
Artur Azevedo

introduction

NUBIA MELHEM SANTOS

The idea of building a theater supported by Rio de Janeiro's city government predates the project for making our Theatro Municipal a reality. In Arthur Azevedo's articles published in *A Notícia*, the writer and comic playwright defended this unusual idea. Azevedo wanted the theater to be a school that would allow Brazilian actors to study theory and acting technique and exclusively promote the works of national playwrights: "don't ask the French actors for anything except their technique and know-how"[2] was his advice to the theater's future director. If France had the Comédie Francaise, we could have the Brazilian Theater Company. Azevedo was certain our playwrights had not only worthy subjects but talent as well: "wouldn't the Rua do Ouvidor [a downtown street] or Petrópolis [a mountain resort] make a lovely play? What a drama the hidden chambers of our political ministries would make! Gambling would be brutal theme for a family tragedy!"[3] Azevedo asserted there was no need to import feelings or subject matter. What was lacking was method, which a school would develop over time. In his words: *"Il faut commencer pour finir."* [We must start to finish].

The first disappointment occurred in 1904, when bidding opened for construction on the Theatro Municipal and Azevedo's dream was about to come true:

Dark clouds hover over my contentment. I wish our dear mayor would try to acquire the S. Pedro de Alcântara or change the bidding for the Theatro Municipal in such a way that the 12 to 14 meter stage wouldn't be used only for operas and flashy drama. A theater with such dimensions would be the end of dramatic art. No comedy can overcome such dimensions.[4]

FOLHA DE ROSTO DE PROGRAMA OFICIAL DE 1920 DO THEATRO MUNICIPAL DO RIO DE JANEIRO – TMRJ.
COVER OF THE 1920 TMRJ OFFICIAL PROGRAM.
CEDOC – FUNARTE

Entretanto, ele não desistiu, continuou a pedir pela criação de uma companhia estável para o Municipal e advertiu por diversas vezes que sua inauguração era questão urgente e da maior importância, para ser tratada enquanto a construção avançava – "por ocasião da festa da primeira pedra e não da cumeeira"[5]. Sugeriu que se aproveitasse a presença no Rio da atriz portuguesa Lucinda Simões e a contratassem para preparar com a devida antecedência um grupo de atores brasileiros. Opinou também sobre a escolha da peça para a estreia, *O Contratador de Diamantes* de Afonso Arinos. O interessante é que esta peça, que viria a ser encenada em 1919 no Teatro Municipal de São Paulo, com enorme sucesso, é considerada um dos primeiros momentos de encontro da elite com as "coisas brasileiras".[6] O que nos faz pensar que possivelmente o dramaturgo estava certo na sua escolha, ou adiantado no tempo.

Em 1906, lamentou a declaração do prefeito de que uma vez concluído o Municipal, ele seria alugado: "O Dr. Francisco Pereira Passos, que fez impossiveis, recuou deante da tarefa tão facil, tão suave e tão patriotica de levantar o Theatro brasileiro, o que lhe custaria menos, muito menos que deitar abaixo o hospital da Penitencia!"[7]

Artur Azevedo morreu em 1908. Olavo Bilac relata que uma multidão extraordinária acompanhou seu enterro e as artes entraram em luto pesado. Entretanto, apesar de sua popularidade, não foi ouvido em nenhuma de suas considerações. Nada foi preparado com a devida antecedência para a inauguração do nosso mais importante teatro. Os protagonistas daquela noite de 14 de julho de 1909 foram o prédio e o público. É o que se percebe na crônica de João do Rio sobre a inauguração:

[...] a cegadora vibração das lampadas electricas a jogar por sobre os marmores ornamentaes a symphonia cambiante dos reflexos.

Está reunido na sala o grande Rio – desde o Presidente da República á mais linda senhora, todas as autoridades: as do governo, as da belleza, as do talento, as da industria e nessa esplendida corbeille o fulgor dos olhos femininos, o scintillar das gemmas ardentes e as vibrações da luz fazem uma atmosphera inebriante, em que se deseja viver indefinidamente.[8]

Às vésperas da inauguração, ocorrem muitas manifestações contrárias ao modo de gestão do Municipal. João do Rio as descreve como atitudes tardias e desorganizadas:

A classe nunca se preoccupou demoradamente com o Theatro Municipal. Fez-se uma lei, permitiu-se no projecto de orçamento a emenda concedendo ao prefeito alugar o Theatro – e nada! Os rapazes não disseram palavra [...]. Acabado o Theatro, annunciada a Réjane, dá-lhes a crise e fazem uma reunião de quase cem pessoas. Para que? Para gritar como crianças traquinas que o theatro é seu.[9]

Como já vimos, não houve realmente uma preparação para integrar os interesses dos artistas brasileiros àqueles que aos poucos foram se definindo por parte do município. Ademais, o tempo já estava perdido e ao que tudo indicava não existia a possibilidade de o teatro nacional se organizar sem a contribuição da experiência de artistas estrangeiros, notadamente portugueses.[10]

A suntuosidade do Municipal, suas dimensões e a ausência de uma estrutura artística própria direcionaram a programação de espetáculos e temporadas para as mãos dos concessionários europeus. Contudo, o teatro de prosa, hoje ausente do Municipal, foi nas primeiras décadas um destaque de sua programação, ainda que tenha sido o estrangeiro. Mas há pelo menos dois momentos dos mais importantes para o teatro brasileiro que aconteceram no seu palco: *Vestido de Noiva* de Nelson Rodrigues, dirigida por Ziembisnki, considerada a inauguração do nosso teatro

LEFT TO RIGHT
WHAT'S WORTH SEEING ISN'T WHAT'S IN THE SCENE.
WHAT'S WORTH SEEING (IS ALMOST ALWAYS
IN THE LAST ACT)
WHAT'S WORTH HEARING (YOU KNOW BY HEART)
WHAT'S WORTH OR LOOKING AT (AFTER THE SHOW)
IS THE FELLOW WHO NEVER SEES THE SHOW
(CUZ HE'S NEVER IN THE FRONT ROW)
HE'S THE NIGHT WATCHMAN
(HE'S GOT A GOOD EAR, BUT AN EMPTY WALLET)

RAUL PEDERNEIRAS, *IN* SCENAS DA VIDA CARIOCA, P. 87. FBN

Tinha, na imaginação, o lustre do Municipal, ardendo em cintilações delirantes.
Nelson Rodrigues, no dia seguinte à estreia de Vestido de Noiva

I had the Municipal's chandelier in my mind, burning and twinkling deliriously.
Nelson Rodrigues, the day after Vestido de Noiva's opening

Nonetheless, Azevedo never gave up and continued to request a resident company for the Municipal and to warn that the theater's opening was important and urgent and had to be dealt with while the building was underway "because of the corner stone and not the roof."[5] Furthermore, Azevedo suggested making the most of Portuguese actress Lucinda Simões's presence in Rio and that she be hired to prepare a group of Brazilian actors well in advance. Azevedo also commented on the choice of the theater's debut piece: *O Contratador de Diamantes* by Afonso Arinos.

Interestingly, this play, which was enormously successful when it was staged at São Paulo's Theatro Municipal in 1919, is considered one of the first examples of the elite having contact with "Brazilian things,"[6] leading us to think that Azevedo had either made the right choice or was ahead of his time.

In 1906, he regretted the Mayor's statement that as soon as the Municipal was finished, it would be rented. "Dr. Francisco Pereira Passos, who's done the impossible, has stepped back from the soft, easy, and patriotic task of creating Brazilian theater, which would cost him less, much less than demolishing the Penitência Hospital!"[7]

Artur Azevedo passed away in 1908 and poet Olavo Bilac recalls that a huge crowd accompanied his burial and that the arts were in deep mourning. Yet, despite his popularity, none of his suggestions were ever heeded. Nothing was appropriately prepared in advance for the opening of our most important theater. According to João do Rio's article about the inauguration on the night of July 14, 1909, the evening's main characters were the audience and the building.

> *The blinding electric lamps performed a changing symphony of reflections in the decorative marble fixtures. All of Rio was present in the concert hall – from the President of the Republic to the loveliest socialite, the most important representatives were there from the spheres of politics, beauty, talent, industry, and in this splendid showcase the glow of feminine eyes and the twinkling of fiery gemstones created an intoxicating atmosphere where one wished to live for ever.[8]*

Right before the inauguration, the way the theater was administrated was severely criticized and João do Rio described the criticism as belated and unorganized:

> *Artists never worried much about the Theatro Municipal. A law was made and the budget proposal allowed for an amendment giving the mayor the right to rent out the theater – period! The young men didn't utter a word… When the theater was completed and Réjane's booking was announced, the critics panicked and gathered together almost one hundred people. To what end? To yell like a bunch of brats that the theater is theirs.[9]*

As we pointed out, there was truly no preparation to join the interests of Brazilian artists with those from City Hall. Moreover, time had already been lost and it appeared there was no possibility of a national theater being organized without help from foreign artists, who were mostly Portuguese.[10]

The Municipal's lavishness, size, and lack of in-house artistic administration delivered the programming and seasons into the hands of European managers. Nevertheless, straight theater, currently absent from Municipal programming, was the highlight of the first decades. Even if the playwrights were from abroad, Brazilian theater witnessed two important moments on the Municipal stage. Nelson Rodrigues's *Vestido de Noiva*, directed by Polish

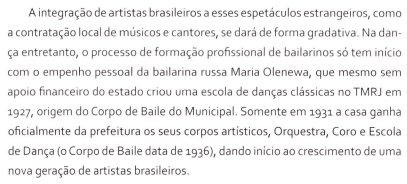

COMEMORAÇÃO DO CENTENÁRIO DO THEATRO MUNICIPAL: PALCO MONTADO NA PRAÇA E VISITAS GUIADAS ÀS OBRAS DE RESTAURAÇÃO.
THE THEATRO MUNICIPAL CENTENNIAL CELEBRATION: STAGE MOUNTED IN THE SQUARE AND GUIDED TOURS OF THE REMODELING.
PH. BERNARDO SANTOS COX, 2009

moderno, e *O Mambembe* de Arthur Azevedo, dirigido por Gianni Ratto, que entre muitas qualidades marca com enorme sucesso o início da carreira de atores como Fernanda Montenegro, Sérgio Britto e Ítalo Rossi. Gianni Rato conta que esta foi uma noite embriagadora: "quando o espetáculo acabou, o Theatro Municipal em peso levantou e aplaudiu longamente, não acabava nunca, os atores voltaram cinquenta vezes ao palco"[11]. Para Barbara Heliodora, já no intervalo do primeiro ato percebia-se que "o clima de alegria, de amor, que se criara no palco"[12] contagiava a plateia, "é provável que o Teatro Municipal jamais tenha tido, e nem jamais torne a ter, uma noite como aquela"[13]. Este *Mambembe* no Municipal saldou uma dívida histórica com Artur Azevedo, cinquenta anos depois de sua inauguração.

Sendo de fato uma casa de ópera e dança, contemporânea do Teatro Colón de Buenos Aires, de 1908, e do Theatro Municipal de São Paulo, de 1911, o que se estabeleceu naturalmente foi um roteiro de turnê sul-americana. Durante o verão no hemisfério norte, companhias europeias inteiras – orquestra, coro, solistas, cenários e figurinos – partiam da Europa para fazer o circuito Buenos Aires, Rio e São Paulo.

A integração de artistas brasileiros a esses espetáculos estrangeiros, como a contratação local de músicos e cantores, se dará de forma gradativa. Na dança entretanto, o processo de formação profissional de bailarinos só tem início com o empenho pessoal da bailarina russa Maria Olenewa, que mesmo sem apoio financeiro do estado criou uma escola de danças clássicas no TMRJ em 1927, origem do Corpo de Baile do Municipal. Somente em 1931 a casa ganha oficialmente da prefeitura os seus corpos artísticos, Orquestra, Coro e Escola de Dança (o Corpo de Baile data de 1936), dando início ao crescimento de uma nova geração de artistas brasileiros.

Passado um século, o Municipal ainda conserva tanto o prestígio dos primeiros tempos como um debate apaixonado no tocante à sua programação. As grandes reformas recentes, realizadas a partir de 2008, na gestão de Carla Camurati, foram aguardadas com uma ansiedade inaugural. A comemoração do centenário encontrou o prédio em obras. Organizada na praça, com um palco montado em frente à fachada iluminada do Theatro, a festa reuniu uma multidão de admiradores, que também puderam saciar a curiosidade em visitas guiadas ao interior em obras. Reaberto em 2010 com a bela encenação de Bia Lessa da ópera *O Trovador*, o ambiente de estreia dividiu a atenção dos espectadores entre o palco e os mármores, pinturas, vitrais, ouros e bronzes.

Neste livro, pretendemos registrar um pouco da história e da memória do Rio de Janeiro no que se refere à vida desse tão querido palco. No capítulo *O Ponto de Partida*, Cláudio Figueiredo nos conduz pelo ambiente cultural da cidade no século XIX até a inauguração do Theatro. No capítulo seguinte, a programação artística de teatro de prosa, ópera, concertos e dança é destacada a cada década pelo olhar aguçado de especialistas, respectivamente Barbara Heliodora, Bruno Furlanetto, Clóvis Marques e Beatriz Cerbino. Eles enfrentaram a difícil tarefa de selecionar dentre os milhares de espetáculos[14] que entraram em cartaz no Municipal, e fizeram um resumo representativo da programação de cada período. Para isto, se valeram tanto da memória no historiar dos acontecimentos quanto de pesquisas em livros, jornais e revistas. A pesquisa icono-

director Ziembinski, is considered the beginning of our modern theater. Among the many fine qualities of Arthur Azevedo's *O Mambembe* directed by Gianni Ratto, is the successful start it gave to the careers of actors such as Fernanda Montenegro, Sérgio Britto, and Ítalo Rossi. Gianni Rato recalls what an exhilarating evening it was: "when the show ended, the whole Theatro Municipal rose to its feet in endless applause. The actors returned to the stage fifty times."[11] For critic Barbara Heliodora, during the first-act intermission one could see that "the atmosphere of joy and love on stage"[12] had clearly spread to the audience and that "it's possible that the Theatro Municipal had never experienced nor would ever again experience a night like that."[13] The performance of *O Mambembe* at the Municipal fifty years after its inauguration finally paid off the theater's historical debt to Artur Azevedo.

Since the Municipal was in fact an opera and dance house, a contemporary of the Buenos Aires Teatro Colón (1908) and the Theatro Municipal de São Paulo (1911), it was natural to set up an itinerary for South American tours. During the northern hemisphere summer, entire European companies – orchestras, choruses, soloists, sets, and costumes – left Europe to perform on the Buenos Aires-Rio-São Paulo circuit.

The inclusion of Brazilian artists, local musicians, and singers in these foreign productions came about gradually. In terms of dance, however, the professional training process was only made possible through the personal efforts of Russian dancer Maria Oleneva, who, even without government funding, created the theater's classical ballet school in 1927, which later became the Corpo de Baile (TMRJ Ballet Company). The house only officially had its artistic ensembles – orchestra, chorus and dance school (the Corpo de Baile began in 1936) funded by City Hall in 1931.

RETIRADA DA ÁGUIA PARA RESTAURAÇÃO.
THE LOWERING OF THE THEATER'S EAGLE FOR RESTAURATION.
PH. BERNARDO SANTOS COX, 2009

A century later, the Municipal still retains the prestige of its early days in the form of a passionate debate regarding its programming. The city anxiously looked forward to the major remodeling that began in 2008 during Carla Camurati's term, as a new inauguration. The theater was still being remodeled during the centennial celebration. However, a stage was mounted in the square facing the theater's illuminated façade, and the celebration drew a crowd of admirers who were able to satisfy their curiosity through the guided tours of the remodeling. When the theater reopened in 2010 with Bia Lessa's lovely staging of the opera *Il Trovatore*, the audience's attention was divided between the stage, marble, gold and silver fixtures, paintings, and stained glass.

In this book, we wish to record a little of Rio de Janeiro's history and memory as regards such a beloved stage. In the chapter *A City in Search of its Theater*, Cláudio Figueiredo is our guide for exploring the city's cultural atmosphere from the 19th century until the theater's inauguration. In the following chapter, straight theater, opera, concert, and dance programming for each decade is examined respectively by the critical eyes of such specialists as Barbara Heliodora, Bruno Furlanetto, Clóvis Marques, and Beatriz Cerbino. These scholars faced the tough task of choosing among thousands[14] of shows featured at the Municipal and of providing a representative summary of each decade's programming. And with that goal, they have drawn on research from books, newspapers and magazines as well as memories to tell these stories. Laís Chamma and Ivana Medeiros joined forces to garner iconography from public and private collections in Brazil and abroad and carefully choose images from hun-

gráfica realizada em arquivos públicos e particulares do Brasil e do exterior teve a valiosa parceria de Laís Chamma, Ivana Medeiros e do fotógrafo Bernardo Santos Cox, que reproduziu centenas de imagens para posterior seleção e documentou momentos da obra de restauração do prédio, como a espetacular descida da águia. A escolha passou pelo crivo de aproximar tanto quanto possível a época e a caracterização de cada período de forma que pudéssemos ter uma ideia das mudanças em curso. Tivemos ainda o olhar do arquiteto Roberto Cattan para construir, em legendas, a sequência de imagens que localiza a transformação sofrida no início do século pelo lugar ocupado pelo Municipal do Rio de Janeiro. As fotografias atuais do prédio, assinadas pelo fotógrafo Paulo Santos Filho, atestam que o esplendor está de volta. À designer Evelyn Grumach, parceira de primeira hora neste projeto, coube a mestria de acomodar este século em cartaz. Para finalizar o livro, que se revelou mais extenso do que esperávamos, foi essencial a sensibilidade e o apoio de Jorge Delaura.

Esperamos com isso contribuir para que as gerações futuras se familiarizem com a história do Municipal, sem contudo pretender aqui qualquer palavra definitiva. Antes de mais nada, este livro é um convite ao aprofundamento do debate. ■

CARMINA BURANA, DE CARL ORFF. MAESTRO SILVIO VIEGAS REGENDO O CORO E A ORQUESTRA SINFÔNICA DO TMRJ; À ESQUERDA, O BAIXO-BARÍTONO BRASILEIRO LÍCIO BRUNO.
MAESTRO SILVIO VIEGAS CONDUCTS THE TMRJ CHOIR AND SYMPHONIC ORCHESTRA; TO THE LEFT, THE BRAZILIAN BASS-BARITONE LÍCIO BRUNO.
PH. PAULO SANTOS FILHO, 2010

dreds available while the photographer Bernardo Santos Cox reproduced hundreds of scenes for later selection and documented important moments of the building's restauration, such as the spectacular lowering of the theater's eagle. The choice of images was based on criteria to depict the time period and its characteristics as accurately as possible and to provide a clear view of the changes that have taken place. Architect Roberto Cattan's able eye provided the captions for the sequence of images that show the painful changes the theater underwent at the beginning of this century. A partner from the onset of this project, designer Evelyn Grumach created the design of the book. Paulo Santos Filho was responsible for the current photographs of the bulding, which attest to a glorious return. To enable us to finalize the book, which revealed itself to be much more extensive than we had planned, Jorge Delaura's sensitivity and support were essential.

We hope to have provided future generations with a little more knowledge, but we don't claim to have the final word. This book is, above all, an invitation to deepen the on-going debate. ∎

IL TROVATORE, DE GIUSEPPE VERDI, ENCENAÇÃO DE BIA LESSA, DIREÇÃO MUSICAL E REGÊNCIA DO MAESTRO SILVIO VIEGAS, COM O CORO E A ORQUESTRA SINFÔNICA DO THEATRO MUNICIPAL DO RIO DE JANEIRO MARCOU A REABERTURA PARA O PÚBLICO EM 29 DE MAIO DE 2010. NA VÉSPERA, UMA CERIMÔNIA OFICIAL PARA CONVIDADOS CONTOU COM A PRESENÇA DO PRESIDENTE DA REPÚBLICA, LUIS INÁCIO LULA DA SILVA, DO GOVERNADOR SERGIO CABRAL, DA SECRETÁRIA DE CULTURA ADRIANA RATTES E DO PREFEITO EDUARDO PAES.
GIUSEPPE VERDI'S *IL TROVATORE* WITH SCREENPLAY BY BIA LESSA AND MUSICAL DIRECTION OF THE TMRJ CHOIR AND SYMPHONIC ORCHESTRY BY MAESTRO SILVIO VIEGAS MARKED THE PUBLIC RE-OPENING ON MAY 29, 2010. THERE WAS AN OFFICIAL CEREMONY THE PREVIOUS EVENING WITH THE PRESENCE OF THE PRESIDENT OF THE REPUBLIC, LUIS INACIO LULA DA SILVA, RIO DE JANEIRO'S GOVERNOR SERGIO CABRAL, THE CULTURE SECRETARY ADRIANA RATTES AND MAYOR EDUARDO PAES.
PH. CARLOS FERNANDO MACEDO, 2010

(OH, THIS LOVE THAT IMPELS ME WILL SPEAK ON MY BEHALF.
MAY THE LIGHT OF YOUR EYES DISPERSE THE TEMPEST ...)

o lugar e o prédio
the place and the building
|||||||||||||||||||||||||||||||||||||||||

NUBIA MELHEM SANTOS E ROBERTO CATTAN

As duas imagens mostram com clareza a radical transformação do espaço urbano onde se encontra o Theatro Municipal e a Cinelândia, na passagem do século XIX para o XX. No mapa, vemos à direita o grande quarteirão praticamente vazio do Convento da Ajuda, com o bloco arquitetônico assinalado em negro e o pequeno Largo da Mãe do Bispo, para onde convergiam as ruas dos Barbonos (hoje Evaristo da Veiga), da Guarda Velha (13 de Maio) e da Ajuda (grosso modo a Avenida Rio Branco) e ainda o ingresso principal do prédio do Seminário São José, acima e oblíquo ao convento, já na encosta do Morro do Castelo (colorido em verde). Abaixo à esquerda, vemos no final da Rua da Guarda Velha o Theatro Lyrico, com a fachada ainda estreita, em frente a um pequeno largo, tendo por trás o Morro de Santo Antonio. É no terreno triangular – formado pelo encontro dessas ruas e o Beco do Carvalho, totalmente edificado e parcelado em lotes estreitos e profundos, típicos do Rio colonial, todo ele demolido nos primeiros anos do século XX – que será construído o Theatro Municipal.

The two images clearly show the radical transformation that took place in the urban space of the Theatro Municipal and Cinelândia between the 19th and 20th centuries. On the map, on the right we see the large, almost empty block occupied by the Ajuda Convent with its architectural mass filled in black and the small Largo da Mãe do Bispo where three streets converge: Rua dos Barbonos (renamed Evaristo da Veiga), Rua da Guarda Velha (renamed 13 de Maio), and Rua da Ajuda (roughly equal to Avenida Rio Branco). We also see the main entrance of the São José Seminary building, above and diagonal to the convent, already at the foot of Morro do Castelo (colored green). Below, to the left, at the end of Rua da Guarda Velha across from a small square we see the Theatro Lyrico with its still narrow façade with the Morro de Santo Antonio behind it. In the triangular lot formed by the intersection of these streets is Beco do Carvalho, lined with buildings and divided into the deep narrow lots characteristic of colonial Rio. These buildings were completely demolished in the first years of the 20th century so that the Theatro Muncipal could be built.

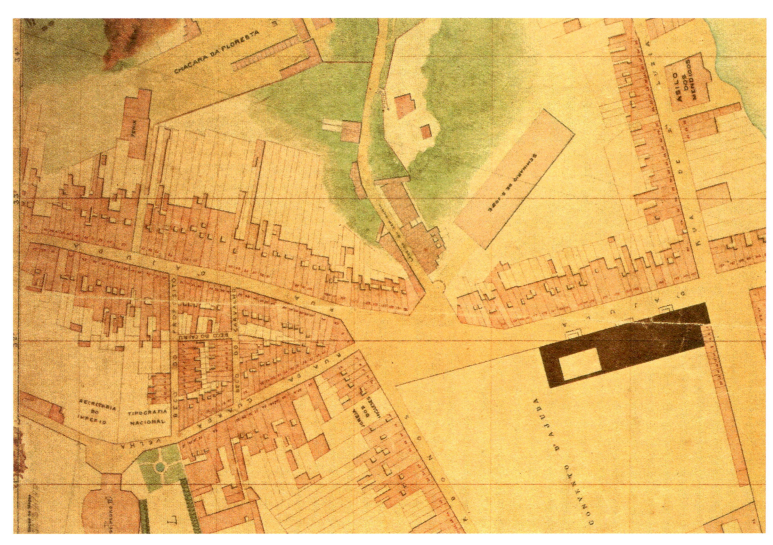

A fotografia aérea, de J. Kfouri, originária do arquivo da Marinha de Guerra, foi tirada por volta dos anos 20, aproximadamente na mesma posição do mapa, porém menos ampliada e com recorte mais à direita. A imagem demonstra exatamente o terreno triangular acima mencionado com o prédio do Municipal a ocupá-lo por inteiro. A Avenida Rio Branco corta horizontalmente a imagem. Ao longo dela vemos o Municipal, seguido do Beco Manuel de Carvalho que o separa do Clube Naval. Perpendicular à Rio Branco aparece a atual Avenida Almirante Barroso, seguida do Liceu de Artes e Ofícios, com novo corpo frontal construído no alinhamento da avenida. A ele se segue o Hotel Avenida, que forma um quarteirão independente. Na parte de cima da imagem vemos a Rua 13 de Maio, que ao se curvar nos mostra o Theatro Lyrico, demolido em 1934, seguido do avantajado prédio da Imprensa Nacional, inaugurado em 1877 e demolido em 1941, com seus seis pátios internos. Na sequência está o famoso chafariz das 35 bicas, de frente para o Largo da Carioca, nesta altura apenas uma pequena praça circular arborizada. Na parte inferior da imagem, ainda ao longo da Rio Branco, vemos em frente à lateral do Theatro o Museu Nacional de Belas Artes, seguido das sedes do Derby e do Jockey Clube, e dos dois edifícios construídos simultaneamente por Eduardo Palasian Guinle: o Palace Hotel, levantado em torno de 1915 e demolido em 1950, assim como o Teatro Phenix, notável por sua cobertura circular da plateia e pela caixa de palco que reproduz, de certa forma e em escala menor, o seu "primo rico", o Municipal. O Phenix foi demolido em 1958.

The aerial photograph from the Naval War archive, taken by J. Kfouri around the 1920s, shows approximately the same position as the map, although it is less enlarged and further to the right. It shows the exact triangular plot mentioned above which the Municipal would completely occupy. Avenida Rio Branco cuts across the image horizontally. Along the length of the street we see the Theatro Municipal, followed by Beco do Manuel de Carvalho, the alley that separates the theater from the Clube Naval. Perpendicular to Rio Branco is what we know as Avenida Almirante Barroso followed by the Liceu de Artes e Ofícios building with its new frontispiece constructed to follow the curve of the avenue. Next is the Hotel Avenida, which occupies an entire city block. At the top of the image is Rua 13 de Maio and where it curves we can see the Theatro Lyrico, demolished in 1934, alongside the impressive National Press building inaugurated in 1877 and demolished in 1941, with its interior courtyards. Next is the famous 35-spout fountain that sits across from Carioca Square, at this moment still just a small tree-lined circular park. In the lower part of the image, across the street from the side of the theater building, we see the Museu de Belas Arts which lines Avenida Rio Branco and sits alongside the headquarters of the Derby and Jockey Clubs. Next to the two clubs are the buildings that Eduardo Palasian Guinle built simultaneously: the Palace Hotel, which was constructed around 1915 and demolished in 1950, and the Teatro Phenix, demolished in 1958 and known for the circular roof that covered the audience and the stage box which somewhat mimics its "rich [Muncipal] cousin" on a smaller scale.

PÁGINA ANTERIOR | PREVIOUS PAGE
DETALHE DE PLANTA DA CIDADE DO RIO DE JANEIRO, 1870.
DETAIL FROM THE MAP OF THE CITY OF RIO DE JANEIRO, 1870.
ARQUIVO NACIONAL (FUNDO DO MINISTÉRIO DA AGRICULTURA, COMÉRCIO E OBRAS PÚBLICAS)

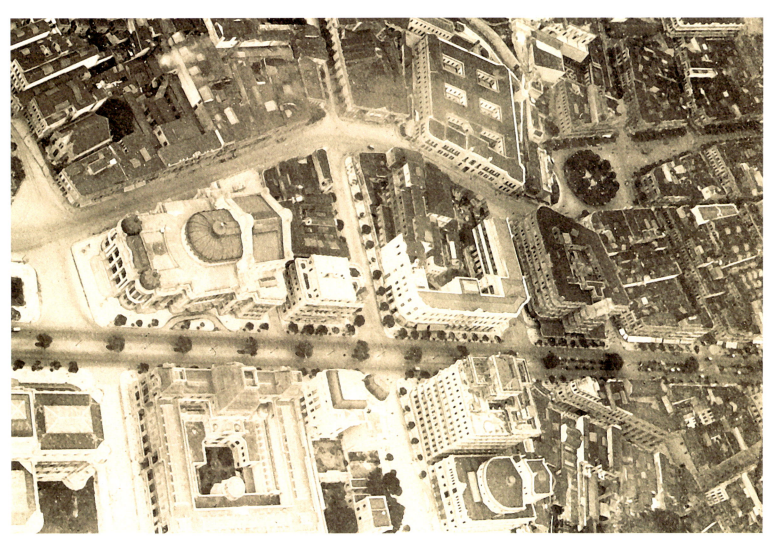

Nesta fotografia do Largo da Mãe do Bispo, vemos o encontro da Rua da Ajuda, à direita, e da Guarda Velha, hoje 13 de Maio, à esquerda. A feição da rua é basicamente oitocentista, com o casario com os beirais salientes. É a demolição deste trecho urbano que dará lugar ao TM.

In this photograph of Largo da Mãe do Bispo, we see the intersection of Rua da Ajuda, on the right, and Rua da Guarda Velha, currently Rua 13 de Maio, on the left. The street has a basically 18th-century look. The houses with their protruding eaves are characteristic of their colonial past. This strip was demolished to make space for the Theatro Municipal.

PH. AUGUSTO MALTA, 1904. COL. IMS

A fotografia tomada do Morro do Castelo em direção ao Morro de Santo Antonio mostra um ambiente urbano em transformação. Nota-se a grande quantidade de pedras e alvenarias resultante das demolições da área central da cidade, organizadas de modo a serem reaproveitadas nas novas construções. O terreno triangulado onde se edificará o TM está definido por tapume, no centro da imagem. À esquerda vemos o casario da Rua 13 de Maio, em parte sendo reconstruída já ao sabor do ecletismo prevalente do período Pereira Passos, e no fundo da rua o Theatro Lyrico (em cinza mais escuro), e sobre ele a imponente arquitetura do Convento de Santo Antonio. Pedestres de roupa clara, um com guarda-sol, e carroças de carga de tração animal sugerem um tom provinciano, anuançado pelos vagões de ferro sob linhas eletrificadas que agilizavam as obras de reformas da cidade.

The photograph taken from Morro do Castelo looking toward Morro de Santo Antonio shows an urban environment in transformation. Note the large number of stones and masonry resulting from the demolitions of the central part of the city organized in such a way as to reuse them in new constructions. The triangular plot where the Theatro Municipal would be built is defined by an enclosed space in the middle of the image. On the left we see the houses on Rua 13 de Maio partially being rebuilt according to the eclectic tastes that prevailed during the Pereira Passos era. At the end of the street is the Theatro Lyrico (in darker gray) and above it, the grandiose architecture of the Santo Antonio Convent. Pedestrians in light-colored clothes, one carrying a parasol, and animals pulling wagons piled with freight give the photo a provincial air, slightly modified by the electrified railway cars that facilitated the work of reforming the city.

PH. AUGUSTO MALTA, 1904. COL. PEREIRA PASSOS, MR

Fotografia de um ângulo incomum, tomada a partir da Rua 13 de Maio. No canto esquerdo, vemos o início do Beco do Carvalho, a pequena rua ainda existente nos fundos do Municipal. A imagem é dominada pela presença do Morro do Castelo ao fundo e revela bem a proporção dos elementos arquitetônicos e naturais aqui em jogo. Nesta foto, tirada em torno de 1905, a Matriz de São Sebastião ainda está firme, no alto do Morro, à esquerda. Porém, o Morro do Castelo está sofrendo seu primeiro corte para a abertura da Avenida Central (atual Rio Branco) e a criação dos terrenos adjacentes onde serão construídos a Biblioteca Nacional, o Museu de Belas Artes, entre outros prédios importantes da capital. Nos próximos 15 anos o morro será totalmente arrasado. Entre a Rua 13 de Maio e o Morro do Castelo vemos a construção ciclópica do TM, com o primeiro andar em andamento. Na esquina da 13 de Maio com o Beco do Carvalho notamos, já assentados, os paramentos de granito da fachada do térreo. No primeiro plano, um singelo momento da vida da cidade nessa passagem do início do século: o elétrico com reboque passa cheio e célere em direção ao Largo do Machado enquanto a elegante charrete da Saúde Pública faz a volta; as três figuras do instantâneo usam chapéu de palha.

PH. AUGUSTO MALTA, 1905. COL. PEREIRA PASSOS, MR

A photograph taken from an unusual angle on Rua 13 de Maio. In the left corner we see the beginning of Beco do Carvalho, a small alley at the back of the Municipal that still exists. In the background, the presence of Morro do Castelo dominates the image giving a good idea of the proportions of the architectural and natural elements in play. At the left of this 1905 photo, the São Sebastião Church still stands firmly atop the hill. However, Morro do Castelo is undergoing its first cut to open space for Central Avenue (currently Rio Branco) to create the adjacent lots where the Biblioteca Nacional and the Museu das Belas Artes and other important capital buildings would be constructed. Over the next 15 years, the hill would be totally razed. Between Rua 13 de Maio and Morro do Castelo we see the Theatro's colossal construction with the first floor underway. On the corner of Rua 13 de Maio and Beco do Carvalho we can note the granite slabs of the ground floor façade already in place. In the foreground, the photographer has captured a singular moment in the life of the city at this turn-of-the-century landscape: an electric streetcar towing another passenger-filled car accelerates in the direction of Largo do Machado while an elegant carriage from the Office of Public Health makes a U-turn. The three figures captured in that instant all wear straw boaters.

PH. AUGUSTO MALTA, 1905. COL. PEREIRA PASSOS, MR

A sequência de imagens da Coleção Pereira Passos, feita em 1905 e 1906, é um importante documento de apresentação do ambiente urbano no momento da construção do TM. Tirada do Morro do Castelo em direção ao de Santo Antonio, mostra a evolução das obras, desde quando se encontrava com as paredes do segundo pavimento parcialmente levantadas até próximo à conclusão dos trabalhos, quando vemos, na última foto, o teatro com sua volumetria definida quase pronto, e em primeiro plano, o canteiro da obra da ENBA (Escola Nacional de Belas Artes, atualmente Museu de Belas Artes). Impressiona, antes de tudo, as dimensões originais do Morro de Santo Antonio e do Convento, aqui retratado na totalidade arquitetônica e paisagística de seu conjunto, ambos em grande parte demolidos. Notamos também que no trecho entre a Rua 13 de Maio e o Morro existiam oficinas e pequenas manufaturas, identificadas pelas chaminés e galpões sobrelevados. Ao final da 13 de Maio, à direita da foto, vemos o Theatro Lyrico, com seu alto e desconjuntado telhado. A sequência também não deixa dúvida sobre o avanço das obras do TM, que caminharam dos fundos para a frente, das áreas de serviço para as de uso e representação social.

The sequence of images from the Coleção Pereira Passos, taken in 1905 and 1906 is an important document of the urban environment during the time the Municipal was being built. The photo taken from Morro do Castelo in the direction of Morro de Santo Antonio shows the construction in progress: from the moment when the walls of the second floor were partially raised to the moment when the work was almost finished (last photo) when we see the theater and its defined volume almost ready. In the foreground of this same photo we see the construction site of the ENBA (Escola Nacional de Belas Artes/ or National Fine Arts Academy, renamed the Museu de Belas Artes). Especially impressive are the original dimensions of Morro de Santo Antonio and the Convent, both almost completely demolished, that can be seen here in the architectural context of the landscape. The tall roofs and chimneys identify the workshops and small factories that existed on the stretch between Rua 13 de Maio and the hill or morro. At the end of Rua 13 de Maio and on the right of the photo we see the Theatro Lyrico with its tall, disjointed roof. The sequence leaves no doubts about the order in which the theater was built: from back to front starting with the backstage areas. then the stage, and then those that greeted the public.

PH. AUGUSTO MALTA, 1905>1906. COL. PEREIRA PASSOS, MR

Duas fotografias do teatro em construção, tiradas do mesmo sentido, da frente para os fundos, sendo uma da Praça Floriano e a outra de dentro do teatro, da plateia em direção ao palco, com a boca de cena escorada pela grande cambota de sustentação do arco superior do palco. No embasamento do edifício, sob a plateia, onde vemos a movimentação dos operários, está localizado o restaurante Assírio, além de áreas de serviço do teatro. A imagem tomada do exterior mostra, em primeiro plano, um grupo dos operários responsáveis pela execução da obra, com as roupas de trabalho da época, todos enchapelados e sérios diante da câmera, tendo atrás de si os robustos pilares de granito aparelhado, base das colunas de mármore da fachada. Ao fundo, o arco da boca de cena, em tijolo maciço, envolto em andaimes.

Two photographs of the theater under construction taken from the same front-to-back angle: one from Floriano Square and the other inside the theater from the audience looking toward the stage with the proscenium arch anchored by a large crankshaft supporting arch above the stage. The Restaurante Assírio and the theater's work spaces are in the basement under the audience in the spot where see men working. In the foreground of the photo taken from the exterior we see a group of construction workers in work clothes and hats of the period all solemnly staring at the camera. Behind them are the rugged granite pillars that would serve as the base for the façade's marble columns. In the background, the proscenium arch made of brick and surrounded with scaffolding.

PH. AUGUSTO MALTA, 1905. COL. PEREIRA PASSOS, MR

Iluminada pelo sol poente, vemos a fachada posterior do TM, de um ponto de vista que logo será impedido, assim como o sol, pela construção do Clube Naval (1905-1910) e pelo anexo do teatro. Toda esta parte, igualmente monumental, que abriga o palco, a caixa dos urdimentos, assim como os espaços funcionais diretamente ligados à mecânica dos espetáculos, está praticamente concluída, enquanto a parte pública, vista aqui lateralmente ao longo da Avenida Central, encontra-se ainda cercada por andaimes. Podemos admirar o vão central de ingresso, no eixo da composição, valorizado por vidraçaria de dupla altura e notar que a arquitetura é sóbria se comparada com a parte solene do edifício, destacando-se daquela pela relativa economia material. A nota festiva é a alta caixa do urdimento com os tímpanos decorados, arrematado por potentes semicírculos adornados com o motivo de concha. A Avenida Central, sonolenta, em primeiro plano, trafegada por pedestres, aguarda os tempos motorizados.

Lit by the setting sun, we see the back façade of the Theatro Municipal. Both the sunlight and this point of view would soon be blocked by the Naval Club (1905-1910) and the theater annex. All this equally-monumental part of the theater which houses the stage, the fly gallery, and the functional spaces directly connected to the shows' mechanics are practically finished while the public part, here seen from the side that faces Central Avenue, is covered with scaffolding. Note how the awe-inspiring central bay, on the building's axis, is enhanced by tall two-story windows and how plain this architecture is compared to the more somber part of the building, especially in regard to the relatively cheaper materials. A festive note is sounded by the high fly gallery with decorated spandrels, topped by commanding semi-circles adorned with seashells. In the foreground a sleepy Central Avenue, populated with pedestrians, waits for the advent of motorized vehicles.

PH. AUGUSTO MALTA, 1907. COL. PEREIRA PASSOS, MR

PH. AUGUSTO MALTA, 1909. COL. PEREIRA PASSOS, MR

o ponto de partida: a cidade em busca do seu teatro

in the beginning: a city in search of its theater

o ponto de partida: a cidade em busca do seu teatro

CLÁUDIO FIGUEIREDO

PÁGINA ANTERIOR | PREVIOUS PAGE
THEATRO MUNICIPAL DO RIO DE JANEIRO,
DETALHE DE VITRAL DO FOYER | FOYER
STAINED GLASS, DETAIL.
PH. PAULO SANTOS FILHO

BACCHANTE BY FERRUCIO DE RANIERI.
PH. AUGUSTO MALTA [CA. 1905].
COL. PEREIRA PASSOS. MR

Na noite do dia 14 de julho de 1909, uma multidão formada por curiosos se acotovelava em torno da escadaria do recém-construído Theatro Municipal, no centro do Rio de Janeiro, no local que até meses antes era conhecido dos cariocas como o largo da Mãe do Bispo. Acompanhavam atentamente o longo cortejo de carruagens e automóveis que, desde as vinte horas, se alternavam, parando apressadamente diante de sua escadaria, onde deixavam os convidados para a festa. Na rua Treze de Maio e nas imediações também saíam dos veículos, como descreveu um repórter, "homens encasacados e enluvados e senhoras que escondiam, sob vistosas capas e amplas mantas, o luxo das *toilettes*, a riqueza das joias, as nuvens de rendas, as ondas de perfume".[1] Os populares disputavam o privilégio de assistir – ou pelo menos vislumbrar – um aspecto que fosse da festa de sua inauguração. Uma a mais num período em que, desde a conclusão da Avenida Central, quatro anos antes, em novembro de 1905, as inaugurações se sucediam. A animada agenda imposta pelas reformas promovidas pelo presidente Rodrigues Alves e pelo prefeito Pereira Passos não havia embotado a sede por novidades e o entusiasmo dos cariocas. A noite de gala era um evento exclusivo, mas a multidão acertara ao intuir que o grande espetáculo acontecia do lado de fora, diante dos olhos de todos.

o mais belo edifício

Ao chamar a nova construção de "suntuoso monumento", um jornal da época deu o tom que dominou tanto o noticiário como a imaginação popular: "O edifício colossal e soberbo parecia uma imensa mole de granito, mármore, ouro, bronze e vidros, resplandecendo à luz branca que jorrava do seu bojo numa fulguração que deslumbrava." A imagem oferecida pela nova construção impressionava. "A multidão olhava para o teatro como tomada de assombro ante aquela grandeza, fruto de uma megalomania", descrevia um dos relatos.[2] Era a consagração para um projeto nas-

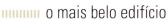

in the beginning: a city in search of its theater

CLÁUDIO FIGUEIREDO

On the night of July 14, 1909, an avid throng pressed around the stairs of the recently built Theatro Municipal in a square known only a few months earlier as the Largo da Mãe do Bispo, in downtown Rio de Janeiro. Since eight o'clock that evening, curious onlookers had been elbowing each other and closely watching a procession of both carriages and cars stopping hastily in front of the main staircase to drop off guests. From Rua Treze de Maio and the surrounding area, a reporter spotted "men in coats and gloves, and women who under their lavish capes and ample cloaks hid luxurious *toilettes*, a fortune in jewels, clouds of lace, and wafts of perfume."[1] The onlookers struggled for the privilege of watching, or at least catching a glimpse of any of the sights of the inauguration night. This was one more celebration among others in a period that began four years earlier when the Avenida Central was inaugurated in November of 1905. The strict timetable enforced by President Rodrigues Alves and Mayor Pereira Passos's urban renewal projects hadn't dulled the desire for novelty or the enthusiasm of Rio residents. The gala event was exclusive, but the crowd's sixth sense had been amply rewarded; that evening, the greatest show was taking place outside for all to see.

the most beautiful building

A newspaper had called the new building "a sumptuous monument" and thus set the mood that would prevail in headlines and sway popular imagination at the time: "The colossal and proud building looked like a huge block of granite, marble, gold, bronze, and glass from which a glowing white light poured in dazzling splendor." The new building was an impressive sight. According to a description at the time, "The crowd was in awe of the grandeur that was the fruit of megalomania."[2] It was the ultimate avowal of a project born amid contro-

FAUNE ET BACCHANTE BY ALBERT-ERNEST CARRIER-BELLEUSE. PH. AUGUSTO MALTA [CA. 1905]. COL. PEREIRA PASSOS. MR

THEATRO MUNICIPAL –
PRAÇA MAL. FLORIANO.
[193-?]. FBN

cido em meio à polêmica e que esteve longe de contar com a unanimidade, mas cujo impacto, uma vez concluído, acabou por calar – ou pelo menos intimidar – os críticos. O teatro, decretou o cronista João do Rio, havia proporcionado à cidade "seu mais belo edifício".[3]

Parte do "assombro" se devia ao contraste que a área agora apresentava com a paisagem um tanto desolada que até há pouco, apenas seis anos antes, existira no chamado largo da Mãe do Bispo, no qual se encontravam a antiga rua dos Barbonos (mais tarde Evaristo da Veiga) e a rua da Guarda Velha (atual Treze de Maio). Por ali circulavam os soldados que ocupavam o quartel da polícia, no mesmo local onde está até hoje e no terreno onde em outros tempos estavam instalados os missionários italianos – os "barbonos" – a cujas barbas a rua devia a sua antiga denominação. Se estes religiosos já tinham há muito deixado a área, as freiras do famoso Convento da Ajuda – como era conhecida a ermida de Nossa Senhora da Conceição da Ajuda – famosas pelos doces que vendiam – continuavam à época da inauguração do teatro a ocupar o espaço ao lado do então Conselho Municipal, a atual Câmara dos Vereadores, no que hoje consideramos o coração da Cinelândia. Construído em 1750, o convento, no qual foram sepultadas tanto a imperatriz Leopoldina como a rainha D. Maria I, só viria a ser demolido em 1911.

Respeitadíssimas pela população, as religiosas também eram conhecidas pelos seus dotes musicais. Cerca de um século antes de ressoar algum tipo de música no palco do Municipal, o povo, nas festas de fim de ano, se dirigia ao pátio do convento para ouvir o coro formado pelas monjas. "A música vocal é excelente", atestou um dos espectadores, o comerciante inglês John Luccock, que deixou suas impressões em seu livro sobre o Rio de Janeiro, onde permaneceu entre 1808 e 1818. Nele se desfaz em elogios a respeito da diretora do convento: "A senhora abadessa é gentil e afável. Nascida na França e de linhagem nobre."[4] Nobre ou não, suas religiosas não fugiam de diversões plebeias: nas comemorações populares, grupos de rapazes e moças se reuniam à noite no pátio do convento para ouvir os menestréis que competiam entre si num torneio poético, improvisando sobre temas que as freiras atiravam de suas janelas, rabiscados em pedacinhos de papel.[5]

versy and dissent. Upon completion, the building's impact had hushed up or at least intimidated the critics. According to writer and journalist João do Rio, the theater had become the city's "most beautiful building."[3]

The awe the Theatro generated was partly due to its contrast with the barren landscape of the same place only six years earlier, at the Largo Mãe do Bispo where the old Rua dos Barbonos (later Evaristo da Veiga) and Rua da Guarda Velha (currently Treze de Maio) met. Policemen made their rounds there when leaving the police battalion, still located there on a lot, that earlier belonged to Italian missionaries known as the *barbonos* – whose beards gave the street its old name. The Italian missionaries were long gone by the time the Theatro was inaugurated, but the sisters of the famous Convento da Ajuda – as the Nossa Senhora da Conceição da Ajuda chapel was known – continued next to the City Council Chamber (currently, the Câmara dos Vereadores), in the heart of Cinelândia. Built in 1750, the convent where both Dona Leopoldina and Dona Maria I were buried remained standing until 1911, when it was demolished.

The nuns were deeply respected by local residentes and famous for the sweets they sold as well as their music. A hundred years before any music was to be heard echoing from the Theatro Municipal stage people would crowd into the convent patio during end-of-the-year festivities to listen to its choir. "Their voices make excellent music," said one of the spectators, the English tradesman John Luccock who wrote impressions of his stay in Rio de Janeiro from 1808 to 1818. Luccock lavished much praise on the head of the convent. "The abbess is gracious and friendly. She was born in France and is noble by birth."[4] Whether noble or not, the nuns under her guidance didn't shy away from plebeian forms of entertainment: during popular feast days, groups of young men and women would meet at night in the convent patio to listen to minstrels participate in poetry competions and improvise on subjects the nuns would scribble on pieces of paper and toss from their windows.[5]

Local athletes such as rowers also crisscrossed the area (that would house the future theater) because they kept their boats in warehouses at Praia de Boqueirão where beachgoers used cabins to change clothes. In the 19th century, one of the old colonial houses nearby had been the home of singer and abolitionist Luísa Regadas, nicknamed the "nightingale of the abolition."[6] Even earlier, the area was called Santo Antônio lagoon. When construction workers laying the Theatro's foundations dug up a ship's hull – a relic of that period – writer Gastão Gruls asserted that it meant the lagoon had once been "a favorite bathing place among Indians, since it was very large, deep, and quite suitable for sailing."[7]

Part of this past began to crumble during the famous urban renewal program carried out in the early 20th century. Rio residents watched the demolitions with mixed feelings: some were in favor of progress, others simply longed for the past. Poet Olavo Bilac certainly didn't see himself among the latter. In his article published in the daily *Gazeta de Notícias* in 1903, he celebrated the fact that "Demolitions continue throughout the city." He noted, with a tinge of pleasure, that the crushing wave had swept through the vicinities of the old *largo*. "The aging Rua da Guarda Velha is being uncorked now. There may be those who regret those hideous tenement houses being knocked down because, in this extravagant

AV. RIO BRANCO E O CONVENTO DA AJUDA. AO FUNDO, O PALÁCIO MONROE.
AVENIDA RIO BRANCO AND THE CONVENTO DA AJUDA. THE PALÁCIO MONROE STANDS IN THE BACKGROUND.
PH. AUGUSTO MALTA, 1907. COL. PEREIRA PASSOS. AGCRJ

O CHAFARIZ DAS SARACURAS, CONSTRUÍDO POR MESTRE VALENTIN EM 1795 PARA O CONVENTO DA AJUDA, FOI TRANSFERIDO EM 1917 PARA A PRAÇA GENERAL OSÓRIO EM IPANEMA.
SARACURAS FOUNTAIN, DESIGNED BY MASTER VALENTIN IN 1795 FOR THE CONVENTO DA AJUDA, WAS TRANSFERRED TO PRAÇA GENERAL OSÓRIO IN IPANEMA IN 1917.
PH. AUGUSTO MALTA, 1911. COLEÇÃO PREFEITURA DO DISTRITO FEDERAL. AGCRJ

Pela área passavam também os atletas de remo, que guardavam seus barcos nos galpões da praia do Boqueirão, nas imediações do Passeio Público, onde existiam casinhas para os banhistas trocarem de roupa antes de usufruírem das águas do mar. Também ali, num dos velhos sobrados do largo, havia morado no século XIX a cantora Luísa Regadas, famosa por sua militância no movimento pelo fim da escravidão, que lhe valeu a alcunha de "o rouxinol da Abolição".[6] Isso sem falar de um passado ainda mais remoto, no qual a área era dominada pela lagoa de Santo Antônio. O casco de embarcação desenterrado pelos operários enquanto trabalhavam nas fundações do Theatro Municipal era um resquício dessa época, indício – segundo Gastão Cruls – de que a lagoa que gozava "da preferência dos índios para os seus banhos, por muito extensa e profunda, seria francamente navegável".[7]

Parte deste passado começou a vir abaixo ao ritmo da célere reforma urbana promovida na cidade no início do século XX. Assistindo a essas demolições com sentimentos ambivalentes, os cariocas dividiam-se entre progressistas e nostálgicos. O poeta Olavo Bilac decididamente não se incluía entre estes últimos. "Na cidade continuam as demolições", comemorou ele, escrevendo numa crônica da *Gazeta de Notícias* publicada em 1903. Nela registrava com uma ponta de satisfação a chegada daquela onda avassaladora à área do antigo largo: "Agora já a vetusta rua da Guarda Velha começa a ser desafogada. Talvez haja quem lamente a queda daqueles pardieiros medonhos – porque, neste mundo extravagante, não falta quem goste do que é abominável. Eu por mim confesso que a cada golpe das picaretas demolidoras, sinto um alívio no coração. Não há quem, mais do que eu, adore as tradições desta terra. Mas a tradição, para viver perpetuamente, não carece de ficar materializada em casas medonhas, em ruas tortas, em exemplares de arquitetura teratológica."[8]

Que ninguém se enganasse: mais do que tijolos e paredes, as "picaretas demolidoras" tinham como alvo toda uma série de hábitos, que o novo prefeito gostaria de ver banidos da cidade, juntamente com as escarradeiras que proibiu por decreto. Como essa dupla reforma – urbana e de costumes – iria afetar a vida teatral do Rio de Janeiro? Teatros, antes do Municipal, já existiam em grande número na cidade – alguns deles nas suas imediações – sendo que os primeiros já no século XVIII. Mas existiria o novo público com o qual os reformadores aspiravam a lotar seu novo teatro? E em que ele se distinguiria dos espectadores que há pelo menos quase dois séculos vinham buscando entretenimento, música e arte nos palcos da cidade?

Devemos a um francês chamado Pierre a descrição daquela que seria a primeira sala fechada destinada à apresentação de espetáculos no Rio de Janeiro. Escrivão que, em 1748, chegou à cidade a bordo na nau *L'Arc-en-Ciel*, ele e seus colegas de tripulação foram convidados a assistir a uma encenação com o uso de marionetes. De caráter religioso, o espetáculo nada tinha de infantil e relatava o empenho de Santa Catarina em converter alguns céticos doutores pagãos. O espaço, segundo ele, teria cerca de trinta metros por vinte, cabendo ao palco dez metros de comprimento, resultando o conjunto da área na figura de um quadrado.

> *O palco era um pouco menos elevado do que os nossos e cercado de uma grade de arame através do qual se via perfeitamente a ação das marionetes, graças ao grande número de velas. O quadrado servia de plateia e todo ocupado de assentos com espaldares altos e braços, como nossos bancos de igreja, onde os homens tomavam lugar indistintamente porque as senhoras ficavam nos camarotes, situados ao redor do edifício numa altura de 9 (2,97m) ou dez pés (3,3m), donde viam comodamente o espetáculo e olhavam de soslaio os espectadores, brincando indolentemente com as cortinas destinadas a escondê-las.[9]*

Pesquisa recente realizada pelo arquiteto e historiador Nireu Cavalcanti sugere que o responsável pelo espaço e, portanto, nosso primeiro empresário teatral seria o padre Boaventura Dias

world, there's always someone with a taste for the abominable. I myself confess that, with each blow of the demolishing pick-axes, my heart sighs with relief. I know no person who loves the traditions of this land more than I do, but tradition need not be materialized in such hideous dwellings, crooked streets, or such samples of mutant architecture."[8]

It was perfectly clear to all – more than bricks and walls, the "demolishing pick-axes" were aimed at an entire set of customs the new mayor wanted to banish from town, along with the spittoons he'd outlawed. How would this two-pronged urban and social renewal affect Rio de Janeiro's theater life?

We owe a French notary public called Pierre the description of the first enclosed room destined for performances in Rio de Janeiro. When Pierre arrived in Rio in 1748 on board the ship *L'Arc-en-Ciel*, he and his fellow shipmen were invited to see a puppet show. It was a religious production, with nothing childish about it, and the plot told the story of Saint Catherine's efforts to convert a few skeptical, but learned pagans. The square shaped room measured, as he described it, about 30 by 20 meters, with a stage of about ten meters in length.

> *The stage wasn't quite as high as the ones in our country; it had a wire fence stretching around it, and we could see the action of the puppets perfectly across it, thanks to a great number of candles. Sitting in high-backed chairs with arm rests like our church pews, the audience of men sat down anywhere, while the ladies watched from boxes along the walls, nine or ten feet (2.97 to 3.3m) above the ground, from whence they fiddled idly with the curtains set there to hide them, all the while comfortably watching the performance and peeping on those below.[9]*

A recent paper by architect and historian Nireu Cavalcanti suggests the person responsible for that building might have been Father Boaventura Dias Lopes – our first theater impresario – mistakenly referred to as "Father Boaventura" in the period literature. Puppets would later be substituted by real actors, which explains the new name coined later: Ópera dos Vivos [Opera of the Living] or Casa da Ópera.[10] We should point out that opera was used at this time as a term for performances of all genres, not just for operatic singing. The theater's location, the subject of some speculation, was determined by Cavalcanti somewhere on Rua da Alfândega, specifically on the block where the Uruguayana subway station is currently located.

In his *Memórias da Cidade do Rio de Janeiro,* Vivaldo Coaracy describes this pioneering character as a humpbacked priest who, wearing a cassock, conducted the orchestra and performances and didn't hesitated to "climb up onstage and sing *modas* and *lundus* while plucking the guitar."[11] Before burning down, the theater's performances included the *Os encantos de Medéia* by Antonio José da Silva, also known as *O Judeu* or The Jew. Boaventura built a second theater named, as opposed to the first, the Ópera Nova, next to the Paço Imperial, behind the current Assembleia Legislativa (City House of Representatives). The new theater was larger and better furnished than the first and was already operating in around 1758. Father Boaventura rented out both theaters to third parties.

French traveller Louis-Antoine de Bougainville saw one of the performances at the new theater, leaving one of the few surviving descriptions of the second theater. Bougainville described Boaventure, the mentor and enthusiast behind this pioneering institution: "In a lovely chamber we saw masterpieces by Metastasio staged by a cast of mulattoes and listened to great Italian masters performed by an orchestra conducted by a humpbacked priest in a cassock."[12]

Lopes, mencionado equivocadamente como "padre Ventura" na literatura até então disponível sobre o tema. As marionetes mais tarde teriam dado lugar a atores de carne e osso, daí o nome pelo qual seria conhecido de "Ópera dos Vivos" ou ainda "Casa de Ópera". [10] Ressalve-se que o termo ópera era aplicado na época a espetáculos em geral, não apenas ao canto lírico. Sua localização, motivo de alguma especulação, é situada pelo mesmo pesquisador como sendo na rua da Alfândega, na quadra hoje ocupada pela estação Uruguaiana do Metrô.

Vivaldo Coaracy, em suas *Memórias da Cidade do Rio de Janeiro*, descreve este personagem pioneiro como um religioso corcunda que, vestindo sua batina, regia a orquestra e dirigia as encenações, não hesitando em, "subir ao palco para cantar modas e lundus ao violão". [11] Antes de ser consumida por um incêndio, a casa apresentou em seu palco peças como *Os encantos de Medeia*, de Antonio José da Silva, o Judeu. Boaventura construiria ainda um segundo teatro, que ficaria conhecido, por oposição ao primeiro, como "Ópera Nova", junto ao Paço Imperial, perto dos fundos da atual Assembleia Legislativa. Maior e mais bem instalada do que a primeira, a nova casa já estaria funcionando por volta de 1758. Ambos estabelecimentos seriam arrendados a terceiros pelo padre Boaventura.

O viajante francês Louis-Antoine de Bougainville teve oportunidade de assistir a um espetáculo no novo espaço, deixando um dos poucos testemunhos a respeito desta segunda casa. "Numa sala bastante bonita, assistimos às obras-primas de Metastásio representadas por um elenco de mulatos e ouvimos os grandes mestres da Itália executados por uma orquestra dirigida por um padre corcunda, em vestes eclesiásticas", escreveu ele numa referência ao religioso Boaventura, o mentor e entusiasta por trás dessa instituição pioneira. [12]

A partir de 1775 a "Ópera Nova" passaria a ser administrada por Manoel Luiz Ferreira, que teria conseguido a proteção do Marquês de Lavradio para o seu empreendimento. Português que fez fortuna no Rio de Janeiro, ele conquistaria o posto de brigadeiro do exército de sua majestade e honrarias como a comenda da Ordem do Cristo e o título de nobreza de Moço da Câmara Real. Eram indícios de que a posição de empresário teatral ganhava maior prestígio e respeitabilidade. [13]

A casa, que tinha sua fachada voltada para o Paço Imperial, teria sido frequentada por Tiradentes. Abrigando mil pessoas na plateia, contava com 112 camarotes. Iluminado por arandelas e lustres de cristal, reservava um lugar de destaque para a tribuna do vice-rei, ornamentada pelo escudo real e os dragões de Bragança. O pano de boca era pintado por Leandro Joaquim. Num vasto salão, a plateia era rodeada por duas ordens de camarotes que terminavam na boca de cena. Adornado de vistosas cortinas com franjas presas nas laterais, o pequeno palco era embelezado por um pano de boca assinado pelo artista Leandro Joaquim, que seria também seu principal cenógrafo. Pintado por ocasião da chegada do príncipe regente, a obra mostrava a baía de Guanabara tendo ao centro Netuno, num carro puxado por cavalos marinhos, empunhando tridente e cercado de deuses, sereias e tritões. [14]

Foi para o interior deste teatro que se aventurou o alemão Ernst Ebel, em 1824, contrariando, aliás, as recomendações de conhecidos seus. "Internamente o edifício tem as dimensões da ópera de Berlim e é de admirar-se sua decoração a ouro sobre fundo verde", registrou em seu livro, escrevendo as últimas palavras de simpatia que teria para com o teatro. Assistiu a duas apresentações, tendo na tribuna o imperador Pedro I e D. Leopoldina: "Da primeira vez ouvi uma opereta com bailados, mas tanto o canto como a dança foram mais do que medíocres. Da segunda, assisti a uma representação religiosa, espetáculo que me pareceu excessivamente pesado. Os atores moviam-se sem naturalidade, gritavam e pateavam demais." A qualidade da apresentação apa-

From 1775, the Ópera Nova was managed by Manoel Luis Ferreira who gained protection for his business from the Marquis of Lavradio. Originally from Portugal, Ferreira became wealthy in Rio de Janeiro and eventually reached the rank of brigadier in his Majesty's army. He received commendations such as the Order of Christ and was given a title of nobility – Moço da Câmara Real – a sign that the profession of theater impresario was becoming more prestigous and respectful.[13]

It's said that the revolutionary and separatist leader Tiradentes was a frequent theatergoer at the Ópera Nova. The theater held 1,000 people on the floor and in the 112 boxes above. Lit with sconces (lighting fixtures) and crystal chandeliers, there was a special seat for the viceroy, a platform decorated with the royal shield and lions of the House of Bragança. The grand drape was painted by Leandro Joaquim. In the vast hall, the audience was encircled by two rows of boxes that ended at the proscenium. Adorned with lush curtains edged with fringe, the small stage was embellished with a grand drape signed by Leandro Joaquim, an artist who was also the company's main choreographer. Commissioned for the arrival of the prince regent, the work showed Guanabara Bay with Neptune in the middle, holding a trident and riding a chariot drawn by seahorses with an entourage of gods, mermaids, and tritons.[14]

The German Ernst Ebel ventured into this theater in 1824 against advice from friends. Ebel wrote that: "The building inside is the same size as the Berlin Opera and is admirably decorated in gold over a green background." Ebel attended two performances with Dom Pedro I and Dona Leopoldina in the tribune. "It was the first time I attended an operetta with dances, but both the singing and the dancing were extremely mediocre. On my second visit, I saw a religious performance that seemed excessively cumbersome. The acting was fake; they shouted and pranced about too much." The quality of the presentations, however, didn't seem to affect the theater's prestige. "The house was full, although a seat in the arena cost a thousand *réis*. The ladies could only be seen in boxes and all of them were dressed up for the occasion."[15]

The Englishman Luccock had an even harsher opinion about the theater "located next to the Paço….It's a cramped, somber, and bleak house. Part of the audience is forced to see the performance standing up. Everywhere you look you see guards with their fixed bayonets. The performances and acting style fit the place….There's little to be said about the actors, who in general, were no less pitiful and shocking than the plays. Of the actresses, one is quirky and pompous and the other insufferably boring." Luccock was equally irked by the audience's discomfort. While the royal boxes took up an entire side of the building, "the rest of the audience, cut off from any communication with the open air, was exposed to the suffocating heat."[16]

The English visitor also objected to the style of Brazilian performances that weren't renowned for their subtlety. The plays, as he noted, included "scenes that the smallest dash of common sense and good taste would have forever banished from the stage. One such scene depicted the beheading of the tragedy's heroine, appropriately attired in a white muslin dress. The director in a British performance would have been content to suggest her demise and decapitated head with the curtains down: "This, I think, would be the end of her in any play except a Brazilian one. But, alas, the curtain rises again just to show the audience the lady's decapitated body, sitting in an armchair, with blood gushing out from her neck and running down her dress."[17]

Unsatisfied with Manoel Luiz's theater, Dom João VI made provisions for a newer, bigger, and better theater to be built in Largo do Rossio (currently Praça Tiradentes square). The

rentemente não afetava o prestígio do teatro: "A casa estava repleta, apesar de custar o assento na plateia mil-réis. As senhoras só aparecem de camarote e todas paramentadas."[15]

Sobre esse mesmo teatro, "situado rente ao Paço", o inglês Luccock é ainda mais severo. "É uma casa miserável, apertada e sombria. Parte da plateia é obrigada a assistir ao espetáculo de pé. Por todos os cantos acham-se postadas sentinelas de baioneta calada. Os espetáculos são dignos do local e do estilo em que são levados a efeito. [...] A orquestra é reduzida, inconveniente e mal recrutada. [...] Pouco também há que dizer sobre os atores que, em geral, não eram menos lastimáveis e chocantes do que as peças. Das atrizes, uma é afetada e empolada, uma outra, insuportavelmente pedante", fulminava o britânico. O observador também se mostrava inconformado com o pouco caso dado ao conforto do público. Enquanto ao camarote real era reservada toda uma parede do edifício, "os outros, segregados de qualquer comunicação com o ar livre, eram quentes a mais não poder".[16]

O visitante europeu também se ressentia do estilo adotado nas montagens dos brasileiros, que não costumava primar pela sutileza. As peças, observa o mesmo Luccock, incluíam "cenas que uma pequeníssima dose de bom senso e bom gosto haveria de banir para sempre do palco". Uma dessas cenas era a que retratava a decapitação da heroína de uma tragédia, vestida apropriadamente com um vestido de musselina branca. Numa montagem britânica, o encenador se contentaria em sugerir sua morte, com pano devidamente abaixado, separando-lhe a cabeça do corpo. "Isso, penso eu, deveria constituir o fim de seu papel em qualquer teatro que não fosse o brasileiro. Pois bem. Logo a seguir, levanta-se de novo o pano sem outro fim que o de exibir ao público o corpo decapitado da dama, sentado numa poltrona, com o sangue borbulhando de seu pescoço e correndo pelo seu vestido abaixo."[17]

TEATRO SÃO PEDRO DE ALCÂNTARA. 1904. FBN

Insatisfeito com o estabelecimento de Manoel Luiz, D. João VI providenciou para que um novo teatro, melhor e mais amplo, fosse erguido no largo do Rossio, atual praça Tiradentes: o Real Theatro de São João, inaugurado em 1813, com uma fachada que lembrava a do Teatro São Carlos, de Lisboa. Para os seus alicerces foram utilizados grandes blocos de pedra, reservados originalmente para a catedral que seria construída no largo de São Francisco e que nunca chegou a ser concluída. O gesto foi recebido com apreensão pelos habitantes mais devotos, que logo veriam nos três sucessivos incêndios que destruiriam o teatro – em 1824, 1851 e 1856 – uma punição por um suposto sacrilégio. Enquanto aguardava o início do espetáculo, a família real podia apreciar o pano de boca retratando justamente a entrada na barra do Rio de Janeiro da esquadra portuguesa trazendo a bordo D. João VI e sua comitiva, sendo recebido por salvas de tiros das fortalezas e de outras embarcações. Enfeitados com guirlandas de flores, os camarotes eram ocupados também por fidalgos, vestindo fardas com detalhes bordados em ouro e ostentando suas condecorações, enquanto as damas exibiam altos toucados.[18]

Foi este o teatro visitado pelo inglês Robert Walsh. Conhecendo o país em 1829, assegurou aos leitores do seu livro *Notices of Brazil* que "os habitantes do Rio de Janeiro também gostam muito de ópera". Mas o fascínio que a casa despertava não se devia apenas ao apelo exercido pela cultura. "Essa instituição sozinha é capaz de atrair os brasileiros independentemente de estar apresentando música e dança. É onde todos os acontecimentos políticos do país, pelos quais têm grande interesse, são anunciados e concluídos", informava o viajante britânico a respeito do teatro que era, pelo menos em parte, segundo ele, sustentado por loterias.[19] Foi durante um espetáculo no mesmo teatro, no dia 15 de setembro de 1822, que uma multidão entusiasmada aclamou D. Pedro

Real Theatro de São João was inaugurated in 1813 and its façade resembled Lisbon's Teatro São Carlos. The great stone blocks for its foundations had originally been planned for a cathedral in the Largo de São Francisco that never saw the light of day. This was reason for much apprehension on the part of pious locals who took the three fires that gutted the theater – in 1824, 1851, and 1856 – to be punishment for sacrilege. While awaiting the beginning of performances, the royal family admired the grand drape that depicted the arrival of the Portuguese squadron in Rio de Janeiro – Dom João VI and his party being hailed with a gunfire salute from forts and other ships. Decorated with wreaths of flowers, the boxes were occupied by gentlemen wearing gold embroidered uniforms and flaunting their medals, while the ladies showed off their high coiffures.[18]

After a visit to this theater, Robert Walsh, an Englishman visiting Brazil in 1829, assured his readers in his *Notices of Brazil* that "Rio de Janeiro's inhabitants are also very fond of opera." But the house's allure wasn't limited just to the culture attractions. "This institution is able to attract Brazilians regardless of song and dance. It's where all the nation's political events, a source of much interest, are announced and held," noted the traveler who also reported that the theater was at least partly financed by lotteries.[19] On September 15, 1822, the theater's audience enthusiastically welcomed Dom Pedro, just back from São Paulo after his recent proclamation of independence from Portugal on the banks of the Ipiranga River. The theater also hosted a gala night for the crowning and consecration of Brazil's first emperor.

CARLOS GOMES. LITHOGRAPHY BY FLLI. DOYEN. 1870. COL. BERNARDO SANTOS COX

However, not all official celebrations had such happy endings. Two years later, on March 25, 1824, the day the Imperial Constitution went effect, a religious drama was presented at the Theatro São João, the *Vida de Santo Hermenegildo*. Actor Antonio da Bahia, performing in the title role, jumped onstage and placed a piece of cloth soaked in turpentine on one of the chandeliers. The flames quickly spread over the set and soon engulfed the entire theater. Pedro I himself is reported to have unsuccessfully commanded the firefighting team. Little was left except for black walls and many thought it to have been an act of arson.[20]

In the wake of this first fire, a theater was improvised across the street, the small Theatrinho Constitucional, inaugurated on December 1, 1824, with 24 boxes and a capacity for just 120 people. After being rebuilt, the Theatro São João was reinaugurated two years later under the name Imperial Theatro de São Pedro de Alcântara. During historical and political events over the next 100 years, this name would be the first of many given to the theater at the same famous address in the Largo do Rocio: Theatro São João, Imperial Theatro de São Pedro de Alcântara, Teatro Constitucional Fluminense, Teatro São Pedro, and, finally, a new building in 1930 called the Teatro João Caetano.

Because of a second fire in 1851 at the Theatro São João, another theater was built that would leave its mark in the annals of Rio de Janeiro: the Theatro Provisório in Campo de Santana between Constituição and Buenos Aires (streets). Despite its name, the theater endured for 30 years. In 1854, it was renamed Lyrico Fluminense and was the stage for a number of famous actors and musicians, and for Carlos Gomes's first opera performances. But it was a concert there conducted by Louis Moreau Gottschalk from the US with over thirty pianos that would long be remembered as the theater's pinnacle. The last notes of the performance of his own *Fantasia Triunfal sobre o Hino Brasileiro* rang out to the sound of a round of artillery.

The São João and the Provisório were Rio's main theaters at that time, although there was no shortage of lesser-known theaters in Rio de Janeiro in the 19th century. Theaters appeared, changed names, and disappeared at a pace that makes the heads of both contemporary and

recém-chegado de São Paulo, depois de proclamar a independência às margens do rio Ipiranga. Também ali, um espetáculo de gala coroaria a sagração do primeiro imperador do Brasil.

Mas nem todas as comemorações oficiais tiveram final feliz. Dois anos depois, a 25 de março de 1824, data do juramento da Constituição do Império, foi apresentado no São João um drama sacro, *Vida de Santo Hermenegildo*. O ator Antonio da Bahia, que havia feito justamente o papel do santo, ao saltar para o palco, fez com que um pano que havia sido embebido com aguarrás encostasse num dos candelabros. As chamas passaram rapidamente para o cenário e dali para o teatro inteiro. O próprio Pedro I teria comandado o combate ao fogo. O esforço foi em vão. Após o incêndio – no qual muitos viram uma mão criminosa – restaram do teatro apenas quatro paredes enegrecidas.[20]

Após esse primeiro incêndio improvisou-se uma solução com a abertura, num local logo em frente, do pequeno Theatrinho Constitucional, inaugurado a 1º de dezembro de 1824 com 24 camarotes e uma plateia para apenas 120 pessoas. Reconstruído, o São João seria reinaugurado dois anos depois com o nome de Imperial Theatro de São Pedro de Alcântara. Ao sabor da história e dos acontecimentos políticos, ao longo de cem anos os nomes e títulos iriam se suceder no endereço ilustre no largo do Rossio: Theatro São João, Theatro Imperial de São Pedro de Alcântara, Teatro Constitucional Fluminense, Teatro São Pedro e, finalmente, com um novo prédio no mesmo local, Teatro João Caetano, em 1930.

Deve-se ao segundo incêndio do Theatro São João, em 1851, o surgimento de uma casa que marcaria época na história da cidade. Para substituí-lo construiu-se o Theatro Provisório, no Campo de Santana, entre as ruas da Constituição e Buenos Aires. A despeito do seu nome, duraria mais de trinta anos. Já em 1854 mudava seu nome para Lyrico Fluminense. Ali se apresentaram atores famosos e grandes nomes da música, e foram encenadas as primeiras óperas de Carlos Gomes. Muitos lembrariam como o ponto alto da história daquele palco o concerto com mais de trinta pianos em que a orquestra foi regida pelo americano Louis Moreau Gottschalk. Interpretando sua *Fantasia Triunfal sobre o Hino Brasileiro*, as últimas notas foram ouvidas ao som de uma salva de artilharia.

Se o São João e o Provisório ocuparam por muitos anos papel de destaque, não faltaram outros teatros – menos conhecidos – no Rio de Janeiro do século XIX. As casas surgiam, desapareciam e trocavam de nome num ritmo capaz de não apenas confundir o historiador de hoje, como também de deixar perplexos até os contemporâneos. Numa crônica de 1895, ao tentar se lembrar onde teria visto determinado espetáculo, Machado de Assis divagava: "Foi uma peça que vi há muitos anos, no extinto Teatro São Januário, crismado depois em Ateneu Dramático, também extinto, ou no Ginásio Dramático tão extinto como os outros. Tudo extinto; não ficaram mais do que algumas recordações da mocidade, brevemente extinta."[21]

⫿⫿⫿⫿⫿⫿ operetas, *vaudevilles* e prima-donas

A atitude de parte do público, que em certo período procurava afetar a solenidade exigida pela alta cultura, descontraiu-se um pouco – talvez até demais – com a introdução no gosto do carioca das operetas, *vaudevilles* e *chansonnettes*. Uma casa foi a responsável por essa pequena revolução: o Alcazar Lyrique, inaugurado em 1859. "A vida dos habitantes do Rio passa-se num teatro horroroso", escreveu com certo exagero o Conde de Gobineau, autor do *Tratado sobre a desigualdade entre as raças* e então embaixador francês no Rio. Referia-se ao teatro que ficava na antiga rua da Vala, atual Uruguaiana, e cuja reputação deixava a desejar. "Oh! Como o senhor fez uma coisa dessas?", teria replicado Pedro II quando Gobineau lhe informou ter ido ao Alcazar.

older historians spin. A piece written in 1895 by Machado de Assis describes his attempt to recall where he'd seen a specific performance. "It was a play I'd seen many years ago at the old Teatro São Januário, later confirmed [to be the] Ateneu Dramático, also defunct, or at the Ginásio Dramático just as defunct as the others. All gone; nothing remains but a few recollections from my youth, it too all gone so quickly."[21]

operettas, *vaudevilles* and prima-donnas

The attitude of the public, who for a while had tried to put on the solemn aires demanded by high-brow culture, loosened up somewhat – perhaps too much – as local taste was introduced to new forms such as operettas, vaudevilles, and *chansonnettes*. This small revolution was the work of one theater, namely, the Alcazar Lyrique, inaugurated in 1859. The Count of Gobineau, then French ambassador to Brazil and author of the *Tratado sobre a Desigualdade entre as Raças* exaggerated a little when he wrote that "The life of the city takes place in a horrible place." He was referring to the Alcazar Lyrique, a theater with a seedy reputation located on Rua Uruguaiana, a street formerly known as Rua da Vala. When Gobineau told Pedro II of his visit to the Alcazar, the latter is reputed to have replied, "Oh, why would you do such a thing?" "Well, sire, I had the pleasure of seeing vice without any seductions, which is rare," explained Gobineau. In a letter to his wife, Gobineau wrote that "every ship dumps some old actress here from France's backlands, and she's sure to have the entire town in an uproar.... There was one who left wealthy with plenty of Brazilian plunder. She took home the equivalent of 350 thousand francs in diamonds." According to Gobineau, the damage inflicted by the French women concerned even Pedro II who was appalled at seeing so "many people ruined because of these beauties who are generally painfully ugly, but because they're European, that suffices."[22] The impact of this novelty was humorously described by Elói Pontes in his biography of Machado de Assis. "The Alcazar Lyrique, on Rua da Vala, shook Rio to the core. Panic everywhere, mothers with their hands on their heads, fiancées pouting and shaking, insecure wives calling on their personal saints to save them: Oh, no! The Frenchwomen!"[23]

Local manners, however, weren't quite at their best even at such a "respectable" theater as the Lyrico Fluminense – previously known as the Provisório, in Campo de Santana. It was there that Gobineau scuffled with a Brazilian after watching a performance in July 1869 by the famous Italian actress Adelaide Ristori. In a misunderstanding, probably sparked by jealousy about their respective female companions, the Frenchman grappled with Dr. Vicente Cândido, the future viscount of Sabóia. The not very diplomatic French ambassador described the incident in a letter. "I grabbed him by his beard (rather uncouthly), and his arms dropped; I pushed him up against a wall with the full intention of taking him by the cravat and simply choking him....I let him go. He screamed like a pelican. The fact is I'd ripped out a considerable chunk of his beard."[24]

Attending performances by Ristori – or any other star actor for that matter - in a foreign language was routine for Rio de Janeiro audiences. After all, local stages often featured the special billings and performances of foreign companies, mostly Italian or French. Machado de Assis noted how such practices would often result in embarrassment:

All of us can't dish out thirteen mil-réis for a seat at the Theatro Lyrico. I have five and need eight more. I could go to the Teatro de São Pedro with its cheaper seats, but I can only

"Pois bem, Sire, tive a satisfação de ver o vício sem seduções, o que é raro", explicou o francês. Ali, escreveu numa carta à esposa, "cada navio despeja alguma velha atriz do interior da França que, necessariamente, deixará a cidade em polvorosa. [...] Houve uma que partiu carregada de ricos despojos brasileiros. Levou o equivalente a 350 mil francos em diamantes". Segundo o escritor, o estrago provocado pelas francesas afligia até mesmo Pedro II, inconformado em ver tanta "gente arruinada por causa dessas belas senhoras que, geralmente, são feias de meter medo. Mas elas vêm da Europa, basta isso".[22] A impressão causada por essa novidade foi descrita de modo bem-humorado por Elói Pontes em sua biografia de Machado de Assis: "O Alcazar Lyrique, na rua da Vala, sacudiu o Rio como uma vara verde. Houve pânico por toda parte. As mães levaram as mãos à cabeça, as noivas, esticando os beicinhos, tremeram, as esposas pediram socorros aos santos de suas devoções. As francesas!"[23]

Os modos, no entanto, podiam deixar a desejar mesmo num teatro "respeitável", como o Lyrico Fluminense – o antigo Provisório, no Campo de Santana. Ali Gobineau envolveu-se numa briga com um brasileiro depois de assistir, em julho de 1869, a uma apresentação da célebre atriz italiana Adelaide Ristori. Num desentendimento ao que parece provocado pelos ciúmes em torno das respectivas companhias femininas, o francês atracou-se nas escadarias com o médico Vicente Cândido, futuro visconde de Saboia. "Peguei-o pela barba (sem delicadeza), deixando-o de braços caídos, empurrei-o e segurei-o contra a parede, na intenção bem definida de passar da barba à gravata e simplesmente estrangulá-lo. [...] Larguei-o. Ele gritava como um pelicano. O fato é que eu havia-lhe arrancado boa parte da barba", contou em carta o nada diplomático embaixador.[24]

Assistir à Ristori – ou outra estrela dramática qualquer – atuando numa língua estrangeira era parte da rotina oferecida ao público carioca. Afinal, nos palcos o destaque costumava ser concedido às companhias estrangeiras, geralmente francesas ou italianas. Ao se colocar no papel de um espectador à cata de distração, o cronista Machado de Assis falou dos constrangimentos impostos por essa prática:

> Nem todos terão treze mil-réis para dar por uma cadeira do Theatro Lyrico. Eu tenho cinco; faltam-me oito. Podia ir ao Teatro de São Pedro, onde a cadeira custa menos; mas eu só entendo italiano cantado, e a Duse-Checchi não canta. Fui lá algumas vezes, levado pelo que ouvia dizer dela e da companhia; fui, gostei muito do diabo da mulher, fingi que rasgava as luvas de entusiasmo, para dar a entender que sabia daquilo; nos lugares engraçados ria que me escangalhava, muito mais do que se fosse em português; mas, repito, italiano, só por música."[25]

ADELAIDE RISTORI, *FEDRA ACT I*.
LITHOGRAFIA DE GODARD.
ADELAIDE RISTORI PHEDRE,
ACT I. LITHOGRAPHY BY GODARD.
[18--]. COL. THEREZA CHRISTINA. FBN

Mais idolatradas que as atrizes eram as cantoras líricas. "A verdade é que nós amamos a música sobre todas as cousas e as prima-donas mais do que a nós mesmos", registrou o mesmo Machado.[26] Essa "divamania" seria explorada pelos empresários líricos e pelos donos de teatro. Quase um século antes dos fã-clubes das cantoras do rádio, a rivalidade entre artistas do canto lírico dividia os espectadores do Rio do século XIX em partidos inconciliáveis. No seu fanatismo, chegavam mesmo a ir ao teatro expressamente para hostilizar a rival de sua musa. Desse modo, partidários de uma Candiani ou de uma Stoltz começavam esgrimindo argumentos técnicos sobre trinados e bemóis, mas não raro terminavam trocando bofetões. "Enquanto empresários europeus fazem o possível para contratar boas cantoras – observava ironicamente José de Alencar numa de suas crônicas – no Brasil descobrimos um meio de poupar todo esse trabalho, bastando duas ou três cantoras com seus competentes partidos [...] Com esses elementos conseguir-se-á por noite umas quatro pateadas e algumas salvas de palmas; a noite tornar-se-á animada, e o gosto pela música italiana se irá popularizando cada vez mais."[27]

THEATRO LYRICO. [CA.1900]. FBN

understand Italian when it's sung and Duse-Checchi doesn't sing. I went a couple of times because of what people had said about her and her company; I went and I really liked that devil of a woman. I pretended I was ripping up my gloves to show I was understanding everything. In the comic passages, I fell apart laughing, much more than if I'd heard it in Portuguese. But, I repeat: I understand Italian, but only when it's sung.[25]

Opera singers were worshiped much more than actresses. "The truth is we love music above all things, and the prima-donnas more than our own selves," wrote Machado.[26] Impresarios and theater owners took full advantage of the this "diva mania." Practically a century before the famous radio singer fan clubs, rivalry between opera singers created rifts among 19th-century Rio audiences. Audiences had become so fanatical that they went to the theater for the sole purpose of badgering their muse's rival. Fans of Candiani or Stoltz would start arguing about the technical details of trills and flats and on many occasions brawls even broke out. "While European impresarios work hard to hire good singers" – noted José de Alencar dryly in one of his *crônicas* – "in Brazil we've found a way to save us all that trouble: the presence of two or three singers with discerning fans is enough for us…at a night out at the theater, a few stomps and some applause here and there will liven up the evening and the taste for Italian music will soon catch on."[27]

Impresarios took advantage of this trend to bill their stars for simultaneous seasons in Rio. In January 1856, for example, singers Charton, Casaloni, and La Grua vied for audience attention. The theater halls had become the battle field between *chartonistas* [Charton fans] and *lagruístas* [La Grua fans]. The former would "stomp" when La Grua – who'd been famous at the Paris Opera House – was on stage singing excerpts from *Norma*. Her fans aggressively badgered Charton in the fourth act of *Il Trovatore*, making the curtain drop while the perplexed soprano stammered inaudible words.[28] We wish to remind the reader of the dictionary definition of *patear* [to stomp] in Portuguese: "pounding the floor with one's feet as a sign of protest or displeasure" or even, and perhaps more appropriately, "pounding with [one's] feet, or paws." Fortunately, this verb has been banned from concert halls for a long time.

Tirando partido do fenômeno, os empresários costumavam programar suas estrelas para temporadas simultâneas na cidade. Foi assim, por exemplo, em janeiro de 1856, quando as cantoras Charton, Casaloni e La Grua disputavam a atenção do público carioca. Nas salas de teatro enfrentavam-se "chartonistas" e "lagruístas". Os primeiros "patearam" La Grua – consagrada na Ópera de Paris – enquanto ela cantava trechos da *Norma*. Os partidários desta contra-atacaram hostilizando Charton durante o quarto ato do *Trovador*, fazendo com que a cortina descesse enquanto a artista, perplexa, balbuciava algumas palavras inaudíveis.[28] Abra-se aqui um parêntese para lembrar a definição pelos dicionários do termo "patear", um verbo felizmente há muito banido das salas de concerto: "bater com os pés no chão, em sinal de protesto ou desagravo" ou, talvez mais apropriadamente, "bater com os pés ou patas".

Na rua da Ajuda, nas imediações do local onde mais tarde seria erguido o Municipal, funcionou o teatro que, segundo Brasil Gérson, teria sido um dos mais populares da cidade na segunda metade do século XIX. Longe de ser imponente, a casa não contava com fachada e o acesso se dava pelos jardins do Hotel Brissot. Oferecia, apesar disso, 860 lugares aos espectadores. Arrendada por artistas franceses, a casa abriu suas portas em 1863 com o nome de Theatro Eldorado, trocando de nome para Theatro Jardim de Flora em 1866 e, dois anos depois, quando passou às mãos do empresário e ator Francisco Corrêa Vasques, adotando o nome de Phenix Dramática (não confundir com o imponente teatro Fênix construído mais tarde na rua Almirante Barroso). Foi neste palco que Vasques, um dos grandes gênios cômicos do teatro brasileiro levou à cena o personagem Zé Pereira, mais tarde adotado pela tradição carnavalesca, com os versos cantados pelo comediante:

E viva o Zé Pereira
Que a ninguém faz mal
Viva a bebedeira
Nos dias de Carnaval...[29]

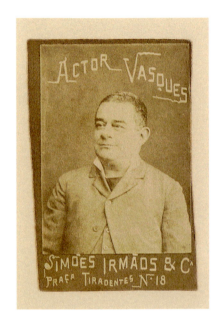

FRANCISCO CORRÊA VASQUES
[18--]. FBN

O ponto de partida para a criação de Vasques tinha sido uma paródia a uma peça francesa, *Les pompiers de Nanterre*. A iniciativa pode ter caído nas graças do público, mas esbarrou no mau humor do embaixador francês Gobineau. Este só via futuro para o Brasil quando o imperador conseguisse livrar o país "das mulatas, das francesas de quinta categoria e dos *Pompiers de Nanterre*".[30]

Também a uma curta distância do atual Theatro Municipal, no Largo da Carioca, ao pé do morro de Santo Antônio, funcionou durante muitos anos o importante Theatro Lyrico, com sua fachada voltada para a antiga rua da Guarda Velha, atual rua Treze de Maio. O grande prédio de dois pavimentos e sala com cadeiras de jacarandá teve sua origem no Circo Olympico, inaugurado em 1857 no mesmo terreno. O dono do circo, o empresário Bartolomeu Silva, decidiu reinvestir seus lucros construindo uma sala de espetáculos no local. Com o nome de Theatro Imperial Pedro II, a casa abriu suas portas em 1871. Foi ali, em 1886, numa apresentação da ópera *Aida*, que Arturo Toscanini, violoncelista da orquestra, substituiria o brasileiro Leopoldo Miguez, assumindo à ultima hora o papel de maestro pela primeira vez em sua carreira. No mesmo teatro, em 1889, a monarquia encenaria seu canto do cisne com a apresentação da ópera *Schiavo*, de Carlos Gomes, numa homenagem à princesa Isabel no ano seguinte à abolição da escravidão, e cuja montagem teria contado com o seu apoio financeiro.[31]

Com o advento da República, seu nome foi novamente mudado, desta vez para Theatro Lyrico. Se para sua inauguração, com o nome de Pedro II, foi contratada uma companhia lírica italiana, para a reinauguração como Lyrico teve como atração uma companhia equestre vinda

According to historian Brasil Gérson, there used to be a theater on Rua da Ajuda, near the future construction site of the Theatro Municipal, that was one of the most popular ones in the second half of the 19th century. Far from being imposing, it was a simple façade-less house and visitors had to cross the Brissot Hotel gardens to go in. Despite its simplicity, it had 860 seats. Rented by French artists, the house opened its doors in 1863 as the Theatro Eldorado and eventually became the Theatro Jardim de Flora in 1866. In 1868, it came under the management of actor and businessman Francisco Corrêa Vasques and was renamed the Phenix Dramática (which shouldn't be confused with the other grand Fênix theater, built a little later on Rua Almirante Barroso). It was on this stage that Vasques, one of the great comedic geniuses of Brazilian theater, introduced the character Zé Pereira, who later joined the carnival tradition in Rio, with the following verses sung by the comedian:

Long live Zé Pereira
Who harms none
Long live the boozing
Today carnival has begun...[29]

Vasques's character had been born out of a parody on a French play *Les Pompiers de Nanterre*. The audience may have warmly welcomed the initiative, but it stirred up French ambassador Gobineau's ill mood. Gobineau believed Brazil would only have a future if it could rid itself of the "mulatto women, the despicable Frenchwomen, and the *Pompiers de Nanterre*."[30]

Located near today's Theatro Municipal, in Largo da Carioca at the foot of the Morro de Santo Antônio, the important Theatro Lyrico operated for several years. Its façade overlooked the Rua da Guarda Velha (currently Rua Treze de Maio). The great two-story building and its hall, with fine rosewood chairs, began as the Circo Olympico that had been inaugurated on the same plot of land in 1857. Circus owner and businessman Bartolomeu Silva decided to reinvest his profits in a performance hall at the same location. The theater first opened its doors in 1871 as the Theatro Imperial Pedro II. It was during a recital there of the opera *Aida* that Arthuro Toscanini (an orchestra cellist) had his first experience as a conductor when he stepped in as a last minute substitute for Brazilian maestro Leopoldo Miguez. In 1889, the theater was also the scene of the swan song of the Brazilian monarchy, when it presented Carlos Gomes's opera *Lo Schiavo* to honor Princesa Isabel the year after slavery was abolished, in a production the princess is reported to have partly funded.[31]

CAPA DE PROGRAMA DO THEATRO LYRICO.
PROGRAM COVER OF THE THEATRO LYRICO.
COL. FLAVIO SILVA

The Theatro Imperial Pedro II changed names once more with the advent of the Republic, this time becoming the Theatro Lyrico. An Italian opera company had been hired for its first inauguration as the Pedro II. As the Theatro Lyrico, it was inaugurated with an equestrian show from Buenos Aires. Its multipurpose design was suitable for performances ranging from opera singers such as Caruso, to horse shows with stars such as Rosita de La Plata, or the Frank Brown Circus water show.[32] Such versatility was frowned on by the priggish, but was welcomed by the more democratically inclined, such as Lima Barreto. In a 1903 *crônica* he asked himself, "Just what is the Lyrico? A circus? An opera house?...none of above. Or

SARAH BERNHARDT. [1864]. PH. FÉLIX NADAR

de Buenos Aires. Sua vocação polivalente fazia com que se alternassem em sua programação, por um lado, estrelas do canto lírico como Caruso, por outro, atrações como as performances equestres de Rosita de La Plata e as pantomimas aquáticas do Circo Frank Brown.[32] Essa versatilidade podia levar os mais pernósticos a torcerem o nariz, mas merecia a aprovação de espíritos mais democráticos, como o de Lima Barreto. Numa crônica de 1903, ele se perguntava: "Que é o Lyrico? É circo... É ópera... Nada disso. É tudo isso dosado e combinado, adaptado ao final às exigências da nossa civilização."[33]

ELEONORA DUSE [CA. 1896]
PH. MARIO NUNES VAIS

better yet, all of the above and together in the right proportion and ultimately adapted to the demands of our civilization."[33]

The stage of the Theatro Lyrico received not only Caruso, but also Réjane, Sarah Bernhardt, Duse, and Noveli. Despite its prestige, management had many ups and downs. Marino Mancinelli, one of the most important businessmen to manage it, committed suicide in 1894 after two disastrous consecutive seasons. The news shocked public opinion and inspired Machado to write a a crônica. "I didn't get to know him, closely or as an aquaintance,

No palco do Lyrico, além de Caruso, atuaram Réjane, Sarah Bernhardt, Duse e Novelli. Apesar do prestígio da casa, sua administração viveu seus sobressaltos. Marino Mancinelli, um dos mais importantes empresários que estiveram à sua frente, suicidou-se em 1894 depois de experimentar fracassos em duas temporadas seguidas. A notícia causou comoção na opinião pública, merecendo uma crônica de Machado de Assis: "Não o conheci de perto, nem de longe, mas parece que era profundamente sensível, tinha o orgulho alto, o pundonor agudo e o sentimento de responsabilidade vivíssimo. Não podendo lutar, preferiu a morte." Ao comentário se seguia uma observação menos solene de um conhecido do escritor: "'Ora, pílulas!', bradou este meu amigo; 'é outro empresário que me leva a assinatura'. Consolei-o dizendo que as assinaturas do Theatro Lyrico, perdidas ou interrompidas neste mundo, são pagas em tresdobro no céu. A esperança de ouvir eternamente os *Huguenotes* e o *Lohengrin* alegrou a alma diletante e cristã do meu amigo."[34]

Foi também no Lyrico que estrearam peças importantes, como as comédias de Martins Pena e *A Capital Federal*, de Artur Azevedo. Este último foi, em certa medida, um dos responsáveis pela futura criação do Municipal, embora não tenha vivido para ver sua inauguração.

um lar para a dramaturgia brasileira!

Durou muitos anos a cruzada empreendida pelo dramaturgo Artur Azevedo para que a municipalidade construísse um teatro, destinado a ser um lar para a dramaturgia brasileira. O projeto ganhou um fôlego inesperado ao somar forças com a campanha de outro obstinado, o prefeito Pereira Passos, empossado com o compromisso de promover uma radical reforma urbana no Rio de Janeiro. O casamento entre essas duas intenções, contudo, estaria longe de ser harmonioso.

Já em 1891, em pleno governo Deodoro da Fonseca, o jornalista e dramaturgo Artur Azevedo, convidado a falar num banquete em homenagem ao recém-empossado ministro da Instrução, preferiu recorrer aos versos ao comentar a difícil situação da dramaturgia brasileira e a necessidade da construção de um teatro oficial.

THEATRO NACIONAL
ONDE ESTÁ ELLE?
ARTISTA – COMO ARTISTE ESTRANGEIRRE, EU TINHA VONTADE DE CONHECER THEATRO NACIONALE...
ARTHUR AZEVEDO – E EU TAMBEM, QUE SOU DA TERRA...
THE BRAZILIAN THEATER, WHERE IS IT?
ARTIST – AS A FOREIGN ARTIST, I WANTED TO BECOME ACQUAINTED WITH THE BRAZILIAN DRAMATURGY.
ARTUR AZEVEDO – AND BEING A BRAZILIAN MYSELF, SO DID I....
CHARGE DE RAUL PEDERNEIRAS. *MALHO*, N. 40, 1903

Eu tenho que brindar à arte dramática
E agradeço a incumbência,
Pois é missão simpática,
Vir saudar a indigência.[35]

Com uma persistência notável, Azevedo voltaria a bater na mesma tecla ao longo dos anos, nas colunas de jornais como *O Paiz*. Ali saudou o projeto do intendente municipal (equivalente ao atual cargo de vereador) Leite Borges que, em 1894, criou uma taxa a ser cobrada dos teatros, inclusive aqueles ocupados por companhias estrangeiras. O dinheiro arrecadado, de acordo com o projeto, seria destinado à construção de um teatro da municipalidade. E atacou os que se levantaram contra a ideia. A lógica dos argumentos destes "se pode resumir nesta frase: não façamos um teatro porque não o temos..."[36] Quando o prefeito sanciona a lei, Azevedo comemora – mas cedo demais. Logo a ideia cai no esquecimento. Dois anos depois ele volta à carga, recorrendo a um de seus pseudônimos, Gavroche:

Eu ficarei satisfeito
Se algum leitor serviçal
Me disser o que foi feito
Do Theatro Municipal...[37]

but apparently he was deeply sensitive, staunchly proud, brimming with intense dignity, and had an acute sense of responsibility. Unable to fight on, he preferred death." This phrase was followed by less solemn commentary by a friend of Machado: "`Poppycock!´ my friend cried out; `just another businessman purloining my season tickets.´ I consoled him by telling him that season tickets to the Theatro Lyrico lost or interrupted in this world, would be paid thrice over in heaven. The hope of hearing the Huguenotes and Lohengrin cheered my friend's Christian dilettante soul."[34]

Many important plays were also introduced at the Lyrico, such as Martins Pena's comedies and journalist and playwright Artur Azevedo's *A Capital Federal*. Azevedo was, to a certain degree, one of the factors that led to the future creation of the Theatro Municipal, although he didn't live to see its inauguration.

a home for Brazilian theater

Azevedo crusaded for many years in attempts to convince city government to build a theater that would be the home of Brazilian theater. His project was given new life when it was taken up by Mayor Pereira Passos, who took office and pledged to carry out radical urban renewal of Rio de Janeiro. Together, however, relations between the two projects would be far from harmonious.

In 1891, at the height of the Deodoro da Fonseca administration, Artur Azevedo was invited to give a speech at a banquet in honor of the newly appointed education minister. Instead, Azevedo spoke in verse about the travails of Brazilian theater and called for the construction of an official theater:

I must toast to arts dramatic
And appreciate the invitation
Tis a mission diplomatic
To hail our degradation[35]

Unwaveringly persistent, Azevedo kept up his campaign for a city theater over the years in his newspaper columns in *O Paiz*. In one such column, he hailed city councilman Leite Borges's project for a theater tax in 1894 to be levied even on houses hosting foreign companies. Tax money would be used to build a city theater. Azevedo attacked opponents of the tax. According to Azevedo, their arguments "in a nutshell were: let's not build a theater because we don't have one...."[36] Azevedo later praised the mayor for approving the law – but it happened prematurely since the idea was soon forgotten. Two years later, Azevedo was once again campaigning using one of his pen names, Gavroche:

I'd be pleased
To know from my reader
What ever happened
To the Municipal Theater...[37]

Years later, on learning that his old friend Cesário Alvim, from Minas Gerais, had been elected mayor of Rio de Janeiro, Azevedo entreated him in a newspaper article: "In the name of our old friendship, I want to ask the new mayor not to ignore the Theatro Municipal as

Anos depois, ao ver um antigo amigo, o mineiro Cesário Alvim, assumir a Prefeitura do Rio de Janeiro, Azevedo lhe dirige um apelo pelas páginas do jornal: "É em nome dessa antiga convivência que venho pedir ao novo prefeito que não tenha pelo Theatro Municipal a mesma ojeriza que os seus predecessores e salve o pobrezinho da morte, antes mesmo do nascimento."[38] O amigo, contudo, deixaria o cargo dois anos depois sem ter conseguido dar um passo sequer para concretizar o projeto. Convencido de que nada conseguiria sem uma mobilização política, o dramaturgo decide propor a candidatura do escritor Coelho Netto para o cargo de intendente municipal. "Defensor extremo do Theatro Municipal, recomendo à classe teatral o nome de Coelho Netto", exortou Azevedo. Porém, fosse porque artistas, músicos, cenógrafos e bilheteiros não constituíam um eleitorado significativo, fosse porque a máquina política viciada impedia o sucesso de qualquer candidatura independente, o romancista levou uma surra nas urnas.

Depois do primeiro decreto inicial simpático à ideia, outras iniciativas se seguiriam. O projeto número nº 27, de 1895, determinava a criação de uma companhia teatral do Município e autorizava a Prefeitura a arrendar um teatro enquanto não fosse construído o seu; o decreto 257, de 1896, desapropriava dois imóveis na praça Tiradentes. Um decreto de abril de 1898 chegou a dar um prazo de noventa dias para que o prefeito providenciasse a construção do Teatro Dramático Municipal. Mas nem assim a proposta de Azevedo saiu do papel. Sua insistência começou a provocar suspeitas: não estaria o dramaturgo sonhando na verdade com o cargo de diretor da futura instituição? Ele defendia-se: "Já declarei muitas vezes, e redeclaro agora, que no Theatro Municipal não quero ser mais que um simples espectador. Seria para mim um terrível dissabor, se alguém pensasse ou dissesse que, nesta longa campanha, em que pus todo o meu entusiasmo de moço e ainda ponho o que me resta do ardor de outrora [...] eu não fazia mais do que cavar um bom emprego."[39]

Mais do que um novo edifício, Azevedo aspirava a uma nova relação entre o teatro brasileiro e seu público, submetido a uma dieta de peças e companhias estrangeiras, que acabavam por aprofundar em muitos espectadores o servilismo em relação a tudo o que vinha da França. Eram, na fórmula de Bilac, "snobs e escravos do chic". O fenômeno atingia um paroxismo cômico, ironizado numa crônica do poeta publicada em 1906, três anos antes da inauguração do Municipal. Nela, contava que no intervalo de uma apresentação da famosa atriz francesa Gabrielle Réjane, no Theatro Lyrico, havia conversado com um conhecido:

– Então, admirável, não?

Ele torceu o nariz e disse:

– Sim, admirável... Mas eu já ouvi a Réjane em Paris e, francamente, lá... ela é uma atriz muito melhor!

– Como? Muito melhor? – perguntei espantado. – Mas se a atriz é a mesma, se o repertório é o mesmo, se a troupe é, mais ou menos, a mesma...

– Sim! – murmurou ele – mas aqui falta à Réjane alguma cousa: falta-lhe a atmosfera de Paris, falta-lhe o espírito de Paris, falta-lhe a civilização de Paris, falta-lhe o chic de Paris! Ah, meu amigo! Paris é tudo! Em Paris tudo é bom! Em Paris, até a lama das ruas têm bom cheiro!... Creia, a Réjane só deve ser ouvida em Paris...[40]

a decisão

Seria preciso mais do que um mero intendente municipal para desengavetar o projeto de Artur Azevedo. Quando, a 15 de novembro de 1902, o recém-eleito presidente Rodrigues Alves

his predecessors did, and save the poor baby [the project] from an early abortion before it's even born."[38] However, Azevedo's friend left office two years later having been unable to take a single step towards carrying out the project. Certain that he would make no progress without taking political measures, the playwright proposed novelist Coelho Netto run for city council. "I recommend Coelho Netto, a devoted advocate of the Theatro Municipal, as the man for people in theater." Nevertheless, whether it was because actors, musicians, stage designers, and ticket sellers didn't represent a significant porcentage of voters, or because a biased political machine worked against independent candidates, the fact remains that Azevedo's candidate was overwhelmingly defeated in the elections.

Other decrees followed the first one that went into effect for the theater. Project 27 of 1895 favored the creation of a city theater company, and authorized city hall to rent a provisional space until the new building was completed. In 1896, Decree 257 expropriated two buildings in Praça Tiradentes. The following year, a decree issued in April stipulated a 90-day period for the mayor to build the Teatro Dramático Municipal. However, none of this ever went into effect and Azevedo's insistence sparked suspicion: was the playwright covertly seeking a position as the institution's future director? Azevedo defended himself:

"I've said it over and over, and I'll say it again: I don't want to be anything other than a mere spectator at the Theatro Municipal. It would disappointment me bitterly if anyone thought or said that in this long campaign, to which I've pledged all my youthful enthusiasm and still place my remaining zeal from times past, ...I was doing nothing other than just trying to get myself a nice job."[39]

More than a new building, Azevedo sought a new relationship between Brazilian theater and its audience. Audiences had been force-fed a diet of foreign plays and companies, and that had strengthened a subservient relationship of many Brazilians with all things French. In Bilac's own expression, these people were "snobs and slaves of the chic." He described this trend at its most ludicrous point in a piece he published in 1906, three years before the Theatro Municipal was inaugurated. In his crônica, Bilac recalled a conversation with an acquaintance at the Theatro Lyrico during the intermission of a performance by the famous French actress Gabrielle Réjane:

- Excellent, wouldn't you say?

He scoffed saying:

-Yes, excellent...but I've heard Réjane in Paris, and frankly, there she's a much better actress!

-What? Much better? – I asked, shocked. – But if it's the same actress, the same repertory, and the company is more or less the same...

-Yes! He muttered, but there's something lacking here in Réjane; she lacks the Parisian atmosphere, the Parisian spirit, the Parisian civilization, the Parisian chic! Oh, my friend! Paris is everything! Paris is all that's good on this earth! In Paris, even the mud on the streets has a good smell Believe me, Réjane should only be heard in Paris [40]

the decision

It would take much more than a mere city councilman to bring Azevedo's project back to life. When on November 15, 1902, the newly elected President Rodrigues Alves read his

leu seu discurso de posse, o dramaturgo, a exemplo do resto da população, provavelmente não deu maior importância às suas palavras, não vendo nelas mais do que as promessas rotineiras de um político. Preocupado em atrair imigrantes para o país, em seu manifesto inaugural anunciava o saneamento e a transformação da Capital Federal como "sua mais séria e constante preocupação" e se dizia decidido a transformar a cidade no "mais notável centro de atração de braços, de atividades e de capitais dessa parte do mundo".[41] Azevedo não poderia saber que o estadista falava sério e que seus planos iriam – ainda que indiretamente – contribuir para tornar realidade o seu sonhado teatro.

O homem escolhido para ficar à frente da Prefeitura da Capital Federal neste período decisivo foi o engenheiro Francisco Pereira Passos. Este, ao receber um repórter, em sua casa de Laranjeiras, lamentava: "A nossa cidade não oferece o conforto e os prazeres que deveria ter, como existem em Buenos Aires. Ora, meu desejo é fazer do Rio de Janeiro uma cidade confortável e alegre." Mais do que isso, anunciava sua determinação de transformá-la "numa cidade de primeira ordem, com todos os melhoramentos que a civilização reclama." Esses "melhoramentos" deveriam abranger, é claro, o plano da cultura: "Não possuímos teatro digno desse nome", opinava o novo prefeito.[42]

Num momento inicial, no início de 1903, Passos ainda defendia uma opção que apelava mais à tradição do que a uma ruptura. Pretendia "transformar o Theatro São Pedro, embelezando-o, derrubando as casas que o circundam, instalando luz elétrica, melhorando suas condições acústicas". A solução dependia, no entanto, de uma negociação entre a Prefeitura e a União. Aquela cederia o Trapiche Mauá, de propriedade municipal, em troca do teatro, àquela altura sob a jurisdição do Banco do Brasil, ou seja, da União. Passos, devido justamente às "tradições do edifício do Teatro São Pedro em relação à arte dramática nacional e à história pátria", decidira "ali estabelecer de preferência o Theatro Municipal".[43]

Esse plano inicial acabaria sendo alterado e a casa de espetáculos – uma inteiramente nova e à altura do ambicioso projeto que o presidente Rodrigues Alves acalentava para a sua capital – seria alojada num ponto nobre do novo plano urbanístico. As transformações eram pensadas como um sistema integrado, abrangendo as amplas obras de expansão no porto Rio de Janeiro, suas vias de escoamento – a Avenida do Cais (futura Rodrigues Alves) e a Avenida do Canal do Mangue (Francisco Bicalho) – e aquela que viria a se transformar na sua maior vitrina: a Avenida Central – todas obras decididas e realizadas não pela Prefeitura, mas pelo Governo Federal. Por um lado, a reforma visava objetivos pragmáticos e de ordem econômica: melhoria das exportações, saneamento urbano e captação de mão de obra estrangeira. Por outro, pretendia melhorar a imagem do Brasil no exterior, aproximá-lo da "civilização" à europeia, naturalmente, à que o novo prefeito fizera referência. Passos, engenheiro por formação, tinha a pretensão de reformar também mentalidades. Tratava-se de algo menos tangível que os tijolos e a argamassa que os operários manipulavam no rastro das picaretas que haviam rasgado o eixo monumental da grande avenida.

No campo da reforma dos costumes, o novo prefeito também mostrou-se ativo. Sucediam-se os decretos, normas e medidas: proibiu que se cuspisse no chão dos bondes, proibiu a saída das vacas às ruas para a venda de leite, proibiu a criação de porcos no interior do Distrito Federal, construiu trinta mictórios públicos, proibiu o "entrudo" e promoveu "o elegante folguedo da batalha das flores".[44] Talvez mais importante do que isso fosse o papel desempenhado pela "alta cultura" neste projeto de civilização. No dia 13 de março de 1904, o *Jornal do Brasil* informava sob o título "Avenida Central": "Segundo o convênio a que ontem chegaram o Dr. Passos, prefeito municipal, e a Comissão da Avenida Central, o Theatro Municipal ficará situado entre a mesma

speech at his inaugural ceremony, the playwright, along with the rest of the population, probably didn't place much faith in the words spoken and thought they were nothing more than the empty promises of a politician. The new president was interested in attracting immigrants to Brazil. His inaugural speech announced a sanitation program for the Federal Capital and stressed that urban renewal was his "most serious and constant concern," adding that he pledged to transform the capital and make it the "most noteworthy and attractive center for labor, positive actions, and capital in this part of the world."[41] Azevedo had no way of telling whether the public official was serious, nor whether the president's plans would – even indirectly – help make his dream theater real. Of course, such "improvements" would have to include culture: "We don't have a theater worthy of the name," said the new mayor.[42]

Initially, in early 1903, Mayor Passos still backed a plan aimed more at tradition than change. He intended to "revamp the Theatro São Pedro, remodel it, knock down surrounding houses, install electric light, and improve its acoustics." The solution, however, depended on negotiations between city and federal government. The former would donate the Trapiche Mauá, which was city-owned property, in exchange for the theater that at the time was owned by the federal bank Banco do Brasil. Precisely because of "the Theatro São Pedro's tradition in Brazilian dramatic arts and the nation's history," Passos decided to "set up the Theatro Municipal at that preferred site."[43]

This initial plan eventually changed, and in line with President Rodrigues Alves's ambitious project for the capital, an entirely new playhouse was to be built in accordance with the new urban renewal plan. Changes were to fit in to the big picture and encompass works for enlarging Rio de Janeiro's docks and access routes – the Avenida do Cais (later Rodrigues Alves) and the Avenida do Canal do Mangue (later Francisco Bicalho) – and the one avenue that became the city's crowning jewel: Avenida Central. All these works were the result of federal rather than city government decisions. Renewal had practical economic goals – improving exports, providing urban sanitation services, and attracting foreign labor. Furthermore, the project aimed at improving Brazil's international image and bringing it closer to European "civilization," which naturally he mentioned in his presidential speech. Passos, who was an engineer, also wanted to change the current mindset. This was a second and somewhat less tangible goal than having workers lay bricks and slap on mortar after the digging that had opened up the great avenue's (Avenida Central) monumental axis.

The new mayor also took action to change social habits. He endlessly issued decrees, ordinances, and measures: he banned spitting inside trams, allowing cows on the streets to sell milk, pig farming inside the Federal District, built 30 public bathrooms, and banned the *entrudo* [a street festival, precursor of carnival] while promoting instead the "elegant recreation of the battle of flowers."[44] Perhaps the role of "high culture" was the most important part of this civilization project. On March 13, 1904, the Jornal do Brasil carried an article entitled "Avenida Central." "According to a partnership signed yesterday between Mayor Passos and the Avenida Central Commission, the Theatro Municipal will be located between Avenida Central and Treze de Maio, facing the Largo da Mãe do Bispo and behind the Travessa de Manuel de Carvalho, which will be widened."[45]

Thus, in a highly symbolic decision, the Theatro Municipal would be placed at the head of the great avenue, close to the Biblioteca Nacional and the Academia Nacional de Belas Artes. Six months later, during celebrations that followed the end of demolitions, local residents wandered along the recently opened corridor that lay empty amid the rubble of old build-

Avenida Central e a Treze de Maio, tendo a frente para o Largo da Mãe do Bispo e os fundos para a travessa de Manuel de Carvalho, que será alargada."[45] Desse modo, numa decisão carregada de simbolismo, o Theatro Municipal ficaria instalado na cabeceira da grande avenida, numa área próxima da Biblioteca Nacional e da Academia Nacional de Belas Artes. Seis meses mais tarde, na comemoração que se seguiu ao fim das obras de demolição, os populares andavam atônitos pelo corredor recém-aberto da futura avenida, um corredor ainda vazio em meio aos destroços das velhas construções. Naquele dia, a frase que mais se ouviu entre os transeuntes foi: "O que vai ser aqui?" No antigo largo da Mãe do Bispo, uma placa entre as ruínas informava aos curiosos sua futura destinação: "Theatro Municipal".[46]

A alusão à capital argentina, velada no discurso de Rodrigues Alves e explícita na conversa entre Passos e o repórter, era um tema recorrente em artigos, crônicas, discursos e conversas. A dinâmica administração do prefeito de Buenos Aires Marcelo Torcuato de Alvear havia suscitado a inveja dos brasileiros e estimulado uma velha rivalidade. "Há pouco mais de vinte anos – escrevia Olavo Bilac em 1900 – quem chegava a Buenos Aires era forçado a passar do navio para uma canoa, e da canoa para um carro de bois, que lá ia aos solavancos, enterrando as rodas na lama." Isso, no entanto, era coisa do passado: "Vinte anos, nada mais, bastaram para tirar da casca repugnante daquela lagarta a cintilante borboleta que é hoje o encanto do Prata!"[47]

AV. CENTRAL E PALÁCIO MONROE
(À ESQUERDA), CONVENTO DA AJUDA
(ACIMA) E AO FUNDO THEATRO MUNICIPAL
EM CONSTRUÇÃO.
CENTRAL AVENUE AND MONROE PALACE
(LEFT), AJUDA CONVENT AND THE TMRJ
UNDER CONSTRUCTION,
IN BACKGROUND.
1906. PH. AUGUSTO MALTA. IMS

Ironicamente, qualquer administração teria dificuldade para fazer com que intelectuais e jornalistas – fossem do Rio de Janeiro ou de Buenos Aires – se contentassem com suas respectivas cidades. Ao contrário da capital brasileira, espremida entre o mar e os limites caprichosos de morros e montanhas, a metrópole argentina se espalhava por uma planície, com suas ruas retas dispostas num desenho quadriculado, como num tabuleiro, considerado monótono por muitos. Assim um cronista na revista argentina *Martin Fierro* se queixava: "Cada cidade tem sua sina, como cada homem sua maneira de fumar. A sina de Buenos Aires é a feiura. Quando foi fundada, os deuses disseram: vamos dar-lhe o tabuleiro de damas, o monumento a Colombo etc..."[48] Já no Rio de Janeiro, Lima Barreto se lamuriava sobre o caótico traçado urbano dos subúrbios cariocas: "Nada mais irregular, mais caprichoso, mais sem plano, podia ser imaginado. As casas surgiram como semeadas ao vento. Conforme as casas, as ruas se fizeram. Há algumas delas que começam largas como bulevares e acabam estreitas como vielas; dão voltas, circuitos inúteis e parecem fugir ao alinhamento reto com um ódio tenaz e sagrado."[49]

Dizem que foi Lauro Müller, o então ministro da Indústria, Viação e Obras Públicas, quem, num gesto simbólico, teria traçado a famosa linha reta sobre um mapa do Rio de Janeiro, indicando o percurso da futura avenida. Mas foi o engenheiro Paulo de Frontin, o verdadeiro planejador da nova via, quem teve a malícia de – virando a régua de lado – insistir para que a sua largura, recorrendo a um pequeno corte no Morro do Castelo, pudesse chegar a 33 metros: três a mais do que a Avenida de Mayo, em Buenos Aires.[50]

ings. The main question of the day among pedestrians was "What's going to be built here?" At the Largo da Mãe do Bispo, a sign propped up in the ruins read: "Theatro Municipal."[46]

The veiled reference to Buenos Aires in Alves's speech and the explicit one in Passos's conversation with a reporter was a recurring subject in articles, crônicas, and everyday talk. Spurred by the old rivalry between Brazil and Argentina, Buenos Aires Mayor Marcelo Torcuato de Alvear's dynamic administration had been envied by Brazilians. "A little over 20 years ago," Olavo Bilac wrote in 1900, "people arriving from Buenos Aires by ship disembarked and were forced to take a canoe and then hop on an oxcart jolting up and down with its wheels cutting deep into the mud." Now, however, this was a thing of the past: "In just 20 years and not a day longer, they were able to change that disgusting worm into the colorful butterfly that today is the delight of the Plata!"[47]

Ironically, any administration would find it challenging to provide the means for making intellectuals and journalists – whether in Rio de Janeiro or Buenos Aires – happy with their respective cities. Unlike Rio de Janeiro, compressed between the sea and erratic hill and mountain slopes, the Argentine metropolis was spread out over a plain; its straight streets crossed each other like squares on a checker board, which many saw as somewhat boring. A writer for the Argentine magazine *Martin Fierro* expressed his discontent: "Every city has its fate, like every man his own way of smoking. Buenos Aires's fate is its ugliness. When it was founded, the gods said: let's arrange it like a checker board, the monument to Columbus etc…."[48] In Rio de Janeiro, however, Lima Barreto whined about the chaotic urban layout of its suburbs: "Nothing more irregular, more whimsical, more devoid of a plan could be imagined. It looks as if the houses were sown by the wind. The streets sprung up in the same way. Some begin as wide as boulevards and ended up as narrow alleys; seemingly edged on by a sacred wrath, they loop in useless circuits that seem to tenaciously avoid such a thing as a straight line."[49]

It is said that Lauro Müller, then minister of Industry, Transport, and Public Works, drew a famous straight line as a symbolic gesture over a map of Rio de Janeiro and laid down the path for the future avenue. But it was engineer Paulo de Frontin who truly planned the avenue by cunningly turning the ruler on its side and making use of a small encroachment into the Morro do Castelo hill to open up an avenue 33 meters wide: three more than Buenos Aires's Avenida de Mayo[50].

the mayor's son in the race

Preparations for urban renewal were swiftly underway. The Avenida Central works started on March 8, 1904, and on March 29 work on the docks began. On March 19, just a week after choosing a site, a public bid came out for the Theatro Municipal project. A similar process was taking place simultaneously in Buenos Aires, and eventually the Teatro Colón was inaugurated in 1908, a year before its Rio counterpart.

At the three o'clock deadline on the afternoon of September 1, 1904, a group of 11 illustrious public figures assembled at Rio de Janeiro City Hall to receive project proposals handed in for the public bid. Those present included Paulo de Frontin himself, chief engineer of the avenue works, sculptor Rodolfo Bernardelli and architect Morales de Los Rios, both professors at the Fine Arts Academy. It was an important occasion for the members on the

░░░░░░ o filho do prefeito na disputa

As providências em relação às reformas se sucediam em ritmo acelerado. Corria o mês de março de 1904. No dia 8 haviam começado as obras na Avenida Central. No dia 29 tiveram início as obras do porto. E no dia 19, apenas uma semana depois da escolha do seu local, já era publicado o edital da prefeitura abrindo as inscrições de projetos para a construção do Theatro Municipal. Processo semelhante ocorria paralelamente em Buenos Aires, onde o Colón seria inaugurado em 1908 – um ano antes da sua contrapartida carioca.

Às três horas da tarde do dia 15 de setembro de 1904, um grupo de onze personagens ilustres reuniu-se na Prefeitura do Rio de Janeiro para receber, ao término oficial do prazo, os projetos inscritos no edital. Entre eles estavam o próprio Paulo de Frontin, engenheiro-chefe à frente da construção da avenida; o escultor Rodolpho Bernardelli e o arquiteto Morales de Los Rios, ambos professores da Academia de Belas Artes. Para os integrantes da comissão encarregada de julgar os projetos tratava-se de um acontecimento importante. Mas pelo menos para um deles – um senhor de cerca de cinquenta anos, notoriamente obeso, dono de um bigode e uma cabeleira igualmente desgrenhados – a ocasião deve ter sido particularmente especial. O teatrólogo e jornalista Artur Azevedo ainda não sabia, mas seu sonho de tantos anos deveria estar contido em dois enormes invólucros de cerca de um metro e 24 centímetros de altura – um contendo uma pasta preta e outro uma tela coberta por um pano branco – assim como numa grande caixa de um metro e trinta e cinco de altura por dois metros de comprimento. Os recipientes continham os dois projetos vencedores – respectivamente aquele batizado como "Áquila" e o inscrito sob o nome de "Isadora". Depois de três dias de deliberações, os integrantes decidiriam conceder o 1º e o 2º prêmios aos dois projetos, conjuntamente e *ex aequo*, ou seja, em condições de igualdade. Mais importante, os jurados recomendaram sua fusão numa única planta.[51]

A decisão não seria aceita sem muita polêmica. Pois, se o projeto "Isadora" era assinado pelo francês Alberto Guilbert, vice-presidente da Associação dos Arquitetos Franceses, e por Betim Paes Leme, o "Áquila" era de autoria do engenheiro Francisco de Oliveira Passos, consultor da municipalidade e filho do prefeito Pereira Passos. A notícia serviu como uma senha para despertar os adversários da ideia do novo Theatro Municipal. Entre estes estavam tanto os que viam na medida um desperdício de dinheiro público como os animados por razões ideológicas, como o poeta e monarquista Carlos de Laet. Num artigo carregado de ironias, ele dizia não querer levantar qualquer suspeita sobre as autoridades republicanas, apesar de o jovem engenheiro ter superado um consagrado arquiteto francês. Mas questionava: "Se por transmissão hereditária estão brilhando no jovem sr. Oliveira Passos talentos e ciência que já o ergueram a conselheiro de seu provecto pai, e agora a feliz vencedor de um prócer da arquitetura francesa, lícito seria perguntar por que tanto aos senhores republicanos repugna a ideia da hereditariedade monárquica?" Associando ao caso a denúncia de um suposto favorecimento de um filho do presidente da República, insistia: "Por que que a aptidão governativa passou do sr. Rodrigues Alves a seu digno filho, por que do sr. Passos, prefeito, se transmitiu a veia arquitetônica ao sr. Passos, consultor, o mesmo não se daria entre outros reis e outros príncipes?" Com a República, "ter-se-ia acabado com os necessários privilégios de uma dinastia para entronizar uma penca de principotes."[52]

O correspondente do jornal *Folha Nova*, de São Paulo, apressou-se a visitar a Associação dos Empregados do Comércio, onde estavam expostos os projetos que participaram do concurso: "O projeto francês é suntuoso, tem uma fachada monumental, que lembra a Ópera de Paris.

review commission, but it must have been particularly special for at least one present: a man, around 50, notoriously overweight, with disheveled hair and a moustache, known as Artur Azevedo. Although he was still unaware of it, his long-held dream was probably contained inside two enormous containers about one meter by 24 centimeters – one with a black folder and another with a canvas covered by white cloth – as well as a huge box 35 centimeters high and two meters long. Inside were the two winning bids – one named "Áquila" and the other, "Isadora." After three days of reviewing the proposals, commission members awarded both projects equal standing, and they respectively shared first and second place jointly, or *ex aequo*, namely, both winners as equals. More importantly, the commission recommended both designs be fused into a single layout.[51]

The decision was accepted, but not without controversy since project "Isadora" was signed by Frenchman Alberto Guildbert, vice president of the Association of French Architects, and by Betim Paes Leme while "Áquila" was authored by engineer Francisco de Oliveira Passos, city hall consultant and advisor and son of Mayor Pereira Passos. The news was enough to stir up opponents of the Theatro Municipal project. Among them was poet and monarchist Carlos de Laet, who viewed the measure as squandering public money for ideological reasons. In an article brimming with irony, he stated he didn't want to bring the Republican authorities into the discussion, although the young engineer had outdone a highly respected French architect. Nevertheless, Laet asked himself, "If, by dint of the shining talent and knowledge he inherited, young Mr. Passos has risen to the high position as an advisor to his elderly father and is now the happy winner of a competition against a French national hero of architecture, it's fair to ask why these same Republican gentlemen find the concept of hereditary monarchy repugnant?" The author linked this event involving the mayor's son to protests that special favors had been given to the president's son and insisted "If Mr. Rodrigues Alves passed a talent for government to his dignified son, and Mr. Passos a talent for architecture to his son the consultant, why wouldn't the same be true for other kings and princes?" With the founding of the Republic, "have we ended the necessary privileges of a dynasty just to enthrone a bunch of princelings?"[52]

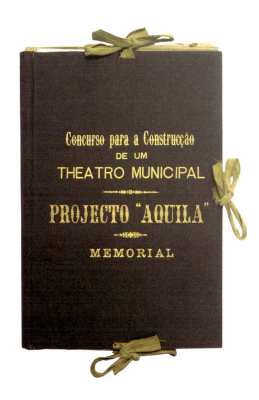

CAPA DO PROJETO ÁQUILA, DE FRANCISCO OLIVEIRA PASSOS.
COVER OF THE AQUILA PROJECT BY FRANCISCO OLIVEIRA PASSOS.
1904. COL. PEREIRA PASSOS. MR

The *Folha Nova* newspaper correspondent from São Paulo hurried over to the headquarters of the Associação dos Empregados do Comércio, where the projects were on display. "The French project is magnificent; its monumental façade reminds you of the Paris Opera House. The other project looks ridiculous, and resembles Notre Dame in Paris more than a theater; its façades bring to mind the National Press [building] – it's abominable."[53] Others opposed the project for other reasons: "The result of the jury shows once more how right we were when we expressed our opposition to such an untimely, inappropriate idea," said the newspaper *Jornal do Comércio*. "In our opinion, this city has a tremendous demand for a sewage system and sanitation services and our money mustn't be squandered on this kind of project."[54]

Repercussions reached City Hall where councilman Enéas Sá Freire requested an inquiry into the prize offered to the bidders. In his speech, Freire's remarked: "I was profoundly disappointed when his Excellency told me that Chico was also proposing a façade! And do you know who Chico is? Chico is the son of the mayor of the Federal District….Mr. President,

FRANCISCO OLIVEIRA PASSOS, AUTOR DO PROJETO DO TMRJ | AUTHOR OF THE TMRJ PROJECT.
1899. COL. PEREIRA PASSOS. MR

this young man has only once showed his skill, when he served as a signpost along the Central Brazilian Railway!…How could he possibly be the author of a project of this scale since if he were shut up inside a room he'd be unable to draw the floor plan for a grass hut?"[55] Coming to the defense of the incumbent administration another city councilman rebutted the remarks and compared Freire to a "runaway from the cuckoo's nest who peddled his nonsense as a speech" and was introducing a "mindless and ludicrous request."[56]

On October 21, 1904, Mayor Pereira Passos visited the site where the Theatro Municipal's cornerstone would be laid. The ceremony, scheduled for November 15, was postponed due to the popular vaccine revolt and the uprising at the military academy at Praia Vermelha. On November 15 – the anniversary of the proclamation of the republic – the city was under martial law and demonstrations involving the local population and government troops were widespread. Once the revolt had been quelled, the theater's foundation was laid in a ceremony held in the middle of the worksite with the head of the works, Francisco de Oliveira Passos, hosting a group of city councilmen. Upon approval, the layout that joined both winning projects was only slightly modified: "the balconies were raised 1.2 meters over their initial position of 4.6 meters above ground and there were fewer windows; the five originally planned were reduced to three facing the Praça Ferreira Vianna, and a side façade was redone."[57]

In Buenos Aires, the Teatro Colón project, inaugurated in 1908, was born out of the joint efforts of two Italian architects: Francesco Tamburini and Victor Meano, and French architect Julio Dormal. This made the outside look harsher and more Italian, while the inside resembled the Paris Opera House. Its Brazilian counterpart, however, both in terms of style and general concept, was more directly influenced by Charles Garnier's philosophy.[58] In the principles he included in the building plan, Oliveira Passos stated, "A straightforward reading of the public bid statement suggests City Hall intends to give the Republic's capital both a model theater and a building worthy of being showcased as a monument of aesthetic values."[59] The statement of principles foreshadowed the coming "delight of marble, gold, bronze, and crystal" that thrilled crônica writer Luís Edmundo[60] and outraged critics such as Lima Barreto, who years later would refer to it as that "eyesore, at the beginning of the avenue, with those gold columns that make it strikingly similar to first-class funeral carriages," and "a theater that cost countless thousands, with onyx, marbles, Assyrian components for the sole purpose of mesmerizing Argentines."[61]

Oblivious to the bad mood of the critics, building progressed rapidly, consuming approximately 50,000 bricks a day. Since domestic suppliers could provide no more than 2,500, the building commission was forced to import bricks from England. The theater's entire metal structure was brought from Germany and England.[62] There was, however, another vital element that couldn't come in boxes from Europe, something a little less tangible than beams and bricks, something that cronista João do Rio, who was hired to write a commemorative piece for the theater album, called "history's fertilizer." "Brazil was still too young for meaningful buildings without the unfathomable power of an artistic tradition. The bedrock of historical relations and memory here is nonexistent."

Francisco Passos suggested a solution to the problem in the article introducing his project. Francisco Passos justified his choice of a style that history and architecture manuals later called Eclecticism. "In my view, ultramodern architecture is incompatible with the building's seriousness…I turned to classic styles."[63] It's difficult to know what he meant by "ultramodern" style in 1904, when names like Otto Wagner and Adolf Loos were trying to pave

O outro, ao lado, faz uma figura ridícula, parece tanto com um teatro como a Notre-Dame de Paris, lembra a fachada da Imprensa Nacional – é detestável."[53] Já a oposição de outros não se baseava em motivos estéticos. "O resultado do júri veio mostrar ainda uma vez quanta razão tínhamos nós quando nos opusemos em tempo a tão inoportuna, quão inconveniente ideia", defendia o *Jornal do Comércio*. "Foi nossa opinião que a cidade tem enormes exigências de higiene e que os seus recursos não devem ser desperdiçados em obras dessa natureza".[54]

O caso repercutiu no Conselho Municipal, onde o intendente Enéas Sá Freire entra com um pedido de informações sobre o prêmio concedido aos vencedores do concurso. Acusava ele num discurso: "Minha desilusão foi enorme quando, sua Exa. em seguida me disse que o Chico também apresentava uma fachada! E sabem quem é o Chico? É o filho do prefeito do Distrito Federal. [...] Sr. Presidente, este moço somente uma vez revelou competência: foi quando desempenhou o lugar de baliza no prolongamento da Estrada de Ferro Central do Brasil! [...] Como podia ser ele

TRÊS PROJETOS APRESENTADOS NO CONCURSO PÚBLICO PARA A CONSTRUÇÃO DO TMRJ: NEO, DE VICTOR DUBUGRAS; ÁQUILA, DE FRANCISCO OLIVEIRA PASSOS; ISADORA, DE ALBERT GUILBERT.
THREE PROJECTS PRESENTED AT THE PUBLIC BIDDING FOR THE CONSTRUCTION OF THE TMRJ: NEO BY VICTOR DUBUGRAS; ÁQUILA BY FRANCISCO OLIVEIRA PASSOS; ISADORA BY ALBERT GUILBERT.
PH. FAUSTO FLEURY. MT/FUNARJ

autor de um projeto daquela ordem, se, fechado em quarto, será incapaz de fazer uma planta de uma casa de sapê?"[55] Na bancada da situação outro intendente rebate as acusações do colega, comparando-o a um "foragido do Hospício de Alienados que, num aranzel à guisa de discurso" apresentou um "tresloucado e esdrúxulo requerimento".[56]

A 21 de outubro de 1904, o prefeito Pereira Passos visita o terreno onde será lançada a pedra fundamental do Theatro Municipal. A cerimônia, marcada para o dia 15 de novembro, acaba sendo adiada, atropelada pela revolta da população contra a vacina obrigatória, ao qual vem se somar o levante na Escola Militar da Praia Vermelha. O aniversário da proclamação da República surpreende a Capital Federal sob estado de sítio, varrida pelos choques entre populares e as forças do governo. Só no ano seguinte, a 3 de janeiro de 1905, com a revolta esmagada e as obras já em andamento, coloca-se a primeira estaca das fundações do teatro, numa cerimônia em que o responsável pelas obras, Francisco de Oliveira Passos, recebe um grupo de intendentes municipais. Um brinde celebrado com champanhe marca o início das obras e deixa para trás as polêmicas dos últimos meses, aparentemente esquecidas. Aprovada, a planta que funde os dois projetos vencedores sofre apenas algumas adaptações: "elevação geral do plano das frisas em 1,20m sobre

new paths in architecture. The fact is that far from trying to break away from any tradition, Oliveira Passos and the Brazilian elite of the time were looking for precisely the opposite. Eclecticism and its idiom, full of references and allusions to different styles and periods, offered the precise tie to European traditions and confirmed Brazil's yearning to become a civilization in the French style.

dust and criticism

In April of 1905, anyone crossing the old Praça da Mãe do Bispo would see an immense tarpaulin covering a big area under construction – yet one more in the immense construction site for the future Avenida Central. This location in particular would have piqued the curios-

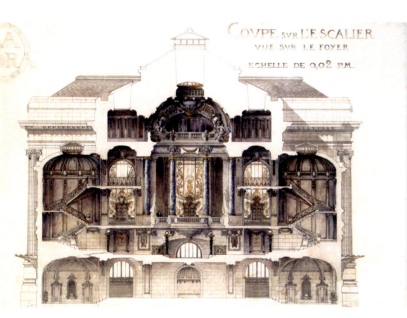

MAQUETE | MODEL TMRJ.
PH. AUGUSTO MALTA.
COL. PEREIRA PASSOS. MR

ity of any passerby because of the controversy surrounding the Theatro Municipal. One local journalist from *A Notícia* decided to visit the site in person, in the middle of summer, and tell readers about the work underway. The turn-of-the-century reporter's pen makes a routine story appear like an adventure or a descent into Dante's inferno: "Sneaking along the few and poorly shaded areas on Rua Treze de Maio, when the dust and heat were overpowering, we reached the Theatro Municipal's construction site at one o'clock in the afternoon. The *fervor opus* inside is awful and mortifying: 280 breathless workers in that fiery environment.... Along its great length, the omnipresent dust enters our mouths, ears, eyes, and shirt-collars. A small scale Sahara in days of Simoom!"[64]

Once inside the construction site, the journalist didn't find engineer Oliveira Passos, but he did bump into "a small, thin, sun-burnt man who's very pleasant and a hard worker." This is the description of first engineer Dr. Alvarenga Peixoto who, "kindly and helpful," became the reporter's guide. "Dressed in light khaki canvas and protected from the sun by an English-style cocked hat, day and night he toils endlessly alongside his team in the terrible hardships of that scorched and dust-filled area where yesterday, for a few moments, we could

sua altura inicial de 4,60m sobre o nível do passeio e redução de cinco para três janelas no corpo central que enfrenta com a praça Ferreira Vianna e na transformação das fachadas laterais."[57]

Em Buenos Aires, o projeto do Teatro Colón, inaugurado em 1908, foi fruto da união dos esforços de dois arquitetos italianos, Francesco Tamburini e Victor Meano, com os do francês Julio Dormal. Desse modo, seu aspecto exterior, mais severo, é italianizado, embora o interior deva algo à Ópera de Paris. Já seu equivalente brasileiro, tanto pela sua linguagem como pela sua concepção geral, apresenta uma dívida mais direta para com os princípios defendido por Charles Garnier.[58] Oliveira Passos, já no memorial que acompanhava sua planta, adiantava: "Sugere a simples leitura do edital de que seja intenção da Prefeitura de dotar a capital da República tanto de um teatro modelo como de um edifício digno de ser apresentado como monumento estético".[59] A declaração de princípios já sugeria o futuro "delírio de mármore, de ouro, bronze e cristal", que deixaria maravilhado o cronista Luís Edmundo[60] e indignados críticos como Lima Barreto, que anos mais tarde se referiria ao teatro como "aquele estafermo do começo da avenida, cujas colunas douradas dão-lhe grandes semelhanças com os coches fúnebres da primeira classe", "um teatro que custou não sei quantos mil contos, com ônix, mármores, assírios, no puro intuito de embasbacar os argentinos".[61]

Ignorando a má-vontade dos críticos, as obras corriam em ritmo acelerado, consumindo cerca de 50 mil tijolos por dia. Como os fornecedores nacionais não conseguissem oferecer mais do que 2.500, a comissão encarregada da construção foi obrigada a importar os tijolos da Inglaterra. Da mesma forma, toda a sua estrutura metálica era de procedência britânica ou alemã.[62] Havia, porém, outro componente imprescindível que não poderia vir em caixotes da Europa, algo menos palpável do que vigas e tijolos: aquilo que o cronista João do Rio, contratado para escrever o texto de um álbum comemorativo do teatro, chamou de "o húmus da história". "O Brasil seria muito jovem para ilustrar edifícios sem significação com a força incomensurável da tradição artística. O sedimento da relação histórica, a recordação, não pode existir", opinava o escritor.

A solução apresentada para o problema é sugerida por Francisco Passos na explanação que acompanhava seu projeto. Nela, justificava-se a opção pelo estilo escolhido, mais tarde conhecido nos manuais de história de arquitetura sob o rótulo de ecletismo: "Sendo a meu ver a arquitetura ultramoderna incompatível com a seriedade do edifício [...] dirigi minhas vistas para os estilos clássicos."[63] Difícil saber a que estilo "ultramoderno" ele se referia em 1904, época em que nomes como Otto Wagner e Adolf Loos tentavam descobrir novos caminhos para a arquitetura. O certo é que, longe de querer romper com alguma coisa, Oliveira Passos e a elite brasileira da época buscavam justamente o oposto. O ecletismo e sua linguagem, carregada de citações e alusões a diferentes estilos e períodos, ofereciam exatamente um vínculo com as tradições europeias, confirmando sua aspiração a uma civilização à francesa.

poeira & críticas

Em abril de 1905, quem passasse pelo antigo largo da Mãe do Bispo veria um extenso tapume escondendo uma grande área em construção – um a mais em meio ao grande canteiro de obras em que havia se transformado a futura Avenida Central. Aquele em particular deveria suscitar uma curiosidade maior da parte dos transeuntes pelo fato de ser o local em que estava sendo erguido o polêmico Theatro Municipal. Em pleno verão carioca, um jornalista do *A Notícia* resolveu visitar o local para revelar aos seus leitores em que situação se encontravam os traba-

hardly breathe." Thanks to the reporter, readers found out that construction started at the back of the building and worked its way to the front; that the outside wall foundation was almost all laid on thick cast stone; and that almost all of the foundation material was made with alternating hardwood piling secured in place by two pile drivers that weighed 1,500 kilos each. Work progressed nonstop and kept 280 workers busy during the day and 160 at night; an average of 150 barrels of concrete was used every 24 hours.[65]

The cornerstone ceremony took place the following month, on May 20. Political opposition, however, wouldn't let the issue rest and the celebration provided the chance to spark old criticism. *Jornal do Comércio* complained that it was a "luxurious building, far beyond the city government's normal resources…the construction that began amid the public scandal had no legal basis and was breaking the 1894 law." The newspaper went on to say that the dramatic theater could only be funded by the playhouse entertainment tax specifically for that purpose. Nevertheless, the day before, City Council had provided an extra line of credit for City Hall to finish the Theatro Municipal and thus had spurred on protest from the opposition press.

The mayor had repeatedly announced his hope that work would be completed within the administration of incumbent president Rodrigues Alves, whose term coincided with his. But that was not to be. On November 13, 1906, before both mayor and president left office, Passos invited the president to visit the works in progress in the city. Together they inaugurated Avenida Beira Mar, opening up for local residents what the press called "South America's most picturesque and healthiest thoroughfare….Elegant automobiles briskly whizzed by, the headlights blinking powerfully. They beeped merrily in the frenetic comings and goings of a quick jaunt on the new avenue….Ladies and young ladies in light toilettes chatted along the way…bikers elegantly pedaled by in all directions … gentlemen appeared, well dressed, taut, and elegant."[66]

As the main players in what looked like Rio's official entry into an ideal *belle-époque* world, Rio residents surrounded the two leaders during the city tour, with a quick stop at the Pavilhão Mourisco in Botafogo, and then a visit to the Theatro Municipal's construction site. It was four o'clock in the afternoon when both arrived in an automobile to the music of the national anthem being performed by a band in an area for the audience inside the new theater. There they saw renderings of the decorations of comedy, song, tragedy, dance, and other subjects, as well as a watercolor collection depicting paintings, the ceiling, the cornice, and the proscenium. The two politicians praised one of the supporting pillars for the main stairway. "It's made of embellished green marble topped by an impressive large-scale bust of an Indian female cast in gold, bronze, and mercury," noted the reporter. A champagne toast was proposed to the president and the mayor while they enjoyed a luncheon and engineer Oliveira Passos received compliments for the construction progress.[67]

But it wasn't only praise for the mayor. All packed and ready to travel to Egypt, Pereira Passos left office enjoying undeniable popularity. It didn't, however, spare him from being targeted by a relentless campaign headed by the *Jornal do Comércio*. The newspaper customarily focused attacks on the new theater, which was

FRANCISCO PEREIRA PASSOS, PREFEITO DO RIO DE JANEIRO EM VISITA ÀS OBRAS DO TMRJ.
FRANCISCO PEREIRA PASSOS, MAYOR OF RIO DE JANEIRO, VISITS THE TMRJ SITE.
PH. AUGUSTO MALTA, 03.04.1906. MR

lhos. Na pena do repórter da virada do século, a tarefa rotineira ganha ares de uma aventura, uma descida ao Inferno de Dante: "Esgueirando-nos pelas escassas e insuficientes sombras da rua Treze de Maio, quando a canícula e o pó tudo assoberbavam, chegamos a 1 hora da tarde, no lugar em que se está construindo o edifício do Theatro Municipal. O *fervor opus* lá dentro é terrível, mortificante: 280 operários esbaforiam-se naquele ambiente de fogo. [...] Em toda a extensão, o pó revolvido, a entrar pela boca, pelos ouvidos, pelos olhos, pelos colarinhos. Um pequeno Saara em dias de Simoun!"[64]

No interior do canteiro de obras, o jornalista não encontra o engenheiro Oliveira Passos, mas sim "um homenzinho magro, requeimado, muito simpático e trabalhador". Tratava-se do primeiro engenheiro Dr. Alvarenga Peixoto que, "gentil e obsequioso", serviu de guia ao repórter. Vestindo uma leve roupa de brim pardo, protegido do sol por "chapéu de dous bicos, à inglesa, trabalha dia e noite, numa faina exaustiva, participando com seus dirigidos, das agruras terríveis daquele trecho adusto e empoado, em que ontem, por instantes, mal pudemos respirar". Graças a ele, os leitores ficaram sabendo que o edifício estava sendo construído dos fundos para a frente, que os alicerces das paredes externas estavam quase todos assentados sobre grossa cantaria, que quase todos os alicerces eram feitos com estacas de madeira de lei, intercaladas, fincadas por dois grandes bate-estacas de 1.500 quilos cada. Os trabalhos, que seguiam sem interrupção, ocupavam 280 operários durante o dia e 160 à noite, sendo que uma média de 150 barricas de cimento eram usadas a cada 24 horas.[65]

Só no mês seguinte, a 20 de maio, é que se realizaria finalmente a cerimônia da colocação da pedra fundamental do Theatro Municipal. A oposição, contudo, estava longe de colocar uma pedra sobre o assunto. A festa vira uma oportunidade para novas críticas. Estava-se diante de uma "obra luxuosa, superior aos recursos normais do município [...], obra iniciada com um escândalo público, sem lei que a autorizasse e contra a lei de 1894", voltava à carga o *Jornal do Comércio*. Tratava-se de uma referência à lei que limitava a construção de um teatro dramático exclusivamente aos recursos arrecadados com os impostos cobrados às casas de espetáculo para aquele fim. No entanto, apenas na véspera o Conselho Municipal havia aberto à Prefeitura créditos extraordinários para a conclusão do Theatro Municipal, daí o protesto da imprensa oposicionista.

Mais de uma vez o prefeito anunciara sua esperança de que a obra fosse concluída ainda na administração do então presidente Rodrigues Alves, cujo mandato coincidia com o seu. No entanto, isso não aconteceria. A 13 de novembro de 1906, antes de ambos se despedirem dos seus cargos, Passos convidou o presidente para uma visita às obras em andamento na cidade. Juntos inaugurariam a Avenida Beira Mar, abrindo aos cariocas o que a imprensa chamou de "o passeio mais pitoresco e mais salutar da América do Sul": "Cruzavam céleres os carros elegantes; faiscavam poderosamente os faroletes dos automóveis, fonfonando alegremente, no vaivém frenético de um passeio rápido pela nova pista. [...] Senhoras e senhoritas, de *toilettes* leves garrulavam pelo caminho [...] Ciclistas pedalavam galhardos, em todas as direções [...] cavalheiros apareciam com garbo, tesos e elegantes."[66]

Protagonistas do que parecia ser um cenário para o ingresso oficial do Rio de Janeiro num mundo ideal da *belle-époque*, os cariocas cercaram os dois administradores em seu *tour* pela cidade que, depois de uma rápida passagem pelo Pavilhão Mourisco, em Botafogo, culminou numa visita às obras do Theatro Municipal. Eram quatro horas da tarde quando os dois chegaram num automóvel ao som do Hino Nacional, executado por uma banda disposta no interior do teatro, na área onde futuramente seria instalada a plateia. Viram maquetes que ilustravam as decorações em torno dos temas A Comédia, O Canto, a Tragédia, A Dança e outras, além de uma coleção de aquarelas re-

seen as the symbol of excessive expenditures and the administration's love of luxury. On the eve of the mayor's exit, the paper was still questioning not only the theater's construction delays, but also the chronic budget overdraft. The paper criticized the mayor who'd abandoned the "old, down-to-earth project for the Municipal Dramatic Theater" with the acquisition of the Teatro São Pedro de Alcântara. Once the idea of building a new house was accepted, the paper reminded [readers] the mayor himself had stated in Decree 528 (June 2, 1905) that "total expenses for theater construction wouldn't exceed the budget allocation of 3,650 *contos*." In the following months, however, the mayor sent City Council a series of requests for more money, always authorized and justified on the same grounds: "to finish building the Theatro." The paper's conclusion was biting: "No one will be pleased to know that the works, which started with a budget of 1,500 contos de réis, will be completed at a total cost of 6,600 or more. Let's agree that by such procedures anyone can govern, anyone can destroy, and anyone can build."[68]

Due to its size and the new challenges it posed for national engineering, there was nothing straightforward or easy about building the Theatro Municipal. The theater originally would house 1,739 spectators distributed in orchestra seats, balconies, and boxes. The number of seats would later be increased in the great 1934 renovation, which changed a line of boxes into a balcony and eliminated a few blind spots. It was particularly difficult to build a basement under the stage because of groundwater. The walls were made of granite up to the first floor and then made from brick on up. As for the final tally of the amount of materials used in the construction, aside from thousands of cubic meters of cement, sand, or granite, other figures are even more impressive today, such as 1,545,000 kilos of granite and 6,770 meters of hardwood piles. The project's complexity wasn't limited to its refined interior decoration, but also included equipping the theater with most advanced technology available at that time. The ventilation and cooling systems, for example, were in many respects, pioneering. Thanks to 96 meters of pipes, the cooling system, located in the basement under the entrance hall, could make the theater ten degrees cooler than on the outside. The air was then circulated back into the theater after being purified and refrigerated. The theater's electric power plant was so big it had to be housed on three floors. It's not surprising, therefore, that expenses blew the initial budget out of the sky and the final cost totaled 10,856 *contos de réis*.[69]

Artur Azevedo had remained hovering above the hubbub about finances and architectural style and Passos's political intrigues. There was certainly much debate about bricks, mortar, and stonemasonry, but little to nothing about the principles of a theater company dedicated to Brazilian plays whose creation Azevedo supported. In July 1903, practically a year before the winning bids were chosen, with Azevedo present as a member of the commission, the magazine *O Malho* published a caricature of the playwright. In it the chubby Azevedo was depicted with his back turned to readers, his arms wide open, standing in front of a Theatro Municipal floating in space like a mirage. The caption read: "Artur Azevedo: Thank my lucky stars! My dream is coming true… But it's so putrid and moth-ridden! I'm no longer so infatuated with it…"[70]

To those who argued there weren't enough theater productions to fill a theater on the scale he imagined, Azevedo replied that one would need no more than 30 plays a year, including two or three from the standard canon which must be staged repeatedly: "How many plays lie dormant in files, in drawers, and in the minds of their creators awaiting someone

presentando quadros, o aspecto do teto, a cornija e o proscênio. Admiraram uma das pilastras de apoio da escadaria principal. "É de mármore verde, lavrado, tendo ao alto, em ponto grande, o impressionador busto de uma índia, de bronze dourado e mercúrio", registrou um repórter. Enquanto saboreavam um *lunch*, o presidente e o prefeito mereceram brindes com o inevitável champanhe, enquanto o engenheiro Oliveira Passos colhia elogios pelos progressos nas obras.[67]

Mas no colo do prefeito não cairiam apenas elogios. De malas prontas para uma viagem ao Egito, Pereira Passos abandonou o cargo gozando de uma inegável popularidade. Contudo, nem por isso sua administração deixou de ser alvo de uma campanha tenaz, liderada pelo *Jornal do Comércio*. O jornal costumava centrar seus ataques no novo teatro, escolhido como uma espécie de símbolo dos gastos excessivos e da opção pelo supérfluo que teria marcado aquela gestão. Às vésperas da saída do prefeito, o diário ainda questionava não apenas o atraso no cronograma das obras do teatro, como também os repetidos estouros nas previsões de seu orçamento. Criticava o jornal o abandono pelo prefeito do "velho e modesto projeto da criação do Teatro Dramático Municipal" por meio da aquisição do antigo Teatro São Pedro de Alcântara. Uma vez abraçada a ideia da construção de uma nova casa, lembrava que o próprio prefeito, pelo decreto 528 de 2 de junho de 1905, afirmara que "a despesa total com a construção do teatro não deverá exceder a quantia orçada de 3.650 contos". No entanto, nos meses seguintes o prefeito enviaria ao Conselho Municipal repetidos pedidos por mais verbas, sempre obtidas e justificadas pela mesma fórmula: "Para a conclusão das obras do theatro". Concluía o jornal, ferino: "A ninguém deixará de causar má impressão o fato de se ter iniciado um trabalho sob a base de 1.500 contos de réis, para, no fim, vê-lo representando a despesa de 6.600... ou mais. Convenhamos nesta verdade: por tal processo qualquer pessoa governa, qualquer pessoa destrói e constrói."[68]

A construção do Theatro Municipal nada tinha de fácil ou corriqueira, tanto pelas dimensões como pelos desafios inéditos que apresentava para a engenharia nacional. A sala de espetáculos abrigava originalmente 1.739 espectadores, distribuídos pela plateia, frisas, camarotes e galerias. O número de lugares seria aumentado mais tarde, numa grande reforma realizada em 1934, que trocou uma ordem de camarotes por um balcão, eliminando alguns pontos cegos. A criação de porões sob o palco cênico foi particularmente difícil, devido ao lençol d'água subterrâneo. As paredes, até a altura do primeiro andar, são de granito e dali para cima, em tijolo. Dos números finais a respeito do material usado na obra, ao lado dos milhares de metros cúbicos de cimento, areia ou granito, surgem outros números que hoje impressionam ainda mais, como 1.545.000 quilos de mármore e os 6.779 metros de estacas de madeiras de lei. A complexidade do projeto não estava apenas na sua refinada decoração interna, mas também na tecnologia – a mais avançada na época – com que estava sendo equipado. Seu sistema de ventilação e refrigeração, por exemplo, era, sob muitos aspectos, uma iniciativa pioneira. A instalação, situada no porão, sob o vestíbulo da entrada, era capaz de reduzir a temperatura em dez graus em relação à do exterior, graças a uma tubulação de 96 metros de comprimento. Depois de purificado e refrigerado, o ar era devolvido às dependências do teatro. Havia, além disso, uma usina geradora de energia elétrica, grande o suficiente para ser distribuída em três pavimentos. Não é de admirar que repetidos orçamentos fossem estourados até o custo final total atingir a cifra de 10.856 contos de réis.[69]

Pairando acima das polêmicas a respeito de verbas, estilos arquitetônicos e das intrigas políticas em torno da figura de Passos encontrava-se o dramaturgo Artur Azevedo. Certamente não deixava de perceber que falava-se muito de argamassa, tijolos e cantaria, mas quase nada sobre os princípios da companhia dedicada à dramaturgia brasileira cuja criação defendia. Já em julho de 1903, quase um ano antes do concurso para escolha do projeto do teatro, do qual, aliás Aze-

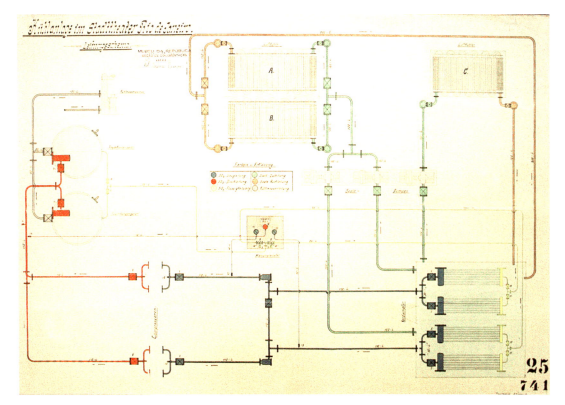

PLANTA ORIGINAL DO SISTEMA DE REFRIGERAÇÃO DO TMRJ, O PRIMEIRO IMPLANTADO NO BRASIL.
ORIGINAL REFRIGERATION SYSTEM PRINTS. FIRST REFRIGERATION PROJECT IN BRAZIL.
COL. PEREIRA PASSOS. MR

to summon them and say the time has come!"[71] Armed with pencil and paper, there were others who were skeptical of the luxurious theater because of the general public and not the plays. "For such a theater to support itself, we'd need 20,000 wealthy people, truly wealthy people among us, interested in theater in Portuguese, which would mean staging productions of five or six Brazilian plays each year. Well, no such thing exists," said the author of *Os bruzundangas*.[72]

Indifferent to such issues, most of the press instead chose to keep abreast of the pace of the work in progress and theater's latest technical innovations. On the eve of its inauguration, a group of journalists and celebrities was invited to go backstage to get to know the theater's new resources. "Everything is done by electricity," the reporter was amazed. "The stage comes apart; stage sets rise and drop, move backwards or come together at will; the press of a button closes the drapery. One of the most impressive effects was an artificial storm with thunder and lighting. It was so lifelike, it made the old method of shaking sheets and using lycopodium (plant leaves to simulate fire) look confusing."[73]

Another journalist witnessing a lighting test practically had a mystical experience, thanking his "good luck for having lived a few hours in such a dream state of splendor and magic." Furthermore, he stated "I felt that environment upheld very high moral aspirations…and its intense and overwhelming outflow of glory broadens our achievements as a civilized people." Once the device for lighting the almost 6,000 theater lights was turned on, it also set the sophisticated reporter's poetic imagination ablaze: "When the electrical current was distributed in a massive outpouring of light, like a great gold robe glittering with jewels to satisfy the supreme and tender desire of an ancient god, we felt immersed in a proud dream that had erased our memories of the sad, tattered vision of our land's artistic poverty."[74]

Despite his bedazzlement, the journalist didn't spare a barb of pointed criticism and gives us a glimpse of hidden tensions in that festive atmosphere. He foresaw a "grand future"

vedo não se furtou de participar como jurado, a revista *O Malho* publicava uma charge a respeito. Nela, a figura gorducha do dramaturgo aparecia de costas, de braços abertos, diante da imagem de um Theatro Municipal que flutuava no espaço como uma miragem. Dizia a legenda: "Arthur Azevedo: Ora graças! Aí vem o meu sonho! Mas como vem carunchoso e bichado! Já não estou muito enrabichado pela obra..."[70]

Aos que argumentavam que não existia produção suficiente no Brasil para abastecer um teatro nos moldes daquele que imaginava, ele retrucava afirmando que não seria preciso mais do que cerca de trinta peças por ano, incluindo entre essas, duas ou três consagradas, que seriam reprises obrigatórias. "Quantos projetos de peças dormem por aí, nas pastas, nas gavetas, e nos cérebros, à espera de que lhes digam: apareçam, que é tempo!", exortava Azevedo.[71] Com lápis e papel em punho, considerando o luxo do novo teatro, outros, mais céticos, como Lima Barreto, refizeram os cálculos levando em conta não as peças, mas o público: "Para que o tal teatro pudesse se manter era preciso que tivéssemos vinte mil pessoas ricas, verdadeiramente ricas, e interessadas por coisas de teatro em português, revezando-se anualmente em representações sucessivas de cinco ou seis peças nacionais. Ora, isso não há", concluía o autor de *Os bruzundangas*.[72]

Indiferente a essas questões, a maior parte da imprensa preferia acompanhar os progressos das obras e as novidades introduzidas no ofício teatral pelas técnicas mais modernas. Às vésperas da inauguração da sala, um grupo de jornalistas e personalidades foi convidado a visitar os bastidores para conhecer os novos recursos que o teatro teria à sua disposição. "Tudo é feito por eletricidade – espantava-se um repórter – o palco desarticula-se, os cenários descem e sobem, recuam e estreitam à vontade, o velário fecha-se a uma simples pressão de botão. Uma das experiências que maior impressão produziu foi a do efeito de um temporal, com trovões e relâmpagos. Era de um verismo de deixar confuso o velho processo antigo da folha agitada e do licopódio."[73]

Outro jornalista vê num teste de iluminação uma experiência quase mística, agradecendo "a ventura de viver algumas horas dentro desse sonho de esplendor e de magia". E mais ainda: "Senti que naquele ambiente se afirma uma aspiração moral muito elevada [...], que alarga, em intensa e excessiva irradiação de glória, as nossas conquistas de povo civilizado." Ao ser acionado, o mecanismo que acende as quase seis mil lâmpadas do teatro faz disparar também a veia poética do repórter-literato: "Quando se distribui a corrente elétrica, em um derramamento colossal, como uma enorme túnica de ouro, rutilante de pedrarias que se desdobrasse ao ideal desejo mórbido de um deus antigo, sentimo-nos em um sonho de vaidade, que nos arrancou da lembrança a triste visão dilacerada da velha pobreza artística da nossa terra."[74]

No entanto, com todo o deslumbramento, o jornalista tem o cuidado de lançar uma farpa com endereço certo, deixando entrever certa tensão em meio àquela atmosfera festiva. Prevê um "futuro superior" para o novo teatro "se a obra admirável do Dr. Oliveira Passos não for dada a servir ao gosto ingênuo e sentimental dos satrapinhas languidamente iludidos por um falso e aberrante patriotismo".[75] O alvo daquela seta venenosa eram intelectuais como Raul Pederneiras que, apenas uma semana antes e no mesmo *Jornal do Brasil*, havia publicado uma carta aberta ao então presidente da República, Nilo Peçanha, a respeito da chamada "Questão do Teatro".

O professor de Direito e caricaturista Raul Pederneiras falava em defesa própria, já que havia estreado como dramaturgo um ano antes, no Teatro Apollo, com a comédia *O esfolado*. Na carta, longe de se desmanchar em elogios à nova casa, trata-a como aquele "pomposo e absorvente edifício que, abroquelado na imparcimônia de um pe-

ARTHUR AZEVEDO – ORA GRAÇAS! AHI VEM O MEU SONHO! MAS COMO VEM CARUNCHOSO E BICHADO! JÁ NÃO ESTOU ENRABICHADO PELA OBRA... ARTHUR AZEVEDO – OH LORD! HERE COMES MY DREAM! BUT HOW SPOILED AND FULL OF WORMS! I AM NO LONGER SO IN LOVE WITH THE WORK... CHARGE DE KALIXTO. *MALHO*, N. 43, 1903

for the new theater, "as long as Dr. Oliveira Passos's admirable work isn't made to cater to the naïve and sentimental taste of the little satraps, languidly deluded by false and aberrant patriotism."[75] The poisonous darts were aimed at intellectuals, such as Raul Pederneiras, who just a week earlier in the same *Jornal do Brasil,* had published a letter addressed to the incumbent president of the republic Nilo Peçanha on the so-called "theater issue."

Law professor and political cartoonist Raul Pederneiras spoke in his own defense, since he'd made his debut as a playwright a year earlier at the Teatro Apollo with the comedy *O Esfolado.* In his letter, far from lavishing praise on the new house, Pederneiras described it as that "pompous and absorbing building whose extravagance from a spendthrift period currently flaunts itself on Avenida Central under the title of Theatro Municipal." Pederneiras protested that a law had been broken when the government failed to create a theater school and company with tax money levied specifically for that purpose and instead exclusively used funds to erect the building. Pederneiras was also enraged that the newly built theater was being rented out. "To spend more than ten thousand contos on a building and rent it out for ten réis, while still having to pay for maintenance expenses, utilities, and the new complicated payroll, is so morally shameful that it must grieve the taxpayer much more than the law that was ignored."[76]

If the playwright-cartoonist's outspoken protest found any support, it was quickly stifled when the velvets and silks, dresses and tailcoats started coming out of closets and tailors' shops as the great day approached. Pederneira's brand of criticism was quickly chucked and attributed to "the spiteful race of unhappy, envious, and instinctive detractors.[77] Illustrated magazines printed growing numbers of ads offering services to guests at the gala evening. "Visit Casa Raunier" – said one advertisement in the pages of the *Gazeta de Notícias* – "and come see the beautiful assortment of luxurious dresses for the Theatro Municipal opening that are on display in our grand store windows."[78]

le tout-Rio

Whether in advertisements or in newspaper columns, a sole issue commanded attention. According to a columnist, "The issue of the day – the leit-motif of conversation in swank circles – is the upcoming inauguration of the magnificent Theatro Municipal. The tout-Rio of premieres, for all those who go to the theater because they enjoy it or just for show. Whether it's to see others or to be seen, everyone is anxious for the sensational opening."[79] Apparently scalpers weren't the only ones profiting from the event. "Especially tailors, glove makers, car companies, even florists. The great fashion houses and hairdressers will find themselves in a fix and overwhelmed with orders and requests. The season at the Municipal will be the reign of the *décolleté* and the *chichis*!"[80]

Besides these last two more predictable trendy groups in the fashion world, a cartoon on the first page of the *Jornal do Brasil* showed another in the sidelines waiting to make its appearance in the world of the rich and famous. "A great whirlwind is going to sweep tailors away. Get ready – green, grey, purple, etc., tailcoats are the Rio *smartism*. There'll be two shows at the Municipal's inauguration: one given by Réjane and the other by the colorful tailcoats."[81]

The season's frenetic pace challenged the endurance – and the pocket book – of Rio's most refined dandies. "Theater columnists, social columnists, and even the *smart* circle are

O PRESIDENTE DA REPÚBLICA, NILO PEÇANHA (NILOCIPAL!), E O MINISTRO DAS RELAÇÕES EXTERIORES, BARÃO DO RIO BRANCO, NÃO ESCAPARAM ÀS CRÍTICAS SOBRE A INAUGURAÇÃO DO THEATRO MUNICIPAL.
THE PRESIDENT OF THE REPUBLIC, NILO PEÇANHA (NILOCIPAL!), AND THE FOREIGN RELATIONS MINISTER, THE BARON OF RIO BRANCO, DID NOT ESCAPE CRITICISM OVER THE OPENING OF THE THEATRO MUNICIPAL.
STORNI. *MALHO*, N. 357, 1909. FBN

ríodo perdulário, se ostenta atualmente na Avenida Central, com o título de Theatro Municipal". Protesta pelo fato de, contrariando o que dizia a lei, o dinheiro arrecadado pelo imposto não ter sido destinado também à criação de uma companhia e escola de dramaturgia, mas unicamente à construção de um edifício. Indigna-se também contra o recente arrendamento do teatro recém-construído: "Gastar a soma de dez mil e tantos contos em uma obra, para alugá-la por dez réis, comprometendo-se a pagar as despesas de conservação, luz e mais, além da nova repartição complicada do serventuário, é um arrependimento moral que há de ferir ao contribuinte fundamente, muito mais do que a própria lei desprezada."[76]

Se a nota estridente de protesto da parte do desenhista-dramaturgo encontrou algum eco, este foi prontamente abafado em meio aos veludos e sedas, aos vestidos e casacas, que começavam a sair de gavetas e dos ateliês de costura à medida que se aproximava o grande dia. Críticas como aquela eram rapidamente descartadas e atribuídas à "raça daninha dos incontentáveis, dos invejosos e dos instintivamente contraditores".[77] Nas páginas das revistas ilustradas multiplicavam-se os apelos dos que ofereciam seus serviços aos espectadores daquela noite de gala. "Visitem a Casa Raunier – exortava um anúncio nas páginas da *Gazeta de Notícias* – e examinem a belíssima variedade de ricos vestidos próprios para a inauguração do Theatro Municipal, expostos nas suas vastas vitrines."[78]

le tout-Rio

No espaço reservado à publicidade assim como nas colunas dos jornais, o tema era o mesmo. "O assunto do dia – constatava um colunista – o *leit-motiv* das palestras nas rodas elegantes é a muito próxima inauguração do suntuoso Theatro Municipal. *Tout-Rio* das *premières*, todos aqueles que vão ao teatro por gosto ou simplesmente por *pose*, para verem ou serem vistos, estão ansiosos por esta sensacional abertura."[79] Ao que parece, não apenas os cambistas iam lucrar com o evento: "Especialmente as costureiras, os luveiros, as empresas de carros e até os floristas. As grandes casas de modas e os *coiffeurs* vão se ver atrapalhados com as encomendas e os chamados. A *season* do Municipal vai ser o reinado do *décolleté* e dos *chichis*!"[80]

No entanto, além desses dois últimos elementos, mais previsíveis, do mundo da moda, outra novidade esperava nos bastidores para entrar em cena à última hora no universo dos elegantes, anunciava uma charge na primeira página do *Jornal do Brasil*: "Vai grande a azáfama pelos alfaiates. Preparem-se casacas verdes, cinzentas, roxas etc para o *smartismo* carioca. Com a inauguração do Theatro Municipal vai haver espetáculo duplo – o da Réjane e o das casacas de cor."[81]

Toda a agitação frenética daquela temporada parecia um desafio à disposição – e à carteira – do mais refinado dândi. "Os cronistas teatrais, os redatores das seções elegantes e até a roda *smart* estão positivamente *ereintés*, estrompados, exaustos, com a avalanche de diversões e espetáculos da atual estação", queixava-se um deles. Muitos já começavam a sentir minguar

positively fatigued, worn out, and exhausted with the current season's avalanche of entertainment and shows," complained one of them. Many had already started to feel their entertainment budget shrinking. "I sometimes try to imagine" – adds a commentator – "how much it must cost the head of a family accustomed to providing his wife and his daughters all the modern luxuries: *toilletes*, jewels, cars, automobiles, after theater dining, and a countless number of other expenses that arise at every opportunity. That's why I stay single and flee from all such responsibilities."[82]

As for those who attended just to be with the "in crowd" and were usually more attuned to events in the boxes than those on stage, Lima Barreto, a columnist who went against the belle-époque grain, coined the term *idiotas binóculos* (morons with opera-glasses) for a group that certainly didn't include him. His coined term referred to the column "Binóculo" in the *Gazeta de Notícias*, in which Figueiredo Pimentel taught Parisian good manners to locals. "I dress badly, pitifully badly, practically like a pauper," confessed the novelist." I never have any clothes, so I'm never up to the opera glasses standards that would allow me some elbow room with those fine people pressing against each other in our puny theaters."[83]

Those guests at this party believed they were living in a peculiar time, and the city – according to a journalist – was experiencing "its golden age of good taste and elegance." "Human beings have this custom of always valuing the past," explained a *Fon-Fon* columnist. The same was true at the time for a small group of locals. "There are those who sigh shamelessly: 'Oh! The good old days of the Eldorado, of the Hotel Raveaux! There was money, Rio was fun, it was *chic*!' Please, spare me the antiquated comparisons. I can imagine what an elegant life-style was like back then: the parties at the Glória, the Provisório, sumptuous receptions with slaves serving tea and toast…What conceivable elegance can there be without electric light, automobiles, and luxurious theaters?"[84]

For the columnist and other stalwarts of the belle-époque spirit, the new theater symbolized, above all, the new metropolis's desire to turn its back once and for all on its past existence as a colonial town, its outdated colonial architecture, and its narrow and twisting alleyways. "In the Theatro Municipal's dazzling amphitheater with Réjane interpreting the very latest pieces of high comedy in an environment of marble and gold, impeccable tailcoats brushing against expensive silks, embroidered *chez* Pascin, followed by chocolate at the Assírio restaurant – all this unlike any other theater – and the promenade of automobiles through the streets paved and decorated with flowers and streaming with electric light. That's where you can get a real and solid sense of modern elegance, of the siblings of comfort and luxury. All the rest is hearsay," remarked the columnist who considered the case closed.[85]

It was a sharp contrast with the city's recent past. One contemporary observer, Luís Edmundo, compared the Lyrico, until then the venue of the great international performers, with the new theater. The first was no more than a "badly gilded ruin," "obsolete and unpleasant," "with a few old, dirty, stained, decrepit mirrors and a few badly dressed, unkempt, and disheveled doormen." "The leap" from the old Lyrico to the new house is "colossal": "From a big shed lacking the finer things and comfort to a palace of pomp and absolute comfort."[86]

DESENHO DA SALA DE ESPETÁCULO, PROJETO ORIGINAL.
DRAWING OF THE INTERIOR OF THE THEATER, ORIGINAL PROJECT.
COL. PEREIRA PASSOS. MR

But there was another contradiction noted by those most observant: the complete prostration to European art in a place that, for better or worse, ought to be a celebration of the progress of Brazilian culture. After listing the names of French and Italian playwrights in the repertory promised for the new theater's stage, a columnist ended on a melancholy note. "The Theatro Municipal is going through its final preparations for the great public exhibi-

seu orçamento destinado aos divertimentos. "Ponho-me às vezes a imaginar – acrescenta o comentarista – quanto deve custar a um chefe de família habituado a proporcionar à esposa e às filhas todo o luxo moderno: *toilettes*, joias, carros ou automóveis, ceias depois do teatro e os eventuais sem conta que surgem a cada momento. Por isso é que fico solteiro, fugindo de todas essas responsabilidades."[82]

Para os que iam ao teatro "por pose" e que costumavam ficar mais atentos ao que se passava nos camarotes do que no palco, Lima Barreto, um cronista que remava contra a maré da *belle-époque*, havia forjado o termo "idiotas binóculos", grupo do qual ele, decididamente, não fazia parte. O neologismo era uma referência à coluna "Binóculo", da *Gazeta de Notícias*, na qual Figueiredo Pimentel ensinava etiqueta parisiense aos cariocas. "Visto-me mal, lamentavelmente mal, quase mendicante – confessava o romancista. Nunca tenho roupas, de modo que jamais estou em estado sofrivelmente binocular, para acotovelar as elegâncias que se premem em nossos teatrinhos."[83]

A VERDADE, ESCULTURA EM MÁRMORE | MARBLE SCULPTURE BY JEAN ANTOINE INJALBERT [S.D.].
PH. AUGUSTO MALTA.
COL. PEREIRA PASSOS. MR

Os participantes da festa acreditavam estar vivendo um momento particular e a cidade – de acordo com um jornalista – "a sua Idade do Ouro do bom gosto e da elegância". O ser humano nutria o hábito de valorizar sempre o passado – explicava o colunista da revista *Fon-Fon*. O mesmo acontecia naquele momento entre uma pequena minoria de cariocas: "Há quem tenha a pouca vergonha de dizer: ah! Os bons tempos do Eldorado, do Hotel Raveaux! Havia dinheiro, o Rio divertia-se, tinha *chic*! Ora, tirem o automóvel do trilho que é, em estilo moderno, como quem diz: – tirem o cavalo da chuva. Imagino o que seria a vida elegante naquele tempo: a festa da Glória, o Provisório, recepções da nobreza, com escravos servindo chá com torradas... Há lá elegância concebível sem luz elétrica, automóveis, teatros luxuosos?"[84]

Para o cronista e outros paladinos do espírito da *belle-époque*, o novo teatro era antes de mais nada o símbolo da nova metrópole que queria dar as costas definitivamente ao seu passado de cidade colonial, com sua arquitetura por eles tida como bisonha, suas ruas estreitas e vielas sinuosas. "Na deslumbrante sala do Theatro Municipal, com a Réjane a viver as últimas criações da alta comédia, num ambiente de mármore, de oiro, as casacas impecáveis a roçar as sedas caras, trabalhadas *chez* Pascin e depois o chocolate no restaurante Assírio – que nenhum teatro do mundo possui – e o desfile dos autos pelas ruas asfaltadas e floridas fulgindo de luz elétrica, aí sim pode se ter uma impressão real e sólida da moderna elegância, irmã do conforto e do luxo. Tudo o mais são histórias", sentenciou, dando por encerrada a discussão.[85]

O contraste em relação ao passado recente era grande. Um observador contemporâneo, Luís Edmundo, comparou o Lyrico, no qual grandes nomes internacionais tinham se apresentado até então, com o novo teatro. O primeiro não passaria de "uma ruína mal dourada", "obsoleto e antipático", "com uns espelhos muito velhos, sujos e enodoados pelo tempo e uns porteiros gaforinhentos e mal vestidos". Do velho Lyrico para a nova casa, "o salto é colossal": "Passa-se de um barracão, sem galas e conforto, para um paço de pompa e absoluta comodidade."[86]

Mas havia outra contradição a chamar a atenção dos espíritos mais atentos: a absoluta prostração diante da arte europeia no que, mal ou bem, deveria ser uma celebração do progresso da

tion of its pomp. But, among the bright lights and joyful sounds, something remains that has withered, ailing and despised, and is cast away in some far corner and even thought to be nonexistent...Brazilian theater."[87]

Thus, the new theater's first season was handed over to a foreign company – that of the French actress and idol Gabriele Réjane, the very same lady who the "slaves of *chic,*" as Bilac had it, crowded around. Not only did the theater "cause biting envy among our Argentine friends" as the magazine *Fon-Fon* put it, the urban renewal program and the new theater also aimed at "dazzling travelers" especially Europeans, an attitude that seemed to be an obsession among Latin American elites at the time. In those days in July 1909, the French star played her roles perfectly. Réjane was courted, glorified, and photographed to death by the Rio press, which was ever ready to record her slightest remark about the Avenida Central and the Theatro Municipal. The actress generously fed Brazilian self-esteem. During a visit to the new theater she's reputed to have said that "its interior is lusher than that of the Paris Opera."[88]

Despite all the fawning over the French company, the fact that the new house would be opened with an entirely foreign show ultimately proved too embarrassing for the era's authorities and men of letters. Even without Artur Azevedo's menacing eye – he had conveniently passed away eight months prior to the opening – a special all Brazilian programming was introduced at the last minute. In June, Rodolfo Bernardelli, director of the Academia de Belas Artes and creator of the bronze busts of Carlos Gomes, Artur Azevedo, and João Caetano decorating the new theater, commented on the news in a letter to ex-mayor Pereira Passos, who was staying in Paris at the time. "Here we are all in a flurry of excitement like in the days of your illustrious administration...the Theatro Municipal is the news of the day, second only to politics...it will debut with a potpourri: a domestic opera, *Moema* by Delgado de Carvalho, a piece by Coelho Neto, and a concert that includes a speech by Bilac. It was all done at the last minute, so the event wouldn't go down in history as being inaugurated by a foreign company."[89]

MODELO PARA ESCULTURA DO TMRJ.
MODEL FOR TMRJ SCULPTURE
PH. AUGUSTO MALTA.
COL. PEREIRA PASSOS. MR

Therefore, on July 11, with just three days to go to opening night, the *Jornal do Comércio* announced, "the program for the Theatro Municipal's opening on the 14th is ready. On this festive evening where Mr. President of the Republic and high ranking civilian and military authorities will be present as guests, only the works of Brazilian composers and authors will be performed." On opening night, Nilo Peçanha, the nation's highest authority, who filled in for President Afonso Pena who'd passed away a month earlier, was welcomed by the music of the national anthem "played by an orchestra consisting of an overwhelming majority of Brazilian musicians."[90]

Once the national anthem was performed, the three-part program began with an official speech by the "prince of poets," Olavo Bilac, followed by Maestro Francisco Braga's symphonic poem *Insônia*. In the second part, the audience heard *Noturno* from Carlos Gomes's opera *Condor*, followed by Coelho Neto's one-act play *Bonança* staged by the Artur Azevedo theater company. The evening closed with a performance of *Moema*, a one-act opera by Delgado de Carvalho written by Escragnolle Dória and performed by the members of the Centro Lírico Brasileiro.

The date chosen for the inauguration was hardly picked by accident. Two important ceremonies that marked the city's urban transformation, the end of the Avenida Central demolitions (on September 7, 1904) and the conclusion of the urban work projects (on November 15, 1905) were held on national holidays. For that same reason, July 14 was highly significant.

cultura brasileira. Depois de enumerar os nomes de dramaturgos franceses e italianos no repertório já prometido para o palco do novo teatro, um cronista terminava seu artigo com uma nota melancólica: "O Municipal está agora em últimas de mão para a grande exibição pública de sua pompa. E à irradiação e ao rumor festivo de tudo isso, mirra e definha, escarnecido, posto miseravelmente a um canto, já tido há muito como um mito, o Teatro Nacional..."[87]

Pois a primeira temporada do novo teatro caberia a uma companhia estrangeira, a *troupe* da idolatrada atriz francesa Gabrielle Réjane, justamente aquela em torno da qual se acotovelavam os "escravos do *chic*", na expressão de Bilac. Além de "moer de inveja nossos amigos do Prata", como admitia a revista *Fon-Fon*, as reformas e o novo teatro também tinham por objetivo "assombrar o viajante", sobretudo o europeu, conforme o que parecia ser uma obsessão das elites latino-americanas da época. Naqueles dias de julho de 1909, a estrela francesa desempenhou à perfeição este papel. Réjane seria cortejada, exaltada e fotografada à exaustão pela imprensa carioca, sempre pronta a registrar seus menores comentários a respeito da Avenida Central e do Municipal. A autoestima dos brasileiros seria alimentada em doses generosas pela atriz. Em visita ao novo teatro, ela teria dito que "o interior é mais rico do que o da Ópera de Paris".[88]

ESTA FOTO SEM DATA, PROVAVELMENTE TIRADA POR AUGUSTO MALTA, É A ÚNICA QUE ENCONTRAMOS QUE TALVEZ NOS TRAGA ALGO SOBRE O CLIMA DE CURIOSIDADE DA POPULAÇÃO NAQUELES PRIMEIROS MOMENTOS DO MUNICIPAL. É INTRIGANTE A AUSÊNCIA DE DOCUMENTAÇÃO FOTOGRÁFICA DA INAUGURAÇÃO DO TMRJ NOS ARQUIVOS PÚBLICOS DO RIO DE JANEIRO. SOBRETUDO PORQUE AUGUSTO MALTA, FOTÓGRAFO OFICIAL DA PREFEITURA DO RIO DE JANEIRO, SEMPRE REGISTROU OS PRINCIPAIS ACONTECIMENTOS DA CIDADE.

THIS UNDATED PHOTO WAS PROBABLY TAKEN BY AUGUSTO MALTA. IT IS THE ONLY REPRESENTATION OF THE POPULATION'S CURIOSITY DURING THOSE FIRST MOMENTS OF THE THEATRO MUNICIPAL. IT IS STRANGE THAT THERE IS A SCARCITY OF PHOTOGRAPHIC DOCUMENTS OF THE TMRJ'S INAUGURATION IN THE RIO DE JANEIRO PUBLIC ARCHIVES SINCE AUGUSTO MALTA, THE CITY'S OFFICIAL PHOTOGRAPHER ALWAYS REGISTERED THE CITY'S MAIN EVENTS.
COL. PREFEITURA DO DISTRITO FEDERAL. AGCRJ

Apesar de todos os confetes despejados sobre a companhia francesa, abrir a nova casa com um espetáculo inteiramente estrangeiro acabou parecendo demasiadamente constrangedor aos olhos dos administradores e homens de letra da época. Mesmo sem a ameaça do olhar reprovador de Artur Azevedo, morto providencialmente oito meses antes de sua abertura, uma programação especial, inteiramente brasileira, acabou sendo preparada, ainda que às pressas. Em junho, Rodolfo Bernardelli, diretor da Escola de Belas Artes e autor dos bustos em bronze de Carlos Gomes, Artur Azevedo e João Caetano que decoravam o novo teatro, contava as novidades em carta ao ex-prefeito Pereira Passos, àquela altura passando uma temporada em Paris: "Por aqui andamos num afã, como nos tempos da sua benemérita administração [...] o teatro [Municipal] está sendo a ocupação dos que não tratam de política [...] vai estrear com um *pot pourri*: uma ópera nacional, *Moema*, de Delgado de Carvalho, uma peça de Coelho Neto e um concerto, havendo também um discurso de Bilac. Foi uma tangente, para não se dizer na história, que esse monumento foi inaugurado com companhia estrangeira."[89]

No dia 11 de julho, apenas três dias antes da festa, portanto, o *Jornal do Comércio* anunciava: "Já está organizado o programa do espetáculo com que vai ser inaugurado, no dia 14 do corrente, o Theatro Municipal. Nessa festa, a que prometeram comparecer o Sr. presidente da República e as altas autoridades civis e militares só serão executados trabalhos de compositores e autores nacionais." A autoridade máxima do país, Nilo Peçanha, o vice-presidente que havia substituído Afonso Pena, morto um mês antes, seria recepcionado com o Hino Nacional, "executado por uma orquestra composta, na sua quase totalidade, de músicos brasileiros".[90]

Dividido em três partes, o programa começaria – depois da execução do hino – com o discurso oficial, do qual se encarregaria o "príncipe dos poetas", Olavo Bilac, sendo seguido pelo poema

It was another way of linking a foreign tradition and a convenient past. The day on which "France celebrates the fall of the Bastille and Brazil the freedom of the peoples of the Americas" was usually celebrated in the capital of the young Brazilian republic. On inauguration day, "public buildings also flew the national flag…and the Brazilian and French flags could be seen in front of many stores, shops, and businesses."[91] Such a custom was common at the time. According to the *Jornal do Comércio*, "The French achievements in 1789 paved the way for the history of nations on this continent. That was certainly the feeling…when, in 1890, at the dawn of the Republican government, the decision was made to honor the French Revolution on Brazilian federal holidays because…the 19th- century's light and grandeur came from the Revolution."[92]

It was also important that Olavo Bilac was chosen to be the master of ceremonies that evening. Despite his criticism of those who were extremely subservient to Parisian trends, the poet was rightly recognized as one of the advocates of urban renewal and of the "Frenchification" of Rio. After a quick survey of ancient Greece in his official speech during which the poet "heard the muffled lament of the hamadryads," sensed the "elusive footsteps of the oedes," and glimpsed "the light *ronde* of the forest nymphs," he didn't shy away from the debate on the place of Brazilian culture in the transformations underway around the country. It's true that the new building had the name of Carlos Gomes engraved between those of Verdi and Wagner, and that of Martins Pena between the names of Goethe and Moliére. But in addition to such superficial acknowledgements and cosmetic solutions, a debate was going on. Some found it suspicious that the new building was a copy of Paris's Opera Garnier or the fact that it had opened with a theater production of a French company. In response, Bilac offered an exalted elegy on the labor of imitation: "the history of the theater is a long series of literary imitations, in which the genius of each people takes and perfects the artistic legacy of the past."[93]

If Bilac didn't go as far as the *Jornal do Brasil* columnist who criticized nationalists by calling them "deluded satraps," he did reserve some criticism for those who desired a strictly national theater. "Such a pretense would be ridiculous in a civilization that's was one of the last ones born in a period marked more by industrial expansion than artistic creation. And, what's more, how laughable to attempt to close the ports of our intelligence to trade with foreign letters, one hundred years after the decree that opened our coastal ports to the merchant ships of the entire world!"[94] In truth, Gabrielle Réjane was received with both open ports and open arms when she arrived in Rio in high style, on the Italian steamer *Umbria.* She waited for an impresario who took her to the docks in a private boat, and from there, according to the press, the "outstanding artist" went to the Hotel dos Estrangeiros. According to a proud commentator: "The illustrious performer of modern comedy, the audacious or deeply satirical plays by Abel Hermant, Donnay, Porto-Riche, Hervieu, and so many other writers, will reappear in the impressive frame of the new stage; this Réjane is the quintessence of *coquetterie* and frivolity, and the perversity of the doll-woman, the product of a time when Luxury and Pleasure hold sway over the hearts and minds of men."[95]

In fact, the aura around the artist inspired nothing close to what Bilac had pompously called the "artistic legacy of the past." At the beginning of August, in the early dawn of the Theatro Municipal, dramas scheduled for staging included plays such as *Souzeraine*, *Le Roi*, *Le Refuge,* and *La Femme Nue* by the French playwright Henry Bataille. The *Gazeta de Notícias* was quick to set the public at ease and said the title of the last play [The Naked Woman] shouldn't be misunderstood. "Unlike what one may imagine, it's merely artistic in charac-

sinfônico *Insônia*, do maestro Francisco Braga. Na segunda parte seria apresentado o "Noturno", da ópera *Condor*, de Carlos Gomes, e a peça em um ato *Bonança*, de Coelho Neto, pela companhia teatral Artur Azevedo. Na última parte seria encenada *Moema*, ópera em um ato de Delgado de Carvalho, com texto de Escragnolle Dória, apresentada por artistas do Centro Lírico Brasileiro.

A data escolhida para a inauguração estava longe de ser casual. As duas cerimônias marcantes no calendário das transformações por que passava o Rio, o fim das demolições na Avenida Central (7 de setembro de 1904) e a conclusão de suas obras (15 de novembro de 1905), ocorreram em datas cívicas. Da mesma forma, o 14 de julho era uma ocasião carregada de significados. Um recurso a mais para se associar a uma tradição alheia, a um passado conveniente. O dia em que "a França comemora a tomada da Bastilha e o Brasil, a liberdade dos povos americanos" costumava ser festejado na capital da jovem república brasileira. Também naquele dia, o da inauguração do teatro, "os edifícios públicos hastearam logo pela manhã a bandeira nacional [...] e nas fachadas de muitas casas comerciais tremulavam as bandeiras da França e do Brasil".[91] Tratava-se, na época, de uma medida rotineira. "Os feitos dos franceses de 1789 são os prolegômenos da história das nacionalidades deste continente – proclamava o *Jornal do Comércio*. Foi este certamente o sentimento [...] quando, em 1890, na alvorada do regime republicano no Brasil [decidiu-se] que nas nossas festas nacionais, se incluísse a lembrança daquela aurora da Revolução Francesa, de que saiu [...] a luz e a grandeza do século XIX."[92]

Também foi significativa a escolha de Olavo Bilac como o mestre de cerimônias daquela noite. Apesar das suas críticas aos que levavam ao extremo sua subserviência às modas de Paris, o poeta com razão era reconhecido como um dos mais articulados paladinos das reformas e do "afrancesamento" do Rio. Em seu discurso oficial, depois de uma rápida passagem pela Grécia antiga, na qual o orador ouviu "a queixa abafada das hamadríades", pressentiu "o esquivo passo das oeades" e vislumbrou "a ronda leve das napeias", o poeta não fugiu ao debate sobre o lugar da cultura brasileira nas transformações por que o país passava. É verdade que no novo edifício o nome de Carlos Gomes fora gravado entre os de Verdi e Wagner; e o de Martins Pena, entre os de Goethe e de Molière. Mas, para além da superfície, das soluções de fachada, havia uma discussão a ser travada. Suscitou a desconfiança de alguns o fato de o novo prédio ser considerado uma cópia da Ópera Garnier, de Paris, ou de ser aberto com as produções de uma companhia dramática francesa. A estes, Bilac respondeu com um exaltado elogio do exercício da imitação: "A história do teatro é uma longa série de imitações literárias, em que o gênio de cada povo apreende e aperfeiçoa os legados artísticos do passado".[93]

Se não chega ao ponto de, como o colunista do *Jornal do Brasil*, chamar os nacionalistas de "satrapinhas iludidos", nem por isso Bilac deixa de criticar os que aspiravam a um teatro estritamente nacional: "Esta pretensão seria ridícula em uma civilização que é uma das últimas nascidas em uma época mais de expansão industrial do que de criação artística. E, além disso, como seria irrisório pretendermos fechar os portos de nossa inteligência ao comércio das letras estrangeiras, cem anos depois do decreto que abriu os portos do nosso litoral aos navios mercantes de todo o mundo!"[94] E, de fato, encontrando portos e braços abertos, Gabrielle Réjane desembarcaria no Rio, em grande estilo, a bordo do vapor italiano *Umbria*. Aguardada por um empresário que a levou até o cais numa lancha particular, dali "a notável artista", registrou a imprensa, dirigiu-se ao Hotel dos Estrangeiros, onde ficaria hospedada. "Na imponente moldura do novo palco – anunciava orgulhosamente um cronista – surgirá a insigne intérprete da comédia moderna, das peças ousadas ou profundamente satíricas de Abel Hermant, Donnay, Porto-Riche, Hervieu e tantos outros escritores, a Réjane, quinta essência na cena francesa da *coquetterie*, da frivolidade, da perversidade da mulher-boneca, produto de uma época em que o Luxo e o Gozo dominam as consciências."[95]

ELISEU VISCONTI EM SEU *ATELIER* EM PARIS, ONDE EXECUTAVA A PINTURA DO ANTIGO PROSCÊNIO, SUBSTITUÍDO PELO ATUAL EM 1934.
ELISEU VISCONTI IN HIS ATELIER IN PARIS, PAINTING THE PROSCENIUM WHICH WAS SUBSTITUTED IN 1934 BY THE ONE THAT IS STILL THERE TODAY.
1907. COL. PROJETO ELISEU VISCONTI

Na verdade, a aura que cercava a artista não inspirava nada que sugerisse alguma associação com o que Bilac pomposamente chamara de "legados artísticos do passado". Do pacote de produções trazidas por Réjane que ocupariam o palco naqueles primeiros dias de existência do Municipal e até o início de agosto faziam parte peças como *Souzeraine*, *Le Roi*, *Le Refuge* e *La Femme Nue*, texto do dramaturgo francês Henry Bataille, cujo título, apressava-se a tranquilizar o público a *Gazeta de Notícias*, não deveria dar margem a mal-entendidos: "Ao contrário do que se possa supor, tem um caráter meramente artístico [...] de entrecho meramente sentimental [...], de modo que a famosa peça constitui o mais enternecedor e grato espetáculo para senhoras e meninas."[96] O número de apresentações a preços populares foi pequeno – cerca de meia dúzia – insuficiente para dissimular o caráter elitista da festa.

A elite carioca, contudo, embevecida com a estrela, nunca soube que Pereira Passos, de Paris, onde se encontrava, via a atriz com outros olhos. O verdadeiro mentor do Municipal não conteve sua indignação ao saber, pelos jornais franceses, que fora ela a escolhida para abrir a primeira temporada da nova casa. "Não valia à pena ter gasto tanto dinheiro e tanto esforço na execução de tão belo monumento para entregá-lo a gente tão incompetente", fulmina o ex-prefeito em carta a seu amigo, o engenheiro Américo Rangel. Referindo-se ao empresário a quem a prefeitura havia arrendado o teatro, acusava: "Celestino entende que qualquer cenário serve para o nosso público, tal é o pouco caso que faz de nós". A respeito da atriz, Passos é implacável: "Réjane, que foi sempre muito feia, está hoje velha, imprestável. Dirige aqui um teatro que tem o seu nome, no qual fazem fiasco todas as peças que leva à cena. Ainda agora está representando uma comédia, *Trains de luxe*, que é uma completa borracheira." O espetáculo e sua principal estrela são demolidos em poucas frases: "Toda a peça é mal escrita e mal apresentada. A própria Réjane, que faz o papel da infanta Elvira, está abaixo da crítica. Os homens nem merecem que sejam mencionados. É a pior companhia dramática que há em Paris. E é com esse pessoal que se vai inaugurar o mais belo teatro da América. Louvado seja Deus."[97]

Curiosamente, na polêmica entre os que se prostravam diante dos modismos parisienses e os nacionalistas, o ex-prefeito Pereira Passos mostrava maior afinidade com os últimos. "Parece-me que o nosso teatro deveria ser inaugurado por uma companhia lírica com a ópera brasileira *O Guarani*", opina ele. Ou então, sugere na mesma carta, uma tragédia grega como *Antígona*, de Sófocles. "Essa é a peça que Tina di Lorenzo pretendia representar, se tivesse inaugurado o teatro", observa, numa alusão à atriz italiana, velha conhecida sua, de quem era – segundo alguns – mais do que um mero admirador.

A noite de inauguração do Theatro Municipal marcou época na vida da cidade. Houve mesmo quem garantisse que "depois que se extinguiu a monarquia, não se tem ideia de tão grande parada de elegância e chique entre nossa gente".[98] Talvez por isso o acontecimento social tenha sido organizado, coreografado e comentado em cada um de seus detalhes, como se ele em si fosse o espetáculo a ser assistido pela massa que se comprimiria nos arredores do teatro. Já pela manhã um jornal publicava artigo sobre os "comentários bastante curiosos" que circularam com a notícia de que o presidente da República chegaria naquela noite ao Municipal em "um landau tirado à Daumont". Com a condescendência de um cosmopolita que se dirige a um público provinciano, escrevia o articulista: "Dir-se-ia que as explicações eram feitas para os habitantes de alguma aldeia". Depois de informar pacientemente que o veículo consistia numa carruagem "com assento na traseira para dois lacaios, tirada por duas parelhas de cavalos", o jornalista esclarecia: "É inexato que seja impróprio para presidentes da república usar carros dessa espécie. O presidente da República francesa, não só em cerimônias oficiais, mas também quando vai às

ter...its plot merely sentimental...so that the famous play is the most tender and delightful amusement for ladies and girls."[96] With only a half a dozen productions ticketed at popular prices, the party's elitist nature could hardly be disguised.

Rio's elite, however, was enthralled with Réjane and blissfully unaware that Pereira Passos, far removed in Paris, saw her in a rather different light. The Theatro's true mentor became furious when he learned through the papers that she'd been chosen to open the season at the new house. "Such a waste to spend so much money and effort to create such a beautiful monument, only to hand it over to such dolts," he fumed in a letter to his friend and engineer Américo Rangel. Passos mentioned the name of the impresario who'd leased the theater from City Hall and made an accusation: "Celestino thinks anything will do for our audience, that's how little respect he shows us." Passos was relentless about the star: "Réjane, who's always been a hag, is old nowadays and useless. She directs a theater named after her in which all the plays are fiascos. She's right now staging a comedy, *Trans de luxe,* that is utter trumpery." He continued, demolishing the play and its main star in a few sentences: "The entire play is hideously written and performed. Réjane herself, in the role of the infant Elvira, is contemptible. We need not even mention the men actors. It's the worst theater company in Paris. And that's the group we're going to have inaugurate the most beautiful theater in America. Glory be to God."[97]

Curiously, in the controversy between the nationalists and those who prostrated themselves before Parisian fashion, the former mayor Pereira Passos showed greater affinity for the nationalists: "It looks to me that our theater ought to be inaugurated by a opera company with the Brazilian work *O Guarani.*" Or perhaps, as he suggested further ahead in the letter, with a Greek tragedy such as *Antigone* by Sophocles. "Had Tina di Lorenzo inaugurated the theater, she'd have chosen that play," said Passos, alluding to his old friend, the Italian actress who was, according to some, more than just the mere object of his admiration.

The Theatro Municipal's inauguration night was a milestone in the life of the city. Some went as far as to say that "since the monarchy was abolished, no one had seen such a great promenade of elegance and *chic* among our people."[98] Perhaps that's why the social event had been organized, choreographed, and examined in detail as if it were itself a show put on for the masses that crowded around the theater. Early in the morning, a newspaper published an article about the "curious remarks" that circulated alongside the news that the president of the republic was expected to arrive that evening at the Municipal in a "landau drawn by Daumont." The journalist condescendingly wrote, in the same way a cosmopolitan city slicker would address a village of hillbillies, that: "One would say explanations were made for the inhabitants of some village." After patiently explaining to readers that a landau was actually a horse-drawn carriage "pulled by two pairs of horses with a back seat for two footmen," the journalist continued: "It's not true that this mode of transportation is improper for presidents of the Republic. The president of the French Republic is always seen aboard a landau à la Daumont, not only during official ceremonies, but also when he goes to the races at Longchamps and Auteil, performs military revues, and attends gala events."[99]

If press coverage is to be trusted, attire in the orchestra seats attracted more attention than costumes onstage. In the more democratic upper tiers, "students blended with people from all classes," a reporter noted, but perhaps was exaggerating a little. But it was in the orchestra seats, the balcony, and the boxes that the ladies and gentlemen stood out, "the [ladies] for their luxury, abundant trimmings, their beautiful heads, and the assorted colors of

corridas de Longchamps e Auteil, a revistas militares, a espetáculos de gala, é visto sempre em um landau à Daumont".[99]

A julgar pelos relatos da imprensa, os figurinos usados na plateia mereciam mais atenção do que os do palco. Na galeria, mais democrática, "a mocidade acadêmica se misturava ao povo de todas as classes", observava, talvez com certo exagero, um repórter. Mas era na plateia, nas frisas e camarotes que se destacavam as senhoras e os cavalheiros, "estas pelo luxo, riqueza de adereços, formosura das cabeças e colorido variado dos trajes", aqueles, "pela sua uniforme e correta casaca preta".[100] O adjetivo "correta" parecia ser uma farpa dirigida ao grupo liderado por João do Rio, Ataulfo de Paiva e Figueiredo Pimentel, o jornalista da coluna "Binóculo". Com amigos, naquela noite eles tinham ousado inovar, introduzindo outras cores no figurino masculino. "Foi sensacional a aparição desses coloridos *smarts* – relata o cronista Luís Edmundo – como sensacional também foi a grande vaia que receberam da irrespeitosa e atrevida galeria, repleta de estudantes."[101] As tais casacas coloridas, a julgar por uma nota na revista *Fon-Fon*, ainda eram capazes de deixar engasgados os mais conservadores, que aproveitavam o episódio para hostilizar seus desafetos fazendo até insinuações de conotação racista: "Na estreia da *troupe* Réjane, apareceu um *smart* de casaca verde macaco. Até aí, nada de mal. O diabo é que o tal *smart* parecia mesmo um macaco com a série de trejeitos que fazia para se pôr em evidência."[102]

À noite, relataram os jornais, a Avenida Central, a praça e a rua Treze de Maio estavam tomadas pela multidão, que assistia à chegada de automóveis, coches e bondes das companhias Jardim Botânico e Light. Entre estes estavam os chamados "bondes de ceroula", cujos assentos eram cobertos de linho branco para não sujar de pó os vestidos das senhoras. Segundo um cronista, sob a luz dos refletores, o edifício parecia menos um teatro do que "uma garbosa e resplendente catedral", "positivamente um sonho, um delírio".[103] Nos detalhes do seu interior, Luís Edmundo percebeu "um violento e exagerado luxo, um luxo escandaloso, que deslumbra e enternece o olhar do pobre brasileiro, bem pouco afeito a certas manifestações de aparato e grandeza".[104]

É verdade que longe de enternecer, a suntuosidade também irritou certos brasileiros, como Lima Barreto, implacável ao criticar o que para ele era o símbolo por excelência do elitismo: "Armaram um teatro cheio de mármores, de complicações luxuosas, um teatro que exige casacas, altas *toilettes*, decotes, penteados, diademas, adereços e querem com ele levantar a arte dramática apelando para o povo do Rio de Janeiro."[105] O novo espaço serviria apenas para que "uma burguesia rica, ou que se finge rica, exiba suas mulheres e filhas, suas joias e seus vestidos, em espetáculos de companhias estrangeiras, líricas ou não, para o que o pobre mulato pé no chão, que colhe bananas em Guaratiba, contribui sob a forma de subvenção municipal às referidas companhias. Povo? Níqueis... No porão, sob o olhar de cornudos touros de faiança, todas as noites as *cocottes chics* e os rapazes ricos se embriagam, perfeitamente à parisiense. Para isto, não era preciso gastar muito dinheiro e amolar o povo com a sua educação."[106]

Antecipando-se às críticas – presentes e futuras – a respeito do luxo excessivo da casa, Bilac em seu discurso argumentara que "nunca é demasiado o fausto, nem condenável a suntuosidade, quando se quer alojar dignamente o espírito e a cultura de um país".[107] Foi, segundo o jargão jornalístico da época, "delirantemente aplaudido". Afinal, disse o que todos os presentes queriam ouvir. A noite era parte de um esforço para consolidar o amor-próprio dos brasileiros, que sofria por se encontrar em terreno tão ou mais pantanoso do que aquele onde fora construído o Municipal. Um programa explicitado com todas as letras nas impressões produzidas por aquela noite resumidas pelo diário *A Tribuna*: "Tudo ali falava do nosso progresso, do nosso adiantamento, da nossa cultura espiritual, da civilização dos nossos costumes, do apuro do nosso gosto: o edifício

their attire," and "the [gentlemen] because of their uniforms and proper black tailcoats."[100] The use of "proper" as an adjective is probably a taunt addressed at the group led by João do Rio, Ataúlfo de Paiva, and Figueiredo Pimentel, the author of the "Binóculo" column. That evening they and their friends dared to introduce different colored men's attire and *smarts* (tailcoats). "The arrival of these colorful *smarts* made a splash" – reported commentator Luís Edmundo – "the disrespectful and insolent booing coming from upper tiers full of students was just as sensational."[101] The colored tailcoats, according to a note in *Fon-Fon*, were enough to annoy the conservatives who took advantage of the event to antagonize their foes and make insinuating racist remarks. "On the night of Rejáne's troupe's debut, a *smart* arrived in green monkey tailcoat. That alone isn't objectionable. The hell of it is that with his quirky behavior to look important, he really did look like a monkey."[102]

In the evening, the newspapers noted that a huge crowd had swarmed into Avenida Central, the square, and Rua Treze de Maio to watch the arrival of automobiles, carriages, and trams from the Jardim Botânico and Light transit companies. Among them were the so-called *bondes de ceroula* [trams in long-johns], whose seats were covered in white linen so the ladies' dresses wouldn't be exposed to dust. According to a columnist under the floodlights, the building looked less like a theater than a "proud and resplendent cathedral," and was "positively a dream, a delirium."[103] In the details of the building's interior Luís Edmundo saw "violent and exaggerated luxury, a scandalous luxury that dazzles and touches the heart of the Brazilian poor, who are hardly used to such displays of sophistication and grandeur."[104]

It's true that far from touching all hearts, such lavishness also annoyed certain Brazilians, among them Lima Barreto, the relentless critic of what he saw as the purest display of elitism. "They set up a theater full of marble, luxurious decorations, a theater that demands tailcoats, high toilettes, *décolletage, coiffeurs*, tiaras, trimmings, and they wish to use it to raise the level of theatrical art by appealing to the people of Rio de Janeiro."[105] The new place would only be of service for "rich bourgeoisie or those that pretend to be rich to show off their women and daughters, their jewels, their dresses at performances by foreign companies, whether lyrical or not, while the poor mulatto with his feet firmly planted on the ground picks bananas in Guaratiba and pays taxes so the city can subsidize these companies. The people? Pennies… In the basement, under the gaze of horned porcelain bulls, every night the *cocottes,* chics, and the rich young men get drunk in perfect Parisian fashion. If this was the desired effect, there was no need to spend a lot of money and bother the people with their fine manners."[106]

Bilac kept ahead of any current or future criticism about the house's excessive luxury and argued in his speech that "excess is never enough, nor is lavishness to be condemned when one desires to provide a dignified abode for the nation's spirit and culture."[107] In the journalistic jargon of the day, he was "deliriously applauded." He'd said, after all, what everyone present wanted to hear. The evening was part of an effort to consolidate a Brazilian self-love that was ill at ease in a terrain as muddy as the land the Theatro itself was built on. This was clearly stated in an article in *A Tribuna* about the impressions of that night: "Everything taking place spoke eloquently of our progress, our advancement, our spiritual culture, the civilized quality of our customs, the refinement of our taste; the building is in harmony with our city and with a society that honors the great sacrifice City Hall made to give that rich monument and silence the old complaints that Rio de Janeiro didn't have a theater worthy of its development."[108]

The article went on to honor, albeit in a bureaucratic fashion, the "late and lamented Artur Azevedo," mentor of the idea that "he treasured so long in his tireless promotion of Bra-

que se harmoniza com a nossa sociedade, a sociedade que faz honra ao grande sacrifício do poder municipal, dotando a cidade com aquele rico monumento e fazendo calar os velhos reclames de não possuir o Rio de Janeiro uma casa de espetáculos digna do seu desenvolvimento."[108]

O mesmo artigo seguia adiante para prestar um tributo, ainda que um tanto burocrático, ao "malogrado Artur Azevedo", mentor da ideia que tão "longamente acariciou, na pertinácia beneficiadora da arte dramática brasileira, de que ele foi o esteio mais poderoso". O certo é que, fosse ainda vivo no momento da inauguração, o dramaturgo não teria visto com bons olhos o repertório trazido por Réjane. Grande atriz ou não, a programação da companhia francesa incluía peças medíocres, como enredos de cunho policial e *vaudevilles* nada sofisticados. Nem na seleção de obras brasileiras, apresentadas na abertura, o dramaturgo seria lembrado. Isso apesar de Azevedo, como lembra seu biógrafo, Raimundo Magalhães Jr, ter estreado pouco antes uma de suas melhores comédias, *O Dote*. Também não conseguiu nem uma "ponta" no elenco de celebridades retratadas no famoso pano de boca de autoria de Eliseu Visconti, no qual personalidades brasileiras como o ator João Caetano, o pintor Victor Meirelles e o poeta Castro Alves figuram ombro a ombro com Shakespeare, Victor Hugo e Camões.

O Theatro Municipal tinha à sua frente um futuro brilhante, mas não aquele que Azevedo tinha imaginado. Depois de um período inicial marcado pelo predomínio das companhias de teatro europeias, a casa encontraria sua verdadeira vocação na música erudita, no canto lírico e na dança – não na dramaturgia brasileira. Esquecido pelo pincel de Visconti, o maior nome do nosso teatro à época foi vítima de um simbolismo mais do que apropriado. Na noite de inauguração do novo teatro, Artur Azevedo ficou – ainda que metaforicamente – do lado de fora, perdido na multidão que para todo aquele luxo olhava assombrada, quem sabe na companhia do "pobre mulato pé no chão, que colhe bananas em Guaratiba". ∎

AVENIDA CENTRAL.
PH. AUGUSTO MALTA DETALHE | DETAIL
[CA. 1909].
COL. PEREIRA PASSOS. MR

zilian theater, of which he was the most powerful supporter." The fact is that had Azevedo lived to see the inauguration, he wouldn't have been happy with Réjane's repertory. Whether she was or wasn't a great actress is unimportant since the French company included mediocre plays with plots that revolved around idiotic vaudevilles and police stories. Nor would Azevedo be recalled in the selection of Brazilian plays despite the fact that one of his best comedies, *O Dote,* had opened only recently, as his biographer Raimundo Magalhães Jr. noted. Nor was there even a tiny portrait of Azevedo included among the group of celebrities depicted on the grand drapes painted by Eliseu Visconti showing Brazilian notables such as actor João Caetano, painter Victor Meirelles, and poet Castro Alves shoulder to shoulder with Shakespeare, Victor Hugo, and Camões.

The Theatro Municipal had a brilliant future ahead, but not the one Azevedo had imagined. After an initial period marked by the predominance of European theater companies, the house would find its true calling in classical music, opera, song, ballet, and dance, but not Brazilian theater. Forgotten by Visconti's paintbrush, the greatest name of our theater at the time was victimized by some very pertinent symbolism. On the evening of its inauguration Artur Azevedo was left – even if metaphorically – outside, lost in the crowd awed by all that luxury, and who knows, perhaps he stood alongside that "poor mulatto with his feet firmly planted on the ground picking bananas in Guaratiba." ■

Theatro Municipal
DO RIO DE JANEIRO

teatro, ópera, concertos, recitais e dança
theater, opera, concerts, recitals and dance

1909 > 1919

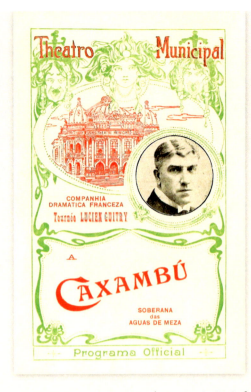

CAPA DO PROGRAMA
PROGRAM COVER
1912, FUNARTE

PLATEIA DO THEATRO MUNICIPAL NO DIA DA INAUGURAÇÃO.
THE AUDIENCE HALL IN THEATRO MUNICIPAL ON INAUGURATION DAY.
REVISTA DA SEMANA, 25.07.1909. FBN

PÁGINA ANTERIOR | PREVIOUS PAGE
ESTUDO DE HENRIQUE BERNARDELLI PARA CAPA DO PROGRAMA DE INAUGURAÇÃO DO TMRJ; NÃO APROVEITADO.
STUDY BY HENRIQUE BERNARDELLI FOR THE COVER OF THE TMRJ INAUGURATION PROGRAM; IT WAS NOT USED.
[CA. 1909]. MNBA

teatro
theater

BARBARA HELIODORA

Não foram poucos os grandes momentos do teatro ao longo dos cem anos de existência do Theatro Municipal, porém nem por isso sua história deixa de comprovar que ele nunca foi – e em sua essência jamais quis ser – o teatro que Artur Azevedo sonhou para ser o propulsor da arte dramática no Brasil. Premida pela apaixonada campanha de Artur Azevedo para a construção de um teatro e constituição de uma companhia dramática permanente, a Prefeitura da então capital federal não pensou em teatro de prosa, nem em companhia dramática, optou pela imponência das casas de ópera europeias. E a nossa, na verdade, resultou belíssima, mas estes últimos cem anos provaram que não era esse o sonho de Artur Azevedo.

O Theatro Municipal, a puro título de local imponente e prestigioso, foi usado ao longo dos anos para os mais variados fins, de bailes de carnaval a solenidades de formatura e uma infindável lista de cursos de balé ou declamação. Na área de teatro, uma de suas principais funções foi a de acolhedor oficial das companhias teatrais estrangeiras. A frequência dessas e a quase ausência de espetáculos nacionais, nas primeiras décadas, mostram quanto o Brasil ainda vivia, do ponto de vista cultural, um clima colonial, só desaparecido na medida em que o próprio país se desenvolveu e foi encontrando sua personalidade.

Foi um arranjo improvisado o programa da inauguração do TM, que só o protesto da imprensa

There have been more than a few great moments of theater during the one hundred years of the Theatro Municipal's existence. Nevertheless, the theater failed to become what it essentially was never intended to be: the theater that Artur Azevedo dreamt would become the prime mover of dramatic art in Brazil. When pressured by Azevedo's passionate campaign to build a theater and establish a permanent dramatic company, the mayor and municipal authorities of the then federal capital envisioned neither a legitimate theater nor a dramatic company. They opted for the majesty of most European opera houses and ours, actually, turned out to be extremely beautiful. Yet the past one hundred years have proved that it hasn't fulfilled Artur Azevedo's dream.

The Theatro Municipal, designed to be an imposing and prestigious venue, was used in subsequent years for a variety of purposes, from carnival balls to graduation ceremonies to an endless list of ballet and oratory courses. In the realm of theater, one of its main functions was to host foreign theater companies. In the first decades, these companies' frequent appearances and the almost

impediu fosse estritamente francês; foi de lastimar a programação de última hora, inclusive com a peça em um ato de Coelho Neto, *Bonança*, que infelizmente não está incluída na edição de suas obras teatrais pelo Serviço Nacional de Teatro.

Mesmo assim, é verdade que o TM, por várias décadas, abrigou mais teatro de prosa do que ópera. Vindo todas do exterior, as companhias de teatro de prosa viajavam com mais facilidade do que as líricas, que traziam solistas, coro, orquestra e corpo de baile, não existentes ou confiáveis nas capitais que eram visitadas durante o vazio europeu dos meses de verão.

A verdadeira inauguração do TM deu-se no dia 15 de julho de 1909 com a companhia francesa da mais que consagrada atriz francesa Réjane (Gabrielle-Charlotte Reju 1856-1920), com um repertório sem clássicos, e farto de "peças benfeitas" e dramalhões, com a inevitável presença de Henri Bernstein e Henri Bataille, os donos do sucesso em palcos parisienses.

Em 10 de julho de 1909, a revista *Fon-Fon* noticiava:

O clou da actual estação theatral, o grande acontecimento por toda a élite anciosamente esperado, é a inauguração do sumptuoso edifício delineado e construído pelo notavel engenheiro Dr. Oliveira Passos, que Tout-Rio mundano conhece e estima.

[...]

Na importante moldura do novo palco surgirá a insigne interprete da comedia moderna, das peças ousadas ou profundamente satiricas de Abel Hermant, Donnay, Porto-Riche, Hervien e tantos outros escriptores, a Réjane, quinta essencia na scena franceza da coquetterie, da frivolidade, da perversidade da mulher-boneca, producto de uma época em que o Luxo e o Gozo dominam as consciencias.

---

total lack of Brazilian plays demonstrate how much, from a cultural point of view, Brazil still breathed a colonial atmosphere it would only shake off when the country itself began to develop and gradually discover its own personality.

The Theatro Municipal's inaugural program was improvised and only the protests of the press kept it from being entirely French. The last-minute makeshift and poorly chosen presentation was very unfortunate and, although it presented Coelho Neto's one-act play, *Bonanza,* this work was unfortunately not included in the edition published by the Serviço Nacional de Teatro.

COELHO NETTO COM OS ATORES DE *BONANÇA*.
COELHO NETTO WITH *BONANÇA* ACTORS.
REVISTA DA SEMANA, 25.07.1909. FBN

Even so, the truth is that for several decades the Theatro Municipal presented more straight theater than opera: straight theater companies, all from abroad, traveled more easily than musical ones, since the latter required soloists, choruses, orchestras, and dance companies that were nonexistent or unreliable in the capitals visited during the slack European summer months.

The actual inauguration of the Theatro Municipal took place on July 15, 1909, with the French company of the renowned French actress Réjane (Gabrielle-Charlotte Reju 1856-1920) whose repertory was devoid of classics and chock full of "well made plays" and melodramas, along with the inevitable plays by Henri Bernstein and Henri Bataille that were major hits on the stages of Paris.

On July 10, 1909, *Fon-Fon* magazine reported:

The smash *of the present theatrical season, the major happening the entire elite has been anxiously awaiting, is the inauguration of the sumptuous building created and*

No mesmo ano o TM recebeu a Companhia Dramática Italiana, na verdade capitaneada pela brasileira Nina Sanzi que, a par de D'Annunzio e Zola, trazia um texto brasileiro (*Scandalo*, de Medeiros e Albuquerque) e o eficiente Victorien Sardou. Em todo o primeiro ano de atividade na nova casa, houve apenas um espetáculo nacional, *O Dote*, de Artur Azevedo, pela companhia que levava o nome do autor.

Franceses e italianos continuaram a dominar o teatro, ao longo da primeira década, com modesta presença de ingleses e alemães. A timidez da atividade nacional fica comprovada pelo simples fato de nesses primeiros dez anos termos tido, no Municipal, 378 récitas em língua estrangeira e apenas 85 espetáculos por companhias brasileiras[1]. 1910 começa com uma temporada em língua portuguesa, vinda de Portugal, com um repertório que incluía *O Avarento* de Molière e o *Pai* de Strindberg, porém dedicava a grande maioria de suas récitas a textos com os dúbios títulos de *Anedota, Peraltas e Sécias!* ou *O Gaiato de Lisboa*.

O ano trouxe ainda uma companhia italiana de *grand-guignol*, que apresentava três ou quatro peças em um ato por récita, sendo a última cômica, para que o público não fosse para casa deprimido. Uma nova companhia italiana ainda chegou antes do final do ano, com *Cavalleria Rusticana* de Verga e *Morte Civile* de Giacometti, seu mais significativo espetáculo, tendo o ator e diretor Giovanni Grasso como protagonista. Segundo a *Gazeta de Notícias*, de 20 de setembro: "O trabalho artístico de Grasso não foi apreciado no Rio de Janeiro como merecia, porque o Theatro Municipal teve reduzida concorrência. Valia a pena esse tão grande trabalho, para tão pouca gente? Perguntavam-se trás anteontem os espectadores do Municipal." O ano terminou com apenas cinco récitas brasileiras. Ao longo de toda a primeira década, Henri Ba-

NINA SANZI.
REVISTA DA SEMANA, 05.09.1909. FBN

built by the notable engineer Dr. Oliveira Passos, whom all socialites, or tout-Rio, *know and esteem. … She will emerge impressively framed by the new stage, this illustrious leading lady of modern comedy, of the audacious plays, of the deeply satirical plays of Abel Hermant, Donnay, Porto-Riche, Hervien and so many other writers, this Réjane, quintessence of the* coquetterie, *frivolity, and perversity of the doll-woman, a product of a time when Luxury and Pleasure dominate consciences.*

That same year, the Theatro Municipal welcomed the Compagnia Drammatica Italiana, which was actually led by a Brazilian, Nina Sanzi, who together with D'Annunzio and Zola brought a Brazilian text (*Scandalo* by Medeiros e Albuquerque), and a play by the efficient Victorien Sardou. During the entire first year of activity in the new house, there was only one local play, *O Dote* by Artur Azevedo, staged by the company that carried author's name.

During the first decade, the French and Italians continued to dominate the theater, although there was some modest activity by the English and the Germans. However, evidence of timid national activity can be found in the simple fact that during these first ten years at the Municipal we had 378 foreign language performances and only 85 plays by Brazilian companies.[1] Nineteen hundred and ten begins with a season of plays in Portuguese, although they were from Portugal, from a repertory that included Molière's *The Miser* and Strindberg's *The Father*. However, most performances were devoted to texts with such dubious titles as *Anedota*, *Peraltas e Sécias!*, or *O Gaiato de Lisboa*.

PÁGINA ANTERIOR | PREVIOUS PAGE
RÉJANE.
1908. PH. PAUL BOYER. GETTY IMAGES

taille e Henri Bernstein dominaram os repertórios, sendo que as companhias italianas foram um pouco superiores às francesas.

1911 inicia com a "companhia italiana" da atriz brasileira Nina Sanzi, apresentando *L'Aiglon* e *Chantecler* de Rostand, em apenas três récitas. Em 1912 a Cia. Lucien Guitry traz um bom repertório comercial, assim como os italianos e portugueses que não se saíram muito melhor.

1912 foi um ano rico de teatro no TM: além de Guitry dois grupos italianos apresentaram-se, com Ermete Novelli incluindo *Morte Civile*, *Rei Lear*, *Shylock* (óbvia adaptação) e *Amleto*, de Shakespeare. Uma companhia alemã, em uma semana, apresentou *Ariel Acosta* de Gustskov, para compensar o cômico *Max und Moritz*.

Importante foi a grande temporada da Companhia Dramática Nacional, subvencionada por Eduardo Victorino, que se estendeu até o início de 1913, com Ferreira de Souza como figura principal. Foram, ao todo, 79 espetáculos. No repertório estavam: *Quem Não Perdoa*, de Julia Lopes de Almeida, que estreou a temporada mas "não conseguiu, desta vez, plenamente contentar os seus admiradores e sua peça foi julgada com severidade"[2] – enquanto a apresentação de *O Canto Sem Palavras* de Roberto Gomes conquista elogios para o autor: "seu grande triunfo definitivo [...] O brilhante dramaturgo sabe ver e sentir a vida, e não conhece a dolorosa necessidade de recorrer aos velhos *trucs* teatrais para sacudir os espectadores."[3] *A Bela Madame Vargas*, de João do Rio, destaca-se:

> *Devem estar a sentir-se esmagados os que descriam da possibilidade do ressurgimento do Theatro Nacional, com a victoria completa e absoluta que foi para Eduardo Victorino, para seus artistas e para João do Rio, a première da Bella Madame Vargas.*[4]

CARICATURA | CARICATURE BY J. CARLOS (JOSÉ CARLOS DE BRITO E CUNHA 1884-1950). *CARETA*, 17.05.1913. FBN

The same year also brought another Italian *grand-guignol* company that staged three or four one-act plays at each show, the last one a comedy, so audiences wouldn't go home depressed. Another Italian company turned up before the end of the year, featuring Verga's *Cavalleria Rusticana* and Giacometti's *Morte Civile* with actor and director Giovanni Grasso as leading man. According to the September 20 edition of the *Gazeta de Notícias*, "Grasso's artistic work was not duly appreciated in Rio, since the Theatro Municipal failed to attract a full house. The day before yesterday the Municipal audience asked itself, 'Was it worth showing such great work to so few people?'" The year ended with only five Brazilian performances. During the entire first decade, plays by Henri Bataille and Henri Bernstein dominated the repertories, with the Italian companies beating the French by a narrow margin.

Nineteen hundred and eleven started with the "Italian company" of Brazilian actress Nina Sanzi presenting just three performances of Rostand's *L'Aiglon* and *Chantecler*. But in 1912 the Compagnie Lucien Guitry brought a good commercial repertory; the Italians, however, failed to do much better, while the Portuguese were even worse.

The year of 1912 was a rich one for theater at the Theatro Municipal: besides Guitry, there were performances by two Italian groups. In addition to *Morte Civile*, Emerte Novelli added performances of Shakespeare's *King Lear*, *Shylock* (an obvious adaptation), and *Hamlet*. For one week a German company performed Gustskov's *Ariel Acosta* to compensate for the comedy *Max und Moritz*.

The Compagnia Drammatica Nazionale subsidized by Eduardo Victorino staged an important season that lasted until early 1913. With Ferreira de Souza as the main actor, it gave a

O único defeito que encontramos n'A bella mme. Vargas, é não ter ella a rubrica de um Berstein, ou de um Bataille, porque desse modo estariamos hoje collocados num grande centro como o de Paris[...].[5]

Mas o facto é que João do Rio entra feito para o theatro. O seu dialogo é natural e como o enredo se passa entre gente de alta sociedade, a phrase é cuidada, é intelligente e não reflecte de modo algum a gaucherie de preleções philosophicas, ditas à ribalta. Os typos são marcados e tão reaes que certa gente por não perceber como um escriptor póde ir tão longe em observação psycologica, talvez queira descobrir semelhanças muito accentuadas de alguns delles, concluindo é claro, que João do Rio tenha aproveitado figuras conhecidas para os 'seus decalques'.[6]

O Dinheiro, de Coelho Neto, *O Sacrifício*, de Carlos Góes e *Flor Obscura*, de Lima Campos, encerram o ano. Na sequência, no início de 1913, são acrescidas *Sem Vontade*, de Baptista Coelho, *A Farsa*, de Pinto da Rocha, *Por A+B*, de Gavault e Lahaix, *O Álcool*, de Marques Pinheiro, *Influência Atávica*, de Julião Machado, *O Cabotino*, de Oscar Lopes, *Outrora e Hoje*, de Joaquim Lacerda, e *Juju*, de Henry Bernstein.

No mesmo ano, a Companhia de Ermete Zacconi apresenta-se com um repertório que inclui Tourgeniev, Giacometti, Ibsen, Shakespeare, Musset e Ferenc Molnar, elevando o nível da visita, mesmo incluindo os dramas em moda, e o ano termina com nova companhia francesa que só apresenta um Molière, perdido em um mar de textos comerciais.

CARICATURA | CARICATURE BY J. CARLOS (JOSÉ CARLOS DE BRITO E CUNHA 1884-1950). *CARETA*, 09.11.1912. FBN

::

total of 79 performances. The repertory included *Quem Não Perdoa* by Julia Lopes de Almeida, who opened the season, but "was unable, this time, to fully content her admirers and her play was severely judged."[2] While the performance of Roberto Gomes's *O Canto Sem Palavras* won praise for its author, "his definitive triumph ... the brilliant dramatist knows how to see and feel life and is unfamiliar with the painful need to resort to old theatrical tricks in order to move the audience."[3] João do Rio's *A Bela Madame Vargas* was also noteworthy:

Those who didn't believe in the rebirth of the National Theater must be crushed by the absolute and total success Eduardo Victorino, his actors, and João do Rio have attained with their premiere of A Bela Madame Vargas[4] *... The only fault we find in* A Bela Madame Vargas *is that it is not signed by a Bernstein or a Bataille; if that were true, today we would find ourselves in a great center such as Paris*[5] *... But the fact is João do Rio comes ready-made for the theater. His dialogue is natural and, as the plot unfolds among members of high society, the wording is careful, intelligent, and in no way reflects the* gaucherie *of philosophical preaching from the footlights. The types are well drawn and so real that some people, not realizing how a writer can dig deep and be psychologically insightful, might want to uncover some very remarkable similarities and reach, of course, the conclusion that João do Rio helped himself to well known figures for 'his cut-outs.'*[6]

O Dinheiro by Coelho Neto, *O Sacrifício* by Carlos Góes, and *Flor Obscura* by Lima Campos, closed the year. After that, at the beginning of 1913, came Baptista Coelho's *Sem Vontade*,

ATORES DA COMPANHIA EDUARDO VICTORINO, TEMPORADA NACIONAL. ACTORS FROM THE EDUARDO VICTORINO COMPANY, NATIONAL SEASON. *FON-FON*, 25.10.1913. FBN

O EXCESSO DE PROPAGANDAS CARACTERIZA A EDIÇÃO DOS PROGRAMAS DAS PRIMEIRAS DÉCADAS DO TMRJ. PÁGINA CENTRAL DO PROGRAMA.
THE EXCESSIVE AMOUNT OF ADVERTISING CHARACTERIZES THE PROGRAMS DURING THE FIRST DECADES OF THE TMRJ. CENTRAL PAGE OF THE PROGRAM.
27.06.1912. FBN

AT INTERMISSION
— SCORNFUL EXPRESSION, MONOCLE, BARELY SURPRESSED SUPERIORITY – HE MUST BE A THEATER CRITIC.
CARICATURA | CARICATURE
FON-FON, 21.08.1909. FBN

Pinto da Rocha's *A Farsa,* Gavault and Lahaix's *A+B*, Marques Pinheiro's *O Álcool*, João Machado's *Influência Atávica,* Oscar Lopes's *O Cabotino*, Joaquim Lacerda's *Outrora e Hoje,* and Henry Bernstein's *Juju.*

The same year, the Compagnia di Ermete Zacconi presented a repertory that included Turgenev, Giacometti, Ibsen, Shakespeare, Musset, and Ferenc Molnar, elevating the tone of the visit even though it included some fashionable dramas. The year ended with a new French company showing no more than a single Molière, lost amongst a sea of commercial texts.

In 1914, not a single domestic production was staged at the Theatro Municipal and we might imagine that the war had caused a major change in this panorama since only one French company performed, albeit at the usual high level. In 1915, France and Argentina brought modest seasons, the only original work being the staging of Coelho Neto's *A Muralha*. Meanwhile, three shows were generated here and presented "to benefit the Belgians": *Un Mari à la Porte, Guerra aos Homens,* and *Coração Despedaçado.*

Already in 1915 we have Lucien Guitry, whose best contribution is merely *L'Aiglon* and Balzac's *Mercadet.* At the end of the year, a new French group brought more poems and songs but includes *Psyché* and *A School for Wives* by Molière, with Brazil continuing to maintain complete silence.

Em 1914 nem um único espetáculo nacional ocupa o palco do TM, e poderíamos pensar que a guerra iria alterar muito o panorama, quando só uma companhia francesa se apresenta, no nível costumeiro. Em 1915, França e Argentina trazem modestas temporadas, com a única originalidade de montar *A Muralha* de Coelho Neto, enquanto são gerados por aqui três espetáculos, apresentados "em benefício dos belgas": *Un Mari à la Porte*, *Guerra aos Homens* e *Coração Despedaçado*.

Já em 1915 temos Lucien Guitry, que de mais interessante só traz *L'Aiglon* e *Mercadet*, de Balzac, e no fim do ano um novo grupo francês traz mais poesias e canções, mas inclui *Psyché* e *L'École des Femmes* de Molière, continuando o Brasil em completo silêncio.

Em 1917, a temporada longa e repetitiva de André Brulé inclui em seu repertório *Au Déclin du Jour*, que é Roberto Gomes traduzido para o francês, enquanto a única contribuição brasileira é uma récita que inaugura o Theatrum Comediae com *Depois da Morte*. 1918 só conta novamente com André Brulé. A temporada de 1919 começa com um espetáculo duplo em homenagem às delegações esportivas de Argentina, Chile e Uruguai, que deixa claro como eram diferentes os tempos do "foot-ball" amador; foram apresentadas *A Ceia dos Cardeais* (com Leopoldo Fróes, Attila de Moraes e Emilio Campos) e *Nossa Terra*, de Abadie Faria Rosa, com o mesmo elenco, acrescido de Armando Rosas. A companhia francesa Germaine Dermoz/Henri Burguet apresenta 17 espetáculos, todos no gênero já conhecido. O Brasil conclui o ano com um espetáculo beneficente de *O Turbilhão*, de Cláudio de Souza.

O mais surpreendente a respeito dessa primeira década é o fato de a chamada Grande Guerra (14-18) não ter interrompido as atividades e viagens de companhias teatrais; o movimento foi apenas um pouco menor do que a média. ■

LEOPOLDO FRÓES.
FON-FON, 21.10.1922. FBN

In 1917, André Brulé's long and repetitious season included *Au Déclin du Jour*, a French translation of a piece by Roberto Gomes. The sole Brazilian contribution is a single performance of *Depois da Morte* that opened for the Theatrum Comediae. Only André Brulé's company performed in 1918. The 1919 season began with a double bill to honor the sports delegations from Argentina, Chile, and Uruguay – a clear example of how different the days of amateur football were. The plays presented were [Julio Dantas's] *Ceia dos Cardeais* with Leopoldo Fróes, Attila de Moraes, and Emilio Campos, and *Nossa Terra* by Abadie Faria Rosa, with the same cast plus Armando Rosas. The French company Germaine Dermoz/Henri Burguet brought 17 shows, all from familiar genres. Brazil closed the year with a benefit performance of Cláudio de Souza's *O Turbilhão*.

What is most surprising about this first decade is the fact the so-called Great War (14-18) failed to interrupt the activities and voyages of theatrical companies; the action was only slightly below average. ■

THE BRAZILIAN THEATER
I HOPE YOU HAD A GOOD IMPRESSION OF MY PLAY IN THE MUNICIPAL...
TRUE, EXCELLENT. BUT WHY DON'T ALL THE ACTORS SPEAK THE SAME LANGUAGE?
CARICATURA | CARICATURE BY J. CARLOS
(JOSÉ CARLOS DE BRITO E CUNHA 1884-1950).
CARETA, 02.11.1912. FBN

Passado um ano de sua inauguração, isto é, a 20 de julho de 1910, subiu à cena a primeira ópera no palco do novíssimo Theatro Municipal. Mas sua apresentação não trazia em si nada de novo ao Rio de Janeiro, era a continuação de uma tradição que se iniciara no fim do século XVIII. Novidade era o teatro, inaugurado depois de mil vicissitudes, com a aprovação de muitos e a oposição de não poucos. Sua estrutura, porém, impressionou a todos. Talvez não em sua justa medida de esplendor e beleza. Nem se previu a posição que em poucos anos assumiria na cidade e no país. Não faltou quem o visse quixotesco e quem o considerasse um luxo desnecessário e desmedido.

No Rio de Janeiro, o primeiro local a ostentar o nome de Casa da Ópera apareceu na década de 1740. Entretanto, o nome "Ópera" era sempre dado ao teatro mais importante da cidade e no período colonial brasileiro era o nome genérico do local onde se apresentavam todos os tipos de espetáculos teatrais, com ou sem música. Este teatro funcionou a princípio como um teatro de bonecos com orquestra. Quando os bonecos foram substituídos por atores, o povo passou a chamá-la de Ópera dos Vivos. Lá havia espetáculos com música, mas não óperas, tal como a conhecemos. Em 1776 um incêndio destruiu o local, também conhecido como "teatro do padre Boaventura", nome do padre que o havia criado.

Mas já em 1772 havia sido construída nova casa de espetáculos ao lado do paço residencial do vice-rei, logo chamada de Ópera Nova, que possuía elenco próprio e uma orquestra funcionando regularmente. O repertório constava de peças teatrais e a música servia para dar início aos espetáculos, preencher os intervalos e participar das representações. É nela que temos a certeza da execução de duas óperas verdadeiras, em 1789 e 1790, *Pietà d'Amore*, de Giuseppe Milico (1739-1802) e *L'Italiana in Londra*, de Domenico Cimarosa (1749-1801).

∎∎

BRUNO FURLANETTO

Three hundred and seventy-one days after its inauguration on July 20, 1910, when the curtain rose on the first opera to be staged at the spanking new Theatro Municipal, nothing new had happened in Rio de Janeiro. It was merely the continuation of a tradition that had begun at the end of the 19th century. The theater itself was new and was unveiled after thousands of alterations that many had approved and more than a few had opposed. Although its structure was impressive, perhaps its splendor and beauty had not been justly appreciated. Only some may have foreseen the position it would occupy in both the city and the country in just a few years. Many found it unrealistic and considered it an immense, unnecessary luxury.

The decade beginning in 1740 marked the appearance of the first place in Rio to be called an opera house. The name "opera" was always given to the most important theater in a city and during the Brazilian colonial period it was the generic name for a building that housed all kinds of theatrical performances whether there was music or not. In the beginning, the opera house functioned as a puppet theater and had an orchestra. When the puppets gave way to actors, people started calling it the Ópera dos Vivos or Opera of the Living. Although these shows had music, they were not operas as we know them. In 1776, the theater was destroyed in a fire.

In 1772, a new performance space had already been built next to the viceroy's palace, and it was called the Ópera Nova, or New Opera. It housed a resident acting company and an orchestra, both of which performed regularly. The repertory consisted of plays and the role of music was to introduce the plays, fill in the intermissions, and accompany the performances. We know that two actual operas were performed in this theater between 1789

Com a chegada da corte portuguesa em 1808 o teatro é reformado e passa a chamar-se Teatro Régio. Sabemos que Marcos Portugal apresenta ali três de suas óperas. Mas para a nova posição do Rio como capital de um império o Príncipe Regente D. João baixa um decreto, em 28 de maio de 1810, para construir novo teatro, onde declara:

Fazendo-se absolutamente necessario nesta Capital que se erija um Theatro decente, e proporcionado á população, e ao maior gráo de elevação e grandeza em que hoje se acha pela minha residencia nella, e pela concurrencia de estrangeiros [...].

Portanto, a 12 de outubro de 1813 é inaugurado o Real Teatro de São João. É bom lembrar que não havia outro igual em toda a América. Mas como o nosso Municipal, a primeira ópera só foi ali cantada um ano depois, a 17 de dezembro: *Axur, Rei de Ormuz*, versão italiana de *Tarare*, ópera de Antonio Salieri. Foi assim que tiveram início as temporadas regulares de ópera no Brasil até 1824, quando o teatro é destruído por um incêndio. Reconstruído, se incendiará mais duas vezes e trocará de nome bem quatro vezes até chegar ao atual João Caetano, que substituiu o São Pedro que existia desde 1857.

Mas a ópera não floresceu somente no teatro do Largo do Rocio (atual Praça Tiradentes). Também no Teatro São Januário de 1834 e, especialmente, no Provisório de 1852, depois chamado de Lírico Fluminense, onde se ouviu pela primeira vez no Brasil *Il Guarany*, de Carlos Gomes. Contudo, o mais importante teatro de ópera do Brasil até 1909 foi o Imperial Teatro D. Pedro II, de 1871, que

PLATEIA DO THEATRO LYRICO.
THEATRO LYRICO AUDIENCE.
REVISTA DA SEMANA, 05.09.1909. FBN

and 1790: Cimarosa's *L'Italiana in Londra* and Milico's *La Pietà d'Amore*. When the Portuguese court arrived, the theater was remodeled and renamed the Teatro Régio. When Marcos Portugal, the most important Portuguese musician of the time, arrived, three of his operas were performed there.

When Rio de Janeiro became the capital of the empire in 1810, the Prince Regent, D. João, decreed that "it is absolutely necessary that a decent and appropriately-sized theater be erected for the population." On October 12, 1813, the Real Teatro de São João was inaugurated; at that time it was the only building of its kind in all of the Americas. Like the Theatro Municipal, the first opera to be sung there – *Axur, Rei de Ormuz*, the Italian version of Salieri's *Tarare* – wasn't performed until December 1814, more than one year after the theater was inaugurated. This performance marked the beginning of regular opera seasons in Brazil and they continued until the theater was destroyed by a fire in 1824. It was rebuilt and caught fire two more times and changed name around four more times until it became what's currently known as the João Caetano, which substituted the São Pedro which had been around since 1857.

Yet opera didn't just flourish in the theater at Largo do Rocio. It could also be found at the Teatro São Januário (1834) and especially at the Provisório (1852) later called the Lírico Fluminense (1854) where one heard Carlos Gomes's *Il Guarany* sung for the first time in Brazil. However, the most important opera house in Brazil until 1909 was the *Imperial Teatro Don Pedro II*. After the Proclamation of the Republic in 1871, it was called the Lyrico until its demolition in 1933. Demolitions were one of the greatest signs of the city's lack of culture and the government's lack of interest in the city itself. The Lyrico was in bad shape and its

com a República passou a chamar-se Lyrico, até sua demolição em 1933. Demolição que considero uma das maiores demonstrações de insensibilidade para com a cidade. O Lyrico estava em más condições e seus proprietários, por não poderem arcar com as reformas necessárias, o venderam, em outubro de 1932, para a Caixa Econômica. Esta, nem cogitou em salvar o teatro e imediatamente resolveu por sua demolição, realizada a partir de dezembro de 1933. Mas tanto era possível salvá-lo, que apenas quatro meses depois, o Theatro Municipal entrava em obras e, em três meses, teve toda a estrutura de sua sala de espetáculo modificada. Os três andares dos balcões, apoiados em colunas de ferro fundido, passaram a ser sustentados por vigas em concreto com vão livre e foi executada nova abertura do proscênio. Tudo num milagre de engenharia decantado até hoje.

Mas não era somente no feio Lyrico que se cantava ópera. Havia uma série de teatros no Rio onde a ópera era apresentada – de melhor ou pior maneira – fazendo dela um espetáculo verdadeiramente popular, pois eram todas casas de espetáculo com capacidade acima de 1.000 lugares, o que lhes permitia preços, também, populares. A começar pelo mais velho, o São Pedro, último

TEATRO CARLOS GOMES.
PLATEIA | AUDIENCE
REVISTA DA SEMANA, 18.07.1909. FBN

TEATRO SÃO PEDRO.
JUBILEU LITERÁRIO DE RUY BARBOSA
RUY BARBOSA'S LITERARY JUBILEE.
CARETA, 17.08.1918. FBN

owners, unable to afford the necessary renovations, sold it to the government-owned Caixa Econômica bank in October 1932. The bank never even considered saving the theater and immediately decided to demolish it. The theater was razed in December 1933. Yet saving it might have been possible since just four months later, the government closed the Theatro Municipal for renovations and managed to rebuild the entire auditorium in three months. New engineering miracles that are still in use today were used to widen the proscenium and substitute horizontal concrete beams for the cast iron columns that had supported the three tiers of balconies.

Still, opera wasn't only sung in the ugly old Lyrico. There was another group of theaters in Rio where opera was performed – very well or very badly – making it a truly popular kind of performance. All the theaters had seating for more than 1,000, which allowed them to offer seats at popular prices, too. The oldest was the São Pedro, the final name given to the Real Theatro São João (1813), which was christened the São Pedro de Alcântara after the fire in 1824. In 1831, when D. Pedro I returned to Portugal, it was rechristened the Constitucional Fluminense. After it was remodeled, it went back to being called the Imperial São Pedro de Alcântara. In 1851, another fire, another renovation, until a third devastating fire leveled it

nome do Real Theatro São João (1813), que depois do incêndio de 1824 passou a se chamar São Pedro de Alcântara. Em 1831, partindo D. Pedro I para Portugal, foi rebatizado de Constitucional Fluminense. Reformado, voltou a se chamar Imperial São Pedro de Alcântara. Em 1851, novo incêndio, nova reconstrução e cinco anos depois um devastador terceiro incêndio o põe por terra pela terceira vez. Segundo os habitantes da cidade, castigo divino, por ter sido "um lugar do pecado" alicerçado sobre as pedras destinadas à construção da nova Sé ... João Caetano, em um ano, consegue reerguê-lo e a 3 de janeiro de 1857 o reabre, agora com o nome simples de São Pedro. Em 1928, já pertencente à Prefeitura, necessitava de reformas. Foram feitas? Não. Põe-se abaixo o teatro, solução fácil e anti-histórica para uma joia teatral de 115 anos. Construiu-se um teatro *art-déco,* que também não existe mais, depois de uma reforma dos anos 1970. Foi inaugurado em 1930, com o nome de João Caetano por uma companhia de operetas... francesa. Se o Municipal salvou-se, por um triz, de ser inaugurado pelos franceses, o João Caetano não.

Para termos uma ideia dos palcos onde havia espetáculos de ópera no Rio de Janeiro no período da construção e inauguração do Municipal eis uma lista: Carlos Gomes, construído em 1872, mas que recebeu este nome em 1905 e que, felizmente, está lá, na Praça Tiradentes. Recreio, nascido em 1877, passou por cinco nomes, e permaneceu de pé até 1969. São José, que se chamou Theatro Príncipe Imperial, desde a sua fundação em 1881 até 1926, quando se transformou no Cine-Teatro São José e, após o incêndio de 1931, passou a ser o Cinema São José. O Apollo, abriu suas portas em 1890, na rua do Lavradio 56 e é hoje o Colégio Estadual Celestino Silva. High-Life, viveu dezoito anos a partir de 1900 e era um dos muitos teatros da rua do Lavradio, situado no número 49. Cassino Nacional, novo nome, a partir de 1901 do Cassino Nacional Brasileiro de 1890 e que fica

five years later. According to the city's residents, it was divine punishment for having been a "place of sin," its foundation built on top of the stones that should have been used to build the new See. In just one year, João Caetano managed to rebuild it and on January 3, 1957, it reopened with the simple name of São Pedro. In 1928, it already belonged to the city and needed renovations. Was it renovated? No. They demolished the theater, a simple and anti-historical solution for a 115-year-old jewel of a theater. In its place they built an art-déco theater that disappeared after it was disfigured by a radical renovation in the 1970s. The theater was inaugurated in 1930, and a French light opera company named it the João Caetano. Although the Municipal was barely saved from being inaugurated by a French company, the João Caetano was not so lucky.

Here's a list that will give an idea of the stages where opera was performed in Rio de Janeiro during the years when the Theatro Municipal was built and inaugurated: the Carlos Gomes, built in 1872, but christened in 1905 – happily, it is still standing in Praça Tiradentes; the Recreio, born in 1877, had five names and remained standing until 1969; the São José, called the Theatro Príncipe Imperial from its founding in 1881 until 1926, when it was transformed into the Cine-Teatro São José, following a fire in 1931 it became the Cinema São José; the Apollo, opened its doors at 56 Rua do Lavradio in 1890 and is now the Colégio Estadual Celestino Silva; the High-Life, survived for 18 years starting in 1900 and was one of the many theaters that functioned at 49 Rua do Lavradio; the Cassino Nacional, the new name for the Cassino Nacional Brasileiro beginning in 1902. It was built in 1890 and became known as the Palace Théatre in 1906 and was transformed into the Palácio Cinema in 1924. It has been closed for

conhecido como Palace Théatre a partir de 1906. Transformado no cinema Palácio, está fechado desde 2008 para ser transformado – mais um crime contra a arte teatral carioca – num Centro de Convenções de um hotel. Parque Fluminense, fora do "centro" teatral da cidade, surgiu em 1902 no Largo do Machado, abrindo suas portas com uma ópera, o *Faust*, de Gounod. Deixamos por último o Phenix: nascido em 1863, recebeu cinco nomes e foi demolido para dar passagem à nova Avenida Central e reconstruído na Avenida Almirante Barroso, recebendo este nome em 1906. De 1926 a 1948 foi cinema, voltando então a ser teatro até 1958, quando foi demolido. O Phenix era o mais belo teatro do Rio depois do Municipal. Sua demolição foi permitida pelo governador Carlos Lacerda com a condição de que a família proprietária do teatro construísse outro em seu lugar, com os mesmos 900 lugares. A família assim o fez e o novo Phenix ancorou às margens da Lagoa Rodrigo de Freitas. Só que os proprietários o mantiveram fechado, todo equipado e pronto, anos a fio, porque "não queriam lidar com gente de teatro".... O acaso fez com que os estúdios da TV Globo se incendiassem e, numa emergência, para lá se mudou o auditório da emissora. Hoje há um condomínio no local. Do teatro nunca mais se ouviu falar.

Para todos esses teatros vinham companhias de ópera completas, em sua maioria da Itália, organizadas por empresários particulares, que não tinham subvenções estatais, pois era de ópera italiana que o público brasileiro gostava. Basta ver a maioria maciça de nomes italianos dos empresários e empresas que utilizavam os teatros a que nos referimos: Ettore Vitale, Giovanni Sansone, Arturo de Angelis, Donato Rotoli, Luigi Billoro, Luigi Millone, Michele Tornesi, Luigi Mancinelli, Pasquale Segreto, Oscar Anselmi, etc. E havia, também, as várias combinações: Rotoli-Billoro, Millone-Rotoli, Schiaffino-Riva, Schiaffino-Toffanelli, Sansone-Rotoli, e quantas mais as conveni-

renovations since 2008 and is being transformed – one more crime against the theater arts in Rio – into a hotel convention center; the Parque Fluminense, located outside of the city's theater "district" in Largo do Machado in 1902 when it opened its doors for a production of Gounod's *Faust*. Last, but not least, the Phenix was built in 1863, went through five names and was demolished to make space for Pereira Passos new Avenida Central. The theater was rebuilt on Avenida Almirante Barroso where it received this name in 1906. From 1926 to 1948 it operated as a movie theater and went back to being a theater for live performances until it was demolished in 1958. The Phenix was the most beautiful theater in Rio after the Municipal. Governor Carlos de Lacerda allowed it to be demolished under the condition that the family who owned the theater build another 900-seat theater in its place. The owners did what they were told and the new Phenix was anchored on the banks of the Lagoa Rodrigo de Freitas. However, the family kept the fully equipped theater closed for years on end because it "didn't want to deal with theater people." Fate intervened when the studios of TV Globo caught fire and the TV station moved to the theater as an emergency measure. It was transformed into the TV Globo Auditorium and used for shows featuring large audiences.

These theaters were mostly filled by Italian companies that staged operas in their entirety. Managed by private producers, they received no governmental support because Brazilian audiences preferred Italian opera. One need only look at the overwhelming majority of opera impresarios and opera companies with Italian names to understand what I'm referring to: Ettore Vitale, Giovanni Sansone, Arturo de Angelis, Donato Rotoli, Luigi Billoro, Luigi Millone, Michele Tornesi, Luigi Mancinelli, Pasquale Segreto, Oscar Anselmi, etc. There were

ências comerciais ditaram. E havia os grandes, como César Ciacchi, que ia para o Lyrico instalar a companhia que havia levado para Buenos Aires. E, finalmente, havia o maior de todos, o que se tornou o dono do Municipal, Walter Mocchi.

Mocchi, de 1910 a 1926, não só empresariou todas as temporadas de ópera do Municipal, como trouxe a Companhia de Bailados de Diaghilev em suas duas temporadas no Brasil, e a de Anna Pavlova nas suas duas primeiras, e, na área teatral, 17 companhias francesas e quatro italianas.

Walter Mocchi nasceu em Cesena, em 1870, e desde jovem se envolveu em política, fundando o Grupo Universitário Socialista, de onde surgiu o Partido Socialista Italiano, o PSI. Promoveu greves, especialmente na região de Nápoles, foi panfletista e conferencista defendendo a causa dos operários, como o vemos, em 1900, fazendo conferências sobre o Socialismo em Buenos Aires. Em 1898, quando estava em prisão domiciliar, acusado de incitar motins, casa-se com Emma Carelli, então famosa soprano da escola verista. A Carelli, por causa deste casamento foi excluída da maioria dos teatros italianos. Em 1906, contudo, Mocchi abandona a política e dedica-se ao empresariado teatral, começando por uma financeiramente desastrada turnê de sua mulher. Mas foi nesta época que Mocchi arquitetou o seu grande truste que ligava os maiores teatros italianos aos melhores sul-americanos. E passou a dominar Buenos Aires, Rosário, Montevidéu, Rio e São Paulo.

Porém, ele queria mais. Em 1916 entrou em contato com o La Scala e propôs uma junção entre o teatro de Milão e o Colón de Buenos Aires, chegando a publicar como seria feita esta temporada conjunta. Quando Toscanini se inteirou do assunto, escreveu para o Presidente do Conselho de Administração do Scala, o Duque Uberto Visconti di Modrone, a mais longa carta

also many hyphenated names: Rotoli-Billoro, Millone-Rotoli, Schiaffino-Riva, Schiaffino-Toffanelli, Sansone-Rotoli, and as many more as the commercial conventions of the times allowed. There were big names like César Ciacchi, who went to the Lyrico to establish the company that he had taken to Buenos Aires. And finally there was the biggest name of all, Walter Mocchi, who "owned" the Municipal.

From 1910 to 1926, Mocchi didn't just produce all the opera seasons at the Municipal, he also brought Diaghilev's Ballets Russes for its two Brazilian tours, Anna Pavlova's company for two of its tours, 17 French, and four Italian theater companies. Walter Mocchi was born in Cesena, in 1870. In his youth, he was politically involved with and founded the *Gruppo Universitario Socialista* [University Socialist Group] which was the birthplace of the *Partito Socialista Italiano* [Italian Socialist Party] or PSI. He promoted strikes, especially in the Naples region, and was a pamphleteer and public speaker who defended the working class. In 1900, he gave speeches about socialism in Buenos Aires. In 1898, he married Emma Carelli, then a famous soprano from the new *verista* school while he was under house arrest for inciting riots. Because of her marriage, most Italian theaters boycotted Carelli. In 1906, however, Mocchi abandoned politics to become a theater impresario and began his career with his wife's financially disastrous tour. It was during this time that Mocchi created his empire, connecting the biggest Italian opera theaters with the best South American ones. His company would dominate opera productions in Buenos Aires, Rosário, Córdoba, Montevideo, Rio, and São Paulo.

Nonetheless, he wanted more. In 1916 he entered in contact with La Scala to propose a partnership between the theater in Milan and the Teatro Colón in Buenos Aires and even

CECILIA GAGLIARDI.
[CA. 1913]. IN: DILLON, CESAR A.; SALA, JUAN A. *EL TEATRO MUSICAL EN BUENOS AIRES*. BUENOS AIRES: EDICIONES DE ARTE GAGLIANONE, 1999.

de sua vida, protestando contra "esta ideia espúria", onde o mínimo que diz de Mocchi é ser ele "o expoente da especulação teatral". O acordo nunca foi concretizado.

Uma das lendas que correm no Rio de Janeiro é que durante este período as temporadas do Municipal e do Colón eram idênticas. Não foi bem assim. Mocchi, com seu sócio, o português Faustino da Rosa, foram concessionários do teatro portenho em sete temporadas. As outras 12 deste período foram organizadas pelos empresários Ciacchi, Longinotti, Bonetti e Scotto. Em 1926, e a partir de 1930 definitivamente, as temporadas do Colón foram mantidas e administradas pela Municipalidade de Buenos Aires, o que vale até hoje.

A primeira temporada de ópera do Municipal do Rio de Janeiro foi realizada em 1910. Ela aconteceu sem nenhuma cerimônia especial, pois o Theatro, desde o ano anterior, passara a funcionar normalmente, já tendo apresentado companhias teatrais de três nacionalidades diferentes e vários concertos. Simplesmente desembarcaram na Praça Mauá 70 músicos da orquestra, 60 coristas e 16 bailarinas, além do pessoal técnico e os cantores, para 16 espetáculos de 20 de julho a 7 de agosto. A primeira ópera a ser levada foi *Aida,* com uma excelente Cecília Gagliardi, completamente ofuscada pela outra *prima-donna* do elenco, a famosa Gemma Belincioni, que cantou a estreia no Brasil de *Salomé,* de Richard Strauss. Se Belincioni

went so far as to publish advertisements about the possible season. When Toscanini became aware of what was happening, he wrote to the president of La Scala's board of directors, Duke Uberto Visconti di Modrone, to protest against this bogus idea. It was the longest letter Toscanini had ever written and the kindest thing he said about Mocchi was that he was "an advocate for theatrical speculation." The agreement was never finalized.

A popular Rio myth claims that at this time the seasons at the Municipal and the Colón were identical. That's not exactly true. Mocchi, and his partner, Faustino da Rosa, who was Portuguese, had a contract to produce seven seasons at the Buenos Aires theater. The impresarios Ciacchi, Longinotti, Bonetti, and Scotto produced the other 12 seasons during this period. In 1925, as an experiment, the city of Buenos Aires began producing the seasons at the Colón, an arrangement that became permanent in 1930 and continues until today.

The Municipal's first opera season in 1910 took place without any kind of fanfare since the theater had been functioning for a year and had already hosted theater companies from three different countries as well as a number of concerts. Seventy orchestra members, 60 choir members, and 16 dancers plus technical staff and the principle singers arrived at Praça Mauá for the 16 performances that would take place between July 20 and August 7. The first opera to be performed was *Aida,* with the excellent Cecília Gagliardi, who was completely eclipsed by the cast's other *prima-donna*, the famous Gemma Belincioni, who sung in the Brazilian premiere of Richard Strauss's *Salomé*. Although critics called Belincioni "the Duse of lyric singing" for her performance as Salomé, they massacred the opera itself, with the exception of the critic from *Jornal do Comércio* who found it "extraordinary." Others found

foi chamada de "a Duse da arte lírica", por sua atuação como Salomé, a ópera em si foi massacrada pelos críticos, exceção do *Jornal do Comércio* que a achou "extraordinária". Enquanto outros a acharam "longa demais, convidando ao sono, mas barulhenta demais para poder dormir". Interessante ler no *Jornal do Brasil* que a *Traviata* foi representada com roupas modernas e não à Luis XIII, como era habitualmente exibida no Rio.

No final deste ano, um conjunto semi-amador encenou *Ártemis,* de Alberto Nepomuceno, sob a regência do autor.

A temporada de 1911 fazia parte da turnê de Pietro Mascagni na América do Sul, e foi a única, do período 1910-26, não empresariada por Mocchi, e sim por um espanhol, Luiz Alonso, especializado em companhias espanholas de teatro e de *zarzuelas*. Em 18 dias foram apresentadas 10 óperas, cinco do próprio compositor, que as regeu todas. No elenco uma celebridade: Celestina Boninsegna, que cantou em seis delas, inclusive na *Cavalleria Rusticana*.

MAESTRO PIETRO MASCAGNI /
WALTER MOCCHI.
1903. COL. ESTHER CHAMMA DE CARLOS

MAESTRO PIETRO MASCAGNI
COM SUA ORQUESTRA | WITH HIS ORCHESTRA.
TEATRO COLÓN.
1911. COL. ESTHER CHAMMA DE CARLOS

it "too long, and an invitation to nap, even though it was too noisy to do so." It is interesting to read in the *Jornal do Brasil* that "*La Traviata* was performed in modern dress and not in the style of Louis XIII, as it usually was in Rio."

At the end of the same year, a semi-amateur company staged *Ártemis,* composed and conducted by Alberto Nepomuceno.

The 1911 season included Pietro Mascagni on his South American tour – it was the only series that Mocchi didn't produce from 1910 and 1926. The producer was Luiz Alonso, a Spaniard, who specialized in *zarzuelas* and Spanish theater companies. However, it seems that Alonso was just a front man for Mocchi. Ten operas, five by the composer himself who conducted the entire series, were presented over 18 days. The cast included one celebrity: Celestina Boninsegna, who sung in six operas including *Cavalleria Rusticana.*

In 1912, maestro Gino Marinuzzi, who would later become an important figure in the life of the Municipal, arrived in Rio. A great conductor who was respected by critics through-

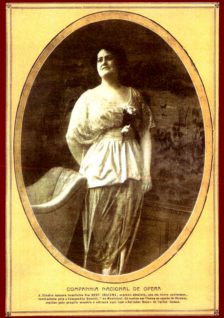

COMPANHIA NACIONAL DE OPERA

Em 1912 chega ao Rio uma figura importante para a vida do Theatro: o maestro Gino Marinuzzi. Um grande regente, respeitado por toda a crítica mundial, que se apresentou em 11 temporadas entre 1912 e 1933, num total de 192 espetáculos, recorde de um maestro estrangeiro no teatro carioca. Regia todas as óperas e os concertos sinfônicos de memória, mas era considerado pessoa difícil. Recebemos outra diva famosa: Rosina Storchio, a criadora de *Madama Butterfly*, que ela apresenta aqui, além de *Manon* e *Traviata,* para o fascinado público do Rio. Os cariocas tomam conhecimento de uma futura diva, Amelita Galli-Curci, e de um dos maiores barítonos do século XX, Riccardo Stracciari. Foram 12 espetáculos em 12 dias, de 10 óperas! O coro e orquestra eram do Teatro Costanzi, de Roma, isto porque naquele ano Mocchi tinha entregue a direção do Costanzi à sua mulher, Emma Carelli, que o dirigiu – com sucesso – até 1926.

Em 1913, sob o comando de Marinuzzi, são encenados 26 espetáculos em 26 dias, de 17 óperas. Entre os maestros substitutos aparece Sylvio Piergili, que se fixará no Rio e será o empresário da maioria das temporadas de ópera de 1930 a 1945. Elenco bom, mas não brilhante, onde se sobressaía um dos grandes barítonos do mundo: Giuseppe de Lucca. Neste ano apresentou-se *Abul,* de Nepomuceno, com um elenco estrangeiro estelar. Curiosidade: nas noites do *Rigoletto* e do *Barbeiro de Sevilha*, levou-se, para fechar o espetáculo, a *Cavalleria Rusticana*!

As forças artísticas do Costanzi estão de volta em 1914, sob a direção da própria Carelli. Foram 21 récitas em 21 dias. Grande quantidade de celebridades ou futuras celebridades, entre elas, Gilda dalla Rizza, a soprano estrangeira que mais cantou no Municipal. Em 11 temporadas cantou 33 óperas diferentes, num total de 62 espetáculos, tornando-se uma das favoritas do público. Tivemos também a espanhola Elvira de Hidalgo (futura professora de Maria Callas); os tenores Ippolito

out the world, he appeared in 11 seasons between 1912 and 1933. Marinuzzi conducted a total of 160 performances, plus concerts, and holds the record for the greatest number of performances by a foreign conductor in Rio. He set his most important record for conducting 60 different operas (including four Brazilian ones)! The number would be even larger if we included the 14 performances he conducted during Scotto's season at the Lyrico in 1926, which added four more operas to his repertory, (including the Brazilian premiere of *Turandot*). He conducted every opera and symphony concert from memory. He was, however, considered a difficult person. In 1912, another famous diva arrived: Rosina Storchio, who created the role of *Madame Butterfly* which she repeated for fascinated Rio audiences, along with *Manon* and *La Traviata*. Audiences were also introduced to a future diva, Amelita Galli-Curci, and one of the greatest baritones of the 20th century, Riccardo Stracciari. There were ten operas presented in 12 performances over 12 days! The chorus and orchestra came from Rome's Teatro Costanzi because that year Mocchi had made his wife, Emma Carelli, director of the Costanzi, a position she held successfully until 1926.

In 1913, under Marinuzzi's command, 17 operas received a total number of 26 performances in 26 days. The substitute conductors included Sylvio Piergili who later moved to Rio and produced most of the opera seasons from 1930 to 1945. The cast was good, but not brilliant, although Giuseppe de Lucca, one of the world's great baritones, stood out. In 1913, a star-filled cast performed Nepomuceno's *Abul*. Curiously, on the nights that *Rigoletto* and *The Barber of Seville* were performed, the program ended with a performance of *Cavalleria Rusticiana*!

PÁGINA ANTERIOR | PREVIOUS PAGE
GILDA DALLA RIZZA.
1919. IN: DILLON, CESAR A.; SALA, JUAN A. *EL TEATRO MUSICAL EN BUENOS AIRES*. BUENOS AIRES: EDICIONES DE ARTE GAGLIANONE, 1999

HEDY IRACEMA.
[CA. 1915]. COL. MARIA JOSÉ TALAVERA CAMPOS

EMMA CARELLI.
[CA. 1909]. IN: DILLON, CESAR A.; SALA, JUAN A. *EL TEATRO MUSICAL EN BUENOS AIRES*. BUENOS AIRES: EDICIONES DE ARTE GAGLIANONE, 1999

ROSA RAISA.
1927. HERBERT E. FRENCH. LIBRARY OF CONGRESS

Lazzaro, espanhol, e aquele que se tornará um dos prediletos do Rio, Tito Schipa e os barítonos Mario Sammarco e Giuseppe Danise (futuro marido de Bidú Sayão). Pela primeira vez *Il Guarany* é apresentado em nosso máximo teatro. E pela primeira vez uma brasileira de reputação internacional, a gaúcha Edy Iracema, com importante carreira europeia (como Edy Iracema Brügelmann) se apresenta no Municipal e canta *Aida* e *Tosca*.

Em 1915 Mocchi consegue ser o concessionário do Colón, daí a temporada deste ano ser pomposamente anunciada como "Grande Companhia Lírica do Teatro Colón de Buenos Aires". Era uma meia verdade. O Colón teve óperas e cantores diferentes (inclusive Caruso não veio ao Rio naquele ano). É só comparar: no Rio foram 17 óperas em 16 dias. Em Buenos Aires foram 85 representações de 21 óperas de 18 maio a 1º de novembro. No Municipal aparecem, pela primeira vez, a polonesa Rosa Raisa, uma das maiores cantoras do século, bem como a francesa Geneviève Vix. Mas a sensação foi Titta Ruffo, então o mais famoso barítono italiano, em sua única aparição no Municipal. Já era conhecido desde 1911 do Lyrico, onde voltou em 1926, envelhecido. Mas em 1915, em pleno esplendor, cantou seis óperas em seis representações.

Mocchi, em 1916, sobe mais ainda de tom, anunciando a "Grande Companhia Lírica do Teatro Scala de Milão". Foram 18 récitas em 16 dias de 14 óperas diferentes. Novas celebridades: a fabulosa Maria Barrientos, o barítono Giacomo Rimini, a requintada francesa Ninon Vallin e mais dois compatriotas seus: Armand Crabbé e um dos maiores baixos de todos os tempos, Marcel Journet. Também franceses foram os compositores e maestros André Messager, com sua *Beatrice*, e Xavier Leroux, com seu *Les Cadeaux*

TITO SCHIPA.
[191-?]. FBN

During this season, Wagner's *Parsifal* was heard for the first time. Wagner had given Bayreuth the exclusive rights to the opera for a 30-year period that ended on December 31, 1913. However, in 1903, the Metropolitan Opera in New York staged the opera, claiming that the United States had not signed the Berne Convention for the Protection of Literary and Artistic Works. The premiere, in Buenos Aires in June 1913, was possible because Argentine law only protected a work for ten years after its author's death. The performances in Rio, four months prior to the date Wagner had stipulated, were only possible because rules covering copyright law had not yet been regulated. This would only occur in 1917 when the conductor Chiquinha Gonzaga created SBAT.

The artistic power of the Teatro Costanzi returned in 1914 under the direction of Carelli herself. There were 21 performances from a repertory of 17 operas in 21 days. There were many celebrities: Gilda dalla Rizza, the foreign soprano who sung the greatest number of times at the Municipal – over 11 seasons she sang 33 different operas in a total of 62 performances and became one of the public's favorites; the Spanish coloratura soprano, Elvira de Hidalgo (Maria Callas's future teacher); Ippolito Lazzaro, a Spanish tenor who would become one of Rio's favorite singers during the next 30 years, and the tenor Tito Schipa. Among the baritones was Giuseppe Danise (the future husband of Bidú Sayão). *Il Guarany* received its first production at the Municipal and, for the first time, an internationally acclaimed Brazilian singer, the gaúcha Edy Iracema from the state of Rio Grande do Sul, who had an important European career under the name of Edy Iracema Brügelmann, sang *Aida* and *Tosca*. Edy's sister, Amália, a contralto, was very active in Argentina, but never sang in Rio.

de Noël. E um novo tenor, Edoardo di Giovanni, que fará história na ópera com seu verdadeiro nome, Edward Johnson, futuro *general manager* da Metropolitan Opera de Nova York durante 15 anos, entre os quais os atribulados anos da Segunda Guerra.

Em 1917 Mocchi baixa de tom e a temporada é "do Teatro Colón de Buenos Aires", mas anuncia, também, que os 70 professores da orquestra, os 20 da banda, as 24 bailarinas e os 60 coristas são do "Scala de Milão". Isto aconteceu porque, quando o malfadado projeto Scala-Colón gorou, ele já havia se comprometido com os corpos artísticos do Scala. A temporada, porém, será relembrada por ter sido a de Enrico Caruso. Ele já havia cantado no Lyrico, em 1903, quatro óperas diferentes em nove récitas. Agora canta sete óperas diversas em 10 espetáculos. Público em delírio. Quatro novas óperas: *La Rondine, Marouf, L'Étranger, Sibéria* e *Lo Schiavo*, de Carlos Gomes, que faz sua entrada no TMRJ com um elenco formidável.

A Primeira Guerra Mundial havia eclodido em julho de 1914. Em abril de 1915 a Itália entra na beligerância, mas o Brasil só o fará em outubro de 1917, um mês após a temporada de ópera do Municipal. E um mês antes do término da guerra, em novembro de 1918, principia nossa temporada. Interessante notar que nada disto parece ter tido grande influência no vaivém dos artistas destas cinco temporadas. Eles continuaram a embarcar e desembarcar lépidos e fagueiros dos navios, com seus enormes baús-armários entupidos de *toilettes, tails* e *morning coats*.

Neste ano chega ao Rio uma figura da maior importância para a ópera no Brasil: a contralto Gabriella Besanzoni. Conquista a plateia na primeira noite e continuará de triunfo em triunfo até sua lendária *Carmen*. Mais tarde, casada com brasileiro, será a mestra de todos os bons cantores nacionais nas décadas de 30 e 40. Na sua cidade de adoção cantará 11 papéis diferentes em 39 récitas.

In 1915, Mocchi managed to win the contract at the Colon for the first time and that year's season was given the pompous title, Grande Companhia Lírica do Teatro Colón de Buenos Aires. It was partly true. The Colón performed different operas and used different singers (including Caruso who didn't come to Rio that year). In Rio, 17 operas were performed over a period of 16 days, while in Buenos Aires, from May 18 through November 1, there were 85 performances from a repertory that included 21 operas. The Municipal presented the Polish dramatic soprano, Rosa Raisa, one of the century's greatest singers, along with the French soprano Geneviève Vix. However, the big sensation was Titta Ruffo, at that time the most famous Italian baritone, who performed at the Municipal just once. Rio audiences knew him from his performances at the Lyrico in 1911. He returned there in 1926, already an old man. At the peak of his career, he sang six operas in six different performances.

TITTA RUFFO, *RIGOLETTO*.
1912. COPYRIGHT BY MATZENE CHICAGO,
LIBRARY OF CONGRESS

Mocchi, in 1916, became even more dramatic, billing his season the Grande Companhia Lírica do Teatro Scala de Milão. Over 16 days there were 18 performances that included 14 different operas. There were also new celebrities: the fabulous coloratura soprano, Maria Barrientos, the baritone Giacomo Rimini, the exquisite French soprano, Ninon Vallin and two of her fellow countrymen: Armand Crabbé and Marcel Journet, one of the greatest baritones of all time. Other Frenchmen included the composers and conductors André Messager, who conducted his *Beatrice,* and Xavier Leroux who conducted his *Les Cadeaux de Noël.* There was also a new tenor who would make opera history, Edoardo di Giovanni, who under his real name, Edward Johnson, would become the general manager of the Metropolitan Opera in New York for 15 years, including the difficult years during World War II.

Com ela chegam também as sopranos Yvonne Gall, francesa, e Angeles Ottein, espanhola. E Aureliano Pertile, o tenor preferido de Toscanini e de mais ninguém. Entre as óperas novas para o Rio estava *Jacquerie*, do maestro favorito do público carioca, Gino Marinuzzi que, como é frequente entre os maestros, é melhor regente que compositor. A velocidade de sempre: 15 óperas em 19 dias.

Em 1919, tendo Mocchi perdido o Colón, chega com sua companhia, agora rotulada "do Costanzi de Roma", junto com a Companhia de Bailados de Anna Pavlova. Além dos seus espetáculos completos, Pavlova apresentava-se também depois das óperas, fechando a noite. Muitos artistas novos, mas uma única celebridade, o baixo Nazareno de Angelis, para o qual foi montado o *Moises* de Rossini, compositor quase desconhecido naquela época. Importante para nós foi ter sido a temporada aberta com *Aida*, por uma gaúcha de Pelotas, Zola Amaro, vinda de seus sucessos no Costanzi. Êxito absoluto que se repetiu em *Mefistófeles* e no *Guarany* e em outras temporadas posteriores. Sua carreira culminou com um *Mefistófeles* no Scala, dirigido por Toscanini, em 1923. Foram 16 óperas em 27 dias, incluindo o *Trittico*, de Puccini, nove meses após sua estreia no Metropolitan de Nova York, e com dois de seus criadores nova-iorquinos no elenco.

In 1917, Mocchi reined himself in and the season was billed as "from the Teatro Colón in Buenos Aires," but the publicity stated that the 70 orchestra members, 20 band members, 24 dancers, and 60 chorus members were from "Milan's La Scala." This happened because when the ill-fated Scala-Colón project bombed, Mocchi had already made an agreement with La Scala's artistic groups. This season, however, will be remembered as the one with Enrico Caruso. In 1903, Caruso had sung four different operas in a total of nine performances at the Lyrico. In 1917, he sang seven different operas in a total of ten performances to delirious audiences. There were four new operas: *La Rondine, Marouf, L'Étranger,* and *Sibéria*. A formidable cast performed Carlos Gomes's *Lo Schiavo* at the Municipal.

World War I had begun in July 1914. In April 1915, Italy entered the war but Brazil would only do so in October 1917, one month after the Municipal's opera season. That year's season began one month before the war ended in November 1918. It's interesting to note that none of this seemed to have had the slightest influence on the artists' comings and during these five seasons. Seemingly without a care in the world, the artists continued embarking and disembarking from the ships, their enormous steamer trunks stuffed with their toilettes, tails, and morning coats.

That year a figure of major importance for Brazilian opera arrived in Rio. The contralto, Gabriella Besanzoni conquered the audience on the first night of the season and would continue from one triumph to the next until she sang her legendary *Carmen*. Later, she married a Brazilian and was the teacher of every accomplished Brazilian singer in the 1930s and 40s. She would sing 11 different roles in 39 recitals in her adopted city. The French soprano, Yvonne Gall, and the

CAPA DO PROGRAMA DA GRANDE
TEMPORADA OFICIAL DE 1917.
PROGRAM COVER FOR THE 1917 GRAND
OFFICIAL SEASON.
COL. FLÁVIO SILVA

ACIMA | ABOVE
ENRICO CARUSO.
[CA. 1917]. COL.
ESTHER CHAMMA DE CARLOS

GABRIELA BESANZONI.
[191-?]. FBN

Spanish coloratura soprano, Angeles Ottein, also arrived with her, along with Aureliano Pertile, who was Toscanini's favorite tenor alone. Rio's favorite maestro, Marinuzzi, conducted his *Jacquerie*, one of the season's new operas, although, like many maestros, he was better at conducting than composing. The pace was as hectic as ever: 15 operas in 19 days.

Since Mocchi had lost his contract with the Colón, in 1919 the company was billed as "from Rome's Costanzi Theater." Mocchi and his company arrived together with Anna Pavlova's dance company. In addition to her company's performances, Pavlova's dancing closed the evening after the operas. *Moses* by Rossini, an almost unknown composer at the time was staged for the season's one celebrity, the bass, Nazareno de Angelis. It was important for Brazilians that the title role in *Aida*, which opened the season, was sung by Zola Amaro, a Brazilian from Pelotas, who had come to Rio after enormous success at the Costanzi. She would repeat this success with her performances in *Mephistopheles* and *Il Guarany* and in later seasons. Amaro's career culminated with the *Mephistopheles* that Toscanini directed at La Scala in 1923. There were 16 operas in 27 days, including a production of Puccini's *Trittico* that included two of its original New York cast members. The Rio production took place only nine months after it had premiered at the Metropolitan in New York.

Reading about the number of different shows and operas in so few days, even the most ignorant reader wonders: How did they do it? The answer can be found in a letter dated May 8, 1922 from Gino Marinuzzi to his family:

Here's some brief news about the theater. Yesterday morning I rehearsed La Wally *with the orchestra (3 hours) ... last night at nine was the dress rehearsal for* Um Ballo in

Lendo a respeito da quantidade de espetáculos e de óperas diferentes em tão poucos dias, surge, mesmo ao leitor mais desavisado, uma pergunta: como conseguiam? A resposta, nós a encontramos numa carta, de 8 de maio de 1912, de Gino Marinuzzi à família:

[...] *Eis breves notícias do teatro. Ontem de manhã ensaiei com a orquestra La Wally (3 horas)....ontem de noite às nove ensaio geral de Un Ballo in maschera que está muito bem. Agora estou indo para o ensaio geral da Wally e à noite première. Amanhã geral de Traviata e estréia de Aida!!! Sábado geral de Bohème e estreia de Traviata e domingo matinée de Ballo e estreia de Bohéme!!! Desculpem se é pouco!......O trabalho pesado será aqui, porque depois, na tournée não ensaiaremos mais.*[1]

Assim terminava a primeira década de óperas no Municipal. Estava estabelecido o padrão das temporadas que se repetirá na década seguinte. Mocchi continuará até 1926, mas apareceriam outros empresários, detentores, também, do prestigioso Colón, como Bonetti e Scotto. Estas temporadas foram reproduzidas, com alterações, em São Paulo onde estreavam exatamente 24 horas depois de ter terminado o último espetáculo da temporada carioca. ∎

MAESTRO GINO MARINUZZI COM A FAMÍLIA EM HOTEL NO RIO DE JANEIRO. MAESTRO GINO MARINUZZI WITH HIS FAMILY IN A HOTEL IN RIO DE JANEIRO. 1919. IN: MARINUZZI, LIA PIEROTTI CEI; GUALERZI, GIORGIO; GUALERZI, VALERIA (ORG.). *GINO MARINUZZI TEMA CON VARIAZIONI.* MILANO: ARNOLDO MONDADORI EDITORE, 1995.

PÁGINA AO LADO | FOLLOWING PAGE
GABRIELA BESANZONI.
[191-?]. FBN

Maschera, *which is very good. Right now, I'm going to the dress rehearsal for* Wally *on its première night. Tomorrow is the dress rehearsal for* Traviata *and the première of* Aida. *Saturday is the dress rehearsal for* Bohème *and the première of* Traviata *and Sunday is the matinee of* Ballo *and the première of* Bohéme!!! *Forgive me if I'm writing so little! ... Right now is the really heavy work* because during the tour we won't rehearse anymore.[1]

And so, the first season of opera at the Municipal ended and the standard had been set for the next decade's seasons. Mocchi would continue until 1926, but other impresarios would appear, such as Bonetti and Scotto, who had also been hired to produce seasons at the prestigious Teatro Colón. These seasons were repeated in São Paulo with some alterations. They would premiere exactly 24 hours after the curtain fell on the last performance of the Rio season. ∎

A história do Theatro se confunde nos primórdios com a da cultura musical da cidade. No início do século XX, ela era incipiente, mas não tanto quanto algumas décadas antes, na segunda metade do XIX, quando um carioca cultivado tinha grande chance de não saber muito ao certo o que era uma sinfonia: se gostasse de música, podia sentir-se atraído pela oferta de árias de ópera, peças orquestrais ou instrumentais curtas e trechos "favoritos", mas dificilmente tinha acesso ao que um europeu chamaria de música "séria", sobretudo em dimensão sinfônica.

Escreve Sérgio Nepomuceno Alvim Corrêa:

Durante praticamente todo o Império, não se teve notícia entre nós da existência de qualquer organização sinfônica permanente. As orquestras atuantes eram arregimentadas fragmentariamente, agrupando músicos daqui e dali, quase todos amadores e só familiarizados com o gênero lírico, única forma musical de arte nobre a predominar nas salas de concerto. [...] Na verdade, até mais ou menos 1880 pouquíssimos eram aqueles, mesmo no Rio de Janeiro e São Paulo [...] que já haviam assistido a um concerto sinfônico [...]. No Rio de Janeiro, o Cassino Fluminense[1] e o Palácio Imperial da Quinta da Boa Vista eram os locais mais sofisticados onde, sob o pomposo título de Grande Festival Lírico-Sinfônico, com inclusão de banda e coro, executava-se, na maioria das vezes, uma série de peças curtas, quer com orquestra, quer com instrumentos solistas ou cantores.[2]

A predominância empobrecedora do gosto pelo canto lírico e a música ligeira levaria nas décadas circundantes da virada do século a uma miniquerela entre os italianizantes e os germanizantes, e foram estes – tendo à frente os não menos francizantes Leopoldo Miguez e

::

concerts & recitals
CLÓVIS MARQUES

The Theatro Municipal's history has become inextricably mixed with the origins of the city's musical history. At the beginning of the 20th century, the city's classical music scene was still nascent, and yet it was more developed than it had been a few decades earlier in the second half of the 19th century when few cultured Rio residents actually knew what a symphony was. If they liked music, they might have been interested in the performances of opera arias, orchestral or instrumental works, or favorite "passages," but it would have been difficult for them to have had access to what a European would call "serious" music, especially in a symphonic dimension.

Sérgio Nepomuceno Alvim Corrêa wrote:

During practically the entire empire, we knew nothing about the existence of any permanent symphonic organization. The active orchestras were improvised affairs and drew musicians from here and there. All most all were amateurs who were only familiar with opera music, the lone form of a noble art that predominated in concert halls... Until around 1880, even in Rio de Janeiro and São Paulo... there were very few people who had actually seen a symphonic concert... The most sophisticated venues in Rio de Janeiro were the Cassino Fluminense[1] and the Palácio Imperial da Quinta da Boa Vista where under the pompous title of the Grande Festival Lírico-Sinfônico, which included a band and chorus, short works were usually performed with either an orchestra, singers, or instrumental soloists.[2]

Alberto Nepomuceno – que tomaram a iniciativa de esboçar uma vida de concertos com formações orquestrais.

Mas ainda no Império surgiram os "clubs" onde a nata da sociedade masculina – liderada por transmigrados europeus, especialmente ingleses – se reunia para entremear com saraus musicais suas horas de lazer e convívio. Já no fim da década de 1870 temos notícia, por exemplo na *Revista Musical e de Belas Artes*, das atividades da Filarmônica Fluminense e do Clube Mozart, oferecendo recitais em que podia ser registrada a presença de suas majestades imperiais. Muita música vocal e instrumental, mas uma rara menção como esta: "A orquestra executou as aberturas *Pianella* e *Regente*."

Em 17 de fevereiro de 1882, "Fétis" dava conta, na *Gazetinha*, da criação do Clube Beethoven, tão conhecido dos leitores de Machado de Assis – que dirigiria sua biblioteca. O violinista, regente, compositor e crítico Robert Jope Kinsman Benjamin, formado em Londres e Colônia, era o autor da iniciativa, e já havia anteriormente importado da Alemanha uma orquestra, "por não julgar poder organizá-la, aqui, bastante apta a poder interpretar [...] a música dos melhores clássicos conhecidos" e assim "educar um povo para compreender uma espécie de música nova para ele". Desejando prosperidade e longa vida ao empreendimento – em cuja "sala destinada aos concertos há um estrado que apenas dá lugar a um piano de cauda e a uma estante para quatro concertistas" –, Fétis assinalava que nessa altura o Clube Mozart agonizava e a Filarmônica Fluminense há muito estava na eternidade.

No mesmo periódico, um redator anônimo relata, dias depois, um típico recital no Beethoven: Arthur Napoleão, que terá papel de destaque nos primeiros anos do Theatro Municipal, dava a Sonata em mi menor para piano de Anton Rubinstein, antecedida por um Quarteto de Spohr e se-

LEOPOLDO MIGUEZ.
[191-?]. ESCOLA DE MÚSICA – UFRJ

In the decades around the turn of the century, the impoverishing predominance of a taste for opera singers and light music provoked a debate between those who preferred the Italian repertory and those who preferred the German. The second group, Leopoldo Miguez and Alberto Nepomuceno, who were also fans of the French repertory, took it upon themselves to create a concert life that included orchestral groups.

However, during the empire there were still "clubs" for the cream of masculine society. Led by European immigrants, especially English ones, members met to socialize and fill their hours of leisure with musical salons. By the end of the 1870s, we already have information in the *Revista Musical e de Belas Artes*, about the activities of the Filarmônica Fluminense and the Clube Mozart, which presented recitals that included the presence of the royal family. The recitals featured a lot of vocal and instrumental music, but performances of symphonic music when "the orchestra executed the overtures from *Pianella* and *Regente*" were rare.

In the February 17, 1882 edition of the *Gazetinha*, "Fétis" gave news about the creation of the Clube Beethoven, familiar to the readers of Machado de Assis who later became the director of the club's library. The violinist, composer, conductor, and critic Robert Jope Kinsman Benjamin, who had been educated in London and Cologne, founded the club. Benjamin had already imported an orchestra from Cologne "because he thought that it would be impossible to organize one here that would be able to play ... the music of the best known classics" thereby "teaching people how to understand a kind of music that is new for them." Although the club had a "concert hall with a dais that has space for only one grand piano and

guida de "Beethoven e Hauser no arco do prodigioso violino de [Vincenzo] Cernicchiaro", de uma ária da *Africaine* (Meyerbeer) "cantada por uma possante voz de barítono" e de um Trio de Beethoven. Além do enlevo musical, o cronista levava para casa a impressão indelével de ter estado "em plena Regent Street ou Piccadilly", em ambiente elegante e circunspecto onde "predominava a raça anglo-saxônia", em meio a mesas de jogos de salão e revistas europeias.

Ainda na *Gazetinha*, em 2 de março, Adelino Fontoura resenhava, em sua coluna "Folhetim", o terceiro concerto do Clube Beethoven. O cronista não se detém, no entanto, no programa (Beethoven, Gounod, Chopin, Paganini e Mendelssohn), mas na filosofia que pautava a instituição "albiônica": um clube de homens ("*pas de femmes*"). Embora se tratasse de "uma associação francamente democrática, destinada à vulgarização da música clássica entre nós", era natural que "essas tentadoras criaturas adoráveis" fossem alijadas por ser sua presença "irreconciliável":

Em uma sociedade falsamente educada como a nossa, para se poder estar com distinção e com 'pose' em uma reunião onde estejam senhoras, quantos pequenos 'tics' e quantas insignificantes pragmáticas não é necessário observar. Toilette, perfumes, frases elegantes, 'pruderie', curvaturas, sentimentalismo, paixão, 'aplomb', estilo, tudo, enfim, que pertence ao domínio exclusivo do romantismo e da poesia. Ó austera realidade da vida, como te deprimem e como zombam de ti.

Também em 1882 surgiu a Sociedade de Concertos Clássicos do violinista cubano José White. Cinco anos mais tarde, o regente Carlos de Mesquita fundava a Sociedade de Concertos Populares, que promoveu os primeiros concertos sinfônicos públicos no Rio de Janeiro, entre 1887 e 1889. Este último, ano da proclamação da República, foi também aquele em que feneceu o Clube

ARTHUR NAPOLEÃO.
[191-?]. FBN

a stand for four musicians," Fetis wished the new club prosperity and a long life, noting that the Clube Mozart was in the throes of death and the Filarmônica Fluminense had moved onto greener pastures long ago.

Days later, in the same periodical, an anonymous editor reported on a typical recital at the Beethoven: Arthur Napoleão, who had an important role in the first years of the Theatro Municipal conducted a Quartet by Spohr, the Sonata in C minor for piano by Anton Rubinstein, "Beethoven and Hauser on the bow of [Vincenzo] Cernicchiaro's prodigious violin," a Beethoven trio, and an aria from Meyerbeer's *Africaine* "sung by a powerful baritone voice." In addition to musical bliss, the columnist had also brought home the indelible impression of having been in an elegant and deferential environment like "Regent Street or Piccadilly" where "mostly Anglo-Saxons" were hunched over card tables or hidden behind European magazines.

In the same *Gazetinha* on March 2, Adelino Fontoura wrote about the Clube Beethoven's third concert in his "Folhetim" column, although he didn't waste any time writing about the program (Beethoven, Gounod, Chopin, Paganini, and Mendelssohn). Instead, he philosophized about the agenda of the "British" institution: a men's club ("*pas de femmes*"). Although it was a "frankly democratic association, devoted to the popularization of classical music among us", it was only natural that "those adorable, tempting creatures" had been jettisoned because their presence was "incompatible":

In a falsely polite society such as ours, if one wishes to cut a good figure and carry oneself well in a gathering where ladies are present, it is necessary to juggle an

Beethoven, depois de 136 concertos de câmara e apenas quatro experiências sinfônicas – estas realizadas no Cassino Fluminense, com acesso permitido às damas, que em 1888 também haviam sido admitidas nos recitais de câmara.

O fundador do Beethoven fizera em outubro de 1886, no *Diário de Notícias,* um balanço de atividades que fala de formação do público:

Quatro anos não é um prazo muito longo para se considerar; mas no caso vertente ele representa muito. Representa uma semirrevolução no gosto musical fluminense; representa um desejo de ouvir e de apreciar alguma coisa mais elevada e mais nobre no reino da arte que o petulante e desarrazoado estilo de música que por tanto tempo dominou tão soberanamente no Rio de Janeiro. Representa um interesse crescente por alguma coisa de mais sólido e mais real do que as alegrias efêmeras de melodias operáticas [...].

No mesmo artigo, Benjamin toca na questão da problemática criação de uma orquestra sinfônica, das dificuldades enfrentadas pelos músicos profissionais:

Não possuímos número suficiente de professores capazes de formar uma boa orquestra. A vida de um professor de orquestra no Rio é dura e para alguns mesmo cruel [...] manietados pelos contratos com os teatros, obrigados a executarem durante todo o ano música de um gênero trivial [...] admira pouco que tenham escasso tempo e ainda menos inclinação para estudar [...] Daí provém uma indiferença pelos intuitos mais elevados da arte musical, o mero interesse na música como meio de vida, e com isso aparece incontestavelmente uma negligência tanto de estilo como de forma, a qual, uma vez contraída, é difícil senão impossível desarraigar [...]. [3]

enormous amount of affectations and insignificant mannerisms. Toilette, perfumes, elegant phrases, 'prudery,' bowing, sentimentalism, passion, aplomb, style; in general, everything that belongs to the exclusive domain of romanticism and poetry. Oh, austere reality of life, how they depress you and make fun of you.

Eighteen eighty-two also marked the appearance of the Sociedade de Concertos Clássicos organized by the Cuban violinist José White. Five years later, the conductor Carlos de Mesquita founded the Sociedade de Concertos Populares which, between 1887 and 1889, promoted the first public symphonic concerts in Rio de Janeiro. This last year, the year of the Proclamation of the Republic, the Clube Beethoven withered after 136 chamber concerts and only four symphonic experiments. Its concerts took place at the Cassino Fluminense where women were allowed to attend having already been granted entrance to the chamber music recitals in 1888.

In *Diário de Notícias* in October 1886, the founder of the Beethoven took stock of its activities to educate the public:

Four years is not a very long time, although in this particular case it represents quite a lot. It represents a semi-revolution in Rio's musical tastes; it represents the desire to listen to and appreciate something more elevated and noble in the realm of art than the petulant and awkward style of music that has completely dominated Rio de Janeiro for so long. It represents a growing interest in something more real and solid than the ephemeral joys of operatic melodies.

A coincidência do fim dessas iniciativas incipientes com o ocaso da monarquia se explica pelo fato de elas se terem escorado no interesse de uma aristocracia que se retraía ou se exilava com o advento da república. Já em 1893, Leopoldo Miguez – primeiro diretor do Instituto Nacional de Música, que tomara o lugar do Conservatório Imperial – propunha ao governo federal a promoção de concertos para "educar a massa geral do público [...] apresentando-lhe a imagem viva de toda a evolução da música, desde o período nascente da arte europeia até os nossos dias". [4]

Miguez era no Brasil um campeão do wagnerismo, da "nova música" que, representada também por Liszt ou Berlioz, ele pretendia trazer a um ambiente dominado pela lírica italiana. Mas só em 1909, precisamente o ano de inauguração do Theatro Municipal, Alberto Nepomuceno, um dos seus sucessores na direção do Instituto, conseguiria concretizar as séries de concertos com uma orquestra da casa.

Foi Nepomuceno que, transformado numa espécie de "músico oficial do regime"[5], dinamizou a vida sinfônica do Rio de Janeiro na primeira metade da década de 1900, num momento em que a cidade e o país se modernizavam e no qual continuavam tendo vida efêmera iniciativas como o Clube Sinfônico animado pelo professor, historiador e músico amador Raul Villa-Lobos, pai de Heitor, e o Centro Musical que dava concertos vesperais no Palace Theatre, na Rua do Passeio.

Em janeiro de 1900, o futuro escritor Lima Barreto, então um jovem aluno (19 anos) da Escola Politécnica, publicava no jornal estudantil *A Lanterna* – a propósito de um concerto promovido por Francisco Braga, com obras suas e de Beethoven, Mozart e Liszt – um comentário refletindo o entusiasmo de um melômano e também a sua decepção com a incipiência da vida musical na cidade: "Vimos domingo último, pela centésima vez, um magnífico e interessante concerto sinfônico,

In the same article, Benjamin touched on the problems created by a symphonic orchestra and the difficulties facing professional musicians:

We do not possess a sufficient number of musicians to form a good orchestra. The life of an orchestra musician in Rio is hard, and for some, even cruel ... shackled by contracts with the theaters, forced to play a kind of trivial music all year long ... it's little wonder that they have so little time and even less time to study ... It is the source of their indifference to the more elevated motives of the musical arts and of their measly interest in music as a livelihood and with it the indisputable appearance of a disregard for both style and form which once contracted, it is difficult if not impossible to uproot ...[3]

The fact that these budding initiatives coincided with the twilight of the monarchy is explained by the fact that they were propped up by an aristocracy who, with the advent of the republic, withdrew or went into exile. In 1893, Leopoldo Miguez, the first director of the Instituto Nacional de Música, which took the place of the Conservatório Imperial – already proposed that the federal government promote concerts to "educate the masses ... presenting them with the living image of the entire evolution of music from the birth of this European art up to the present day."[4]

Miguez was the Brazilian champion of Wagnerism and he intended to bring this "new music," which was also represented by Liszt and Berlioz, into an environment dominated by Italian opera. It was only in 1909, however, the exact year when the Theatro Municipal was inaugurated, that Alberto Nepomuceno, one of Miguez's successors as director of the institute, managed to produce a series of concerts with a resident orchestra.

MAESTRO ALBERTO NEPOMUCENO COM ALUNAS EM FRENTE AO INSTITUTO NACIONAL DE MÚSICA.
MAESTRO ALBERTO NEPOMUCENO WITH HIS PUPILS IN FRONT OF THE NATIONAL MUSIC INSTITUTE.
[191-?]. FBN

tendo um auditório ínfimo para esta cidade de oitocentos mil habitantes. [...] o talentoso Francisco Braga, artista bem brasileiro e amante de seu país, sofreu a dura decepção de ver, depois de estrondosas ovações a uma sua partitura, que lhe não rendeu um real, reunido para seu primeiro concerto sinfônico um resumido grupo de *dilettanti*, entusiasta, é verdade, mas representando

::

Nepomuceno, who became a kind of "official musician of the regime,"[5] invigorated symphonic life in Rio de Janeiro in the first few years of the 1900s at a moment when the city and country were being modernized. At the time, there was also still life in fleeting initiatives such as the Centro Musical, which gave matinee concerts at the Palace Theatre on Rua do Passeio, and the Clube Sinfônico, which had been created by Raul Villa-Lobos, Heitor's father and an amateur musician and historian.

In January 1900, in the student journal, *A Lanterna*, the future writer, Lima Barreto, then a young, 19-year-old student at Escola Politécnica, published a review of a concert presented by Francisco Braga featuring works by Braga and Beethoven, Mozart, and Liszt. The article, written with the enthusiasm of a music lover, reflected Barreto's disappointment with the rudimentary nature of the city's musical life. "Last Sunday, we saw, for the hundredth time, a magnificent and interesting symphonic concert in an auditorium that is tiny for this city of 800,000 inhabitants ... Following the thunderous ovations for his libretto, the talented Francisco Braga, a very Brazilian artist and a man who loves his country, suffered the profound disappointment of realizing that he hadn't earned even one real. His first symphonic concert brought together a small group of *dilettanti*, enthusiastic ones, it's true, and yet they represent a very small sum for an artist in need of immediate funds." It is interesting to note Lima Barreto's aesthetic sensitivity to music: "The music of F. Braga has these outstanding characteristics: rich, brilliant harmonies; sober, light, timid melodies, that are not euphoric. It is a perfect fit for the tastes of the French school."[6]

MAESTRO ALBERTO NEPOMUCENO.
CARICATURA | CARICATURE BY ENRICO CARUSO.
1917. FBN

um capital ínfimo para um artista que precisa de imediatos auxílios". É curioso, hoje, constatar a sensibilidade estilística do jovem Lima Barreto no terreno musical: "Eis o característico notável da música de F. Braga: harmonia rica, brilhante; melodia sóbria, leve, tímida, sem arroubos, perfeitamente ao gosto da escola francesa." [6]

Já em 1896 Nepomuceno fundara com Miguez um "primeiro organismo sinfônico [...] estruturado em bases mais ou menos sólidas"[7], a Associação dos Concertos Populares, que durante dois anos, em aproximadamente trinta concertos, abriu horizontes sinfônicos com obras de Mozart, Haydn, Beethoven, Mendelssohn, Schubert e música nunca antes ouvida de Weber, Glinka, Wagner, Liszt e Grieg, além de estrear peças de Carlos Gomes, Henrique Oswald, Francisco Braga, Alexandre Lévy e de seus dois fundadores. A iniciativa durou apenas dois anos e a música sinfônica na cidade ficou confinada a episódios esporádicos, especialmente no Instituto Nacional de Música, na antiga Rua da Lampadosa, hoje Luís de Camões, e no Theatro Lyrico, na atual Rua 13 de Maio, ao lado do Theatro Municipal.

MAESTRO FRANCISCO BRAGA.
[191-?]. FBN

Mas foi apenas em 1908, como parte da Exposição Nacional para comemorar o centenário da abertura dos portos brasileiros, que uma dinamização se concretizou de maneira mais fulgurante, com a promoção de 28 concertos que também configuravam uma "abertura dos ouvidos à música moderna" [8]. Sem dar lugar a uma única partitura de origem italiana, Nepomuceno regeu 44 execuções de obras francesas, 40 de obras alemãs (19 delas de Wagner, o compositor mais tocado), 24 de brasileiras e 21 de eslavas. Entre as peças que então deixaram de ser

SENTADOS DA ESQUERDA PARA A DIREITA MAESTRO ALBERTO NEPOMUCENO (QUARTO), ARTHUR NAPOLEÃO (OITAVO) E AO SEU LADO PAULINA D'AMBROSIO EM BANQUETE OFERECIDO AO VIOLONISTA FRANZ VON VECSEY, NO PAVILHÃO MOURISCO, EM 7 DE SETEMBRO DE 1911. SEATED FROM LEFT TO RIGHT MAESTRO ALBERTO NEPOMUCENO (FOURTH), ARTHUR NAPOLEÃO (EIGTH) WITH PAULINA D'AMBROSIO BY HIS SIDE AT A BANQUET IN HONOR OF THE VIOLONIST FRANZ VON VECSEY AT THE MOORISH PAVILLION, SEPTEMBER 7, 1911. FBN

In 1896, Nepomuceno and Miguez founded the Associação dos Concertos Populares the "first symphonic organism ... structured on fairly solid foundations."[7] In approximately 30 concerts in two years, the association opened symphonic horizons with works by Mozart, Haydn, Beethoven, Mendelssohn, and Schubert and included pieces by Weber, Glinka, Wagner, Liszt, and Grieg that had never been heard before. It also premiered music by Carlos Gomes, Henrique Oswald, Francisco Braga, Alexandre Lévy, and its two founders. The initiative lasted no more than two years and the city's symphonic music was only intermittently performed, mostly at the Instituto Nacional de Música on the old Rua da Lampadosa currently Rua Luís de Camões, and at the Theatro Lyrico at Rua 13 de Maio.

However, it was only at the 1908 World's Fair commemorating the 100th anniversary of the opening of Brazil's ports that events were given a real boost with the production of 28 concerts that had also been designed to "open ears to modern music." [8]

Refusing to include even one Italian libretto, Nepomuceno conducted 44 French works, 40 German works (19 of them by Wagner, the composer who received the most performances), 24 by Brazilians, and 21 by Slavs. Among the pieces that received their Rio premiere were *Schéhérazade* by Rimsky-Korsakov, *Prélude à L'Après-midi d'un Faune* by Debussy, the *Sorcerer's Apprentice* by Dukas, "Polovitsian Dances" from *Prince Igor* by Borodin, *Spain* by Chabrier, and the *Danse Macabre* by Saint-Saëns, a composer who was well-represented in the era's repertories and who visited Rio de Janeiro in 1904.

inéditas no Rio de Janeiro estavam a *Schéhérazade* de Rimsky-Korsakov, o *Prélude à l'après-midi d'un faune* de Debussy, o *Aprendiz de feiticeiro* de Dukas, as "Danças Polovitsianas" do *Príncipe Ígor* de Borodin, *Espanha*, de Chabrier, e a *Dança Macabra* de Saint-Saëns – compositor muito presente nos repertórios da época, e que estivera no Rio de Janeiro em 1904.

Foi nesse contexto que a construção do Theatro Municipal se deu, sem que a música sinfônica tivesse lugar no debate entre os que queriam a nova casa para o teatro falado e os que acabaram por "desviá-la" para a ópera e a dança.

No ano da inauguração, 1909, não houve música orquestral, mas apenas instrumental, vocal e de câmara no Theatro Municipal. No dia 30 de outubro, o *Jornal do Brasil* anunciava em sua sessão "Palcos e salões": "É hoje à noite o concerto do estimado maestro Sr. Arthur Napoleão. Nesse concerto, que se realiza no Theatro Municipal, tomam parte Miécio Horszowski, a Sra. Paulina d'Ambrosio, a Sra. Elvira Gudin, a Sra. Gina de Araújo Oliveira e o Sr. Tavares." A abertura da casa para a música não operística também era apregoada na *Gazeta de Notícias*: "Theatro Municipal – Realiza-se hoje finalmente o ansiosamente esperado e desejado concerto do admirável pianista que é Arthur Napoleão. O programa do concerto, que será honrado com a presença do Sr. Presidente da República, é admirável. Tem o concurso de Miécio, a criança-gênio, o fulgurante e precoce pianista. Outros atrativos tem ainda o concerto, que é uma forte nota de arte no nosso meio."

Acompanhados ao piano por Elvira Gudin, poemas franceses foram declamados por Gina de Araújo Oliveira no primeiro recital da história do Theatro Municipal, no qual se juntavam ao sexagenário pianista português Arthur Napoleão, há muito estabelecido no Rio, dois talentos da

The Theatro Municipal was constructed in this context where symphonic music was not even part of the debate between those who wanted a new theater for the spoken word and those who "commandeered" the theater for opera and dance.

In 1909, the year of its inauguration, only instrumental, vocal, and chamber music were performed at the Theatro Municipal – there was no orchestral music. In its "Palcos e salões" column on October 30 the *Jornal do Brasil* announced: "Tonight is the night of the concert by the esteemed maestro Mr. Arthur Napoleão. The concert, which will take place at the Theatro Municipal, will include performances by Miécio Horszowski, Mrs. Paulina d'Ambrosio, Mrs. Elvira Gudin, Mrs. Gina de Araújo Oliveira, and Mr. Tavares." The *Gazeta de Notícias* hailed the opening of this venue for non-operatic music. "Theatro Municipal – Today the eagerly awaited and coveted concert by the venerable pianist Arthur Napoleão will finally take place. The President of the Republic will honor this splendid concert program with his presence. The program features the brilliant, precocious pianist, Miécio, the child genius. The concert also has other attractions and is an important sign of art in our midst."

Accompanied on piano by Elvira Gudin, Gina de Araújo Oliveira declaimed French poems in the first recital in the history of the Theatro Municipal. It brought together the Portuguese sexagenarian, Arthur Napoleão, a longtime Rio resident; two talents from the youngest generation – the 17-year-old Polish pianist Mieczyslaw Horszowski, affectionately known as Miécio (which later became Miecinho, a diminutive) who would have an illustrious international career; and the 19-year-old São Paulo native Paulina d'Ambrosio who became a mainstay in Rio's musical life in the following decades and Villa-Lobos's favorite

novíssima geração: o pianista polonês Mieczyslaw Horszowski, então com 17 anos, familiarmente transformado aqui em Miécio (mais tarde até Miecinho) e que faria ilustre carreira mundial; e a paulista Paulina d'Ambrosio, de 19, esteio nas décadas seguintes da vida musical carioca e a violinista preferida de Villa-Lobos. Foram ouvidas apenas peças curtas – Rameau, Chopin, Beethoven, Liszt, Tartini, Saint-Saëns... –, com o concurso também do violinista Rubens Tavares, além de uma ária de soprano de *Hamlet*, de Ambroise Thomas, com a eclética Sra. Gudin.

Esse tipo de recital sortido e pouco exigente foi repetido três vezes no ano da inauguração, voltando ao palco vários dos mesmos artistas. "O Municipal rebrilhava ontem de luz e pedrarias que cintilavam nas ricas 'toilettes' de centenas de lindas senhoras", festejava a *Gazeta* no dia 10 de novembro.

O primeiro concerto sinfônico do Theatro Municipal[9] realizou-se a 6 de março de 1910 com a orquestra do Centro Musical do Rio de Janeiro – mais um organismo *ad hoc* como os que mantinham alguma aparência de vida orquestral na cidade - sob a regência de Attilio Capitani e do veterano Francisco Braga, que teria papel importante nas décadas seguintes. Os primeiros acordes foram os da protofonia do *Salvador Rosa* de Carlos Gomes, seguida de peças de Ernesto Ronchini, Schumann (um movimento de sinfonia), Bernardo Bonaci, Wagner, Mascagni, Bruch (um movimento de concerto, com d'Ambrosio) e o poema sinfônico *Ave libertas!*, de Leopoldo Miguéz, além de canções de Braga com Lydia Albuquerque. Para encerrar, a espetacular *Abertura 1812* de Tchaikovsky.

O primeiro solista de fama internacional a pisar no palco do TM, entre junho e julho de 1910, foi o violinista tcheco naturalizado húngaro Jan Kubelik, em quatro recitais que – à parte o habitual rosário de peças curtas (uma só sonata inteira, a brilhante Opus 75 em ré menor de Saint-Saëns) – deram iní-

violinist. Only short pieces were heard – Rameau, Chopin, Beethoven, Liszt, Tartini, Saint-Saëns. The program also featured the violinist Rubens Tavares and the eclectic soprano Mrs. Gudin singing the aria from *Hamlet* by Ambroise Thomas.

This type of eclectic, undemanding recital was repeated three times the year the theater was inaugurated and many of the same artists returned to the stage. "Yesterday the Municipal shone with the light from the precious stones adorning the luxurious 'toilettes' of dozens of beautiful ladies," celebrated the *Gazeta* on November 10.

The first symphonic concert at Theatro Municipal[9] took place on March 6, 1910, with the orchestra of the Centro Musical do Rio de Janeiro – one more *ad hoc* organization that maintained some kind of appearance of orchestral life in the city. Both Attilio Capitani and the veteran Francisco Braga, who had an important role in the subsequent decades, conducted. The first chords sounded were those of the overture from *Salvador Rosa* by Carlos Gomes followed by pieces by Ernesto Ronchini, Bernardo Bonaci, Wagner, and Mascagni; a symphony movement by Schumann; a concerto movement by Bruch with d'Ambrosio; the symphonic poem *Ave libertas!* by Leopoldo Miguez; and songs by Braga with Lydia Albuquerque. To top it off, Tchaikovsky's spectacular *1812 Overture.*

The first internationally famous soloist to step on the Theatro Municipal stage was the Czech-born Hungarian citizen, Jan Kubelik, who performed four recitals from June to July 1910. Except for the standard rosary of short pieces (there was just one entire sonata, the brilliant Opus 75 in D minor by Saint-Saëns) it was the first appearance of a common practice that would be unheard of nowadays: the performance of violin concer-

cio a uma prática comum nesse período e que hoje não seria cogitada: a apresentação de concertos para violino com acompanhamento de piano: Mendelssohn, Paganini, Wieniawski, Tchaikovsky...

O maestro Francisco Braga alternou em concertos desse ano com o clarinetista e regente Francisco Nunes (este já colaborador de Nepomuceno no festival de 1908), esboçando uma dupla que logo começaria a fazer história. Eles fundaram em 1912 a Sociedade de Concertos Sinfônicos do Rio de Janeiro, o empreendimento que mais tempo durou na primeira metade do século XX, estendendo até 1933 suas temporadas mais ou menos regulares, que transcorriam sobretudo no Theatro Municipal.

Num jornal que não foi possível identificar, "Enrico" anunciava a 30 de dezembro de 1912, com fotos, que "o maestro Francisco Nunes, um rapaz que vive pela e para a música", finalmente fundava no Rio de Janeiro a orquestra sinfônica de que a cidade tanto carecia: "Deus o ajude e lhe dê constância em doses inverossímeis para tamanho intento, porque nós atualmente *não temos orquestra*[10]. [...] a verdadeira orquestra que operosamente se agremia, estuda, penetra e assimila as obras dos mestres [...] essa orquestra ainda não existe por estas paragens."

Dando conta do primeiro concerto, prosseguia Enrico: "O maestro Francisco Braga dirigiu com grande amor de artista os setenta sócios do novo Sodalício, aformoseado pela presença da gentil Paulina d'Ambrosio, que pela primeira vez se sentava na orquestra, com as responsabilidades de violino *spalla*." Mas ressalvava: "No Prelúdio dos *Mestres cantores* o desequilíbrio dos segundos violinos tornava-se flagrante, quanto à sonoridade. E durante toda a audição as arcadas do quarteto de cordas e dos primeiros violinos, principalmente, discordavam a miúdo."

JAN KUBELIK.
[CA. 1913]. COL. BAIN.
LIBRARY OF CONGRESS

tos – Mendelssohn, Paganini, Wieniawski, Tchaikovsky – that were only accompanied by piano.

That year the maestro Francisco Braga alternated with the conductor and clarinetist Francisco Nunes (who had worked with Nepomuceno in the 1908 festival); these were the first steps by a duo who would soon make history. In 1912, they founded the Sociedade de Concertos Sinfônicos do Rio de Janeiro, the longest-lasting organization of its kind in the first half of the 20th century. Its somewhat regular seasons usually took place at the Theatro Municipal and continued until 1933.

On December 30, 1912, in a newspaper that has been impossible to identify, an article by "Enrico" that included photographs announced that "the maestro Francisco Nunes, a young man who lives for music," had finally founded a symphonic orchestra in Rio de Janeiro, a city badly in need of one. "God help him and give him an extraordinary amount of stamina for this great undertaking because we do not currently *have an orchestra*[10] ... [A] real orchestra comes together slowly by studying, penetrating, and assimilating the masterworks ... this kind of orchestra still does not exist around here."

In his account of the first concert Enrico continued, "The 70-year-old maestro Francisco Braga lovingly conducted his colleagues in the new Sodalício, embellished by the presence of the kind Paulina d'Ambrosio, who sat in the orchestra as the first violinist for the first time." He did point out that "In the Prelude of *Die Meistersinger* the sound of the second violins was blatantly uneven. And throughout the entire recital the arcades of the string quartets and especially the first violins often clashed."

Os Concertos do Instituto Nacional de Música mantinham em cena no TM a figura de Alberto Nepomuceno como regente, dando vazão também a seu empenho de fundação de uma canção brasileira – como no concerto de 26 de novembro de 1911, em que, ao lado de peças de Wagner, Saint-Saëns e Lalo, ele apresentava "dois números de canto em português"[11]. Uma canção de Nepomuceno, "Tu és o sol!", seria interpretada por Karl Jorn, tenor dramático e cavaleiro dos grandes teatros de ópera europeus e norte-americanos e "cantor da câmara imperial alemã"[12], num de seus recitais em junho de 1913, dando início a uma tradição de homenagem aos compositores brasileiros por ilustres solistas estrangeiros em visita ao TM.

Em agosto de 1911 pisaria no palco do Municipal o grande Paderewski, pianista e figura de proa do nacionalismo polonês, para cinco recitais. Em setembro, era a vez da soprano russa naturalizada francesa Felia Litvinne, grande wagneriana então quase cinquentenária, e a primeira de uma formidável série de cantores célebres que aportaram ao TM, ao longo de sua história centenária, quando já estavam prestes a encerrar carreira.

Ano atípico pelo número pequeno de concertos e recitais (onze apenas), 1912 trouxe o pianista português Vianna da Motta em cinco apresentações. Em 1913, quando Nepomuceno ofereceu um Festival Wagner com sua orquestra, o primeiro aniversário da Sociedade de Nunes e Braga era comemorado com um concerto de obras deste último: os poemas sinfônicos *Cauchemar* e *Marabá*, as *Variações sobre um tema brasileiro*, *Visões* para violino, com Paulina d'Ambrosio, mais trechos da ópera *Jupira* cantados por Lydia de Albuquerque Salgado e a marcha *Pro Patria*.

Além da estreia de Antonieta Rudge no Municipal, 1914 assistiu à estreia carioca, em junho, da jovem (18 anos) Guiomar Novaes, que retornaria no ano seguinte, em 1919 e muitas outras ve-

IGNACY JAN PADEREWSKI.
FON-FON, 17.06.1911. FBN

The concerts by the Instituto Nacional de Música at the Theatro Municipal kept Alberto Nepomuceno on stage as a conductor, although it was also an outlet for his work as a founder of Brazilian song. In the concert on November 26, 1911, alongside pieces by Wagner, Saint-Saëns, and Lalo, he presented "two numbers sung in Portuguese."[11] In a recital in June 1913, one of Nepomuceno's songs, "Tu és o sol!" was performed by Karl Jorn, the renowned dramatic tenor from the big North American and European opera houses and a "German Imperial Chamber Singer."[12] This was the beginning of a tradition where illustrious foreign soloists honored Brazilian composers during their performances at the Theatro Municipal.

In August 1911, the great pianist Paderewski, the poster child for Polish Nationalism, assumed the stage of the Theatro Municipal for five recitals. In September, it was the Russian-born French citizen Felia Litvinne, the great Wagnerian dramatic soprano who was then in her fifties. She was the first in a splendid series of celebrated singers who docked at the theater throughout its hundred-year history soon before they retired.

An atypical year due to the small number of concerts and recitals (only eleven), 1912 brought the Portuguese pianist Vianna da Motta for five performances. In 1913, when Nepomuceno and his orchestra offered a Wagner Festival, the first anniversary of the Sociedade de Nunes e Braga was celebrated with a concert of works by Braga: the symphonic poems, *Cauchemar* and *Marabá*; the *Variations on a Brazilian Theme*; *Visões* for violin with Paulina d'Ambrosio; excerpts from the opera *Jupira* sung by Lydia de Albuquerque Salgado; and the march *Pro Patria*.

In addition to Antonieta Rudge's debut at the Municipal, 1914 also featured the Rio premiere in June of 18-year-old Guiomar Novaes, who returned in 1915, 1919, and many other

zes. Em agosto inovou-se, com dois "*five o'clock tea concerts*" de música instrumental e vocal variada no Restaurante Assírio. Houve também, em outubro, a apresentação do menino-prodígio pianista Walter Burle Marx, que teria papel destacado como regente na década de 30.

Outro compositor brasileiro, Henrique Oswald, mereceria em 1915 uma noite de obras suas pela Sociedade de Concertos Sinfônicos, enquanto se firmava uma tradição de concertos de caridade, num dos quais – a 18 de julho, "em benefício dos flagelados do Norte" – Coelho Netto improvisou e Olavo Bilac leu poemas seus, em meio a miniaturas vocais e instrumentais.

É desse ano o início de uma atividade concertística de Villa-Lobos, então com 28 anos, apresentando composições suas no Rio, em meio aos "debates acérrimos que despertaram suas obras, tão cheias de inovações para a época"[13]. Em 31 de julho, sua música chegava ao Theatro Municipal pela batuta de Francisco Braga, que regeu a *Suíte característica* para instrumentos de cordas.

Enquanto a música francesa era valorizada nas estantes orquestrais, André Messager em pessoa veio reger em 1916 (Beethoven e o Concerto de Grieg com Antonieta Rudge ao piano). As orquestras de formação contingencial se sucediam, com nome (Sinfônica Fluminense em 1917, Grêmio Artístico Amigos da Música no mesmo ano) ou sem ele, em geral para acompanhar cantores ou solistas ou permitir a subida ao pódio de um novo regente.

Em junho de 1918 refulgiram pela primeira de muitas vezes a presença e o som de Arthur Rubinstein, em nada menos que doze recitais em cujo repertório ressumavam uns ares cosmopolitas

INSTITUTO DE MÚSICA – CONCERTO EM BENEFÍCIO DOS FLAGELADOS DO NORTE | CHARITY CONCERT ON BEHALF OF VICTIMS IN THE NORTH, 1915. FBN

times. In August, the novelty was two "five o'clock tea concerts" of vocal and instrumental music performed at the Restaurante Assírio on the ground floor of the theater. In October there was also a performance by the pianist and child-prodigy, Walter Burle Marx, who had an important role as a conductor in the 1930s.

In 1915, another Brazilian composer, Henrique Oswald, earned a concert of his works by the Sociedade de Concertos Sinfônicos, which had a tradition of giving charity concerts. At one of these concerts on July 18, held "to benefit those who were suffering in the North," Coelho Netto improvised and Olavo Bilac gave a reading of his own poems amid vocal and instrumental miniatures.

This year marked the beginning of one of Villa-Lobos's concert activities. The composer was 28 at the time and presented his works in Rio in the midst of "the heated debates that his extremely innovative works provoked at that time."[13] On July 31, his music reached the Theatro Municipal under the baton of Francisco Braga who conducted the *Suite Característica* for string orchestra.

During this time when French music was a prized addition to repertories, André Messager himself came to conduct in 1916 (Beethoven and Grieg's Concerto with Antonieta Rudge on piano). There was a succession of temporary orchestras with names (Sinfônica Fluminense in 1917, Grêmio Artístico Amigos da Música in 1916) or without. They were formed to accompany soloists or singers or to enable a new conductor to take the podium.

June 1918 marked the first of many appearances featuring the brilliant presence and sound of Arthur Rubinstein. In no less than 12 recitals, the pianist's repertory exuded cosmopolitan airs and musical ambitions that contrasted with the panorama of "bonbons," miniatures, and

MAESTRO HENRIQUE OSWALD. [191-?]. FBN

GUIOMAR NOVAES.
[191-?]. FBN

e uma ambição musical contrastando com o panorama predominante de "bombons", miniaturas e música *fin-de-siècle*. Em agosto, o compositor – Villa-Lobos – do qual Rubinstein viria a se tornar um embaixador internacional aparecia de novo com o quarto ato de sua ópera *Izath* regido por Francisco Braga, que segundo Vasco Mariz "chegou a fazer um depoimento em cartório, em 1921, atestando os méritos de Villa-Lobos como compositor", para convencer o Congresso a subvencionar uma apresentação de sua música em Paris[14]. Seu Concerto para violoncelo e orquestra de 1915 seria regido por ele próprio em apresentação da SCS de Braga e Nunes em 1919, com Newton Pádua como solista. As demais peças da noite foram regidas por Nepomuceno, que no ano anterior promovera um concerto todo dedicado a Villa-Lobos no Instituto Nacional de Música.

Havia também, nesse período, furtivas imbricações do pessoal da lírica com a vida sinfônica. O maestro das temporadas operísticas Gino Marinuzzi organizou e dirigiu três concertos em 1919. No ano anterior, o cinquentenário empresário italiano Walter Mocchi – que em 1921 se casaria com Bidú Sayão, então com 19 anos – montou em benefício da Cruz Vermelha Americana um "concerto e bailado" em que conviviam a soprano francesa Ninon Vallin, uma orquestra regida por Vincenzo Belleza, bailados, solistas diversos e "quadros vivos da vida dos índios norte-americanos" com "o concurso de diversas senhoritas e senhores".

É também de 1919 a primeira das muitas apresentações no TM do tenor italiano Tito Schipa. ■

ARTHUR RUBINSTEIN.
[192-?]. MVL

fin-de-siècle music that predominated. In August, the composer Villa-Lobos appeared again with the fourth act of his opera *Izath* conducted by Francisco Braga. According to Vasco Mariz, "in 1921 [Braga] made an official notarized declaration of Villa-Lobo's talents as a composer" to convince the congress to underwrite a performance of the composer's music in Paris.[14] Rubinstein would later become the international ambassador for Villa-Lobos who conducted his own 1915 Concerto for cello and orchestra in a 1919 SCS concert by Braga and Nunes with Newton Pádua as soloist. The other pieces that night were conducted by Nepomuceno who had promoted an entire concert dedicated to Villa-Lobos at the Instituto Nacional de Música the year before.

At this time there were also furtive overlaps between the opera people and the symphonic life. The maestro of the opera seasons, Gino Marinuzzi, organized and directed three concerts in 1919. The year before, the Italian impresario, Walter Mocchi, who was in his fifties and who married the 19-year-old Bidú Sayão in 1921, produced a benefit "concert and ball" for the American Red Cross. The French soprano Ninon Vallin, an orchestra conducted by Vincenzo Belleza, ballets, diverse soloists, and "living tableaux of North American Indians" shared the stage with "various ladies and gentlemen."

Nineteen hundred and nineteen also marked the first of many performances at the Theatro Municipal by the Italian tenor Tito Schipa. ■

Na noite de 17 de outubro de 1913, o público que lotava o Theatro Municipal do Rio de Janeiro vivenciou uma experiência até então inédita no principal palco da cidade: assistir ao espetáculo de uma companhia dedicada exclusivamente ao balé. Não que outras apresentações de dança já não tivessem ocorrido no Municipal – era comum que bailarinos trabalhando em grupos líricos realizassem números nos entremeios das óperas –, mas era a primeira vez que um conjunto só de balé ali se apresentava. Uma estreia que se deu em grande estilo: com a companhia Ballets Russes de Diaghilev, mundialmente reconhecida tanto pela categoria de seu repertório quanto pela qualidade técnica de seus bailarinos.

Participaram da temporada, que ocorreu de 17 de outubro a 1 de novembro, nomes célebres como Vaslav Nijinsky (1890-1950), Tamara Karsavina (1885-1978), Enrico Cecchetti (1850-1928), Adolph Bolm (1884-1951) e Michel Fokine (1880-1942), bailarino e, na época, coreógrafo residente do grupo. O artista plástico Leon Bakst (1866-1924) participou da turnê como diretor artístico, já que seu fundador e diretor, o empresário russo Serge Diaghilev (1872-1929), não acompanhou a excursão por se recusar a realizar viagens oceânicas.

Criada em 1909, os Ballets Russes transformaram significativamente a maneira como o balé era até então apresentado e percebido, o que foi alcançado por meio da aproximação com artistas plásticos e compositores de renome.[1] As concepções de cenários, figurinos, músicas e coreogra-

QUATRE DANSEUSES ET NIJINSKY EN 1914. ADOLPHE (BARON) DE MEYER E PAUL IRIBE. PROVA FOTOMECÂNICA
FOUR DANCERS AND NIJINSKY IN 1914 PHOTOMECHANIC PROOF (COLLOTYPE).
MUSÉE D'ORSAY, PARIS, FRANCE

On the night of October 17, 1913, the sold-out audience at Theatro Municipal of Rio de Janeiro experienced something completely new on the city's main stage: a dance concert by a company dedicated exclusively to ballet. It wasn't that dance had never been performed at the Municipal – it was common for ballerinas who worked for opera companies to dance during the opera's entre-acts, but this was the first time that a ballet company had performed there. And what a premiere: it was Diaghilev's company, internationally renowned for both the quality of its repertory and technical prowess of its dancers.

In the season which ran from October 17 through November 1 were famous names such as Vaslav Nijinsky (1890-1950), Tamara Karsavina (1885-1978), Enrico Cecchetti (1850-1928), Adolph Bolm (1884-1951), and Michel Fokine (1880-1942), who was both a dancer and the company's resident choreographer. The visual artist Leon Bakst (1866-1924) was the tour's artistic director since its founder and director, the Russian impresario Serge Diaghilev (1872-1929), refused to accompany the group on ocean voyages.

dance
BEATRIZ CERBINO

LE SPECTRE DE LA ROSE, VASLAV NIJINSKY. 1911. COL. SERGE DIAGHILEV / SERGE LIFAR. MUSIC DIVISION. LIBRARY OF CONGRESS

SCHÉHÉRAZADE, ADOLPH BOLM / TAMARA KARSAVINA. [191-?]. COL. SERGE DIAGHILEV / SERGE LIFAR. MUSIC DIVISION. LIBRARY OF CONGRESS

fias mudaram adequando-se à sensibilidade do século que se iniciava, de rapidez e movimento, e também à necessidade do balé abordar temas outros que não seres encantados, como sílfides e cisnes. Além disso, passou a abordar obras curtas em oposição aos longos balés com três ou quatro atos, com duração média de três horas. Por tudo isso, a companhia foi recebida no Rio de Janeiro com grande expectativa, tornando a primeira temporada de balé apresentada no Theatro Municipal um acontecimento artístico e social. Não por acaso, a crítica da época fez questão de salientar a presença "numerosa e brilhante das figuras representativas da melhor parte de nossa sociedade".[2] Desde sua inauguração, em 1909, o Theatro Municipal havia se tornado o mais importante palco carioca, uma passarela para os artistas que ali se apresentavam, mas também, e principalmente, para as pessoas que estabeleciam naquele espaço suas redes de sociabilidade.

A temporada dos Ballets Russes de Diaghilev foi importante em todos os aspectos. Acompanhada por um corpo de baile de oitenta membros, e por uma orquestra de sessenta músicos, a companhia realizou doze espetáculos, mostrando um total de quatorze balés.[3] Entre as principais coreografias apresentadas pode-se destacar *Le Pavillon d'Armide*, *Les Sylphides*, *Carnaval*, *Schéhérazade*, *O Espectro da Rosa*, *Danças Polovtsianas* da ópera *Príncipe Igor*, *Thamar*, todas de Michel Fokine; *L'après-midi d'un Faune*, de Vaslav Nijisnky; *O lago dos cisnes*, de Marius Petipa (1822-1910), em versão de dois atos; e *Giselle*, de Jean Coralli (1789-1854) e Jule Perrot (1810-1892), em um ato. Repertório que foi saudado pela crítica pelas novidades que apresentou ao público carioca, em especial as obras dançadas por Karsavina e Nijinsky.

Sobre a atuação deste último em *Giselle*, o crítico P., do jornal *Correio da Manhã*, de 28 de outubro, não deixou dúvidas quanto ao seu entusiasmo: "Nijinsky, como sempre, arrebatou-nos.

MICHEL FOKINE.
1910. PH. JAEGER. APIC GETTY IMAGES

Created in 1909, the Ballet Russes transformed the way in which ballet had been perceived up until that time through its collaborations with well-known visual artists and composers.[1] The concepts for the sets, costumes, music, and choreography had changed, not just to match the sensation of speed and movement in the new century, but also to fulfill ballet's need to present dances involving creatures other than sylphs and swans, creatures that were not enchanted. Furthermore, ballet started to include short works rather than the three-hour-long ballets with three or four acts. Expectations were very high for the Theatro Municipal's first ballet season, which itself had become both an artistic and social event. For that reason, all the era's critics remarked on the presence of the "many brilliant figures representing the cream of our society."[2] Since its inauguration in 1909, the Theatro Municipal had become Rio's most important stage, a showcase not only for the artists that performed there, but also for those who used the space to establish their social networks.

Diaghilev's Ballets Russes season was important in many aspects. The company's 89 dancers and orchestra of 60 musicians presented 14 ballets in a total of 12 performances.[3] The highlights were *Le Pavillon d'Armide*, *Les Sylphides*, *Carnaval*, *Schéhérazade*, *Le Spectre de la Rose*, *Polovtsian Dances* from the opera, *Prince Igor*, and *Thamar*, all by Michel Fokine; *L'Après-midi d'un Faune*, by Vaslav Nijinsky; a two-act version of *Swan Lake* by Marius Petipa (1822-1910); and a one-act version of *Giselle* by Jean Coralli (1789-1854) and Jules Perrot (1810-1892). Critics praised the repertory for the new works it performed for Rio audiences, especially those danced by Karsavina and Nijinsky.

[...] Momentos há em que a sua posição é tão estranha, tão clássica, que os nossos olhos julgam ver uma tela de Leonardo da Vinci e não a figura esguia do bailarino do Czar".

A passagem do grupo de Diaghilev foi significativa para o público e a crítica, e também para os dirigentes do Theatro e políticos da capital federal. Nesse mesmo ano foi feita a primeira tentativa para a criação de uma escola de dança no Theatro Municipal, o que só aconteceria quatorze anos depois, em 1927. Para a empreitada de 1913, chegou-se a contratar o *maître-de-ballet* italiano Achille Viscusi (1865-1945), ex-diretor da escola de bailados de Praga e Viena, e a abrir inscrições para alunos, o projeto, no entanto, não foi adiante.[4]

Quatro anos depois a companhia voltou a se apresentar no Theatro Municipal do Rio de Janeiro, contando novamente com Vaslav Nijinsky no elenco. Em 1917, o repertório foi praticamente o mesmo, acrescido dos balés *Contes Russes*, *Las Meninas*, *Les Femmes de Bonne Humeur* e *Soleil de Nuit*, de Leonid Massine (1896-1979), além de *Sadko*, de Adolph Bolm, e *Les Pappilons*, de Michel Fokine. De 14 a 26 de agosto, os Ballets Russes deram onze espetáculos, com um programa composto por quinze balés, e, mais uma vez, a imprensa chamou atenção para a interpretação de Nijinsky, e como este "maravilhou" a plateia carioca em suas *performances*.[5]

Um dado curioso. Foi no Rio de Janeiro, na Rua do Ouvidor, em 1913, que Nijinsky comprou as alianças para seu noivado com a húngara Romula de Pulszky (1891-1978). O casamento ocorreu na Argentina, em Buenos Aires, para onde a companhia partiu após os espetáculos no Brasil. Ao saber da união, Diaghilev, com quem Nijinsky mantinha um relacionamento amoroso, rescindiu o contrato do bailarino, dispen-

AH!... FILHINHA!... TU SEMPRE TENS CADA IDÉIA!... JÁ NÃO BASTAM AS COMPANHIAS FRANCESAS E ITALIANAS E AGORA MAIS ISSO! O QUE É QUE NÓS VAMOS ENTENDER DOS TAES BAILADOS RUSSOS? "AH! ... MY DARLING DAUGHTER! ... YOU AND YOUR IDEAS! ... AS IF THE FRENCH AND ITALIAN COMPANIES WEREN'T ENOUGH AND NOW THIS! WHAT ON EARTH WILL WE UNDERSTAND OF THESE RUSSIAN BALLETS?"

CARICATURA | CARICATURE BY J. CARLOS (JOSÉ CARLOS DE BRITO E CUNHA 1884-1950). *CARETA*, 18.10.1913. FBN

The critic, P., writing for the newspaper *Correio da Manhã* on October 28, left no doubt about his enthusiasm for Nijinsky's performance: "As always, he slayed us ... There are moments in which his appearance is so other-worldly, so classical, that our eyes seem to be seeing a painting by Leonardo da Vinci rather than the Czar's tall, slender dancer."

Diaghilev's company's tour was significant not only for audiences and critics, but also for the directors of the Municipal and politicians from the nation's capital. This year also marked the first attempt to create a dance school at the Theatro Municipal, something that would only take place in 1927, 14 years later. However, in 1913, before the project stalled, the Municipal went so far as to hire the Italian ballet master Achille Viscusi (1865-1945), former director of the ballet schools in Prague and Vienna, and to register students.[4]

Four years later, Diaghilev's company returned to the Theatro Municipal with Vaslav Nijinsky. In 1917, the repertory was almost exactly the same, with the addition of the ballets *Contes Russes, Las Mienas, The Good-Humored Ladies,* and *Soleil de Nuit* by Leonid Massine (1896-1979); *Sadko* by Adolph Bolm; and *Papillons* by Michel Fokine. Between August 14 and 26, the Ballets Russes gave 11 performances of works from their repertory of 15 ballets. Once more, the press singled out Nijinksy's artistry and how his performances "astonished" Rio audiences.[5]

One curious piece of information. In 1913, on Rua do Ouvidor in Rio de Janeiro, Nijinsky bought the rings for his marriage to the Hungarian dancer, Romula de Pulszky (1891-1978).

sando-o da companhia. Um recibo de pagamento antecipado assinado por Nijinsky no Rio de Janeiro por suas apresentações na temporada de 1917 é revelador da mudança de relação entre o bailarino e Diaghilev.

Outros dois importantes nomes da dança se apresentaram nesta década no Theatro Municipal: Isadora Duncan (1877-1927), em 1916, e Anna Pavlova (1881-1931), nos anos de 1918 e 1919. Saudada como a antítese do balé, e apontada como grande representante da dança do século XX, Duncan apresentou-se entre os dias 24 e 30 de agosto, realizando cinco récitas. Além da admiração no público, que lotou o teatro, também causou deslumbramento na crítica que fez questão de ressaltar a leveza de seus movimentos, assim como a correspondência alcançada com a música interpretada pelo pianista Maurice Dumesnil: "música e visão confundiram-se na mesma harmonia. Cada nota, cada acorde correspondia a um movimento e o sentimento que inspirava a ambos era perfeitamente o mesmo".[6]

O programa, formado com músicas dos compositores Christoph Gluck, Franz Liszt, Frédéric Chopin e Ludwig van Beethoven, foi considerado perfeito para a "representação emotiva" da bailarina. Chamou igualmente atenção o figurino usado por Duncan – túnicas transparentes que revelavam um corpo "leve e róseo".[7]

Na cidade, Duncan visitou a Floresta da Tijuca, a praia de Ipanema e a Gávea, e declarou em entrevista ao jornal *A Notícia* que o Rio de Janeiro era a cidade ideal para instalar sua escola de dança por sentir aqui uma "sintonia profunda" entre arte e natureza.[8] A bailarina era uma contundente defensora da relação do homem com a natureza, percebendo na manutenção desse vínculo o caminho para a produção de uma dança livre e bela.

CASAMENTO DE VASLAV NIJINSKY E ROMOLA DE PULSZKY EM BUENOS AIRES. VASLAV NIJINSKY AND ROMOLA DE PULSZKY ON THEIR WEDDING DAY, BUENOS AIRES. 10.09.1913. COL. BRONISLAVA NIJINSKA. MUSIC DIVISION. LIBRARY OF CONGRESS.

SERGE DIAGHILEV / VASLAV NIJINSKY / IGOR STRAVINSKY. [CA. 1911]. COL. BRONISLAVA NIJINSKA. MUSIC DIVISION. LIBRARY OF CONGRESS

RECIBO DE PAGAMENTO PELAS PERFORMANCES DE VASLAV NIJINSKY NO TMRJ | RECEIPT FOR VASLAV NIJINSKY'S PERFORMANCES AT TMRJ, RIO DE JANEIRO. 18.08.1917. MUSIC DIVISION. LIBRARY OF CONGRESS

ISADORA DUNCAN E ALUNAS.
ISADORA DUNCAN AND PUPILS.
1908. PH. TIME LIFE. PICTURES GETTY IMAGES

Assim como Isadora Duncan, Anna Pavlova também despertou atenção por sua interpretação emocionada, e emocionante, a partir, contudo, de outra maneira de movimentar o corpo. Técnicas diferentes que apresentaram ao público carioca formas distintas de dançar, contribuindo para a elaboração de um repertório variado de espetáculos e para a construção de referências que não se limitavam a um único tipo de produção artística.

Pavlova e sua companhia realizaram, entre os dias 4 e 22 de maio de 1918, quatorze espetáculos no Theatro Municipal. Formada por cinquenta bailarinos e sessenta músicos, a Grande Companhia de Ballet de Anna Pavlova apresentou um repertório que, apesar de variado, tinha no solo *A Morte do Cisne*, especialmente coreografado por Michel Fokine para a bailarina, em 1907, o momento mais esperado. As críticas dos periódicos da época não deixaram de salientar a leveza, a expressividade e a exatidão da artista.[9]

Tão interessante quanto conhecer a recepção que Pavlova teve por parte da crítica é perceber como a plateia reagiu à sua presença. Na crítica do *Jornal do Brasil* de 23 de maio de 1918, além dos elogios – "sublime em seus bailados", "a mais admirável artista coreográfica de seu tempo" –, é possível ter ideia de como o público se portou na sala de espetáculos:

The wedding took place in Buenos Aires, the next stop on the company's tour after leaving Brazil. When he heard about the marriage, Diaghilev, with whom Nijinsky maintained an amorous relationship, rescinded the dancer's contract and fired him from the company. The paycheck that Nijinsky signed in Rio de Janeiro for his performances during the 1917 season reveals the change in his relationship with Diaghlev.

Other important names from the dance world appeared at the Theatro Municipal during this decade: Isadora Duncan (1877-1927) in 1916, and Anna Pavlova (1881-1931) in 1918 and 1919. Praised as the antithesis of ballet and considered the greatest representative of 20th century dance, Duncan performed five recitals from August 24 through August 30. In addition to the admiration of her sold-out audiences, Duncan astonished critics who praised the lightness of her movements as well as the equally light touch of the music interpreted by the pianist, Maurice Dumesnil: "music and sight blend in the same harmony. Each note, each chord, corresponds to a movement and a feeling that inspire each other and yet are perfectly equal."[6]

The program, comprised of music by the composers Christoph Gluck, Franz Liszt, Frederic Chopin, and Ludwig Van Beethoven, was considered perfect for the dancer's "emotive presentation." Duncan's costume attracted an equal amount of attention: she wore transparent tunics that revealed a "light and rosy" body.[7]

In Rio, Duncan visited the Tijuca Forest, Ipanema Beach, and Gávea. In an interview in the newspaper, *A Notícia*, Duncan declared that Rio de Janeiro was the ideal city for her dance school because here she felt a "deep harmony" between art and nature.[8] The dancer was a staunch defender of man's relationship to nature and believed that preserving this con-

Teve a elegante e seleta assistência, para com a graciosa bailarina, extremos que só uma grande admiração justifica. Aplaudiu logo que a extraordinária artista do movimento apareceu, e sempre que ela dançava, mas aplaudiu com calor, com sinceridade, com a veemência irrepreensível do entusiasmo.

Esta passagem interessa por esclarecer não apenas como Pavlova e sua companhia foram recebidas, mas também como o público respondeu aos espetáculos de balé, uma arte até então pouco vista nos palcos do Theatro Municipal. Importa igualmente pela intensidade com que a boa apreciação da plateia é afirmada; afinal a metrópole na qual o Rio de Janeiro desejava se transformar, e ser assim percebida, não podia ficar atrás das outras cidades que já haviam recebido e ovacionado a bailarina.

No ano seguinte, em 1919, Pavlova e sua trupe retornaram ao Brasil, desta vez integrando a Grande Companhia Lírica, mesmo assim apresentaram seis espetáculos independentes, entre 9 e 30 de setembro. Sobre essas matinês, o crítico Arthur Imbassahy, do *Jornal do Brasil*, frisando o sucesso alcançado, afirmou que eram horas de "puro prazer", nas quais o "Municipal não dispunha de um só lugar desocupado".[10]

O Theatro Municipal fechava assim sua primeira década de programação de balé com a presença de um grande nome, lotando sua sala e deixando claro que aquele espaço, apesar de não ter sido pensado inicialmente para a dança, havia se transformado na principal casa para esse tipo de espetáculo. ∎

|||||||||||||||||||||||||||||||||||||||||||||||||||||||||||||||||||

nection was fundamental to producing dance that was both free and beautiful.

Like Isadora Duncan, Anna Pavlova also attracted attention for her moving, emotional interpretation, even though it was another style of dance and another way of moving the body. These different techniques introduced Rio audiences to distinct ways of dancing and contributed to both creating a varied repertory of shows and constructing references that were not limited to only one style of artistic production.

From May 4 through May 22, 1918, Pavlova and her company gave 14 performances at the Theatro Municipal. Comprised of 50 dancers and 60 musicians, the Anna Pavlova Ballet Company presented a repertory that, although varied, was built around the Dying Swan solo that Michel Folkine had choreographed especially for the ballerina in 1907. It was the program's highlight. Reviews from that time all emphasized the dancer's lightness, expressiveness, and exactness.[9]

Audience reaction to Pavlova is as interesting as her critical reception. In the review in *Jornal do Brasil* on May 23, 1918, in addition to the customary praise "sublime in her dancing," "the most admirable choreographic artist of her time," it is possible to have an idea of how audiences behaved in the theater:

The refined and select audience expressed the extreme devotion to the gracious ballerina as only great admiration would warrant. The audience applauded as soon as the extraordinary movement artist appeared and whenever she danced, but it applauded fervently, sincerely, with the irrepressible vehemence of enthusiasm.

ANNA PAVLOVA.
CALENDÁRIO | CALENDAR.
[191-?]. FBN

ANNA PAVLOVA / HUBERT STOWITTS, *LA PÉRI.* LIBRARY OF AUSTRALIA.

PÁGINA ANTERIOR | PREVIOUS PAGE
ANNA PAVLOVA, *SWAN LAKE.*
FON-FON, 23.06.1928. FBN

    This season is interesting because it explains not just how Pavlova and her company were welcomed, but also how the public responded to ballet, an art form that, until that time, had been little seen on the stages of the Theatro Municipal. It is also important for the fervent applause that confirmed the audiences' appreciation. After all, the metropolis that Rio de Janeiro wished to become and be perceived as could not lag behind the other cities that had already seen, welcomed, and applauded the ballerina.

    In the following year, in 1919, Pavlova and her company returned to Brazil, this time as part of the Grande Companhia Lírica, although they still gave six independent performances between September 9 and 30. Writing about these matinees, the critic Arthur Imbassahy, in the *Jornal do Brasil,* emphasized their success and confirmed that they were hours of "pure pleasure" during which the "Municipal did not have one empty seat."[10]

    The Theatro Municipal ended the first decade of ballet programming with a grand name from the dance world and sold-out performances. It was clear that the theater, although not initially designed for dance, had transformed itself into the main venue for this kind of performance. ■

1920 > 1929

PÁGINA ANTERIOR | PREVIOUS PAGE
CAPA DO PROGRAMA DA
TEMPORADA OFICIAL.
COVER OF THE SEASON'S OFFICIAL PROGRAM.
TMRJ. 1927. CEDOC-FUNARTE

PÁGINA SEGUINTE | FOLLOWING PAGE
EDUARDO BRAZÃO.
REVISTA DA SEMANA, 08.08.1909. FBN

ITÁLIA FAUSTA.
[192-?]. CEDOC-FUNARTE

LUCINDA SIMÕES.
FON-FON, 07.08.1920. FBN

PALMIRA BASTOS.
PALCOS E SALÕES. COL. RABELLO, BPRJ

MARIA MELATO.
PARATODOS, 22.08.1925. FBN

theater

BARBARA HELIODORA

É a Grande Companhia Portuguesa do Teatro Nacional a primeira a apresentar teatro de prosa em 1920 trazendo, entre outros, os primeiros nomes lembrados no Brasil como parte do teatro luso-brasileiro, Palmira Bastos, Lucinda Simões e Eduardo Brazão. O repertório é quase todo traduzido (incluindo *Hamlet* e *Kean*), e também *A Conspiradora*, de Vasco Mendonça, que marca a estreia de Lucinda Simões.

Temos ainda uma rotineira companhia francesa, mas o ano oferece a surpresa de uma Companhia Dramática Nacional que apresenta *Assumpção*, de Goulart de Andrade, *Salomé*, de Renato Vianna, e *Dilema*, de Pinto da Rocha, todas com Itália Fausta como primeira figura feminina. O ano acaba com uma companhia espanhola, com repertório pouco original.

1921 começa com uma única récita de *Nossa Terra*, mas a rotina do repertório da companhia dramática do Athénée de Paris tem a originalidade de montar *Oiseau de Rapine*, que é obra de Cláudio de Souza em francês. E o ano se encerra com a Companhia Dramática Espanhola Antonia Plana, com repertório leve e mais para o cômico, sem que o teatro brasileiro tenha marcado presença no Municipal.

De modo geral, a segunda década de funcionamento da bela e nova sala foi apenas prova da ausência de uma atividade teatral mais séria ou ambiciosa de e por brasileiros naquele palco. Fomos visitados, em 1922, pelo Théâtre de Vaudeville de Paris, com o rotineiro repertório, no qual *La Dame aux Camélias* apresentava-se como ponto alto e pelo Théâtre du Grand Guignol de Paris, bem pior ainda.

Em 1923 não foi melhor a visita da Cia. Dramática Francesa de Gabrielle Dorziat, porém a Cia. Dramática Italiana da Maria Melato trata o público carioca com mais categoria, pois inclui obras de

Portugal's Grande Companhia do Teatro Nacional was the first to introduce straight theater in 1920, also introducing the first actors that Brazilian audiences associate with Portuguese-Brazilian theater: Palmira Bastos, Lucinda Simões, and Eduardo Brazão. Its repertory was made up almost wholly of translations (including *Hamlet* and *Kean*), while it also staged *A Conspiradora* by Vasco Mendonça marking the debut of Lucinda Simões.

Along with the usual French company, the year nevertheless included a surprise: a national theater company, the Companhia Dramática Nacional. It staged *Assumpção* by Goulart de Andrade, *Salomé* by Renato Vianna, and *Dilema* by Pinto da Rocha; plays that starred Itália Fausta as the female lead. The year ended with a Spanish company with a rather conventional repertory.

Nineteen twenty-one began with a single performance of *Nossa Terra*, and the Athénée Paris Dramatic Company's routine repertory included a unique staging of the *Oiseau de Rapine* by Cláudio de Souza, in French. The year ends leaning slightly towards comedy with the light repertory of the Compañía Dramática Española Antonia Plana, with not a single Brazilian play having set foot on the stage of the Theatro Municipal.

Overall, the beautiful new amphitheater's second decade turned out to be mere proof of the lack of any serious or ambitious theater productions authored or staged by Brazilians. We were visited in 1922 by the Paris Vaudeville Théâtre with its usual repertory, and its high point was *La Dame aux Camélias*. The Théâtre du Grand Guignol de Paris's visit the same year was even worse.

D'Annunzio, Schiller, Andreiev e Pirandello, além dos títulos e autores já muito conhecidos. Uma nova companhia francesa, a do Théâtre de la Porte de Saint Martin, traz o velho nível de repertório, mas inclui aí *Madame Sans-gêne*, de Victorien Sardou, que se tornará o maior sucesso da carreira de Alda Garrido. Mais significativa foi, aliás, a inclusão da *Berenice* de Roberto Gomes (prova do quanto o brasileiro era fiel à dramaturgia francesa da época). O teatro nacional continuava fora de seu principal palco.

1924 é igualmente negativo para o teatro brasileiro, mas ao rotineiro repertório a Cia. de Marie Thérèse Piérat acresce *Hedda Gabler* de Ibsen e *Rien qu'un Voleur! Quel Malheur!*, de João do Rio, enquanto a The Lloyd Davidson's London Comedy Company, a não ser pela originalidade de se ouvir inglês e não francês ou italiano no TM, traz em seu modesto repertório *A Bill of Divorcement*, que servirá anos mais tarde para a estreia de Bibi Ferreira.

The 1923 visit of the French theater company Gabrielle Dorziat was no improvement over the previous year, but the Maria Melato Italian theater company took Rio de Janeiro audiences much more seriously, since it included along with the usual material, plays by D'Annunzio, Schiller, Andreyev, and Pirandello. The Théâtre de la Porte de Saint Martin, a new French company to arrive on the scene, brought nothing better than the old repertory, although it included performances of Victorien Sardou's *Madame Sans-gêne* which became the greatest success of Alda Garrido's theatrical career. The company did include a much more significant staging of *Berenice* by Roberto Gomes (which shows just how faithful the Brazilian author was to contemporary French theater). (In those early years), Brazilian theater continued mostly absent from its most important stage.

Nineteen tweny-four was no better than 1923, nevertheless, the Marie Thérèse Piérat Theater Company added Ibsen's *Hedda Gabler* and João do Rio's *Rien qu'un Voleur! Quel*

ACIMA | ABOVE
ABIGAIL MAIA / ODILON AZEVEDO
CARICATURA | CARICATURE BY ALVARUS, 1928.
PALCOS E SALÕES. COL. RABELLO. BPRJ

APOLÔNIA PINTO, JUBILEU | JUBILEE.
PARATODOS, 14.11.1925. FBN

Em julho de 1925 a companhia de Victor Francen inclui a novidade do moderno *Knock* de Jules Romain, *A Verdade de Cada Um* de Pirandello e, mais uma vez lançando mão de um autor brasileiro, *A Bela Madame Vargas* de João do Rio (que tantas vezes escrevia em francês...). A companhia de Maria Melato, a par dos autores mais repetidos, mostra que Pirandello, com duas peças, já se tornara popular, e Andreiev era usado para um toque de maior requinte. O Brasil só aparece no último espetáculo do ano, *O Livro do Homem*, de Armando Gonzaga, montado pela Cia. Carmen d'Azevedo-Palmerim Silva, em homenagem a Apolônia Pinto.

Em 1927, depois das temporadas de uma companhia francesa, duas italianas e uma portuguesa, dois eventos brasileiros apresentam-se no TM: em récitas beneficentes, temos em *La Féerie Merveilleuse*, um espetáculo de sketches de Álvaro Moreyra, com cenários de Gilberto Trompowski, e um elenco formado pela fina flor da sociedade carioca, sendo interessante notar a indicação de que as marcações de cena eram de Naruna Corder e Clara Korte, ambas professoras de balé para meninas de sociedade...

A 28 de novembro, uma única récita de *Eva*, de João do Rio, é apresentada pelo grupo amador Cultura Teatral. Até que se completasse a segunda década de atividades, em 1929, França, Itália e Espanha continuaram suas temporadas, mas o teatro brasileiro continuou em silêncio.

Malheur! while Lloyd Davidson's London Comedy Company introduced Theatro Municipal audiences to the novelty of productions spoken in neither French nor Italian. Its modest repertory included *A Bill of Divorcement* which, years later, marked the debut of Bibi Ferreira.

In July of 1925, the Victor Francen Theater Company brought Rio something new, with recitals of the modern *Knock* by Jules Romain, *Each In His Own Way* by Luigi Pirandello, and again staging a Brazilian author, *A Bela Madame Vargas*, by João do Rio (who himself wrote so often in French). The Maria Melato Company knew which authors were most frequently staged and its performance of two Pirandello plays shows how popular the latter had already become. Their inclusion of Andreyev in the repertory added a touch of sophistication. It was only in the last performance of the year that Brazilian drama went onstage with *O Livro do Homem* by Armando Gonzaga staged by the Carmen d'Azevedo-Palmerim Silva Company in honor of Apolônia Pinto.

In 1927, it is only after one French, one Portuguese, and two Italian theater companies completed their seasons that a Brazilian production was performed at the Theatro Municipal: the benefit recitals of *La Féerie Merveilleuse,* a show made of sketches by Álvaro Moreyra with stage sets by Gilberto Trompowski, its cast featuring the cream of Rio de Janeiro society. It is interesting to note that Naruna Corder and Clara Korte, both ballet teachers of society girls, were responsible for the blocking.

Apesar de estar pouco representada no Theatro Municipal, a dramaturgia brasileira mostrou-se bem mais ativa durante os anos 20 (na verdade também nos 30), fora da grande casa de ópera. Cláudio de Souza, que tivera importante sucesso com *Flores de Sombra* em 1916, escreve muito para o teatro na década seguinte, embora não alcance a mesma repercussão.

Os grandes êxitos daquela época de ouro – pelo menos de bilheteria – do Teatro Trianon, foram principalmente compostos de comédias de costumes, burletas e outras formas leves, e nesse quadro destacam-se Gastão Tojeiro, autor de comédias e sátiras, que escreveu quase 100 peças e ainda hoje é lembrado pela deliciosa *Onde Canta o Sabiá*. E Armando Gonzaga, igualmente prolixo, cuja obra mais lembrada é *Caiu o Ministério!*. Ambos construíram seus sucessos por usarem tipos e ambientes brasileiros, o que conquistava plateias com maior facilidade. Com conteúdo mais sério e forma mais elaborada, apareceu na mesma época Oduvaldo Vianna, autor de bom número de peças, que estreou em São Paulo sua obra-prima, *Amor*, de montagem complexa, que no Rio inaugurou o Teatro Rival, e consolidou o talento de Dulcina de Moraes. ∎

JOÃO DO RIO. CARICATURA | CARICATURE BY J. CARLOS (JOSÉ CARLOS DE BRITO E CUNHA 1884-1950). *CARETA*, 21.05.1910. FBN

On November 28, there was a single performance of João do Rio's *Eva* by the Cultura Teatral amateur theater group. French, Italian, and Spanish companies continued carrying theater seasons through to the end of the decade, although Brazilian theater remained silent.

Despite its relative absence from the Theatro Municipal, Brazilian drama became much more active in the '20s (which also holds true for the '30s) outside the great opera house. Cláudio de Souza, author of the 1916 hit *Flores de Sombra*, wrote numerous albeit less successful plays during the decade that followed.

The Teatro Trianon embarked on a golden age, staging mainly comedies of manners, *burlettas,* and other light plays that were, at least, box office hits. Among the most notable authors were Gastão Tojeiro who, specializing in comedies and satire, wrote almost 100 plays and is remembered to this day because of his delightful *Onde Canta o Sabiá*. Armando Gonzaga was just as prolific and his best-known play is *O Ministério Caiu!*. At the root of both playwrights' success was their use of Brazilian character types and environments that easily captivated audiences. Oduvaldo Vianna also made his appearance during the same period, although his plays were much more serious and complex. Vianna wrote a number of plays and his masterpiece, *Love*, a challenging play to stage, had its debut in São Paulo and was performed at the opening of Rio de Janeiro's Teatro Rival, consolidating the reputation of the talented Dulcina de Moraes. ∎

Falar sobre o ano de 1920 é falar sobre o que só aconteceu uma vez no século. Neste ano Mocchi faz sua mais longa temporada até aquela data, em 46 dias, 51 récitas, mas, 40 dias depois, Bonetti traz a companhia que havia atuado no Colón para 23 representações em 25 dias. Foram 74 representações, de 30 óperas diferentes (apenas cinco duplicadas) cantadas por muitos dos maiores artistas do mundo, num repertório não só ítalo-francês, como alemão e brasileiro. Pela primeira vez a companhia de Mocchi vem para o Rio *antes* de Buenos Aires. Assim não é o Rio que tem uma temporada vinda da capital argentina: é ela que tem sua temporada importada do Rio.

Mocchi traz uma preciosidade, o jovem Beniamino Gigli, que se tornará o tenor estrangeiro que mais vezes atuou no Rio. Em nove temporadas cantou 64 vezes em 21 óperas diferentes, tornando-se um dos artistas mais queridos em toda a história do Theatro. Gigli surgiu em 1914 em um concurso de Parma, quando ganhou o 1º lugar. Em 2º lugar ficou outro tenor, Francesco Merli, que chega ao Rio nesta mesma temporada mas na Companhia de Bonetti. Assim, os dois, com três meses de diferença, foram ouvidos em *Lohengrin* (Gigli interpretando o papel pela primeira vez). Ele havia estreado em *La Gioconda*, com a nossa Zola Amaro, que cantará *Aida* e será a única brasileira, até hoje, a enfrentar a *Norma*. Nesta temporada o famoso regente austríaco Felix Weingartner rege quatro vezes o *Parsifal* (em italiano). Mas Bonetti tinha a sua preciosidade: Claudia Muzio, uma das sopranos idolatradas pelo público nas sete temporadas em que cantou 13 óperas diferentes em 51 representações (e no Lyrico, em 1926, cantará mais oito vezes, acrescentando mais uma ópera ao seu repertório). Cantou *Loreley* com Merli, enquanto Gigli o fazia com Ofélia Nieto, irmã da muito aplaudida Angeles Ottein. Bonetti trouxe consigo

opera
BRUNO FURLANETTO

To talk about 1920 is to talk about something that only happens once a century. In 1920, Mocchi oversaw his longest season ever, producing 51 performances in 46 days; although 40 days later, Bonetti brought a company that had done 23 performances in 25 days. Many of the world's best artists presented 74 performances of 30 different operas (with only five repeat performances) that included Brazilian and German works in addition to the standard Italian-French repertory. For the first time, Mocchi's company came to Rio before Buenos Aires. Instead of Rio importing its season from the Argentine capital, Buenos Aires imported its season from Rio.

Mocchi brought a treasure, the young Beniamino Gigli, who would become the foreign tenor with the greatest number of performances in Rio. During nine seasons he chocked up 64 performances in 21 different operas and became one of the best-loved artists in the theater's history. Gigli first gained notice when he won top prize at a competition in Parma in 1914. Second place went to another tenor, Francesco Merli, who came to Rio this same year with the Companhia de Bonetti. Within a three-month period, both sang in *Lohengrin* where Gigli performed the role for the first time. He had made his debut in *La Gioconda* with the Brazilian soprano, Zola Amaro, who would also sing *Aida*. To this day, Amaro is the only Brazilian to attempt *Norma*. During this season the famous Austrian conductor, Felix Weingartener, conducted *Parsifal* (in Italian) four times. Bonetti had his own secret weapon: Claudia Muzio, one of the sopranos who captivated audiences during seven seasons, singing 13 different operas in 51 performances (at the Lyrico, in 1926, she would sing eight more times, adding one more opera to her repertory). While she sang *Loreley* with Merli, Gigli sang with Ofélia Nieto, the

CLAUDIA MUZIO.
COL. BAIN. LIBRARY OF CONGRESS

ZOLA AMARO.
[192-?]. COL. MARIA JOSÉ
TALAVERA CAMPOS

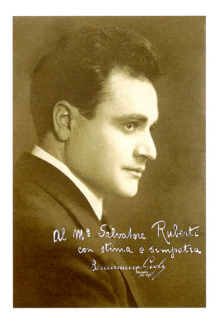

BENIAMINO GIGLI.
1925. FBN

um dos maiores regentes de ópera italiana de todos os tempos, Tullio Serafin, outro ídolo da plateia carioca.

Nesta temporada é a vez dos brasileiros: de Carlos Gomes Mocchi apresenta *Condor,* com Zola Amaro e um elenco de estrelas. Bonetti monta *Salvador Rosa* com Hedy Iracema e Merli. Mocchi tem um elenco duplo para *Bohème,* um só de brasileiros, onde o tenor Machado del Negri, o barítono Nascimento Filho e, especialmente, o baixo Mário Pinheiro (o melhor baixo que o Brasil já teve) farão carreira. Pinheiro canta em quatro óperas. E Richard Strauss, que estava no Rio para reger concertos, assistiu ao seu *Cavalheiro da Rosa,* em italiano, com Muzio, Juanita Carraciolo e Pavel Ludikar, dirigidos por Serafin.

1921 tem a mais longa temporada empresariada por Mocchi. São 55 representações de 20 óperas em 50 dias e, outra vez, ele desembarca no Rio antes de Buenos Aires. Os bailados das óperas são executados pela Companhia de Léonide Massine. Mas o quadro francês não seguirá para São Paulo nem para o Prata. Aos cantores habituais de Mocchi vem se somar uma futura celebridade: Toti Dal Monte. Pela primeira vez temos uma Madama Butterfly japonesa, Tamaki Miura. Mário Pinheiro canta em 12 óperas diferentes num total de 29 apresentações. Repetirá sete destas óperas em Buenos Aires. Tivemos ainda, nesta temporada, *Primizie* de Abdon Milanez.

1922 é o ano do Centenário da Independência e seria mais um ano relembrado por suas estrelas, se não fossem encenados, pela primeira vez no Brasil, e única nos anais do Theatro, dois ciclos da *Tetralogia* de Wagner, completos, com Felix Weingartner e um excelente grupo de cantores alemães, compondo um quadro masculino excepcional. Weingartner rege também *Parsifal,* mas não sua ópera *Die Dorfschule,* que aqui virou *La Scuola del Villagio*!

sister of the highly praised Angeles Ottein. Bonetti had also brought Tullio Serafin, one of the greatest Italian opera conductors of all time and another favorite with Rio audiences.

This was the season for Brazilians to shine: Mocchi presented Carlos Gomes's *Condor* featuring Zola Amaro and a star-filled cast. Bonetti staged *Salvador Rosa* with Edy Iracema and Merli. Mocchi had two casts for *Bohème,* one with only Brazilians featuring career-making performances by the tenor, Machado del Negri; the baritone, Nascimento Filho; and, especially, the bass, Mário Pinheiro (the best bass Brazil ever produced). Pinheiro sang four operas. Richard Strauss, who was in Rio to conduct concerts, heard his *Der Rosenkavalie* sung in Italian with Muzio, Juanita Carraciolo, and Pavel Ludikar directed by Serafin.

Nineteen hundred and twenty-one was the longest season that Mocchi produced. In 50 days there were 55 performances featuring a repertory of 20 operas. Once more, he came to Rio before Buenos Aires. Léonide Massine's company performed the operas' ballets. The French cast didn't continue on to either São Paulo or the Plate. In addition to Mocchi's regular singers, he'd contracted one future celebrity, Toti dal Monte, and his first ever Japanese singer, Tamaki Miura. Mário Pinheiro sang 12 different roles in a total of 29 performances. Seven of these operas received repeat performances in Buenos Aires. Mocchi also presented *Primizie* by Abdon Milanez.

Nineteen hundred and twenty-two was the Centennial of Brazil's Independence. The season would have been remembered for its stars if it hadn't been the first and only time in the annals of the theater that two complete operas from Wagner's Ring Cycle were performed with Felix Weingartner conducting an excellent group of German singers (the

Mascagni volta como regente, mas traz quatro obras suas em um repertório de 28 óperas, apresentadas em 51 récitas em 44 dias! Além do *Guarany,* levada em récita de grande gala no centenário do 7 de setembro, há *Rei Galaor* (Araújo Viana) e *Dom Casmurro* (João Gomes Jr.).

Mocchi fará suas últimas temporadas até 1926. Ficará no Colón de 22 a 24. Em 25 o teatro portenho faz sua primeira temporada organizada pela Prefeitura e ele volta para o Coliseu, sua outra casa em Buenos Aires. Mas em 26, a última em sua vida, será só no Rio e em São Paulo. A salientar em 1923, além dos estupendos cantores, a estreia de seis óperas novas: *I Compagnacci* (Primo Riccitelli), *La Leggenda de Sakuntala* (Alfano), *Débora e Jaele* (Pizzeti), *Elektra* de Strauss, pelo excelente quadro alemão (que cantou *Salomé*, sem problemas com o público e a crítica, e que impressionou mais em alemão do que havia feito 13 anos antes em italiano), *Jupira* (F. Braga) e *La Vida Breve* (Falla). Foram 27 óperas com 51 récitas em 44 dias.

Um conjunto de cantores russos é a novidade de 1924, apresentando-nos o *Boris* e *O Príncipe Igor*, já conhecidas em italiano, e acrescentando *A Dama de Espadas*. Novas foram *O Contratador de Diamantes,* de Mignone, e *Os Saldunes,* de Leopoldo Miguez, ambas com um elenco só de estrelas, que não faltavam na companhia. Houve 39 récitas em 35 dias para 21 óperas.

Em 1925, a temporada de Mocchi no Coliseo de Buenos Aires é anunciada como sendo do "Theatro Municipal do Rio de Janeiro",

PROGRAMA | PROGRAM.
TMRJ. 27.06.1920.
COL. MARIA JOSÉ TALAVERA CAMPOS

male singers were exceptional). Weingartner also conducted *Parsifal,* but not his own opera, *Die Dorfschule* which in Rio received the name *La Scuola del Villagio*!

Although Mascagni returned as a conductor, he included four of his own compositions in the repertory of 28 operas that were presented in a total of 51 performances in 44 days. *Il Guarany* was given a recital during a gala performance celebrating the centennial on September 7. The season also included Araújo Viana's *Rei Galaor* and João Gomes Jr.'s *Dom Casmurro*.

Mocchi would produce his last season in 1926 and remain at the Colón from 1922 to 1924. In 1925, when the municipal of Buenos Aires produced its first season at the Colón, Mocchi would move to the Coliseo, his other "home" in Buenos Aires. He would spend his last year dividing his time between Rio and São Paulo.

In 1923, in addition to the astounding singers, there were premieres of six new operas: *I Compagnacci* (Primo Riccitelli); *La Leggenda de Sakùntala* (Alfano); *Débora e Jaele* (Pizzeti); *Elektra* (Strauss) sung by an excellent German cast (which sang *Salome* without any complaints from audiences or critics who were more impressed by the work in German than by the Italian version sung 13 years earlier); *Jupira* (F. Braga); and *La Vida Breve* (Falla). A repertory of 27 operas was given 51 performances in 44 days.

A group of Russian singers was the novelty in 1924 when they presented *Boris Gudonov* and *Prince Igor*, already known to audiences in Italian, and introduced Tchaikovsky's *The Queen of Spades*. The new operas were *O Contratador de Diamantes* by Mignone and *Os Saldunes* by Leopoldo Miguez, both with star-filled casts from a company filled with stars. Thirty-nine performances in 35 days from a repertory of 21 operas.

só que aconteceu 40 dias *antes* de estrear no Rio. Lá a temporada foi curta, 16 dias contra 35 no Rio, onde o elenco foi acrescentado de vários artistas vindos da temporada do Colón, como Vallin e Gigli. Foram 22 óperas com 36 récitas. Além do repertório tradicional há as estreias de *La Cena delle Beffe* (Giordano), *Monna Vanna* (Février) e a brasileira *O Bandeirante,* de Assis Republicano, regida pelo autor. Foi a última de Mocchi no Coliseo, que dali até seu fechamento, em 1937, só teve temporadas chamadas de "ópera popular". Interessante notar que nelas atuaram muitos cantores brasileiros ou radicados no Brasil, como Gilda Colombo, Lisandro Sergenti, Joaquin Villa, Paulo Ansaldi, Machado del Negri e Guilherme Damiano.

A temporada de 1926 foi realizada pela "Empresa Teatral Ítalo-Brasileira", já que preparada só para o Brasil. Foram 38 récitas em 38 dias de 21 óperas. O elenco masculino era superior ao feminino, mas neste constava uma cantora carioca de sucesso na Itália: Bidú Sayão. Neste ano ela cantou seis das 13 óperas que apresentou nas sete temporadas em que atuou no Municipal, num total de 58 récitas. Estreiam *Sóror Magdalena,* do Dr. Alberto Costa (tio de Bidú) e *Um Caso Singular*, do Dr. Carlos de Campos, que dois anos antes, com um elenco semiamador, havia montado *A Bela Adormecida*. Sucede que o Dr. Campos era o Presidente do Estado de São Paulo. Bons tempos aqueles onde um governador de estado saía na página musical dos jornais!

Mas algo já mudava. Quatro dias depois do término da temporada no Municipal abre-se outra, no Theatro Lyrico, de um novo empresário, Ottavio Scotto, que traz o elenco que atuara no Colón. Elenco formidável e uma grande atração: a ópera-póstuma de Puccini, *Turandot,* apenas quatro meses após sua estreia em Milão. Scotto será o empresário das duas temporadas seguintes do Theatro, com os mesmos quadros do Colón.

ACIMA | ABOVE
TAMAKI MIURA, *MADAMA BUTTERFLY*. 1921.
TOTI DAL MONTE

1931. IN: DILLON, CESAR A.; SALA, JUAN A. *EL TEATRO MUSICAL EN BUENOS AIRES*. BUENOS AIRES: EDICIONES DE ARTE GAGLIANONE, 1999

In 1925, Mocchi's season at the Coliseo in Buenos Aires was advertised as coming from the "T[h]eatro Municipal do Rio de Janeiro," except that it was performed there 40 days *before* it premiered in Rio. The Buenos Aires season was shorter – 16 days versus 35 in Rio, where various artists, such as Vallin and Gigli, were added to the cast from the Colón. The season included 22 operas and a total of 36 performances. In addition to the traditional repertory, there were premieres of *La Cena delle Beffe* (Giordano), *Monna Vanna* (Février), and the Brazilian opera, *O Bandeirante,* by Assis Republicano, conducted by the composer himself. It was Mocchi's last season at the Coliseo, which from 1925 until its closing in 1937 only advertised seasons of "popular opera." It is interesting to note that many Brazilian singers or singers who had relocated to Brazil sang in those seasons including Gilda Colombo, Lisandro Sergenti, Joaquin Villa, Paulo Ansaldi, Machado del Negri, and Guilherme Damiano.

The 1926 season was produced by the Empresa Teatral Ítalo-Brasileira whose name reflected the fact that its productions only toured within Brazil. There were 38 performances from a repertory of 21 operas in 38 days. The male cast was superior to the female cast, although the latter included a Rio native, Bidú Sayão, who had had considerable success in Italy. In 1926, she sang in six of the 13 operas in which she appeared during the seven seasons when she performed a total of 58 times at the Municipal. There were the premieres of *Sóror Magdalena* by Dr. Alberto Costa (Bidú's uncle) and *Um Caso Singular* by Dr. Carlos de Campos, who had staged *The Sleeping Beauty* with a semi-professional cast two years earlier. Dr. Campos was president of the state of São Paulo. Those were the good old days when the name of the state governor appeared in the arts section!

Mocchi, em 1949, afirmou ao *Correio da Manhã* que: "quando constatou não ser mais possível [...] organizar temporadas líricas sem subvenção ou, ao menos, sem cessão gratuita dos teatros com seus corpos estáveis e demais serviços internos, abandonou a profissão de empresário privado". Lembremos que em 26, quando levou sua companhia a São Paulo após o Rio, teve de recorrer a uma subvenção paulistana para terminar honrosamente sua tarefa.

Em 1927 Scotto, em 23 dias, monta 19 récitas de 13 óperas. Todas com elencos que poucos teatros do mundo tiveram. Basta pensar que os baixos da temporada eram Journet, Pasero e Pinza, três dos maiores baixos do mundo, para aquilatar o restante do elenco (e Marinuzzi tinha pulso para domar todas estas feras!). Estreia-se *Fidelio*.

Os elencos de sonho continuam em 28, acrescidos agora de um quadro alemão onde reaparece a grande contralto Maria Olcewska, surge Alexander Kipnis, outro dos grandes baixos do mundo e o estreante Adam Didur, do mesmo nível dos quatro acima citados. Pela primeira vez ouve-se um Mozart, *Le Nozze di Figaro* (mas em alemão). São 16 óperas em 26 dias com 25 récitas. Numa delas Gabriella Besanzoni, agora Lage, enfrenta o *bel canto* junto com Pinza em *L'Italiana in Algeri*. Para contrabalançar, além de Zola Amaro, Mignone estreia sua ópera *O Inocente*.

A política no Brasil começa, em 1929, a complicar-se e a palavra "revolução" está na boca dos políticos, dos militares e até do povo. A política do "café com leite", ou seja, da alternância na Presidência de São Paulo e Minas Gerais, começa a talhar. A inquietação toma conta do País. Mas 29 não ficou sem ópera. A empresa Viggiani aproveita que a "Grande Companhia de Ópera Russa do Théâtre des Champs-Élysées de Paris" ia para a Argentina e leva-a antes para São Paulo por sete dias. A Empresa de Salvatore Ruberti a traz para o Rio por 12 dias, onde realizará nove récitas,

PROGRAMA | PROGRAM, *TOSCA*, TEATRO COLISEO, BUENOS AIRES. 29.07.1925. IN: DILLON, CESAR A.; SALA, JUAN A. *EL TEATRO MUSICAL EN BUENOS AIRES*. BUENOS AIRES: EDICIONES DE ARTE GAGLIANONE, 1999

But something had already changed. Four days after the Municipal's season ended, a new impresario, Ottavio Scotto, opened another one at the Lyrico bringing the formidable cast who had performed with him Colón. The special attraction was Puccini's posthumous opera, *Turandot*, staged just four months after its premiere in Milan. Scotto would produce the next two seasons at the Municipal with the same casts from the Colón.

In 1949, Mocchi told the *Correio da Manhã* that "when he realized it was no longer possible... to produce opera seasons without subsidies, or at least without paying to use the theaters, their resident artistic companies, and other in-house services, he abandoned his career as a [private-sector] producer." Keep in mind that in 1926, when Mocchi's company toured to São Paulo after performing in Rio, he had to rely on government subsidies from São Paul to finish the job properly.

In 1927, in 23 days Scotto staged 19 performances from a repertory of 13 operas and every one featured a cast of which few theaters in the world could boast. To have an idea of the quality of the company's singers, just the basses from that season were Journet, Pasero, and Pinza, three of the greatest basses in the world. It was the premiere of *Fidelio*. Marinuzzi had what it took to tame these monsters. The dream casts continued in 1928 with the addition of a group of German singers that included the great contralto, Maria Olcewska, and introduced Alexander Kipnis, another of the world's great basses. Adam Didur, who sang for the first time in Rio, wasn't on the same level as the others mentioned. Mozart's *Le Nozze di Figaro* was heard for the first time (although in German). Sixteen operas were performed in 26 days for a total of 25 performances. In one of them, Besanzoni,

após as quais continuará seu trajeto (desta vez no sentido inverso) para Buenos Aires. Das cinco óperas apresentadas três são novidades: *Kitej, Sneguroutchka* e *A Feira de Sorochyntsi.*

Para terminar a década uma curiosidade. No rodapé das páginas dos programas, cheias de anúncios de carros cujas agências ficavam na Av. Rio Branco, encontra-se a frase: "Construa-se a estrada RIO-PETRÓPOLIS". Parece que surtiu efeito, pois a 25 de agosto de 1928 ela foi inaugurada pelo presidente Washington Luiz, sendo a primeira estrada asfaltada do Brasil. ∎

GRANDE BAILE DE MÁSCARA, NOS FESTEJOS DA PASSAGEM PELO EQUADOR, A BORDO DO GIULIO CESARE. DA ESQUERDA PARA A DIREITA CLAUDIA MUZIO E O MAESTRO GINO MARINUZZI ENTRE OUTROS.
GRAND MASKED BALL, FESTIVITIES ON BOARD THE GIULIO CESARE SAILING OVER THE EQUATOR. FROM LEFT TO RIGHT CLAUDIA MUZIO, MAESTRO GINO MARINUZZI AND FRIENDS.
IN: MARINUZZI, LIA PIEROTTI CEI; GUALERZI, GIORGIO; GUALERZI, VALERIA (ORG.). *GINO MARINUZZI TEMA CON VARIAZIONI.* MILANO: ARNOLDO MONDADORI EDITORE, 1995

now called Lage, attempted *bel canto* together with Pinza in *L'Italiana in Algeri.* And with Zola Amaro, Mignone sang *O Inocente* for the first time.

In 1929, Brazilian politics became more complicated and the word "revolution" was on the tongues of politicians, the military, and even the people. The "*café com leite*" policies, which referred to the way Brazil alternated presidents from the dairy-and coffee-producing states of São Paulo and Minas Gerais, had begun to sour and the country was in a state of unrest. Yet there was still opera in 1929. The Viggiani company took advantage of the fact that the Grande Companhia de Ópera Russa do Théâtre des Champs-Élysées de Paris would travel to Argentina and first brought it to São Paulo for seven days. Then Salvatore Ruberti's company brought the group to Rio for nine performances in 12 days, after which it reversed direction and headed to Buenos Aires. There were three novelties among the five operas presented in Rio: Rimsky-Korsakov's *Tale of the Invisible City of Kitezh* and *The Snow Maiden,* and Mussorgsky's *The Fair at Sorochyntsi.*

One curious item ends the decade. In the footnotes of the theater programs that were filled with advertisements for car dealerships on Avenida Rio Branco was the phrase: "Let the RIO-PETRÓPOLIS highway be built." It seems to have had an effect because on August 25, 1928, President Washington Luiz inaugurated the first asphalt highway in Brazil. ∎

1930 > 1939

PÁGINA ANTERIOR | PREVIOUS PAGE
CAPA DO PROGRAMA DA TEMPORADA OFICIAL.
COVER OF THE SEASON'S OFFICIAL PROGRAM.
1933. CEDOC-FUNARTE

YOUSSEF WAHBI.
IMAGEM DE DIVULGAÇÃO DO FILME *BERLANTI*.
PUBLICITY STILL FOR THE MOVIE *BERLANTI*.
1944. BIBLIOTECA ALEXANDRINA

1930 continua sem teatro brasileiro, mas apresenta uma originalidade surpreendente, a presença, em setembro, de uma companhia egípcia que, a par de três peças de Youssef Bey Wahby, do que se deduz sua importância em seu país, apresentou também um texto inglês (*The Cardinal*), e dois franceses: a *Dama das Camélias*, já apresentado por mais de uma companhia francesa e *Les Misérables*, em tradução, um ambicioso empreendimento, patrocinado pelo governo do Egito.

1931 tem um mês de junho significativo, por um lado pela presença do Teatro Alemão da América do Sul, que apresenta um repertório de alta qualidade com *Hamlet* de Shakespeare, *O Cadáver Vivo* de Tolstoi, *Os Espectros* de Ibsen, *Fausto* de Goethe, *Édipo Rei* de Sófocles, *O Dilema de um Médico*, de Bernard Shaw, e o *Todo Mundo* de Hofmannsthal. Em destaque o ator Alexander Moissi.

Melhor ainda, também em junho vemos o TM sendo procurado para um espetáculo beneficente que não só apresenta um novo grupo, o Teatro de Brinquedo, como a peça de seu diretor, Álvaro Moreyra, *Adão, Eva e Outros Membros da Família*. Longe do teatro fácil que vinha ocupando os palcos cariocas em geral, é no TM que um texto radicalmente novo apresenta-se. Tendo sucesso e repercussão inacreditavelmente acima do que esperava, ninguém havia pensado em continuidade, e a falta de pla-

teatro
theater
 BARBARA HELIODORA

The year 1930 was another year without productions of Brazilian plays, although there was something surprisingly original in September: an Egyptian company. This company put on three plays by Youssef Bey Wahby, which gives an idea of the Egyptian playwright's importance in his own country. There was also a British text (*The Cardinal*), and two French ones: *La Dame aux Camélias*, already presented by more than one French company, and a translation of *Les Misérables*, an ambitious project sponsored by the Egyptian government.

June 1931 was the most significant month of the following year, partly due to the South American tour of the Deutsches Theater, which brought a high quality repertory consisting of Shakespeare's *Hamlet*, Tolstoy's *The Living Corpse*, Ibsen's *Ghosts*, Goethe's *Faust*, Sophocles's *Oedipus Rex*, Bernard Shaws's *The Doctor's Dilemma*, and Hofmannsthal's *Jedermann*. The actor Alexander Moissi was remarkable.

Even better, in June the Theatro Municipal was also sought out for a benefit show that in addition to presenting a new group, the Teatro de Brinquedo, also premiered a play written by their director, Álvaro Moreyra: *Adão, Eva e Outros Membros da Família*. A far cry from the shallow theater to be seen on most Rio de Janeiro stages, this radically new text was staged at the Theatro Municipal. Although it achieved a level of success and made a much bigger impact than expected, nobody had given any thought to how the company would continue. Even though this unfortunate lack of planning led the group to disband, in no way does this diminish the date's importance.

The next year, 1932, was a poor one for the theater because the only event was the visit of a French company with a commercial repertory. However, in 1933, after one performance of Rui

nejamento acabou por levar o grupo a uma melancólica dissolução. Mas nem por isso a data deixa de ter importância.

1932 foi um ano pobre em teatro, pois tudo se resumiu à visita de uma única companhia francesa, com repertório comercial; mas em 1933, depois de uma única récita de *Rei do Reclame...* de Ruy de Castro, além de Davina Fraga, que já havia pisado aquele palco, faz sua estreia no TM o nome de Dulcina de Moraes. E logo em maio pela primeira vez temos uma temporada da Comédia Brasileira, da Empresa Artística Ltda, apresentando um elenco no qual aparecem nomes como Itália Fausta, Olga Navarro, Jayme Costa, Mario Salaberry, entre outros, com 32 récitas de um repertório composto por *Mona Lisa* de Renato Vianna, *Dindinha* de Matheus de Fontoura, *História de Carlitos* de Henrique Pongetti, *A Patroa* de Armando Gonzaga, *A Loucura Sentimental*, de Benjamin Costallat, descrita como visão cênica da vida moderna em 15 aspectos, e *O Outro Amor*, de Leopoldo Fróes. Fato inédito, o teatro brasileiro ocupou o TM nos mesmos termos que os muitos visitantes estrangeiros: com um repertório comercial e contemporâneo, e atores cujos nomes já atraíam público.

Entretanto, no ano seguinte, de brasileiro só foi visto *Um Ilustre Desconhecido*, de Tristan Bernard, pelos alunos da Escola de Teatro no Clube Ginástico Português (infelizmente desaparecida), e a principal temporada teatral foi apresentada por The English Players, grupo de língua inglesa com sede permanente em Paris, que trouxe um repertório que, a não ser por duas peças de Bernard Shaw, era apenas de boa categoria comercial.

1935 começa com uma surpresa, ou seja, com uma montagem pelos alunos da Escola de Teatro do TM, que parece ter sido o núcleo da Escola Martins Pena. Os alunos apresentaram *Deus*, de seu diretor Renato Vianna, um grande incentivador do teatro, mas, infelizmente, péssimo autor.

Castro's *Rei do Reclame*, and a performance by Davina Fraga, who had already stepped foot on that stage, audiences heard the name of Dulcina de Moraes at the Theatro Municipal for the first time. In May, there was another first: the Empresa Artística Ltda company produced a season by the Comédia Brasileira with a cast that included names such as Itália Fausta, Olga Navarro, Jayme Costa, Mario Salaberry, and others performing 32 shows from a repertory consisting of Renato Vianna's *Mona Lisa*, Matheus de Fontoura's *Dindinha*, Henrique Pongetti's *História de Carlitos*, Armando Gonzaga's *A Patroa*, Benjamin Costallat's *A Loucura Sentimental*, described as a theatrical view of modern life from 15 angles, and *O Outro Amor* by Leopoldo Fróes. For the first time Brazilian theater was performed at the Theatro Municipal under the same conditions as foreign visitors: a contemporary commercial repertory performed by actors whose names were already box-office bait.

However, the year after that the only Brazilian play performed was *Um Ilustre Desconhecido*, by Tristan Bernard, staged by students of the Escola de Teatro at the Clube Ginástico Português (unfortunately no longer in existence). The main theatrical season was courtesy of The English Players, an English language group based in Paris that brought a repertory which, except for two plays by Bernard Shaw, was merely good and commercial.

Nineteen thirty-five began with a surprise: a production by the students of the Theatro Municipal's long-vanished Escola de Teatro where the Escola Martins Pena apparently originated. The students presented *Deus*, written by their director, Renato Vianna, a great supporter of the theater but, unfortunately, a terribly bad author. Immediately after this one performance, a new English company brought a repertory, which, except for Bernard Shaw's

ALEXANDER MOISSI
EM *TODO MUNDO*, DURANTE O PRIMEIRO FESTIVAL DE SALZBURG.
IN *JEDERMANN*, DURING THE FIRST SALZBURG FESTIVAL.
1928. PH. ELLINGER. SALZBURG MUSEUM

ÁLVARO MOREYRA.
1927. CEDOC-FUNARTE

EUGENIA MOREYRA.
[193-?]. CEDOC-FUNARTE

Logo depois dessa única récita veio a visita de novo grupo inglês, com repertório muito comercial, com a exceção do *Pygmalion* de Bernard Shaw. A seguir, uma companhia francesa traz um repertório de estrito boulevard, que incluía a divertida *Tovaritch*, de Jaques Deval, que Dulcina e Odilon viriam a encenar com sucesso. Uma companhia alemã conclui as atividades do ano, trazendo um espetáculo inesperado, *Cem Dias*, de Benito Mussolini e Gioachino Forzano, ao lado de Schiller, Rostand e Bernard Shaw.

1936 tem, em junho, a visita da companhia do Vieux Colombier, que inclui Racine, Molière e Musset, entremeados com autores mais populares. A seguir, a Grande Companhia Dramática Francesa de Espetáculos Musicais monta *Le Vrai Mystère de la Passion* de Arnoul de Gréban e *Phèdre* de Racine, e musicais como *L'Arlesienne* e *Le Bourgeois Gentilhomme*.

De brasileiro, por dois dias, é apresentada uma *Parada das Maravilhas de 1936*, com direção geral de Gustavo A. Dória, que mais tarde foi notável crítico teatral, direção musical de Radamés Gnattali e no elenco Aloísio de Oliveira, Oswaldo Éboli e Stenio Osório, integrantes do famoso *Bando da Lua*.

Com pequeno repertório, no qual se destaca *O Idiota*, de Dostoievsky, vem um grupo israelita com o memorável Jacob Bem-Ami, e a seguir, em novembro, o Brasil volta ao palco com *Compra-se um Marido*, de José Wanderley, na qual Heloisa Helena mostra estar decidida a seguir a carreira de atriz. Só amadores em espetáculos variados ocupam ainda o TM nesse ano. 1937 passa virtualmente em branco, com uma única apresentação incrementada de *A Bela Adormecida no Bosque*.

TEATRO DE BRINQUEDO. *PARATODOS*, 04.07.1931. FBN

Pygmalion, was extremely commercial. Following this, a French company toured a strictly boulevard repertory that included the amusing *Tovaritch* by Jacques Deval, which Dulcina and Odilon later staged successfully. A German company finished off the year's activities, bringing the startling *Cento Giorni* by Benito Mussolini and Gioachino Forzano, alongside Schiller, Rostand, and Bernard Shaw.

In June of 1936, the Vieux Colombier company graced our shores with Racine, Molière, and Musset interspersed with more popular authors. After that, the Grande Compagnie Dramatique Française de Spectacles Musicaux staged Arnoul de Gréban's *Le Vrai Mystère de la Passion* and Racine's *Phèdre*, as well as musicals such as *L'Arlesienne* and *Le Bourgeois Gentilhomme*.

The Brazilian production *Parada das Maravilhas de 1936* was staged for two days, with direction by Gustavo A. Dória who later became a notable theatrical critic; musical direction by Radamés Gnattali; and, in the cast, Aloísio de Oliveira, Oswaldo Éboli, and Stenio Osório, members of the famous Bando da Lua.

An Israeli group, with the memorable Jacob Bem-Ami, brought a small repertory, in which Dostoievsky's *The Idiot* was the highlight. Later, in November, Brazil was back on stage with *Compra-se um Marido* by José Wanderley, where Heloisa Helena proved herself determined to become a professional actress. Only amateurs, in varied productions,

1938 é mais significativo em função de uma maior presença brasileira, mesmo que toda ela de amadores: *Núpcias de Apolo* e *O Hóspede do Quarto Número 2* não têm maior significação, mas em dezembro tem lugar três récitas de *Romeu e Julieta*, do Teatro do Estudante do Brasil, grupo criado por Paschoal Carlos Magno. O espetáculo é importante não só pelo sucesso que alcançou como por ser reflexo da inquietação que se manifestava em vários grupos contra a má qualidade da virtual totalidade das atividades teatrais da cidade; ele marcou, também, o início das carreiras profissionais de Paulo Porto e Sônia Oiticica, os dois protagonistas, bem como de Sandro Polloni. Paulo Porto fez sua grande carreira principalmente no rádio, mas Sônia Oiticica, apesar de periódicas ausências dos palcos, marcou sua presença já com obras de Nelson Rodrigues, e permaneceu em atividade por décadas. Sandro Polloni, bem mais fraco do que os outros dois como ator, tornou-se, por outro lado, um eficiente produtor, gerenciando com sucesso a companhia que fundou com sua mulher, Maria Della Costa.

No *Jornal do Brasil* Mário Nunes relata:

Estudantes das nossas escolas superiores interpretaram Romeu e Julieta, *de William Shakespeare, na bela versão portuguesa do Dr. Domingos Ramos. Foi um espetáculo de arte a que Itália Fausta sem outro estímulo do que a satisfação do seu ideal de teatro emprestou como ensaiadora sua valiosa colaboração. Um público seleto aplaudiu com entusiasmo e espontaneidade todos os quadros [...]. Sônia Oiticica, deveras encantadora, possui uma voz cheia de sonoridades graves, de uma tonalidade apaixonada, portando, e, em alto grau, o dom da intuição. O corpo de baile do Municipal deu às danças do primeiro ato um alto senso de elegância coreográfica, sendo aplaudido com calor, e assim a*

occupied the Theatro Municipal in 1936. The theater was virtually empty in 1937 except for a single extended performance of *Sleeping Beauty*.

Thanks to the increased presence of Brazilian companies, 1938 was more significant, even though most of the groups were amateurs. The plays *Núpcias de Apolo* and *O Hóspede do Quarto Número 2* were meaningless, yet in December three performances of *Romeo and Juliet* were performed by the Teatro do Estudante do Brasil, a group created by Paschoal Carlos Magno. This production is important not merely due to its success but because it reflected several groups' increasing unhappiness with the poor quality of practically all the theatrical activities in town. It also signaled the birth of the professional careers of both its leading actors, Paulo Porto and Sônia Oiticica, as well as that of Sandro Polloni. Paulo Porto would work mainly in radio and Sônia Oiticica, in spite of spending long periods of time away from the stage, made a name for herself in plays by Nelson Rodrigues in her decade-long career. On the other hand, Sandro Polloni, who was less talented than the other two, became an efficient producer, successfully managing the company he founded with his wife, Maria Della Costa.

In *Jornal do Brasil* Mário Nunes reported:

University students performed Romeo and Juliet *by William Shakespeare, in the beautiful Portuguese version by Dr. Domingos Ramos. It was an artistic production in which Itália Fausta, spurred exclusively by the satisfaction to be gained from living up to her theatrical ideals, lent her precious help as rehearsal director. A select audience applauded each scene enthusiastically and spontaneously ... The truly charming Sônia Oiticica has a deeply resonant voice with a passionate tone; she has been gifted*

PROCÓPIO FERREIRA / JAYME COSTA.
[193-?]. CEDOC-FUNARTE

JACOB BEM AMI.
[193-?]. WALTER P. REUTHER LIBRARY.
WAYNE STATE UNIVERSITY

PASCHOAL CARLOS MAGNO.
[193-?]. CEDOC-FUNARTE

orquestra de cordas, que sob direção do maestro T. Chiafitelli foi de uma suavidade e doçura verdadeiramente celestiais.[1]

Foram ainda os amadores do Colégio Pedro II que encerraram o ano, montando inclusive *As Preciosas Ridículas*.

Em junho de 1939, ano que marca o início da a Segunda Guerra Mundial, tivemos a primeira visita ao Brasil da Comédie Française, que trazia no elenco dois de seus nomes principais, Maurice Escande e Fernand Ledoux, além de Marie Ventura e Lise Delamare. O repertório, finalmente, era de primeira linha: Molière, Musset, Mauriac, Marivaux, Giraudoux e Racine, e como cortesia aos anfitriões, *A Agulha e a Linha*, de Machado de Assis. Italianos e portugueses completariam o naipe estrangeiro, e o ano é concluído com novas apresentações do Teatro do Estudante do Brasil, que montou *Leonor de Mendonça* e *Os Riomanescos*, de Rostand. ■

PAULO PORTO / SÔNIA OITICICA, *ROMEU E JULIETA*. TMRJ. 1938. CEDOC-FUNARTE

GERALDO AVELAR / PAULO PORTO / SÔNIA OITICICA / MAFRA FILHO, *ROMEU E JULIETA*. TMRJ. 1938. CEDOC-FUNARTE

with a highly developed sense of intuition. The dance company of the Municipal gave the first act's dances a lofty sense of choreographic elegance and was warmly applauded, while the string orchestra, led by maestro T. Chiafitelli, played with a quite heavenly smooth sweetness.[1]

Amateur actors, students of Colégio Pedro II, also closed the year with a production of Molière's *The Affected Ladies*.

In June of 1939, which marked the beginning of World War II, the Comédie Française came to Brazil for the first time. Its cast included two of its main actors, Maurice Escande and Fernand Ledoux, as well as Marie Ventura and Lise Delamare. At last a company brought a first-class repertory: Molière, Musset, Mauriac, Marivaux, Giraudoux, and Racine, and, as a courtesy to its host, Machado de Assis's *A Agulha e a Linha*. Italians and Portuguese would complete the foreign shows and the year drew to an end with new productions by Teatro do Estudante do Brasil such as Gonçalves Dias's *Leonor de Mendonça* and Rostand's *Les Romanesques*. ■

Em 1930 a crise econômica chega ao Brasil, reflexo da depressão mundial. Soma-se a ela o descontentamento com a política nacional e a situação se encaminha para um desfecho revolucionário. Em agosto já pairava sobre o obelisco da Avenida Central a ameaça dos ginetes gaúchos. Deposto o presidente Washington Luiz em outubro, os militares organizam o Governo Provisório e elegem para o comando Getúlio Vargas, que ficará no poder por 15 anos, oito deles como ditador.

Obviamente não ouve temporada naquele ano.

Em 1931 a instabilidade do Governo Provisório, os inquéritos e as intervenções atrasam a temporada, que acabará por se tornar histórica, pois o TM terá, pela primeira vez, a sua própria orquestra, "de 60 professores", criada naquele ano, e "20 bailarinos da Escola do TM". Mas o Coro ainda foi importado da Argentina. A conveniência de ter Corpos Artísticos próprios ficara evidente em 1925, quando o Colón criou os seus. Principiado o processo de "municipalização" portenho – o teatro gerido e custeado pela própria Prefeitura – os empresários, tendo perdido sua praça principal, relutaram em trazer companhias completas para o Brasil. Daí a necessidade de se partir para uma solução idêntica, implementada em 2 de maio de 1931 com a criação da Orquestra e Coro do Theatro Municipal. Resultado da ação do Interventor Adolfo Sattamini que encomendou o plano aos maestros Luciano Gallet e Francisco Braga, que o elaboraram com o auxílio dos dois maestros italianos residentes no Rio, Silvio Piergili e Salvatore Ruberti.

Silvio Piergili veio ao Rio pela primeira vez em 1913 e até 1925 voltou mais sete vezes, ora como Maestro Substituto, ora como Maestro do Coro das Companhias de Mocchi. Nascera na Itália em 1888. Fixou-se no Rio no final da década de 20, casou-se com brasileira, teve uma filha e foi o empresário das Temporadas Líricas do Municipal entre 1930 e 1945, mas continuou dan-

In 1930, the economic crisis came to Brazil, reflecting the worldwide depression. Both the crisis and people's unhappiness about the ramifications of the Revolutions in 1922 and 1924 plus the military's dissatisfaction with national policies pushed events toward one more revolutionary outcome. In August, the threat of the *gaucho* cavalry already hovered over the obelisk in Avenida Central. After deposing President Washington Luiz in October, the military created the *Governo Provisório* or Provisional Government and elected Getúlio Vargas to lead it. Vargas remained in power for 15 years, eight of them as a dictator.

Needless to say, there was no season that year.

In 1931, the instability of the Governo Provisório, the inquiries, and the interventions delayed what would be a historic season. For the first time, the Theatro Municipal had its own orchestra of "60 musicians and 20 ballet dancers from the Escola do Theatro Municipal." The chorus, however, was still imported from Argentina. The need for resident artistic groups was created in 1925 when the Teatro Colón founded its own resident companies. When the city of Buenos Aires began its "municipalization" process, meaning that the city government became responsible for planning and funding the theater's programming, impresarios who had lost their principle venue refused to bring their complete companies to Brazil, creating a need for an identical solution. On May 2, 1931, the resident orchestra and chorus of the Theatro Municipal were created. Adolfo Sattamini had intervened and asked the conductors Luciano Gallet and Francisco Braga to create a plan. To do so, they called on the two Italian maestros who were living in Rio, Silvio Piergili and Salvatore Ruberti.

ópera
opera
BRUNO FURLANETTO

BIDÚ SAYÃO / ARMANDO BORGIOLLI / GEORGES THILL / HUMBERTO BERRETTONI. CENTENÁRIO DE CARLOS GOMES | CARLOS GOMES CENTENNIAL. TMRJ. 1936. FBN

do sua experiência e competência até 1962, vindo a falecer, repentinamente, no próprio Theatro, durante uma conversa com o barítono Paulo Fortes.

Salvatore Ruberti era napolitano, de 1902, veio em 1924 numa temporada artística pelas Américas e decidiu se fixar no Rio. Além de ter colaborado para a criação dos corpos estáveis do Theatro, nele atuou como maestro, *metteur-en-scène* e Diretor Artístico. Trabalhou em rádios e jornais e escreveu dois livros sobre Carlos Gomes.

Não por acaso a temporada foi entregue à Empresa Artística Associada, cujos sócios eram, exatamente, Silvio Piergili e Salvatore Ruberti, inaugurando-se, assim, a época Piergili, que se prolongará até 1945. Foram só sete récitas mas com três novidades importantes: os franceses Lily Pons e Georges Thill, e Salvatore Baccaloni, todos de grandes carreiras, inclusive no nosso Municipal.

O ano seguinte encontrará o Theatro outra vez fechado, por obra e graça de baionetas, desta vez pela revolução constitucionalista de São Paulo. Temores e rumores afastavam o público dos espetáculos de arte.

Silvio Piergili e Salvatore Ruberti formam agora a Empresa Artística Teatral que organiza a temporada de 1933: 11 óperas com 18 récitas em 29 dias. Nos elencos aparecem nomes como Gigli (cantando pelo terceira vez o *Lohengrin*), Claudia Muzio, Gilda Dalla Rizza, Bidú Sayão, Salvatore Baccaloni, a voz única de *mezzo* de Ebe Stigani e o excelente baixo Giacomo Vaghi, que se fixará

Silvio Piergili came to Rio for the first time in 1913 and returned seven more times over the next 13 years, sometimes as a substitute conductor, sometimes as the chorus director for Mocchi's companies. He was born in Italy in 1888 and moved to Rio at the end of the 1920s. Piergili married a Brazilian, had a daughter, and was the producer of the Municipal's opera seasons from 1930 until 1945 where he continued making valuable contributions to the theater until his sudden death in 1962, during a conversation at the theater with the baritone, Paulo Fortes.

Salvatore Ruberti was born in Naples in 1902 and came to Rio in 1924 after visiting the city on an artistic tour to the Americas. After moving to Rio, in addition to collaborating on the creation of the Municipal's resident companies, he also worked for the Municipal as a conductor, *metteur-en-scène*, and artistic director. Ruberti also worked for radio stations and newspapers and wrote two books about Carlos Gomes.

Therefore, it was no accident that the contract to produce the opera season was awarded to Empresa Artística Associada, the company owned by Salvatore Ruberti and Silvio Piergili. This inaugurated the Piergili era which would last until 1945. The season offered only seven performances and three new novelties: the French singers Lily Pons and Georges Thill, and the Italian bass, Salvatore Baccaloni. All had impressive careers that included their performances at our Municipal.

The following year, renovations and bayonets forced the theater to close once again. The bayonets were courtesy of the *Revolução Constitucional* [Constitutional Revolution] in São Paulo. Both fear and rumors kept opera audiences at home.

no Rio durante a guerra. Como Maestro do Coro, entra Santiago Guerra, que exercerá o cargo até sua aposentadoria em 1975.

As quatro temporadas de Piergili até 1937 foram todas de excelente nível. Para não transformar o texto num extenso elenco de nomes, vejamos seus momentos principais. Em 34 reabre-se o Theatro depois das obras que lhe modificaram a sala de espetáculos, que é a que conhecemos hoje. A reforma foi ordenada pelo prefeito Pedro Ernesto, que havia constatado ser a capacidade do Theatro pequena para a crescente população da cidade. A reabertura foi com a primeira apresentação de *Maria Tudor,* de Carlos Gomes, com um elenco nacional. Excepcionais foram as récitas do conjunto alemão. Seus comandantes, o diretor Carl Ebert e o regente Fritz Busch, grandes nomes na Alemanha, tinham de lá saído pelo advento do nacional-socialismo de Hitler. Haviam acabado de fundar o Festival de Glyndbourne, que se transformará no principal festival de ópera britânico e um dos mais importantes do mundo. No elenco, de primeira classe, sobressaíam a majestosa *mezzo* sueca Karin Branzell, o tenor Gothelf Pistor, a húngara Ella de Nemethy e outro dos maiores baixos do século, Alexander Kipnis, todos magníficos em *Die Walküre* e *Tristan und Isolde*.

Gina Cigna e Maria de Sá Earp estreiam em *Turandot*. Esta última será um dos esteios do Theatro, pois nele cantará 98 récitas em 24 óperas diferentes, até 1962.

Em 35, a recordar, as óperas francesas cantadas, no original, por Gigli e Sayão e as últimas atuações da inigualável Claudia Muzio, em *Cecília,* do padre Refice, e *Bohème,* pois faleceria em maio de 36, do coração, com apenas 47 anos. Em 36 defrontam-se dois tenores franceses: o ótimo José Luccioni e o soberbo Thill, que canta com Bidú Sayão um *Guarany* que ficou na história, e *Lakmé.* Outro Gomes, *Lo Schiavo,* que com Cigna e Sá Earp, deixou sua marca.

CAPA DO PROGRAMA DA TEMPORADA OFICIAL.
COVER OF THE SEASON'S OFFICIAL PROGRAM.
1930. CEDOC-FUNARTE

Silvio Piergili and Salvatore Ruberti formed the Empresa Artística Teatral to produce the 1933 season: 11 operas with 18 performances in 29 days. The cast included names such as Gigli (*Lohengrin* for the third time), Claudia Muzio; Gilda Dalla Rizza; Bidú Sayão; Salvatore Baccaloni; the unique voice of the mezzo-soprano, Ebe Stigani; and the excellent bass, Giacomo Vaghi, who lived in Rio during the war. Santiago Guerra was the chorus director, a position he would hold until his retirement in 1975.

Until 1937, Piergili produced four excellent seasons. In order to keep this text from being just a long list of cast names, let's look at the most important moments. In 1934, the theater re-opened after a renovation that changed the auditorium, making it into what we know today. Mayor Pedro Ernesto had requested the renovation because he thought the theater's capacity was too small for the city's growing population. The Municipal re-opened with a Brazilian cast singing the premiere performance of *Maria Tudor* by Carlos Gomes, the performances by the German cast, though, were exceptional. The German group's directors, Carl Ebert and the conductor, Fritz Busch, important names in Germany, had left there with the advent of Hitler's national socialism. They had just founded the Glyndbourne Festival, which would become the most important festival for British opera and one of the most important in the world. In the first-class cast the standouts were the majestic Swedish mezzo-soprano, Karin Branzell; the tenor Gothelf Pistor; the Hungarian soprano, Ella de Nemethy; and another one of the century's great basses, Alexander Kipnis, all of whom were magnificent in *Die Walküre* and *Tristan und Isolde*.

Gina Cigna and Maria de Sá Earp had their premieres in *Turandot*. Sá Earp was one of the last singers to make her debut at the Municipal. By the time of her last performance at the

Com relação a este *Guarany* devemos lembrar que a récita de 7 de setembro foi retransmitida pela Rádio Ministério de Educação, inclusive para a Itália, pois estávamos nas comemorações do Centenário de Carlos Gomes. Daí para a frente as chamadas "Récitas de Gala" passaram a ser retransmitidas pela Rádio. Mas lembramos, ainda, que a primeira transmissão de uma ópera no Theatro Municipal ocorreu no dia 7 de setembro de 1922, numa récita de gala de *Il Guarany*, regida por Mascagni. Eram as comemorações do Centenário da Independência e as primeiras experiências com o rádio. Como não havia transmissores suficientes, colocaram alto-falantes por toda a extensão da Avenida Rio Branco para o povo ouvir. Trabalho da futura Rádio Sociedade do Rio Janeiro, hoje Rádio MEC e a primeira do Brasil, que foi inaugurada no dia 1º de maio de 1923. Estas retransmissões terminaram na década de 70 pela intransigência do Coro e da Orquestra do Theatro, que as proibiram. Assim o Municipal do Rio é o único teatro de ópera do mundo que não pode gravar seus espetáculos, seja para seu Arquivo, seja para a reposição dos espetáculos.

Longa história precisa ser contada a respeito do ano de 1937, recorde de óperas cantadas num mesmo ano no Theatro. Foram 98 espetáculos, divididos em três temporadas, cada uma de caráter diferente da outra.

Pela primeira vez houve uma "Temporada Lírica Nacional" que constou de 26 espetáculos de 13 óperas, sendo as nacionais *A Natividade de Cristo,* de Assis Republicano, *Iracema* de J. Octaviano, ambas sob a regência de seus autores, e *Jupira,* de Francisco Braga, além de *O Guarani,* pela primeira vez cantada em português. Os cantores eram conhecidos de temporadas anteriores e voltaram a aparecer Zola Amaro, Carmen Gomes, Abigail Parecis, Machado del Negri, Reis e Silva, João Athos, Silvio Vieira. Houve vários estreantes, inclusive uma diva do teatro de revista, Marga-

Municipal in 1962, she had sung there 98 times, performing roles from her repertory of 24 different operas.

Performances in 1935 worth remembering are Gigli and Sayão singing French operas in their original language and the peerless Claudia Muzio singing what would be his final performances of *Bohème* and *Cecília* by Padre Refice. Muzio would die of a heart attack in May 1936 at age 47. In 1936, there were two notable French tenors – the great José Luccioni and the superb Thill who sang *Lakmè* and a historic performance of *Guarany* with Bidú Sayão. There was also an impressive performance of another opera by Gomes, *Lo Schiavo*, sung by Cigna and Sá Earp.

Another performance of *Guarany* that should be remembered is the one that took place on September 7 and was broadcast by the Radio Ministério de Educação, which later became Rádio MEC. It was also aired in Italy as part of the celebration of the 100th anniversary of the birth of Carlos Gomes. From this point on, the Récitas de Gala or Gala Performances, were transmitted by the government radio station. However, the very first radio broadcast of an opera at the Theatro Municipal, that of the gala performance of *Il Guarany* conducted by Mascagni, occurred on September 7, 1922. It was the celebration of the Centennial of Brazilian Independence and one of the first experiments with radio broadcasts. Since there weren't sufficient transmitters at the time, the Rádio Sociedade do Rio Janeiro set up speakers all along Av. Rio Branco so people could listen. The Rádio Sociedade, inaugurated on May 1, 1923, was the first of its kind in Brazil and is nowadays known as Rádio MEC. These broadcasts ended in the 1970s after a stalemate by the theater's chorus and orchestra forbid them,

rida Max, que fez uma discutida *Tosca*. Dela participaram artistas estrangeiros residentes no Rio como o português Mario Matheus, o italiano Antonio Salvarezza e outros que nem se lembravam mais onde tinham nascido.

A temporada "Oficial", que tinha este nome porque recebia subvenção do Distrito Federal, abrigava excelentes artistas. Bidú vinha pela terceira vez consecutiva, antes que sua estreia no MET a afastasse do Brasil. Interessantes foram o *Boris Godunov*, com Vaghi, *Falstaff* com Baccaloni e a rara *Mignon*, com a francesa Lucienne Anduran. Foram mais 29 récitas em 41 dias de 17 óperas, não esquecendo um triunfal *Lo Schiavo*, com Borgioli, Masini e a australiana Margherita Grandi.

O mais importante aconteceu no final do ano. Gabriella Besanzoni, vendo que as temporadas eram sempre feitas com cantores estrangeiros e tendo ouvido bons cantores locais, resolve criar uma companhia lírica nacional. Funda a S.A. Teatro Brasileiro, da qual é presidente. Sua primeira medida foi organizar uma escola de canto, que ela localiza na própria casa, a Vila Gabriella (como era conhecido, então, o Parque Lage). O "conservatório", como ela dizia, chegou a ter 74 alunos, e ela fazia de tudo. Em 37, a companhia está basicamente estruturada: havia alunos com alguma experiência mas a maioria era de estreantes, o que foi seu grande mérito. Ela estreia a 8 de outubro e até 14 de dezembro coloca em cena 36 espetáculos, principiando com *Maria Petrow-na*, de J. Gomes de Araújo, e mais nove óperas de repertório. Muitos estreantes fizeram longas e boas carreiras como Violeta Coelho Netto de Freitas, Alaíde Briani, Alma Cunha Miranda, Julita Fonseca, Roberto Miranda, Roberto Galeno e outros nos papéis menores, como Bruno Magnavita, Stefano Pol, Lisandro Sargenti. E muitos que não seguiram a carreira e desapareceram. Mas nunca, em toda a história do Municipal, houve uma safra tão abundante de cantores brasileiros lançada ao

SILVIO VIEIRA.
[193-?]. CEDOC-FUNARTE

making Rio de Janeiro's Theatro Municipal the only theater in the world that is prohibited from producing archival video recordings of its own performances.

There is a long story to be told about 1937, which boasted a record number of operas sung at the Theatro. There were 98 performances divided in three seasons, each one different from the other.

For the first time there was a Temporada Lírica Nacional or National Opera Season, comprised of 26 performances from a repertory of 13 operas that included the Brazilian operas *A Natividade de Cristo* by Assis Republicano, *Iracema* by J. Octaviano, both conducted by their composers, and *Jupira* by Francisco Braga. *O Guarani* was also sung in Portuguese for the first time. The singers included familiar names from previous seasons: Zola Amaro, Carmen Gomes, Abigail Parecis, Machado del Negri, Reis e Silva, João Athos, and Silvio Vieira. Several singers were making their debut, including Margarida Max, the *teatro de revista* or theatrical revue star, who sang a controversial *Tosca*. *Tosca* also featured foreign artists who lived in Rio such as the Portuguese singer Mario Matheus, the Italian tenor Antonio Salvarezza and others who no longer remembered where they'd been born.

The "Oficial," named because it received funding from the Federal District, presented excellent names. Bidú came for the third consecutive time, before her debut at the Met kept her away from Brazil. Interesting productions included *Boris Godunov* with Vaghi, *Falstaff* with Baccaloni, and a rare production of *Mignon* with the French mezzo-soprano Lucienne Anduran. There were 29 performances from a repertory of 17 operas in 41 days, including a triumphant *Lo Schiavo* with Borgioli, Masini, and the Australian-born Italian soprano Margherita Grandi.

GABRIELA BESANZONI, EM SEU PALACETE, ATUAL ESCOLA DE ARTES VISUAIS PARQUE LAGE, RJ.
GABRIELA BESANZONI, IN HER PALACE, CURRENTLY THE PARQUE LAGE VISUAL ARTS SCHOOL, RJ.
[193-?]. FBN

mesmo tempo. Tendo Dona Gabriella chamado o barítono Mario Girotti para administrar a companhia, este indica um amigo seu, o veneziano Edoardo de Guarnieri para ser seu Diretor Artístico. Assim se inicia a carreira do competente e sério Guarnieri no Municipal, onde regeu, em 17 temporadas, a última em 1962, centenas de espetáculos. A notar: quatro óperas brasileiras nesta temporada, sendo duas estreias (*Natividade de Jesus* de Assis Republicano, *Iracema* de J. Octaviano), além de, na Internacional, *La Morte de Frinè*, de Ludovico Rocca e *Lucrezia*, de Ottorino Respighi.

Como Piergili, em 1936, havia feito constar a sua retirada do cenário operístico, tinha sido instado, pelos que lhe reconheciam tirocínio e habilidade, a realizar a temporada de 37. Em vista destas declarações, em 38, a Prefeitura do Distrito Federal assina um contrato com a novíssima S.A. Teatro Brasileiro que lhe dava a concessão, por quatro anos, do Municipal para a realização das temporadas oficiais.

A nova concessionária inicia o ano com uma temporada nacional cuja base era o conjunto de cantores de sua temporada de 37 mais alguns nomes bem conhecidos, como Carmen Gomes, Reis e Silva, Silvio Vieira, Joaquim

The most important event took place at the end of the year. Gabriella Besanzoni, having observed that the seasons were always cast with foreigners and having heard good local singers, decided to create a national opera company. She founded the S.A. Teatro Brasileiro, of which she was president. Her first measure was to organize a school for singers in her own home, the Vila Gabriella (the old name of the Parque Lage). The "conservatory," as she called it, had as many as 74 students, and Gabriella did everything herself. By 1937, the company was basically up and running. The school's great merit was that while some students were experienced singers, most were making their debut. The school premiered on October 8 and by December 14, the school had presented 47 performances, beginning with *Maria Petrowna* by J. Gomes de Araújo plus nine other operas from its repertory. Many making their debut such as Violeta Coelho Netto de Freitas, Alaíde Briani, Alma Cunha Miranda, Julita Fonseca, Roberto Miranda, and Roberto Galeno had long, successful careers; others, such as Bruno Magnavita, Stefano Pol, and Lisandro Sargenti sang smaller roles. Many didn't pursue a career and disappeared, yet never in the history of the Municipal did such a plentiful group of Brazilian singers make their debut at the same time. Dona Gabriella had asked the baritone Mario Girotti to be the company's general manager and he recommended his Venetian friend, Edoardo de Guarnieri to be the artistic director. This was how the hardworking, capable Guarnieri began his career at the Municipal, where during 17 seasons he conducted hundreds of performances until his last season in 1962. It's important to note that there were four Brazilian operas: including two premieres (*Natividade de Jesus* by Assis Republicano, *Iracema* by J. Octaviano), in addition to *La Morte de Frinè* by Ludovico Rocca and *Lucrezia* by Ottorino Respighi at the Internacional.

Villa, Antonio Salvarezza e outros. Foram 14 récitas com o repertório conhecido, e uma audaciosa *Forza del Destino*. Junto com a Empresa Viggiani ela traz uma companhia francesa que encena operetas e atende pelo estranho nome de "Temporada Retrospectiva das mais célebres Óperas Cômicas e Operetas Francesas", se bem que *Monsieur Beaucaire* e *Veronique,* ambas de Messager, não são exatamente operetas e também foram apresentadas óperas como *Mireille* e *Si J'étais Roi*. Dois nomes de muito valor na cena lírica francesa: Germaine Féraldy e Franz Kaisin. A temporada "Oficial" estendeu-se por 40 dias, com 27 récitas de 14 óperas. Muitos brasileiros, como era de se esperar, entre os quais se destaca Violeta Coelho Netto de Freitas, cuja carreira terá apenas nove papéis que interpretará 60 vezes, sendo 26 delas de *Butterfly*. Quadro italiano de segunda categoria e um francês, onde se destaca Solange Petit-Renaux, que fixará residência no Rio.

Em janeiro de 1939, a S.A. Teatro Brasileiro pede à Prefeitura a rescisão do contrato de concessão do Theatro Municipal. A corajosa aventura de Besanzoni foi derrubada pelo excesso de óperas e de cantores: querendo dar oportunidade a todos, incluía vozes menos qualificadas que enfraqueciam o conjunto. E, especialmente na parte internacional, faltava-lhe conhecimento. Entusiasmo e generosidade não foram o bastante. Mas deixou-nos um saldo de belas vozes. O ano de 39 abre-se com uma nova companhia nacional: a Companhia Lírica Metropolitana, fundada e dirigida por dois nomes conhecidos, o tenor Reis e Silva e o barítono Silvio Vieira. Fizeram 16 récitas com nove óperas, incluindo, mais uma vez, *O Guarani*

EX-PRESIDENTE DA ARGENTINA JULIO ROCA, PRESIDENTE GETÚLIO VARGAS, A PRIMEIRA DAMA DARCY VARGAS E RAMON CÁRCANO, EM NOITE DE GALA, CAMAROTE PRESIDENCIAL DO TMRJ. EX-PRESIDENT OF ARGENTINA, JULIO ROCA, PRESIDENT GETÚLIO VARGAS, FIRST LADY DARCY VARGAS AND RAMON CARCANO. GALA EVENING, PRESIDENTIAL BOX, TMRJ. 1937. CPDOC-FGV

Although Piergili had announced his retirement from the opera world in 1936, those who valued his discretion and talent pressured him to return to produce the 1937 season. In light of these declarations, in 1938, the mayor's office of the Federal District signed a contract with the brand new S.A. Teatro Brasileiro awarding it a four-year contract to produce the Municipal's official seasons.

The newly-hired company began the year with a Brazilian season organized around the singers from its 1937 season, with some names that were already well known such as Carmen Gomes, Reis e Silva, Sylvio Vieira, Joaquim Villa, Antonio Salvarezza, and others. Except for the audacious *Forza del Destino*, the 14 performances included operas from an already well known repertory. In addition to the Empresa Viggiani, Besanzoni imported a French company that staged light operas and was strangely billed as "Temporada Retrospectiva das mais célebres Óperas Cômicas e Operetas Francesas" [Retrospective Season of the Most Celebrated French Comic Operas and Light Operas]. Even though it presented two operas by Messager, *Monsieur Beaucaire* and *Veronique*, which are not considered light operas, it also presented operas such as *Mireille* and *Si J'étais Roi* that are. The company brought two very important names from the French opera world, Germaine Féraldy and Franz Kaisi. The Oficial season lasted for 40 days, with 27 performances from a repertory of 14 operas. As expected, there were a number of Brazilian singers. Deserving of special mention is Violeta Coelho Netto de Freitas, whose career included only nine roles. She performed at the Municipal 60 times, singing *Butterfly* 26 times. There was a second-tier group of Italian singers and a French group that featured Solange Petit-Renaux who later moved to Rio.

In January 1939, the S.A. Teatro Brasileiro asked the mayor's office to rescind the production contract for the Theatro Municipal. Besanzoni's courageous adventure had been undermined by

em português. Numa récita isolada estreia-se *O Descobrimento do Brasil,* primeira ópera de Eleazar de Carvalho.

A "grande" temporada vem organizada por Louis Masson, seu principal regente e ex-diretor da Opéra-Comique de Paris. O empresário era um francês de Paris e não aparece nenhum nome do Brasil envolvido nesta temporada. Interessante o fato de cenários, figurinos e o contrarregra virem das grandes casas italianas, como Sormani, Brancati e Caramba. Foi a única temporada com sete óperas francesas, num repertório total de 17. O elenco nativo para as óperas francesas era excelente e participou das italianas, cantando em... francês. Foram 17 óperas, mas num espaço de dois meses e meio. Dois regentes novos de sucesso: Jean Morel e Eugen Szenkar. A jovem Janine Micheau, aqui ovacionada em *Les Contes de Hoffmann,* viajou às pressas para salvar o *Rosenkavalier* do Colón, sem uma *Sofie* por causa da guerra. Janine cantou em francês. ■

LOUIS MASSON.
1939. CEDOC-FUNARTE

the excessive number of both operas and singers. In her desire to help all the singers, she cast less qualified voices, weakening the strength of the group. Although she did bring a number of voices to public attention, her enthusiasm and generosity were not enough and her lack of experience was especially glaring in the international aspects of producing. The year 1939 opened with a new national group: the Companhia Lírica Metropolitana, founded and directed by the well known tenor Reis e Silva, and the baritone Silvio Vieira. The company gave 16 performances from a repertory of nine operas, once more including *O Guarani* in Portuguese. An isolated recital featured the premiere of *O Descobrimento do Brasil*, the first opera by Eleazar de Carvalho.

The man who organized this "great" season was Louis Masson, its principle conductor and the former director of the Opéra-Comique de Paris. The impresario was Parisian and there are no Brazilian names connected to this season. Interestingly, the sets, costumes, and stage managers came from the great Italian theaters such as the Sormani, Brancati, and Caramba. It was the only season with seven French operas out of a repertory of 17. The native cast for the French operas was excellent and also sang the Italian operas in French. A total of 17 operas was presented over a period of two and a half months and there were two new, successful conductors: Jean Morel and Eugen Szenkar. The young Janine Micheau, who was given a standing ovation for *The Tales of Hoffmann*, rushed off to save *Die Rosenkavalier* at the Colón. Because of the war there was no one in Buenos Aires to sing the role of Sofie in French. ■

1930 transcorria sem maiores sobressaltos no Theatro Municipal: Guiomar Novaes abriu o ano com três recitais em maio, Jacques Thibaud apresentou-se em junho, a maestrina Joanídia Sodré deu em julho um concerto sinfônico de que constava a primeira audição de *Finlândia*, de Sibelius, e a Sociedade de Concertos Sinfônicos (SCS) empreendeu em agosto sua série, mais uma vez salpicada de trechos de Wagner. Mas no fim de outubro o governo foi derrubado e em novembro Getúlio Vargas tomava posse. No dia 9 desse mês, o Theatro abrigou um recital da cantora Alicinha Ricardo e da pianista Yvonne Herr-Japy "sob o patrocínio do general Juarez Távora, em benefício das famílias dos mortos na Revolução"[1].

O início de uma era de inflexão da influência das oligarquias "velhas" e advento das massas no país coincidiria, no espaço musical, com uma dinamização da vida sinfônica. Luiz Heitor resumiria, anos depois, esse momento:

A situação dos concertos sinfônicos, no Rio de Janeiro, nesse ano [1932], era de pletora. Em 1931 [...] W. Burle-Marx havia fundado a Orquestra Filarmônica, com um entusiasmo jovem e construtor, que levava de vencida todos os obstáculos, e que reavivou no público carioca o gosto por esse gênero de concertos. Grandes solistas desfilaram pelas suas audições, e em 1933 Felix Weingartner veio ao Brasil, especialmente para dirigir a nova orquestra. Pela primeira vez, no Rio de Janeiro, realizavam-se concertos consagrados às crianças, com programas leves e explicados: eram os Concertos da Juventude. Por seu lado Villa-Lobos, regressando ao Rio de Janeiro, criava em 1933 uma orquestra própria, cujos concertos se alternavam com os das duas outras sociedades. Havia, pois, três conjuntos sinfônicos distintos na cidade. Mas foi o fim... E no ano seguinte a situação mudava. Havendo criado

---

Nineteen hundred and thirty passed without any major events at the Theatro Municipal: Guiomar Novaes opened the year with three recitals in May, Jacques Thibaud performed in June, the female conductor Joanídia Sodré gave a symphony concert in July of what is considered the first performance of Sibelius's *Finlandia*, and the Sociedade de Concertos Sinfônicos (SCS) mounted a concert series in August that was once more peppered with excerpts from Wagner. However, at the end of October, the government was overthrown and in November Getúlio Vargas took office. On the 9th of this month, the theater offered a recital by the singer Alicinha Ricardo and the pianist Yvonne Herr-Japy that was "funded by General Juarez Távora to benefit the families of those who died in the Revolution."[1]

The era when the influence of the "old" Brazilian oligarchies began to decline and the masses started to gain influence would coincide with an increasingly dynamic symphonic life. Luiz Heitor summarized this moment years later:

There was a surfeit of symphonic concerts in Rio de Janeiro that year [1932]. In 1931... W. Burle-Marx had founded the Orquestra Filarmônica. Burle-Marx was possessed of an industrious, youthful enthusiasm that enabled him to overcome every obstacle. He and his orchestra reawakened a taste in Rio audiences for this kind of concert. Great soloists lined up to perform and in 1933, Felix Weingartner came to Brazil just to direct the new orchestra. For the first time in Rio de Janeiro, there were concerts just for children: the Concertos da Juventude [Young People's Concerts], which offered light, educational programs. In 1933, Villa-Lobos, who was back in Rio de Janeiro, created his own orchestra and its concerts alternated with those by two other societies. The city was home to

concerts & recitals

CLÓVIS MARQUES

ORQUESTRA FILARMÔNICA DO
RIO DE JANEIRO, TMRJ.
PH. MOACIR MARINHO.
ESCOLA DE MÚSICA – UFRJ

three distinctly different symphonic groups. Then suddenly it all ended and by the next year the situation had changed. After creating the Orquestra do Theatro Municipal [in 1931], the mayor's office stopped funding existing orchestras and they folded. The old Sinfônica, bereft of Francisco Braga, lost its reason for being. W. Burle-Marx left for the United States after dissolving his orchestra whose last season was brimming with financial difficulties. Because Villa-Lobos occupied an important position in the municipal administration, he was able to use the official orchestra. In 1935, he undertook a memorable series of concerts . . . Following this, the city's symphonic arts underwent a period of paralysis when the Orquestra do Theatro Municipal, under the guidance of several different conductors, sporadically carried out the duties of a concert orchestra and gave a small series of recitals of little or no significance. We need to jump to 1940 when José Siqueira founded the Orquestra Sinfônica Brasileira, the best-structured of all these organizations, to see symphonic concerts resume the importance they deserve in the city's musical life.[2]

Walter Burle-Marx was an entrepreneur from a wealthy family. He studied with Henrique Oswald and later finished his schooling in Germany and England. Burle-Marx was 28 years old in 1930 when he began his career as a conductor in Rio de Janeiro and he founded the Filarmônica the following year. "Except for Villa-Lobos, he has the greatest and purest dynamic energy of anybody I know in our musical world," wrote Luiz Heitor[3], who became a friend and colleague of the maestro.

a Orquestra do Theatro Municipal [em 1931], a Prefeitura suspendeu a concessão de sub-venções às orquestras existentes, que se dissolveram. A velha Sinfônica, sem a assistência de Francisco Braga, havia perdido a própria razão de ser; W. Burle-Marx partira para os Estados Unidos, depois de liquidar a sua Filarmônica, cuja última temporada fora fértil em embaraços financeiros. Villa-Lobos, ocupando importante posição na administração mu-nicipal, podia dispor da orquestra oficial, e realizou em 1935 memorável série de concertos [...]. Seguiu-se um período de paralisação da vida artística da cidade, no terreno da música sinfônica, pois a Orquestra do Theatro Municipal só esporadicamente, e sob a regência de vários diretores, exercia atividade como orquestra de concerto, em curtas séries de audi-ções, pouco ou nada significativas. Precisamos chegar a 1940, quando José Siqueira fundou a Orquestra Sinfônica Brasileira, a mais bem estruturada de todas essas organizações, para ver os concertos sinfônicos reassumirem a importância que lhes compete no movimento musical da metrópole.[2]

Empreendedor, bem nascido, pupilo de Henrique Oswald e tendo mais tarde concluído seus estudos na Alemanha e na Inglaterra, Walter Burle-Marx tinha 28 anos, quando se lançou como regente no Rio de Janeiro em 1930, fundando no ano seguinte a Filarmônica. "À parte Villa-Lobos, é ele a maior e mais pura energia dinâmica que conheci, no panorama de nossa música", escreveria Luiz Heitor[3], que se fez amigo e colaborador do maestro. "Regente de classe, dotado de uma sensi-bilidade musical vivíssima e de um poder de expressão excepcional"[4], diria ainda o crítico, dono de "formidável domínio da técnica musical"[5], Burle-Marx deu ao Rio durante três temporadas "uma or-

"A first-class conductor who possesses a musical sensitivity and an exceptional power of expression,"[4] the critic said, "[he] enjoys a formidable mastery of musical technique."[5] For three seasons, Burle-Marx gave Rio "a nervy, muscular orchestra that does not limit itself to perfect execution; it interprets, animates, and breathes life into the works of music that are entrusted into its care."[6]

With musicians the caliber of Francisco Corujo, Henrique Niremberg, Affonso Hen-riques, and Iberê Gomes Grosso, the Filarmônica made its debut at the Theatro Municipal on May 18, 1931, with a program that included Weber's overture from *Der Freischütz*, two works by Oswald (Prelude from the "Suite for Orchestra" and the premiere of his Andante and variations for piano and orchestra), in addition to Chopin's Concerto N° 1 with Izo Eli-son, Liszt's Preludes, and Weingartner's *Tragic Symphony*.

Burle-Marx's achievement did not please Oscar Guanabarino at all. "The *Tragic Sym-phony* was a tragedy for whomever heard it," wrote Guanabarino in the next day's *Jornal do Comércio*. "Beginning with his rejection of the title: it is elegiac rather than tragic and has neither elevated style nor polyphony. The orchestration is extremely poor and littered with vulgar themes." Guanabarino's opinion of Francisco Braga's conducting was also the com-plete opposite of Luiz Heitor's – even when Braga was at the end of his career.

The orchestra's programs focused more on symphonic-length works than on short or varied pieces. There were 26 Municipal premieres among the 50 concerts he gave until Au-gust 1933. They included Manuel de Falla's *Amor Brujo*, Ravel's *Bolero*, and Max Reger's *Variations and Fugue on a Theme of Mozart*. This last piece was part of a concert that offered a

MAESTRO BURLE MARX / BIDÚ SAYÃO / MAESTRO ROSS.
[193-?]. FBN

questra que tem nervos e que tem músculos; que não se limita a executar com perfeição, mas interpreta, anima e vivifica as obras musicais entregues aos seus cuidados"[6].

Contando em suas estantes músicos como Francisco Corujo, Henrique Niremberg, Affonso Henriques ou Iberê Gomes Grosso, a Filarmônica estreou a 18 de maio de 1931 no Theatro Municipal com um programa comportando a abertura *Der Freischütz* de Weber, duas obras de Oswald (o Prelúdio da *Suíte para Orquestra* e o *Andante e Variações* para piano e orquestra, em primeira audição), além do *Concerto nº 1* de Chopin, com Izo Elison, dos *Prelúdios* de Liszt e da *Sinfonia Trágica* de Weingartner.

Esta obra do mestre de Burle-Marx não agradou nada a Oscar Guanabarino, oposto a Luiz Heitor no apreço por Francisco Braga como maestro, mesmo em fim de carreira, e no desapreço pelo novato fundador da Filarmônica: "A *Sinfonia Trágica* é que foi uma tragédia para quem a ouviu", escrevia Guanabarino no dia seguinte no *Jornal do Comércio*. "Começa pela negação do título: não é trágica, mas elegíaca, sem elevação de estilo, sem polifonia, paupérrima na orquestração e semeada de temas vulgares."

Os programas da Filarmônica tinham um jeito mais centrado em obras de fôlego sinfônico que em peças variadas ou curtas. Houve também, nos 50 concertos que deu até agosto de 1933, 26 primeiras audições, entre elas o *Amor Brujo* de Manuel de Falla, o *Bolero* de Ravel e as

||||||||||||||||||||||||||||||||||||||||||||||||||||||||||||||||||||||||||

pretext for Guanabarino's reservations about the maestro's ability to both balance the sound mass and avoid "muffling the piano" with "a mechanical orchestra" in its interpretation of one more brand new work for Rio audiences: Rachmaninoff's Piano Concerto N° 2 played by the Russian pianist, Xenia Prochorowa.

Days earlier, in June, Guanabarino thought Brahms's Symphony N° 1 had been "badly interpreted by Mr. Burle-Marx" despite the fact that the ensemble included

> ... most of the finest professional musicians in Rio de Janeiro ... There was a notable lack of balance in the quartets. Was it the musicians' fault? No. An orchestra's balance, coloring, and expressive power are exclusively dependent on the conductor and the only person Mr. Burle-Marx takes care of is himself. He attracts the audience's attention to the point where he creates, right in the middle of the Municipal, a new school of epileptic conducting that is almost always uncomfortable to watch. One might think that this young man had been bitten by a tarantula or severely attacked by St. Vitus's dance.

In 1930, Francisco Braga announced his intention to retire from conducting, although he would still marshal his forces for Beethoven's *Ninth* in November 1931. He was finally forced to literally leave the stage when he suffered a heart attack while conducting the Wagner festival in June 1932. His gradual removal had freed up space for conductors such as Antão Soares, Newton Pádua, Lorenzo Fernandez, and Joanídia Sodré, who, in June 1931, conducted works for the SCS by female composers such as Ethel Smyth, Branca Bilhar, Cécile Chaminade, and Augusta Holmes.

Variações e Fuga sobre um Tema de Mozart de Max Reger – esta num concerto que deu pretexto a reservas de Guanabarino sobre a capacidade do maestro de dosar as massas sonoras e evitar "o abafamento do piano" por "uma orquestra mecânica", dessa vez na interpretação de mais uma novidade absoluta para o público carioca, o *Concerto nº 2* de Rachmaninov, com a russa Xenia Prochorowa.

Dias antes, em junho, Guanabarino considerara a *Sinfonia nº 1* de Brahms "mal interpretada pelo Sr. Burle-Marx": apesar de contar o conjunto com

> *[...] a maior parte dos melhores elementos existentes no Rio de Janeiro, [...] notava-se falta de equilíbrio nos quartetos. Culpa dos professores? Não. O equilíbrio da orquestra, o colorido e a força expressiva dependem exclusivamente do regente, e no caso atual o Sr. Burle-Marx só cuida de si, para atrair a atenção do auditório, a ponto de criar ali no Municipal a nova escola da regência epileptiforme, o que incomoda quase sempre o observador. Dir-se-ia que esse moço fora mordido por uma tarântula ou que estivesse atacado de um acesso de dança de São Guido.*

Francisco Braga anunciara em 1930 a intenção de guardar a batuta, mas ainda reuniria forças para uma *Nona* de Beethoven em novembro de 1931, sendo afinal obrigado a deixar literalmente o palco, ao sofrer um ataque cardíaco enquanto dirigia um festival Wagner em junho de 1932. Seu gradual afastamento vinha abrindo espaço para regentes como Antão Soares, Newton Pádua, Lorenzo Fernandez e Joanídia Sodré, que em junho de 1931 regeu a SCS em obras de compositoras como Ethel Smyth, Branca Bilhar, Cécile Chaminade e Augusta Holmes.

In August, conducting a "90-piece orchestra"[7] the maestro Giovanni Giannetti gave a concert of premieres featuring Honegger's *Rugby*, Mahler's Symphony N° 4 with the soprano Elisabeth Maria Schrader, plus works by Pizzetti and Respighi. Meanwhile, in September 1931, the Orquestra do Theatro Municipal do Rio de Janeiro itself premiered a concert of opera arias – Tito Schipa sang and Braga conducted. Braga had been named honorary conductor of the new orchestra, even though Henrique Spedini would soon replace him.

Adolfo Bergaminia, Vargas's politically appointed mayor of Rio de Janeiro, had decided to create the orchestra to provide an exit for groups that had been formed *ad hoc* since the theater's founding. The groups had been created by impresarios who produced seasons in Rio by importing the European artists who also performed at the Teatro Colón de Buenos Aires. When the Colón created its resident companies in 1925 and transferred its administration to the city in 1931, the city of Rio de Janeiro was forced to forge its own path, beginning a process that led to the creation of a resident chorus and ballet company at the Municipal in the 1930s.

Souza Lima, Rubinstein, Novaes, and Kubelik gave important recitals in 1931, as did Robert Casadesus who created space in August for the French and harpsichord repertory. Iberê Gomes Grosso and Mariuccia Iacovino, who had won the Prêmio de Viagem do Instituto Nacional de Música [Travel Prize of the National Institute of Music] in 1930, introduced audiences to chamber concerts.

During their seasons in 1932, the two working orchestras introduced the idea of "people's concerts." Having played with Rubinstein the year before, the Filarmônica welcomed Marguerite Long and Villa-Lobos who conducted the orchestra in the premiere of his *Bachi-*

Em agosto, o maestro Giovanni Giannetti realizou com uma "orquestra de 90 executantes"[7] um concerto de primeiras audições, com *Rugby*, de Honegger, e a *Sinfonia nº 4* de Mahler, com a soprano Elisabeth Maria Schrader, além de obras de Pizzetti e Respighi. Mas em setembro de 1931 a própria Orquestra do Theatro Municipal do Rio de Janeiro estreava num concerto de árias de ópera estrelado por Tito Schipa, sob a direção de Braga – que fora designado regente honorário da nova formação, mas logo cederia o lugar a Henrique Spedini.

A criação da orquestra própria foi uma decisão do interventor federal no Rio de Janeiro, Adolfo Bergamini, para suprir a saída de cena dos conjuntos formados *ad hoc,* desde a fundação do Theatro, pelos empresários que aqui atuavam, importando profissionais europeus que também atendiam ao Theatro Colón de Buenos Aires. Como este formara seus corpos estáveis em 1925 e confiara sua gestão à prefeitura nesse ano de 1931, o Municipal do Rio teve de buscar também seu caminho próprio. Era o início de um processo que na mesma década levaria igualmente à constituição do Coro e do Corpo de Baile do Theatro.

Os grandes recitalistas de 1931 no Municipal foram Souza Lima, Rubinstein, Novaes, Kubelik e Robert Casadesus, que abriu espaço para o repertório francês e mesmo clavecinístico em agosto. O público também fez contato com a arte camerística de Iberê Gomes Grosso e Mariuccia Iacovino, que vinha de conquistar em 1930 o Prêmio de Viagem do Instituto Nacional de Música.

Se em 1932 foi introduzida a ideia de "concertos populares" nas temporadas das duas orquestras em atividade, a Filarmônica, depois de tocar no ano anterior com Rubinstein, recebia Marguerite Long, oferecendo também a estreia das *Bachianas Brasileiras nº 1* de Villa-Lobos, para orquestra de cellos, sob a regência do autor. Ignaz Friedmann deu dois recitais em junho.

||||||||||||||||||||||||||||||||||||||||||||||||||||||||||||||||||||||||||||||

anas Brasileiras N° 1 for an orchestra of cellos. Ignaz Friedmann gave two recitals in June. The "revolution" continued with both Villa-Lobos's appointment as conductor and the theater's renovation.

The Orquestra Villa-Lobos, comprised of some musicians from the Filarmônica plus Oscar Borgerth (the first violinist), Luís Cosme, Radamés Gnattali, José Guerra Vicente, Eleazar de Carvalho (on tuba), and others, took the stage of Theatro Municipal in April 1933 for four concerts featuring the Orfeão dos Professores do Distrito Federal [Chorus of Music Teachers from the Federal District]. In this program, works by Beethoven shared space with choral music that featured folkloric Brazilian themes collected by Roquette Pinto. It was the era when Villa-Lobos prepared himself for his great crusade for choral education. "If there is an initiative that deserves the most sincere applause and the greatest praise, it is that of the indefatigable maestro Villa-Lobos for creating the Orfeão dos Professores with the noble intention of raising the artistic level of our people," commemorated the *Jornal do Brasil*.

Villa-Lobos premiered or presented works such as his symphonic poem *Amazonas*, the Concerto for Cello and Orchestra (with Gomes Grosso), and the Choros N° 10 (*Rasga Coração*). Luiz Heitor described his work this way: "I consider him a *great* conductor; I would not say, however, that he is a *good* conductor." He explained,

His dominion over the orchestra is unchallenged. The Orquestra do Theatro Municipal, often sluggish and heavy in the hands of other directors, has become agile and multifaceted when it obeys Villa-Lobos's conducting. His interpretations are consistently brilliant, even when they dodge a sense of tradition. One can't help but admire Villa-

As "revoluções" prosseguiriam com a entrada em cena de Villa-Lobos como regente e a reforma do auditório.

Formada, entre outros, por alguns dos professores já encontrados na Filarmônica, mais Oscar Borgerth (o *spalla*), Luís Cosme, Radamés Gnattali, José Guerra Vicente e Eleazar de Carvalho (na tuba), a Orquestra Villa-Lobos adentrava o TM em abril de 1933 para quatro concertos em que, com o concurso do Orfeão dos Professores do Distrito Federal, Beethoven coabitava com música coral destacando o fundo folclórico brasileiro recolhido por Roquette Pinto. Era a época em que Villa-Lobos se preparava para a grande cruzada da educação orfeônica. "Se há uma iniciativa que mereça os mais francos aplausos, os mais largos encômios, essa é a que se deve ao infatigável maestro Villa-Lobos – a criação do Orfeão dos Professores com o nobre intuito de levantar o nível artístico de nossa gente", comemorava o *Jornal do Brasil*.

Obras como o poema sinfônico *Amazonas*, o *Concerto para Violoncelo e Orquestra* (com Gomes Grosso) e o *Choros nº 10* (*Rasga Coração*) foram então apresentadas ou estreadas por Villa-Lobos, cuja ação como regente era vista assim por Luiz Heitor: "Julgo que ele é um *grande* regente; não direi, porém, que é um *bom* regente." E explicava:

> *O seu domínio sobre a orquestra é incontestável; a Orquestra do Theatro Municipal, tantas vezes lerda e pesada, nas mãos de outros diretores, torna-se ágil, bem facetada, quando obedece à regência de Villa-Lobos. Suas interpretações são constantemente geniais, mesmo quando fogem ao sentido da tradição; é-se forçado a admirar Villa-Lobos, mesmo não concordando com o que ele faz, com o cunho interpretativo, por vezes bastante arbitrário, que ele imprime às execuções que dirige.*[8]

MAESTRO ELEAZAR DE CARVALHO.
[193-?]. FBN

FRITZ KREISLER.
[193-?]. COL. BAIN. LIBRARY OF CONGRESS.

MAESTRO FRANCISCO BRAGA.
TMRJ. [193-?]. FBN

Elogiando a "grande messe de obras novas" inscritas em seus programas, o crítico também fazia reparos a um Villa-Lobos que, "com a habitual ousadia, não se arreceia de atochar suas audições com as mais espinhosas novidades, nem sempre em boa harmonia com as obras circunvizinhas".⁹

Entre as apresentações desse ano de 1933 (Brailowsky, Janacópoulos, Quarteto Guarnieri), destacou-se um recital com "poeira de estrelas" da temporada lírica, reunindo entre outros Salvatore Baccaloni, Mafalda Favero, Ebe Sitgnani, Carlo Guelffi e Claudia Muzio a Bidú Sayão, esta acompanhada por Arnaldo Estrella.

O primeiro semestre de 1934 assistiu à primeira reforma do auditório do teatro. O projeto implicou em modificações – a eliminação de divisórias e camarotes na parte central dos balcões e o aumento do número de assentos – que tornariam mais curta e seca a reverberação acústica. Em setembro, a Orquestra do Theatro Municipal era regida por ninguém menos que Fritz Busch, num programa Wagner, Schubert, Beethoven. Entre os músicos a ela associados como solistas ou regentes em 1935 – quando a criação da Secretaria Geral de Educação e Cultura levou as atividades do teatro a serem reguladas pelas autoridades do Distrito Federal – estiveram Fritz Kreisler, Benno Moiseiwitsch, Francisco Mignone, Lorenzo Fernandez, Tomás Terán, Radamés Gnattali, Gabriella Bensanzoni Lage, José Vieira Brandão. Alfred Cortot tocaria com a orquestra da casa em 1936, além de dar seis recitais em maio.

MAESTRO HEITOR VILLA-LOBOS REGENDO O CORO NO CENTENÁRIO DE PEREIRA PASSOS.
MAESTRO HEITOR VILLA-LOBOS CONDUCTING THE CHOIR DURING THE PEREIRA PASSOS CENTENNIAL.

ACIMA | ABOVE
29.08.1936. MR
DA DIREITA PARA A ESQUERDA, SENTADOS, | FROM LEFT TO RIGHT, SEATED, RUTH VALLADARES CORRÊA, MAESTRO HEITOR VILLA-LOBOS E SUA ESPOSA | AND HIS WIFE ARMINDA, EM PÉ | STANDING, IBERÊ GOMES GROSSO, ARNALDO ESTRELA, GAZZI DE SÁ, JOSÉ VIEIRA BRANDÃO E OSCAR BORGERTH. [CA. 1933]. MVL

*Lobos, even when disagreeing with what he does; he puts his mark on the pieces he conducts with an interpretive signature that is often quite random.*⁸

Praising the "great crop of new works" emblazoned in his programs, the critic also chided Villa-Lobos who, "with his usual outlandishness is not afraid of filling his recitals with thorny new pieces that are not always in harmony with their neighboring works."⁹

Among the performances in 1933 (Brailowsky, Janacópoulos, Quarteto Guarnieri) deserving of special mention is a "star-studded" recital from the opera season that included Salvatore Baccaloni, Mafalda Favero, Ebe Sitgnani, Carlo Guelffi, Claudia Muzio, and Bidú Sayão, who was accompanied by Arnaldo Estrella.

The first half of 1934 saw the first renovation of the Municipal auditorium. The project imposed modifications: the partitions in the audience and the boxes in the central part of the balconies were eliminated to increase the number of seats, even though this would make the acoustic reverberations shorter and drier. In September, nobody less than Fritz Busch conducted the Orquestra do Theatro Municipal in a program of Wagner, Schubert, and Beethoven. In 1935, the Secretaria Geral de Educação e Cultura was created, bringing programming to the theater that would be overseen by authorities from the Federal District. At this time, musicians associated with the orchestra as soloists or conductors included Fritz Kreisler, Benno Moiseiwitsch, Francisco Mignone, Lorenzo Fernandez, Tomás Terán, Radamés Gnattali, Gabriella Bensanzoni Lage, and José Vieira Brandão. Alfred Cortot played with the house orchestra in 1936 and gave six recitals in May.

Claudio Arrau estreou no TM em três recitais em julho de 1935. No ano seguinte, tivemos Joseph Szigeti, Joseph Hofmann, Nicanor Zabaleta, os Meninos Cantores de Viena, Emmanuel Feuermann e um concerto em benefício dos nacionalistas espanhóis.

Uma polêmica fermentava em torno da presença de dois maestros estrangeiros, o alemão Werner Singer e o italiano Angelo Ferrari, à frente da Orquestra do Theatro. Em fevereiro de 1936, *O Globo*, dando conta dessas "Dissonâncias nos redutos da harmonia", foi saber o que pensava a respeito Oscar Guanabarino, cuja imponente cabeça se estampava numa fotografia destacando a cabeleira alva e o bigodão. "Lépido, vibrátil, com seu aspecto de moço eterno", dizia o jornal, Guanabarino ensinava: "O maestro Singer é um regente sinfônico de primeira ordem e senhor da técnica desse posto"; "em matéria de arte devemos pôr de lado as suscetibilidades patrióticas. Temos muito que aprender com os estrangeiros e muito que trabalhar para que possamos proclamar a nossa independência nesse terreno"; "os regentes brasileiros são Villa-Lobos, Francisco Braga, Nicolino Milano, Mignone e Spedini. Nicolino Milano é, entre eles, o único que tem prática teatral – os outros são ou darão bons regentes sinfônicos."

Mas Luiz Heitor, escrevendo no ano seguinte, ainda lamentava não só a ausência de concertos sinfônicos no TM em 1937 como o "atestado de incompetência passado em nossos regentes" pela importação dos estrangeiros, destacando, entre "os excelentes elementos que possuímos", Mignone, Milano ("com o seu entusiasmo popularesco e as cores primárias de suas interpretações") e Lorenzo Fernandez.[10] Para ele, o atestado era tanto mais injustificável porque "nenhum desses dois regentes [...] conseguiu [...] realizar nem a sombra do que fez Burle-Marx, em meio a todos os seus embaraços".

⁙⁙

Claudio Arrau made his Municipal debut with three recitals in July 1935. The following year we had Joseph Szigeti, Joseph Hofmann, Nicanor Zabaleta, the Vienna Boys Choir, Emmanuel Feuermann, and a concert to benefit the Spanish nationalists.

A controversy was brewing around the presence of two foreigners who conducted the Orquestra do Teatro: Werner Singer, a German, and Angelo Ferrari who was Italian. In February 1936, *O Globo*, noticing these "Dissonances in Harmonic Places," went to interview Oscar Guanabarino, whose powerful head was stamped on a photograph that highlighted his big moustache and white hair. "Merry and vivacious with an eternally boyish air," said the newspaper, Guanabarino explained: "Maestro Singer is a first-tier symphonic conductor and the most experienced musicians holding this position … when it comes to art, we should set our patriotic opinions aside. We have a lot to learn from these foreigners and there is much work to be done before we can proclaim our independence in this area … The Brazilian conductors we have are Villa-Lobos, Francisco Braga, Nicolino Milano, Mignone, and Spedini. Nicolino Milano is the only one among them with theatrical experience – the others are or will be good symphonic conductors."

But Luiz Heitor, writing the following year, still lamented not only the lack of symphonic concerts at the Theatro Municipal in 1937, but also the fact that by importing foreigners, "we declare our conductors incompetent … Among the excellent talents we possess," he emphasized Mignone and Milano ("for his working-class enthusiasm and the primary colors of his interpretations") and Lorenzo Fernandez.[10] For Heitor, the behavior was even more unjustifiable because "neither of these two conductors … has managed … to hint at what Burle-Marx accomplished even with all his difficulties."

IGOR STRAVINSKY.
[193-?]. FBN

ANDRÉS SEGOVIA.
[193-?]. FBN

MISCHA ELMAN.
1939. COL. ESTHER CHAMMA DE CARLOS

Em junho de 1936, Igor Stravinsky, convidado por Villa-Lobos, aportou no TM para dois concertos, regendo a Orquestra e o Coro da casa, com obras suas como *Petrushka,* o melodrama *Perséphone* e o *Capricho* para piano e orquestra (com seu filho Sulima). "As dissonâncias que parecem caracterizar as composições desse ainda discutido músico [...] aparecem apenas como sombras do quadro para maior relevo dos desenhos", constatava Arthur Imbassahy no *Jornal do Brasil*, ressaltando a "abundância de ritmos os mais variados" da música de Stravinsky, suas "ousadias harmônicas" e a originalidade de uma instrumentação que, podendo parecer "antagônica", encontrava felizmente "algumas clareiras em que repousa o ouvido e se acalma o espírito".

Entre as atrações de 1937, Wilhelm Kempff, Andrés Segovia, Milstein, Marian Anderson em recital, Pau Casals e, em novembro, um verdadeiro carnaval villa-lobiano, no encerramento do ano letivo das Escolas Técnicas Secundárias, com um espetáculo abraçando canto orfeônico, bailados artísticos e dramatização rítmica sob a direção do superintendente da Educação Musical e Artística em pessoa.

O ano seguinte teve Wilhelm Backhaus, Zino Francescatti, José Iturbi, Olga Praguer Coelho e apenas cinco concertos da Orquestra do TM com Spedini e Edoardo de Guarnieri. Ao chegar ao fim a década, Andrade Muricy fazia no *Jornal do Comércio* um balanço da temporada de 1939; ele parece tanto mais interessante por caracterizar certos músicos hoje lendários com atributos ou

PABLO CASALS.
[193-?]. COL. BAIN. LIBRARY OF CONGRESS

||||||||||||||||||||||||||||||||||||||||||||||||||||||||||||||||||||||

In June 1936, at the invitation of Villa-Lobos, Igor Stravinsky came to the Municipal to conduct the house orchestra in two concerts where he presented works such as the Capriccio for piano and orchestra, which he played with his son, Sulima; the melodrama *Persephone*, and *Petrushka*. "The dissonances that seem to characterize the compositions of this still-controversial musician ... are like the shadows an artist creates to emphasize his drawing," stated Arthur Imbassahy in *Jornal do Brasil*, stressing the "abundance of the most varied rhythms" in Stravinsky's music, his "daring harmonics" and the original instrumentation which, even though it might appear "antagonistic," happily found "some open spaces where the ear could rest and the spirit be calmed."

Among the attractions in 1937 were Wilhelm Kempff, Andrés Segovia, Milstein, Marian Anderson in recital, and Paulo Casals. November featured a real Villa-Lobos carnival: the end-of-year ceremony for the Escolas Técnicas Secundárias, with a show that included choral singing, artistic dancing, and rhythmic dramatizations all directed by the superintendent of Musical and Artistic Education himself.

The following year included Wilhelm Backhaus, Zino Francescatti, José Iturbi, Olga Praguer Coelho, and only five concerts by the Orquestra do Theatro Municipal with Spedini and Edoardo de Guarnieri. At the end of the decade, when Andrade Muricy summed up the 1939 season in the *Jornal do Comércio*, he seemed a little more interested in endowing certain musicians – now considered legendary – with attributes or perceptions that continue to reverberate with us: Brailowsky, who starred in no less than ten recitals, enjoyed "an immense, incomparable success with the public" and was declared "the greatest pianist in the

percepções que ainda ecoam em nós: Brailowsky, que protagonizou nada menos que dez recitais "com imenso, incomparável, único êxito de público", era declarado "o maior pianista do mundo no Rio de Janeiro"; Arrau registrava "uma admirável ascensão"; "o pianista Simon Barère, desconhecido do nosso público, atingiu as raias do fenomenal e do quase inverossímil, com a sua prodigiosa pirotecnia, a sua velocidade anormal de movimentos"; e "o célebre violinista Mischa Elman" ofereceu uma "audição pouco interessante, desigualíssima, interpretações arbitrárias".

Mas era o registro de uma apresentação da Orquestra do TM na pena de Muricy que apontava para o futuro: "Regência do maestro Eugen Szenkar. Pela primeira vez, desde muito tempo, o público entusiasmou-se por música sinfônica e por um regente. Enorme sucesso." ∎

ALEXANDER BRAILOWSKY.
TMRJ. 1939. FBN

world in Rio de Janeiro"; Arrau registered "an admirable ascension." The pianist Simon Barére, previously unknown to our audiences, defied "the limits of the phenomenal and the almost impossible with his prodigious pyrotechnics and the uncanny speed of his movements." And "the celebrated violinist Mischa Elman" offered a "rather uninteresting, extremely uneven recital, with seemingly random interpretations."

However, Muricy truly pointed toward the future when he documented a performance by the Orquestra do Theatro Municipal "Conducted by the maestro Eugen Szenkar. It was the first time in a long time that the audience was excited by symphonic music and a conductor. An enormous success." ∎

MAESTRO EUGEN SZENKAR.
TMRJ. MT/FUNARJ

LA ARGENTINA.
1935. PH. SASHA. COL. HULTON. GETTY IMAGES

PÁGINA SEGUINTE | FOLLOWING PAGE
SERGE LIFAR, *FAUNO*.
[193-?]. FBN

SERGE LIFAR.
TMRJ. 1934. FBN

O primeiro destaque da programação de dança da década de 1930 são os dois recitais realizados pela bailarina Antonia Merce (1890-1936), mais conhecida como La Argentina, nos dias 21 e 22 de setembro de 1933. Acompanhada ao piano por Luis Galve (1908-1995), a bailarina mostrou ritmos e danças de um baile espanhol para "uma sociedade elegante e felizmente numerosa" que "deu ao Municipal [...] aspecto brilhante".[1] Tanto Mário Nunes, do *Jornal do Brasil*, quanto Oscar D'Alva, da revista *Fon-Fon*, são assertivos ao apontar o sucesso das duas apresentações e a genialidade de La Argentina. É de D'Alva uma interessante comparação para legitimar e qualificar a dança executada por Antonia Merce: "ver Argentina é recordar Pavlova. Vimos e revimos. Comparando-as, conclui-se que Argentina não é maior nem menor que a russa genial: é diferente".[2]

Em 1934, depois de três meses fechado para sua primeira reforma após a inauguração em 1909, o Theatro Municipal reabriu com a temporada lírica. Entre os integrantes da trupe estava o francês Serge Lifar (1905-1986), então primeiro-bailarino e diretor do Ballet da Ópera de Paris, e um dos mais importantes nomes do balé na época. Lifar foi convidado para participar com um pequeno grupo e criar os balés das óperas a serem encenadas, e, como era comum, além dessas participações, apresentou espetáculos exclusivamente de dança.

Entre os dias 25 de agosto e 20 de setembro, o grupo de Lifar, acrescido de Maryla Gremo (1911-1985) e alunos da escola dirigida por Olenewa, realizou quatro récitas em que apresentou

dança
dance

BEATRIZ CERBINO

The first highlight in the dance programs of the 1930s were two recitals on September 21 and 22, 1933, given by the ballerina Antonia Merce (1890-1936), better known as *La Argentina*. Accompanied on piano by Luis Galve (1908-1995), the ballerina performed the rhythms and steps of Spanish dances for "many elegant and happily members of society" who "made the Municipal ... glow."[1] Both Mario Nunes, of the *Jornal do Brasil* and Oscar D'Alva, of *Fon-Fon* magazine enthusiastically highlighted the success of the two performances and the genius of La Argentina. D'Alva made an interesting comparison to both legitimize and explain the Merce's dances: "to see Argentina is to remember Pavlova. Seeing her, we relive her. Comparing them we conclude that La Argentina is no greater or lesser than the brilliant Russian: she is different."[2]

In 1934, after spending three months closed for its first renovation since its inauguration in 1909, the lyric season marked the re-opening of the Theatro Municipal. Among the company members was the French dancer, Serge Lifar (1905-1986). At that time Lifar was the director of the Paris Opera Ballet, one of its principle dancers, and an extremely important name in the world of ballet. He and a small group had been invited to participate. He created both ballets for the operas that would be staged and presented concerts performances exclusively dedicated to dance which was standard practice at that time.

From August 25 to September 20, Lifar's group, including Maryla Gremo (1911-1985) and students from Olenewa's school, presented four recitals in which they performed ballets familiar to the public such as *Les Sylphides*, *L'Aprés Midi d'un Faune,* and *Le Spectre de la Rose*. The repertory was basically comprised of works by Diaghilev's Ballets Russes where

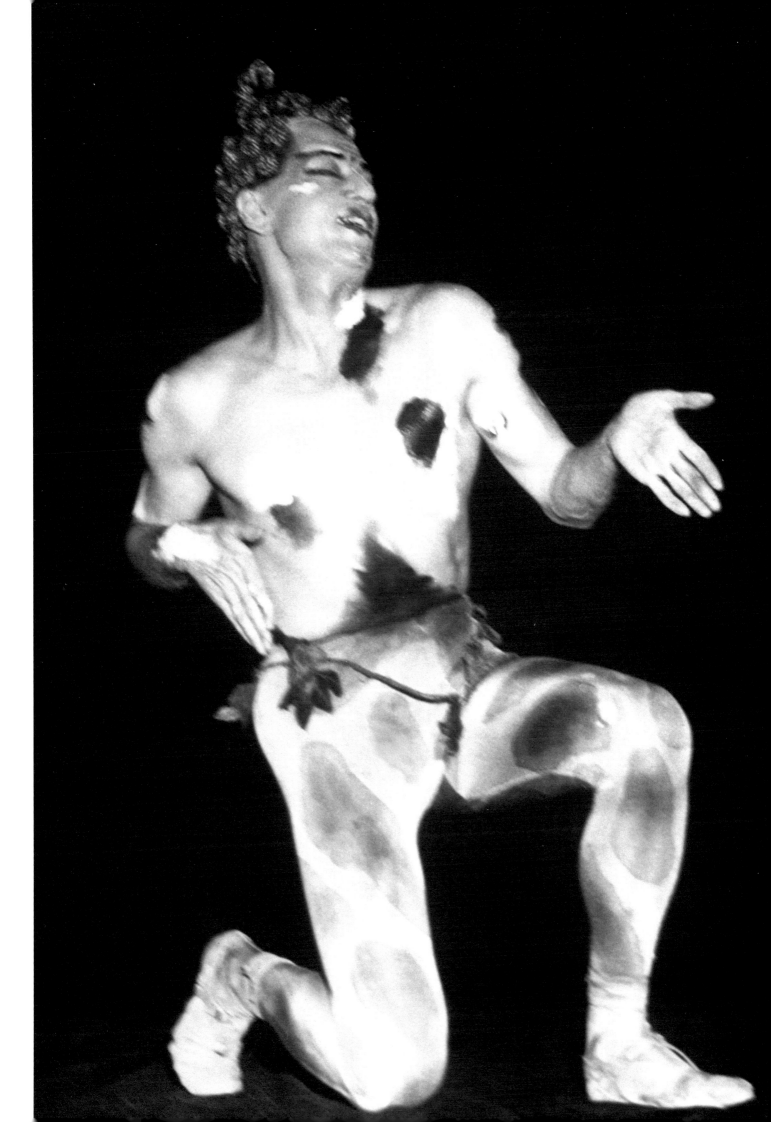

balés já conhecidos do público, como *Les Sylphides*, *L'Après Midi d'un Faune* e *Espectro da Rosa*. Tratava-se de um repertório formado basicamente por obras dos Ballets Russes de Diaghilev, companhia na qual Lifar havia dançado, mas foi incluída uma novidade: o balé *Jurupary*, coreografia sua, com música de Heitor Villa-Lobos, que estreou na vesperal do dia 20 de setembro e constou no programa como uma "criação índio-brasileira".³ Apesar de não ter sido a primeira do gênero – em 1930, Olenewa já havia mostrado *A Libertação de Pery*, bailado do terceiro ato da ópera *Guarany*, de Carlos Gomes –, chama a atenção pela maneira como foi apresentada no programa. Tanto Olenewa quanto Lifar trabalharam com a figura do índio, percebida na época como emblema da cultura brasileira, articulando diferentes perspectivas para representar em cena um corpo brasileiro. Olhares estrangeiros que buscavam, por meio da dança, representar práticas culturais locais e que mais tarde incorporariam outras figuras, como a do caboclo, do negro e do malandro carioca.

Três anos depois, em 1937, dois nomes se destacam na programação do Municipal, decorrente, porém, de ocasiões bem distintas: as bailarinas Madeleine Rosay (1924-1996) e Eros Volúsia (1914-2004) que, apesar de terem estudado com Olenewa, na escola oficial do Municipal, trilharam caminhos diferentes. Neste ano, nos espetáculos dos dias 11 e 13 de junho, Rosay, recentemente promovida a primeira-bailarina, dançou o papel da Bailarina, no balé *Petrouchka*, de Michel Fokine, ao lado de Yuco Lindberg, que interpretou Petrouchka, e Waldemar Rodrigues, que fez o Mouro. Primeira bailarina brasileira a receber tal título, a qualidade técnica e interpretativa mostrada por Madeleine Rosay impressionou os críticos, que mais tarde a chamariam de a "pequena Pavlova".⁴

MADELEINE ROSAY.
TMRJ. [193-?]. COL. MADELEINE ROSAY

MADELEINE ROSAY, PRAIA DE
COPACABANA | COPACABANA BEACH, RJ.
[193-?]. COL. MADELEINE ROSAY

PÁGINA SEGUINTE | NEXT PAGE
EROS VOLÚSIA.
[193-?]. FBN

Lifar had danced. However, the group also presented a new work: the ballet *Jurupary*, which Lifer had choreographed to music by Heitor Villa-Lobos. It premiered on the eve of September 20 and was described in the program as an "Indio-Brazilian creation."³ Despite not having been the first of its type – in 1930 Olenewa had already shown *A Libertação de Pery*, a ballet in three acts from the opera by Carlos Gomes – this new dance attracted attention for the way it was presented on the program. Both Olenewa and Lifar had worked with depictions of Indian characters, who, at that time, were understood to be emblematic of Brazilian culture, and they had created different ways of representing the Brazilian body on stage. Through dance, foreigners with different points of view sought ways of representing local cultural practices and would later incorporate other figures, such as that of *caboclos* – people of mixed Indian and European heritage, Negroes, and the *malandro carioca*, both a cultural fixture and an archetype who was known for his charm, taste for bohemian life, and distaste for work.

Three years later, in 1937, two names attracted attention on the Municipal's program, albeit on very distinct occasions: the ballerinas Madeleine Rosay (1924-1996) and Eros Volúsia (1914-2004) who, although they had studied with Olenewa at the Municipal's official school, had carved out two very different paths. On June 11 and 13, 1937, Rosay, the recently named principle dancer, danced the role of the Ballerina in Michel Fokine's ballet, *Petrouchka* alongside Yuco Lindberg who performed the title role and Waldemar Rodrigues who danced the role of the Moor. The first Brazilian ballerina to receive such an honor, Madelein Rosay's technical and interpretive skills impressed the critics who would later call her "little Pavlova."⁴

As duas apresentações de 1937 foram de grande importância para a afirmação do projeto iniciado dez anos antes por Olenewa. O crítico João Itiberê da Cunha, o JIC, do *Correio da Manhã*, estava não só atento aos progressos demonstrados pelos alunos da escola, mas também, e principalmente, ao que esse avanço representava, em termos mais amplos, para o próprio Theatro:

> [...] *este segundo espetáculo veio confirmar ainda mais eloquentemente os progressos técnicos e culturais da Escola de Bailados do Municipal, dando-nos para o futuro a lisonjeira esperança de possuirmos um teatro de opera autônomo, para o qual contribui, certamente, com uma parcela importante o corpo coreográfico.*[5]

Três semanas depois, em três de julho, foi a vez de Eros Volúsia apresentar-se, em uma iniciativa do Ministério da Educação e Saúde, tendo como objeto músicas e danças brasileiras, com o "propósito de nacionalização da arte teatral". Com regência de Francisco Mignone (1897-1986), a noite contou com a presença do presidente Getúlio Vargas e de seu corpo diplomático. As pesquisas de Eros Volúsia pela produção de uma dança que ela identificava como brasileira estavam em cena. O repertório, montado com uma preocupação claramente didática, reunia músicas e danças

TAMARA CAPELLER / IRINA TCHESTNAKOVA / EBA WILL / LIA NOVAES ENTRE OUTROS | AND OTHERS, *VALSA*. 1935. EEDMO

These two performances in 1937 did much to validate the project Olenewa had started ten years earlier. The critic João Itiberê da Cunha, or JIC, of *Correio da Manhã*, paid attention to the students' progress but was also especially aware of the broader ramifications for the theater itself:

> *... this second performance has been an even more eloquent confirmation of the technical and cultural progress of the Municipal's Ballet School, offering us the gratifying hope that we have an autonomous opera theater to which the choreographic body has definitely made an important contribution.*[5]

Three weeks later, on July 3, it was Eros Volúsia's turn to appear, this time in a production by the Ministry of Health and Education to promote Brazilian dance and music with the "objective of nationalizing the theatrical arts." With Francisco Mignone (1897-1986) conducting, the audience included President Getúlio Vargas and his diplomatic corp. It was obvious that Eros Volúsia had done much research to produce a dance that was recognizably Brazilian. The repertory, staged for a clearly didactic purpose, reunited dance and music that came from Volúsia's examination of indigenous, Negro, and *sertaneja* or hillbilly culture. Both popular and erudite art forms shared the most important performance space in Rio de Janeiro.[6]

advindas de suas observações da cultura indígena, sertaneja e negra. Popular e erudito dividiram o espaço no palco mais importante do Rio de Janeiro.[6]

Nos últimos dois anos da década duas temporadas são particularmente importantes: em 1939, a do Corpo de Baile do Theatro Municipal, hoje Ballet do Theatro Municipal, e, em 1940, a do Ballet Russe de Monte Carlo.

Apesar de ter sido oficializada em 1936, foi apenas em 1939 que o Corpo de Baile do Theatro Municipal realizou sua primeira temporada oficial, isto é, organizada pela Prefeitura, que ocorreu entre os dias 27 de junho e 9 de julho, e na qual foram apresentados um total de sete espetáculos.

Olenewa convidou cinco profissionais que atuavam na Europa, com os quais já havia trabalhado na Opéra-Comique de Paris, para ajudá-la na tarefa de montar a temporada de 1939: os bailarinos Juliana Yanakieva (1924-1994), Vaslav Veltchek (1896-1967) e Thomas Armour (1909-2006), e os maestros Jean Morel e Louis Masson. Além desses, o Corpo de Baile, na época com trinta e seis elementos, já contava com três primeiros-bailarinos: Madeleine Rosay, Luiza Carbonell e Yuco Lindberg (1906-1948).

Anunciada nos periódicos da época, como *Jornal do Brasil*, *Jornal do Comércio* e *Correio da Manhã*, as apresentações do Corpo de Baile foram aguardadas com entusiasmo e expectativa, a perspectiva era "reviver os tempos de Nijinsky e Karsavina".[7] Ou seja, rever no palco do Theatro a qualidade e o sucesso das apresentações do Ballets Russes de Diaghilev. O ideal diaghileviano havia deixado marcas profundas no imaginário do público e da crítica carioca, pois passados vinte e seis anos desde sua primeira temporada, o grupo de Diaghilev ainda era visto como parâmetro para os espetáculos de dança a serem apresentados aqui.

VASLAV VELTCHEK.
1937. EEDMO

Two seasons were particularly important in the last two years of the decade: in 1939, that of the Ballet Corps of the Theatro Municipal, currently known as the Ballet do Theatro Municipal, and, in 1940, the Ballets Russes de Monte Carlo.

Although officially founded in 1936, it was only in 1939 that the Ballet Corps of the Theatro Municipal had its first official season organized by the Mayor's Office. It included seven performances from June 27 through July 9.

To help her stage the 1939 season, Olenewa invited five of her former colleagues from the Opéra-Comique de Paris: the ballet dancers Juliana Yanakieva (1924-1994), Vaslav Veltchek (1896-1967), and Thomas Armour (1909-2006); and the conductors Jean Morel and Louis Masson – all from Europe. In addition to these professionals, the Ballet Corps had 36 dancers, including three principals: Madeleine Rosay, Luiza Carbonell, and Yuco Lindberg (1906-1948).

The performances were advertised in three of the era's newspapers: *Jornal do Brasil*, *Jornal do Comércio,* and *Correio da Manhã*. The public enthusiastically looked forward to the Ballet Corps's performances with hopes of "reliving the era of Nijinsky and Karsavina."[7] Audiences expected to see the quality and success of Diaghilev's Ballets Russes repeated on stage at the Theatro Municipal. The Diaghilevian ideal had left a deep impression on the imagination of both audiences and

MADELEINE ROSAY / ITALIA AZEVEDO /
DIANA MARCHESE, *LES SYLPHIDES*.
1938. EEDMO

À Helga Muttik
minha gentil e
boã colleguinha
com desejos para o
futuro brilhante
Enrico Lindberg
Rio, 1940.

Esses mesmos jornais também chamaram a atenção para a frequência de tais espetáculos. No *Correio da Noite*, do dia 28 de junho, há uma interessante passagem que ressalta a "promiscuidade de 'toilettes'", isto é, a presença de "casacas, 'smokings', paletós saco, ternos de brim, vestidos de baile, de passeio, de praia...", frisando que há quatro anos o público insistia "em democratizar o Municipal", tornando-o acessível a todos. Essa passagem importa menos pela crítica aos trajes usados pela plateia do que pelo testemunho do interesse crescente que havia em relação à dança, podendo ser entendida como o depoimento do processo de formação do público de dança no Rio de Janeiro.[8] Afinal, já se passara doze anos desde a criação da escola de bailados, em 1927, com espetáculos anuais, além de récitas de bailarinos e companhias internacionais. As temporadas de dança já faziam parte do calendário do Theatro Municipal, com diferentes interpretações de um mesmo balé podendo agora ser comparadas.

Do repertório do Corpo de Baile, além de obras conhecidas, como *Espectro da Rosa* e *Danças Polovtsianas*, constaram criações de Olenewa e Veltchek feitas especialmente para a temporada. Do programa dedicado ao compositor Maurice Ravel (1875-1937), apresentado no primeiro dia, três coreografias foram assinadas por Veltchek: *Pavane pour une Infante Defunte*, *La Valse* e *Bolero*, e uma por Olenewa, *Daphnis et Chloé*. Nas apresentações que se seguiram, o coreógrafo apresentou as obras *La Boite à Joujoux*, música de Claude Debussy (1862-1918), *Les Deux Pigeon*, de Andre Messager (1853-1929), e *Masques et Bergamasques*, de Gabriel Fauré (1845-1924). De Maria Olenewa foram apresentadas *Feuilles d'Automne*, uma homenagem à bailarina Anna Pavlova, com música de Frédéric Chopin (1810-1849), e dois balés de compositores brasileiros: *Amaya*, de Lorenzo Fernandez (1897-1948), e *Maracatu do Chico-rei*, de Francisco Mignone. Nesse

critics. Twenty-six years had passed since Diaghilev's first tour, yet his work still set the standards for dance performances in Rio.

These same newspapers also commented on the frequency of such performances. *Correio da Noite* published an interesting passage on June 28, noting the "promiscuity of 'toilettes,'" that is, the presence of "white tie and tails, tuxedos, sack jackets, canvas suits, evening gowns, semi-formal dresses, sundresses." The same article complained that over the previous four years audiences had insisted on "making the Municipal more democratic," by making it accessible to all. This passage is less notable for its criticism of audiences' attire than for offering proof of a growing interest in dance, and evidence of the process of creating a dance audience in Rio de Janeiro.[8] After all, 12 years had passed since ballet schools were created in 1927 with their annual recitals plus performances by dancers and international companies. Dance seasons had become a part of the Theatro Municipal's calendar and audiences could compare different interpretations of the same ballet.

In addition to well-known works such as *Le Spectre de la Rose* and *Polovtsian Dances*, the Ballet Corps's repertory included dances Olenewa and Veltchek created especially for the season. The first day featured a program dedicated to the composer Maurice Ravel (1875-1937) and included three dances choreographed by Veltchek: *Pavane pour une Infante Defunte*, *La Valse*, and *Bolero*, and one by Olenewa, *Daphnis et Chloé*. In the performances that followed, Veltchek presented *La Boite à Joujoux*, music by Claude Debussy (1862-1918); *Les Deux Pigeon* by Andre Messager (1853-1929); and *Masques et Bergamasques* by Gabriel Fauré (1845-1924). Maria Olenewa presented the dances *Feuilles d'Automne* in homage to the ballerina Anna Pav-

PÁGINA ANTERIOR | PREVIOUS PAGE
YUCO LINDBERG.
1940. COL. HELGA LOREIDA

ACIMA | ABOVE
MARIA OLENEWA / YUCO LINDBERG,
PÁSSARO ENCANTADO.
1934. EEDMO

BERTHA ROSANOVA / VILMA LEMOS
CUNHA / TAMARA CAPELLER.
1938. EEDMO

balé, Olenewa continuou a trabalhar com temas brasileiros, desta vez, porém, o foco não foi o índio, mas a cultura negra. Em tempos de Estado Novo, a busca pela construção de uma identidade nacional calcada em símbolos populares, mas intermediada pela chamada cultura erudita, também havia se instaurado na dança.[9]

Tratou-se de uma temporada de fôlego, com importantes obras no repertório e a presença de profissionais de prestígio internacional, constituindo-se desde o início em sucesso absoluto de público, com direito a récita extra. A crítica, apesar de ter condenado a repetição de balés em récitas de assinatura, o que teria gerado descontentamento na plateia, e ter feito algumas ressalvas aos balés *Amaya* e *Maracatu do Chico-rei*, foi, de um modo geral, bastante receptiva aos espetáculos do Corpo de Baile, elogiando atuações dos bailarinos, figurinos e cenografia.[10] Mário Nunes, do *Jornal do Brasil*, acerca de *Danças Polovtsianas*, escreveu que Juliana Yanakieva e Thomas Armour estiveram "magníficos", assim como Madeleine Rosay que "vibrou aos acentos rudes das melodias delirantes de Borodine", e "todo o corpo de baile [...] acompanhou a ardência da música, emprestando ao quadro enorme beleza estética".[11] A crítica D'Or, do *Diário de Notícias*, afirmou que a última noite da temporada havia sido "a melhor pelo conjunto de números e a encantadora e inteligente interpretação que lhes foi dada". Corpo de baile e primeiros-bailarinos receberam, assim, a aprovação de todos. ∎

VISITA DE BRONISLAVA NIJINSKA À DIRETORA MARIA OLENEWA NA ESCOLA DE BAILADOS, TMRJ.
BRONISLAVA NIJINSKA VISITS MARIA OLENEWA, DIRECTOR OF THE SCHOOL OF DANCE, TMRJ.
1937. COL. HELGA LOREIDA

lova, with music by Frédéric Chopin (1810-1849), and two ballets choreographed to music by Brazilian composers: *Amaya*, with music by Lorenzo Fernandez (1897-1948), and *Maracatu do Chico-rei*, with music by Francisco Mignone. In this last ballet, Olenewa continued her work with Brazilian themes, although this time the focus was on Negro rather than indigenous culture. During the historical period of the Estado Novo, the search for the construction of a national identity built on popular symbols and mediated by the so-called erudite culture was also underway in dance.[9]

It was an ambitious season with a repertory that included both important works and professionals of international stature. It was an immediate success with the public and an extra performance was added. Critics, despite their objections to the repetition of ballets in performances for subscription audiences, which left audiences dissatisfied, and noting a few shortcomings in *Amaya* and *Maracatu do Chico-rei*, were generally receptive to the performances of the Corpo de Baile and praised the dancers' performances, the costumes, and the sets.[10] Mário Nunes, of *Jornal do Brasil*, in his review of *Polovitsian Dances*, wrote that Juliana Yanakieva and Thomas Armour were "magnificent," as was Madeleine Rosay who "pulsated to the rough accents of Borodine's delirious melodies," and "the entire ballet corps... accompanied the passionate music, making the staging immensely beautiful."[11] The critic D'Or, of *Diário de Notícias*, stated that the last night of the season had been "the best due to the program of dances and the enchanting and intelligent interpretations they received." Both the ballet corps and the principals earned universal approval. ∎

TEATRO MUNICIPAL
RIO DE JANEIRO

Temporada oficial de 1940

1940 > 1949

Em 1940 não vi brasileiros no palco do TM, e apenas uma companhia, do Vieux Colombier, veio ao Brasil; de novidade, incluíam no repertório obras de Maeterlinck, Beaumarchais e Paul Claudel. Em 1941, o notável Louis Jouvet, que organizou uma companhia para angariar fundos para o movimento da França Livre de Charles de Gaulle, apresenta um repertório de alto nível. E quando o grupo volta a se apresentar em 1942, aparece no elenco o nome de Henriette Morineau, que viria a fazer uma importante carreira no Brasil. A única contribuição brasileira no ano foi novamente do Teatro do Estudante, agora com *Como Quiseres* de William Shakespeare; do elenco, Pedro Veiga e Alberto Perez ficariam sempre ligados ao teatro.

1943, no entanto, é bem mais significativo: dois espetáculos tipicamente amadores são irrelevantes, mas no final do ano o grupo dos Comediantes, amadores dedicados e orientados por Zbigniev Ziembinski, estreiam com *Pélleas et Mélisande*, de Maeterlinck, mas assinalam definitivamente o nascimento do moderno teatro brasileiro, quando lançam, a 28 de dezembro, o histórico espetáculo do *Vestido de Noiva* de Nelson Rodrigues. Tanto a qualidade do texto quanto a dinâmica da encenação marcam de forma irretocável o espetáculo como o grande divisor de águas na história do teatro brasileiro.

A contribuição de Ziembinski para o salto qualitativo que *Vestido de Noiva* representou para o teatro brasileiro é monumental: não só concebeu a forma cênica que melhor serviria o texto (e que Santa Rosa executou com brilho), como trouxe nova visão da interpretação para seus pupilos amadores e, magistral iluminador, pela primeira vez mostrou aos brasileiros o que a luz podia fazer para enriquecer um espetáculo.

Vale reproduzir o que nos conta Nelson Rodrigues sobre o ensaio geral:

PÁGINA ANTERIOR | PREVIOUS PAGE
CAPA DO PROGRAMA DA TEMPORADA OFICIAL.
COVER OF THE SEASON'S OFFICIAL PROGRAM.
TMRJ. 1940. CEDOC-FUNARTE

PÁGINA SEGUINTE | FOLLOWING PAGE
PÉLLEAS ET MÉLISANDE.
TMRJ. 1943. CEDOC-FUNARTE

theater

BARBARA HELIODORA

I did not see any Brazilians onstage at the Theatro Municipal in 1940 and the Vieux Colombier was the only foreign company to come to Brazil that year, introducing works by Maeterlinck, Beaumarchais, and Paul Claudel. In 1941, the outstanding Luis Jouvet who created a theater company to raise money for Charles de Gaulle's Free French Forces movement staged a high quality repertory. When the group returned in 1942, it introduced actress Henriette Morineau, who went on to have an important career in Brazil. The only Brazilian contribution that year came once again from the Teatro do Estudante, this time with Shakespeare's *As You Like It*; in the cast were Pedro Veiga and Alberto Perez at the beginning of their lifelong careers in the theater.

The following year, 1943, however, was much more significant; it included two largely irrelevant amateur performances, but towards the end of the year the Comediantes group, composed of devoted amateurs under the guidance of Zbigniev Ziembinski made their debut with Maeterlinck's *Pélleas et Mélisande*. Their next production marked the definitive birth of modern Brazilian theater with the historic performance of Nelson Rodrigues's *Vestido de Noiva*. Both the quality of the writing and the dynamic staging resulted in an impeccable and definitive turning point in the history of Brazilian theater.

It is impossible to overstate the extraordinary importance of Ziembinski's contribution to the breakthrough that *Vestido de Noiva* meant for Brazilian theater: not only did he create the best staging for the script (which Santa Rosa performed brilliantly) but he gave his students a new vision of acting, and since he was also a masterful light designer, he showed Brazilians for the first time how light could enhance a performance.

O ensaio geral de Vestido de Noiva *foi o próprio inferno. Com os seus 30 anos, Ziembinski tinha uma resistência física brutal. Os intérpretes sabiam o texto, sabiam as inflexões, os movimentos, tudo. Mas faltava ainda a luz. E Ziembinski exigia mais do elenco e cada vez mais.*

VESTIDO DE NOIVA.
1943. CEDOC-FUNARTE

Em 1943, o nosso teatro não era iluminado artisticamente. Pendurava-se, no palco, uma lâmpada de sala de visitas ou de jantar. Só. E a luz fixa, imutável – e burríssima –, nada tinha a ver com os textos e os sonhos da carne e da alma. Ziembinski era o primeiro entre nós a iluminar poética e dramaticamente. Estou vendo Alaíde, ao aparecer, pela primeira vez, de noiva. Quem a fazia era Evangelina Guinle Rocha Miranda. Ficamos atônitos de beleza. Dentro da luz, era um maravilhoso e diáfano pavão branco. Ziembinski exigia, para a luz, dez ensaios gerais. Era pedir demais ao nosso Municipal. Os dez foram reduzidos a três. Por três dias e três noites o bárbaro polonês esganiçou-se no palco.

No início de 1944, Os Comediantes retomam sua temporada, deixando claro o quanto o objetivo do grupo era o de trazer para o público brasileiro o melhor do repertório

It is well worth citing Nelson Rodrigues's words on the final rehearsal:
The dress rehearsal for Vestido de Noiva *was hellish. In his thirties, Ziembinski's physical stamina was inhumane. The cast knew the blocking, their lines and inflection, everything. The lighting still wasn't ready. And Ziembinski demanded ever more of his cast. In 1943, our theater was not fitted out with theatrical lighting. We would take a dining room or drawing room lamp and hang it up above the stage. That was all. The fixed light, unchanging – and extremely idiotic – was completely disconnected from the script and its dreams of the flesh and soul. Ziembinski was the first among us to use light poetically and dramatically. I can see it in my mind, Alaíde emerging, dressed as a bride for the first time. Her role was played by Evangelina Guinle Rocha Miranda. We were floored – it was astonishingly beautiful. Drenched in that light, she became an enchanting, translucent white peacock. Ziembinski demanded ten dress rehearsals to design the lighting. It was too much to ask from our Theatro Municipal. The ten rehearsals were cut down to three. During three days and three nights the wild Pole's shrill voice pierced the stage.*

In early 1944, the Comediantes resumed their season, making it clear that they were devoted to the task of bringing the best of European theater to Brazilian audiences: Molière's *The School for Husbands*, Alfred de Musset's *Un Caprice*, another performance of *Pélleas et Mélisande,* and Goldoni's *Il Ventaglio* were all well staged and the performances were fine, but the greatest and most resounding success belonged to *Vestido de Noiva*.

214 THEATRO MUNICIPAL DO RIO DE JANEIRO

então apresentado na Europa: *Escola de Maridos*, de Molière, *Capricho* de Alfred de Musset, de novo *Pélleas et Mélisande* e *O Leque* de Goldoni têm todos montagens cuidadas e interpretações válidas, mas o grande e maior sucesso veio com mais três récitas de *Vestido de Noiva*.

O prestígio do TM fez com que a Companhia Dulcina-Odilon escolhesse esse palco, a fim de apresentar uma longa temporada com repertório bem diverso ao de comédias de boulevard que os havia tornado famosos. Os textos selecionados para essa nova aventura, que tinha a orientação de Maria Jacintha, foram *César e Cleópatra* de Bernard Shaw, *Anfitrião 38* de Giraudoux e *Santa Joana*, novamente de Bernard Shaw.

Essa mudança radical de repertório foi prejudicial a Dulcina, do ponto de vista da popularidade, pois não agradou ao público que a cultuava no teatro de *boulevard*, formado quase que exclusivamente por textos franceses de comédia, e nem chegou a estabelecê-la como intérprete de um teatro erudito. Desse momento em diante, Dulcina passou a se dedicar à Fundação Brasileira de Teatro, onde criou a escola para atores, com a qual vinha sonhando.

Para angariar fundos para a escola, Dulcina teve a ideia de realizar um grande espetáculo, intitulado *Poeira de Estrelas*, com roteiro de Lucia Benedetti. Nele, todos os atores célebres do Rio apareceram vivendo seus personagens mais famosos; todos trabalharam de graça, para a bilheteria ir toda para a FBT. O primeiro foi realizado em 1948. Houve outras encenações da *Poeira* com o mesmo objetivo, mas nessa primeira, pisaram juntos no palco do Theatro Municipal, Dulcina e Oscarito, ambos vestidos de Sadie Thompson, a protagonista de *Chuva*. É impossível sequer sugerir o que foi o encontro, em cena, desses dois dos maiores comediantes que o Brasil já conheceu, e raramente o TM terá aplaudido uma cena com tanto prazer.

VESTIDO DE NOIVA.
TMRJ. 1943. CEDOC-FUNARTE

OSCARITO IMITANDO | IMITATING
EVA TODOR, *DOIS LADRÕES*.
COL. ATLÂNTIDA. CINEMATECA BRASILEIRA

PÁGINA SEGUINTE | FOLLOWING PAGE
DULCINA DE MORAES.
[194-?]. CEDOC-FUNARTE

DULCINA DE MORAES, *CHUVA*.
1945. CEDOC-FUNARTE

AGUINALDO CAMARGO, *O IMPERADOR
JONES / THE EMPEROR JONES*. EUGENE
O'NEILL, TEATRO EXPERIMENTAL DO
NEGRO – TEN.
TMRJ. 1945. COL. ABDIAS
NASCIMENTO / IPEAFRO

RUTH DE SOUZA.
CEDOC-FUNARTE

    The Dulcina-Odilon Company prepared a very different repertory from the one that made it famous, and ready for a long season, decided to stage it at the Theatro Municipal because of its prestige. Under the guidance of Maria Jacintha, they chose *Cesar and Cleopatra* by Bernard Shaw, *Amphitryon 38* by Giraudoux, and *Saint Joan*, again by Bernard Shaw.

    This radical change in repertory damaged Dulcina's popularity somewhat, since it neither pleased the audiences who adored her in the boulevard plays (made up almost exclusively of French comedies) nor did her new repertory help establish her as a legitimate actress. From this point on, Dulcina poured her energies into the Fundação Brasileira de Teatro [FBT], where she created the acting school she had dreamed of for so long.

    Dulcina decided to produce a great fundraising show. *Poeira de Estrelas*, script by Lucia Benedetti, was peppered with appearances by all of Rio's celebrated actors in their most famous roles; everyone worked for free and the entire box office receipts went to the FBT. *Poeira de Estrelas* was re-staged on other occasions, but during its first performance Dulcina and Oscarito, both dressed up as Sadie Thompson, the main character from *Rain,* entered the stage together. It is impossible to even try to describe the impact of that meeting of two of the greatest all-time Brazilian comedians, and it must have been a rare treat for the Theatro Municipal audience to bring down the house.

    Nineteen forty-five began with a performance by the Dulcina-Odilon Company with *Rainha Vitória e o Pirata* followed by Dulcina's resoundingly successful *Rain* by Somerset Maugham, which closed that season triumphantly. Very soon after, on May 5, Abdias Na-

Após interrupção para uma temporada francesa, outra uruguaia, e um grupo do Clube Sírio-Libanês apresentar *Lealdade dos Árabes*, os brasileiros tornaram a ocupar o palco do TM. Primeiro com os Comediantes apresentando *Fim de Jornada*, de Sheriff, para logo após o TEB apresentar *Palmares*, de Stella Leonardos, e depois o ano ser concluído com um complexo espetáculo da estreia absoluta de *Quadrilha*, de Carlos Gomes.

1945 começa com a apresentação da Cia. Dulcina-Odilon, com *Rainha Vitória* e *O Pirata* antecedendo o monumental sucesso de Dulcina em *Chuva*, de Somerset Maugham, que conclui triunfalmente a temporada. Logo depois, a 8 de maio, o Teatro Experimental do Negro, de Abdias Nascimento, estreia com *O Imperador Jones*, de Eugene O'Neill.

Terminada a guerra, uma temporada sob os auspícios do Embaixador da França e do Prefeito do Rio de Janeiro traz *Antígone* de Anouilh, *La Parisienne* de Henri Becque, *Feu la Mère de Madame* de Feydeau, *Sylvie et le Fantôme* de Fred Adam, *Histoire de Rire* de Salacrou, *Les Précieuses Ridicules* e *Le Misanthrope*, de Molière, *Le Jeu de l'Amour et de la Mort*, de Romain Roland e *L'Otage*, de Paul Claudel. Logo a seguir, no entanto, os brasileiros tornam a ocupar o teatro, com um *Romeu e Julieta* do Teatro Universitário, dirigido por Jerusa Camões com Alberto Perez e Zezé Pimentel como protagonistas. Sergio Britto e Sergio Cardoso aparecem em papéis menores.

1946 é um ano pobre para o teatro; a hoje desaparecida Escola de Theatro Municipal apresenta, em abril, três récitas de *Jesus*, definida como "tragédia sacra" de Menotti del Picchia. Em junho uma Companhia Francesa de Comédias apresenta uma longa temporada: o Brasil profissional só é representado por um único espetáculo, *Maria Cachucha*, de Joracy Camargo, depois do que o

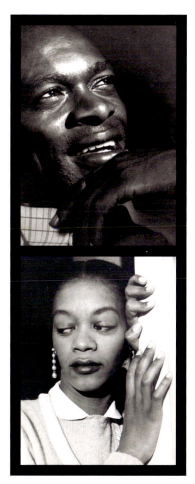

scimento's company, the Teatro Experimental do Negro, had its own debut with Eugene O'Neill's *The Emperor Jones*.

Once the war was over, the French ambassador joined forces with the mayor of Rio to bring the Theatro Municipal a season that included *Antigone* by Anouilh, *La Parisienne* by Henri Becque, *Feu la Mère de Madame* by Feydeau, *Silvie et le Fantôme* by Fred Adam, *Histoire de Rire* by Salacrou, *Les Précieuses Ridicules* and *Le Misanthrope* by Molière, *Le Jeu de l'Amour et de la Mort* by Romain Roland, and *L'Otage* by Paul Claudel.

This was followed by a return of Brazilians onstage with the Teatro Universitário's *Romeo and Juliet* under the direction of Jerusa Camões. Alberto Perez and Zezé Pimentel played the leads with Sérgio Britto and Sergio Cardoso in smaller roles.

Nineteen forty-six was a poor year for the Theatro Municipal. Its theater school, now extinct, presented three recitals of Menotti del Picchia's *Jesus* defined at the time as a "religious tragedy." In June, a French comedy company stayed on for a long season: Brazil's professional drama made only a single appearance with *Maria Cachucha* by Joracy Camargo. The year ended with just two performances by an Italian company: Luigi Pirandello's *Vestire Gl'Ignudi* and Marco Praga's *La Moglie Ideale*.

Nineteen forty-seven was atypical; the only foreign company to visit was Marie Bell's French company, while various Brazilian groups performed throughout the entire year: The Theatro Municipal Theater School performed Oscar Wilde's *Salomé*, and its cast introduced five actors who ventured on to long careers, such as Ambrosio Fregolente and Luis Linhares. The Teatro Universitário staged *Gonzaga ou a Revolução de Minas* by Castro Alves, having

ano é concluído por apenas dois espetáculos de uma companhia italiana, com *Vestire Gl'Ignudi*, de Pirandello e *La Moglie Ideale* de Marco Praga.

1947 é um ano atípico; a única visita estrangeira é uma companhia francesa com Marie Bell como principal figura, enquanto grupos variados brasileiros se apresentam ao longo de todo o ano: a Escola de Teatro do TM apresenta *Salomé*, de Oscar Wilde, trazendo no elenco nomes que farão carreira, como Ambrosio Fregolente e Luis Linhares, enquanto o Teatro Universitário monta *Gonzaga, ou a Revolução de Minas*, de Castro Alves, em que aparecem os futuros atores Luis Delfino, Jayme Barcellos, Alberto Perez, e Alfredo Souto de Almeida, que durante anos divulgou o teatro em seu programa na Rádio Roquete Pinto. Entre os profissionais, a Companhia Brasileira de Comédia apresenta *Quando se Vive Outra Vez*, de Ernani Fornari, e Dulcina continua a atuar em seu novo caminho, apresentando *A Filha de Iorio*, de D'Annunzio, e *Já é Manhã no Mar*, de Maria Jacintha, enquanto um espetáculo amador de variedades e as Escolas de Teatro do TM e do Colégio Pedro II concluem o ano, com textos que vão de Martins Pena a Shakespeare.

Em 1949 o teatro só aparece no TM para duas récitas de *Tiradentes*, de Viriato Correa, por mais uma escola de teatro, agora da Prefeitura do Distrito Federal. ■

ESTREIA DA REMONTAGEM DE *JOUJOUX E BALANGANDÃS* / GUSTAVO CAPANEMA E SUA ESPOSA NO TMRJ. OPENING OF THE NEW PRODUCTION OF *JOUJOUX AND BALANGANDÃS* / GUSTAVO CAPANEMA AND HIS WIFE AT THE TMRJ. 24.07.1941 CPDOC-FGV

|||||||||||||||||||||||||||||||||||||||||||||||||||||||||||||||||||||||

POEIRA DE ESTRELAS, ENSAIO | REHEARSAL. DA ESQUERDA PARA A DIREITA | FROM LEFT TO RIGHT: PAULO GOULART / RENATA FRONZI / EVA TODOR / HENRIETTE MORINEAU. TMRJ. [194-?]. CEDOC-FUNARTE

introduced actors Luis Delfino, Jayme Barcellos, Alberto Perez, and Alfredo Souto de Almeida, who promoted the theater for years on his radio program at the Roquete Pinto Radio. Professional theater companies such as the Companhia Brasileira de Comédia introduced *Quando se Vive Outra Vez* by Ernani Fornai and Dulcina continued her newly chosen path, performing in *Iorio's Daughter* by D'Annunzio and *Já é Manhã no Mar* by Maria Jacintha. The year ended with amateur variety shows and theater school performances, among them the Theatro Municipal Theater School, and the Pedro II School with plays that ranged from Martins Pena to Shakespeare.

In 1949, Brazilian theater returned to the Theatro Municipal with just two performances of Viriato Correa's *Tiradentes*, this time by a theater school that belonged to the Federal District's Town Hall. ■

Em 1940, Piergili volta a dirigir os destinos do Municipal como Organizador Geral. Mas a temporada começa com a Companhia Lírica Metropolitana, que leva a cabo 16 récitas de sete óperas. Os cantores eram, mais ou menos, os brasileiros dos três anos anteriores. As 26 récitas da Oficial vieram recheadas de celebridades. A grande atração era o tenor polonês Jan Kiepura, dublê de divo da ópera e do cinema, dos musicais da UFA (Universum Film AF). Sucesso absoluto numa *Manon* de sonho com Bidú Sayão (no auge da forma em *Traviata* com Schipa), em uma montagem de *Carmen* com Bruna Castagna e na *Bohème* com a bela estreante Norina Greco, que se fixaria entre nós. Em um espetáculo viu-se uma *Cavalleria* com Zinka Milanov completado com o *Elisir* de Schipa e Baccaloni!

MAESTROS ARTURO TOSCANINI / SILVIO PIERGILI. 1946. FBN

Mas o ano terminou com a volta da Metropolitana com 14 récitas de 10 óperas, nas quais o diretor da Companhia, o tenor Reis e Silva cantou em cinco delas e sua mulher, a soprano Carmen Gomes, cantou em seis. A lembrar, em 6 de março, em forma de concerto, foi cantada pela primeira vez a ópera *Izaht,* de Villa-Lobos.

Em 41, começa a importação de cantores dos EUA em virtude da guerra, agora já feroz na Europa. E de lá vem a sensação do ano: a bela estrela de Hollywood Grace Moore, que triunfa em *Tosca* e *Manon*. Estreia-se *Malazarte* de Lorenzo Fernandez e a segunda ópera de Eleazar de Carvalho *Tiradentes*.

In 1940, Piergili returned to stay the course of the Municipal as its general manager. However, the season began with the Companhia Lírica Metropolitana which accomplished the feat of presenting 16 performances from a repertory of seven operas. The singers were mostly the same Brazilians from three years earlier. The 26 recitals for the Temporada Oficial were filled with celebrities. The great attraction was the Polish tenor and actor Jan Kiepura who did double duty as both an opera and film star in the musicals of UFA (Universum Film AF). He was an absolute success in a fantastic *Manon* with Bidú Sayão (at the top of her form in *Traviata* with Schipa), in *Carmen* with Bruna Castagna, and in *Bohème* with the beautiful Norina Greco who was making her debut and who later moved to Rio. It was possible to attend the opera one night and catch performance of *Cavalleria* with Zinka Milanov followed by *Elisir* with Schipa and Baccaloni!

The Metropolitana returned to finish the year, with 14 performances from its repertory of ten operas. The tenor, Reis e Silva, who was also the company director, sang in five operas and his wife, the soprano, Carmen Gomes, sang in six.

A reminder: on March 6, *Izaht*, by Villa-Lobos was sung in concert form for the first time.

In 1941, due to the already ferocious war in Europe, Brazil started to import singers from the U.S.A. That year's sensation, Grace Moore, the beautiful Hollywood star, triumphed in both *Tosca* and *Manon*. There were premieres of *Malazarte* by Lorenzo Fernandez and *Tiradentes*, the second opera by Eleazar de Carvalho.

Piergili's last four seasons were weak in comparison to his previous achievements. He was unable to make contact with Europe and artists were only allowed to arrive via the United

opera
BRUNO FURLANETTO

As quatro últimas temporadas de Piergili foram fracas em comparação com as que havia realizado até então. Razão: a impossibilidade de contato com a Europa e a vinda de artistas só via EUA e, mesmo assim, que não fossem italianos e alemães, agora considerados inimigos do Brasil, que entrara na guerra em 1942. Neste ano, em consequência da declaração de guerra, dois italianos, o barítono Manacchini e o baixo Baronti são obrigados a abandonar a temporada no meio. Surge um novo astro, Leonard Warren, imenso barítono, *Rigoletto* ideal, ídolo do público, salvador de muitos espetáculos até 45. Neste período poucas estrelas: a bela tcheca Jarmilla Novotna e Stella Roman. Warren e Vaghi enobrecem os elencos, maciçamente nacionais. Nestes, duas revelações: Assis Pacheco, o tenor que mais cantou, 146 récitas de 30 óperas e o barítono Paulo Fortes, o artista que mais se apresentou no Municipal, 330 apresentações em 57 óperas. Recorde absoluto.

Piergili tinha sido hábil em montar suas temporadas. As do Colón iniciavam em abril e em agosto terminavam as récitas das óperas italianas e francesas, quando principiavam as das óperas alemãs.

GRACE MOORE, 1933.
PH. VAN VECHTEN.
LIBRARY OF CONGRESS

LORENZO FERNANDES / MAESTRO C. PICCINATO
ESTREIA DE | OPENING OF *MALAZARTE*
TMRJ. 30.09.1941. FBN

MALAZARTE.
TMRJ. 1941. FBN

States. Moreover, these artists could not be from Italy or Germany which had become enemies of Brazil after it entered the war in 1942. Two Italians, Manacchini and the bass, Baronti, did sing that year until they were forced to abandon their roles mid-season when Brazil declared war. There was a new star, Leonard Warren, a great baritone and an ideal *Rigoletto*. Audiences idolized Warren who saved many performances until 1945. There were few stars during this period, only the Romanian soprano, Stella Roman and the beautiful Czech soprano, Jarmilla Novotna. Warren and Vaghi enriched the overwhelmingly Brazilian casts, although there were two surprises: Assis Pacheco, the tenor with the greatest number of performances – 146 recitals from a repertory of 30 operas; and the baritone, Paulo Fortes, the artist who holds the record for the most performances at the Municipal – 330 performances from a repertory of 57 operas.

Piergili had done a good job of producing his seasons. The seasons from the Teatro Colón began in April and the performances of French and Italian operas ended in August when the German operas started. The Municipal's seasons began in August before their stars returned to Europe or the United States. Beginning in 1933, Piergili was smart enough to slowly begin including carefully chosen Brazilian artists to sing alongside the foreign stars.

1946. The war ended. President Getúlio Vargas's *Estado Novo* or New State ended, too, and Silvio Piergili's protector, Mayor Henrique Dodsworth went with him. Fresh air, new faces, new impresarios. An anonymous Sociedade Artística Brasileira appeared and left no traces of its existence.

As apresentações do Municipal iniciavam em agosto para poder contar com as celebridades antes de seus retornos à Europa ou aos Estados Unidos. Um grande mérito dele foi de, a partir de 1933, incluir, aos poucos, cantores brasileiros bem escolhidos, para cantarem junto às estrelas estrangeiras.

1946. A guerra terminou. O Estado Novo de Getúlio também e, consequentemente, com ele sai o prefeito Henrique Dodsworth, o protetor de Silvio Piergili. Novos ares, nova gente e novos empresários. Aparece uma anônima Sociedade Artística Brasileira. Fossem quem fossem as pessoas, elas produziram uma das melhores temporadas na história do Theatro. O conjunto alemão era o que havia de melhor no canto wagneriano: Varnay, Bampton, Harshaw, Svanholm, Janssen, Ernster – inesquecíveis em *Tristan, Walküre* e no *Rosenkavalier*. Bidú volta para apresentar-nos sua *Mélisande,* sua *Juliette* e despede-se, para sempre, na *Bohème*. E, depois de tantos tenores opacos, a luminosidade de Ferrucio Tagliavini. Voltam Milanov, Caniglia. Discute-se Gino Becchi.

Como no repertório da temporada constavam óperas há muito não apresentadas, foram feitas novas produções para elas. Assim, para as óperas alemãs deste e do próximo ano, para *Pélleas* e *Roméo* e algumas italianas, foram chamados cenógrafos que atuavam no teatro falado e no de revista como Hippolite Collomb, Ângelo Lazzary, Eduardo Loeffler, além de Rodolfo Franco do Colón e o italiano Alberto Scaioli.

Em dezembro, a Itália manda-nos o Carro di Tespis, um teatro desmontável, feito de tubos de aço e lona, com cúpula acústica, pensado para espetáculos para grandes massas, ao ar livre, a preços popularíssimos. Ele foi erguido em frente ao Ministério da Fazenda, onde havia um grande terreno vazio e, perante uma multidão estreou com *Aida*. Mas depois do segundo espetáculo caiu a chuva que não deu mais trégua. Os espetáculos foram então transferidos para o Municipal.

PAULO FORTES. TMRJ. [194-?]. COL. PAULO FORTES

ABAIXO | BELOW
LEONARD WARREN, *RIGOLETTO.* [194-?]. IN: BIANCOLLI, LOUIS; BAGAR, ROBERT (EDS). *THE VICTOR BOOK OF OPERAS.* NEW YORK: SIMON AND SCHUSTER, 1949

||||||||||||||||||||||||||||||||||||||||||||||||||||||||||||||||||||||||||

Whoever they were, they produced one of the best seasons in the Municipal's history: the German cast included the brightest names in Wagnerian opera: Varnay, Bampton, Harshaw, Svanholm, Janssen, and Ernster, unforgettable in *Tristan, Walküre,* and *Rosenkavalier*. Bidú returned to perform her Mélisande, her Juliet, and to bid a final farewell with her *Bohème*. After a run of dull tenors, there was the luminous Tagliavini. Milanov and Caniglia returned. Gino Becchi was controversial.

Since that season's repertory featured operas that were seldom produced, they were given new productions. Some set designers from the legitimate and revue theaters such as Hippolite Collomb, Ângelo Lazzary, Eduardo Loeffler, in addition to Rodolfo Franco from the Colón, and the Italian designer, Alberto Scaioli, were hired to design new productions of *Pélleas, Roméo,* some Italian operas, and the German operas performed in the 1946 and 1947 seasons.

In December, Italy sent the Carro di Tespis, a portable theater structure made of steel pipes and canvas with an acoustic dome. Designed to house open-air performances for large crowds at popular prices, it was set up on a large empty terrace across from the Ministério da Fazenda building and *Aida* had its premiere there in front of a large crowd. However, after the second performance, it rained non-stop, and the performances were transferred to the Municipal.

Even though their star singer was Gina Cigna, the young singers had the greatest success. Some such as Barbato, Filipeschi, de Falchi, and Néri would sing in Rio for the next ten years, and Nino Crimi, who moved to Brazil, would understudy supporting roles in Rio and São Paulo seasons. The maestros De Fabritis and Ziino would always be here.

A estrela da estação era Gina Cigna, mas o sucesso foi para os jovens. Alguns como Barbato, Filipeschi, de Falchi, Néri, cantarão aqui pelos próximos 10 anos, e Nino Crimi ficará no Brasil e será um esteio, como comprimário, nas temporadas cariocas e paulistas. E estarão sempre conosco os maestros De Fabritis e Ziino.

Neste ano, uma curiosidade, lia-se nos programas das vesperais (e só nos das vesperais) o seguinte aviso: "Não é permitido às Senhoras conservarem o chapéu na cabeça durante o espetáculo."

A mesma Sociedade Artística Brasileira volta em 47. O elenco alemão é inexpressivo, entretanto os novos italianos chegam triunfalmente: Del Monaco, Mascherini, Barbieri, Noni, além dos apontados acima. Aparece Maria Henriques, nossa melhor contralto até hoje. Volta a inigualável Stignani e Gigli, provocando tumultos na porta, que em *Tosca,* na presença do presidente dos Estados Unidos, Harry Truman, canta o *E Lucevam le Stelle* três vezes.

Em 1948 várias histórias a contar. Primeiro, durante o ano desenvolveram-se tratativas para a vinda do Scala de Milão completo: corpos artísticos, técnicos, cenários, figurinos. As negociações arrastaram-se e, finalmente, a Câmara de Vereadores negou verba para a parte brasileira no evento, dizendo que a vinda do Scala "só interessava a ele e não ao Brasil".

No apagar das luzes, em outubro, surge uma temporada sendo "concessionário L. Laurent Mariosa", que não pudemos identificar, mas que apresenta nossos conhecidos: Walter Mocchi, como diretor artístico (aos 78 anos) e Salvatore Ruberti, coordenador. Este e Silvio Piergili vão aparecer em vários cargos, de nomes diferentes, mas estarão sempre presentes na direção das próximas temporadas.

O reaparecimento de Mocchi é uma surpresa, assim como é sua rocambolesca história nos 32 anos desde que deixou o Rio, casado com Bidú Sayão em 27 (dela separado em 34). O que pude-

This year, the following announcement appeared in the matinee programs (and only the matinee programs): "Women are not allowed to keep their hats on during the performance."

The same Sociedade Artística Brasileira returned in 1947. Even though the German cast was not first class, the new Italians – Del Monaco, Mascherini, Barbieri, Noni, and the others mentioned above – triumphed. Maria Henriques, who is still our best contralto, also appeared. The peerless Stignani returned, as did Gigli, whose presence caused a commotion at the door. With U.S. president Harry Truman in the audience for his performance in *Tosca*, Gigli sang "E Lucevan le Stelle" three times.

In 1948, there are several stories to be told. During the year, strategies were developed for the arrival of Milan's La Scala and its artists, technical staff, sets, and costumes. Things dragged on until finally the Câmara de Vereadores, or city council, denied funding for the Brazilian part of the event claiming that the arrival of La Scala "was only interesting for them [La Scala], and not for Brazil."

When the lights went down in October, a new season appeared that was produced by "L. Laurent Mariosa," a mysterious name for two old storied figures – Walter Mocchi, its 78-year-old artistic director, and Salvatore Ruberti, its manager. During the following seasons, either Ruberti or Silvio Piergili would always be listed as one of the main producers, albeit in different positions carrying different titles.

Mocchi's reappearance is a surprise, as is his tangled history in the 32 years since he had left Rio. During this time he married Bidú Sayão in 1927 and they separated in 1934. What we do know is that after coming back from Italy, he started distributing and producing en-

mos seguir é que voltando à Itália passou a ser distribuidor e produtor de filmes de entretenimento. Ao mesmo tempo voltou aos seus primórdios socialistas. Muitos comunistas e socialistas que haviam trabalhado para a ascensão de Mussolini acercaram-se ao ex-comandante, acreditando nele existir, ainda, os ideais socialistas de seu começo. Em 1943, quando Mussolini proclamou a *Repubblica Sociale Italiana* os velhos socialistas uniram-se a ele para ajudar na recuperação do *Duce* às suas raízes socialistas. O final trágico de 1945, com a rendição, a guerra civil e o massacre da Piazza Loreto, colocou fim a tudo, com esses socialistas sendo fuzilados ou enforcados pelos *partigiani*. E lá estava, entre eles, Walter Mocchi que escapou, não sabemos por quais meios, e conseguiu chegar ao Brasil.

A curta temporada, com um Gigli cansado, um elenco confuso, trouxe uma nova voz, Di Stefano. Aos 27 anos trisou *La Donna è Móbile* e cantou uma inesquecível *Manon*. Aparece Diva Pieranti, eclética e segura até 1988.

Desta data até 1956, as temporadas foram sempre organizadas pela empresa de Luiz Laurent Mariosa, onde aparece sempre um secretário-geral Gianni Pellas, e a partir de 1950 surge como presidente Edmundo Barreto Pinto. Presidente ou não ele comandou, de fato, as temporadas de ópera deste período. Era uma figura curiosa e irrequieta. Amigo de Getúlio, havia sido cassado como deputado por "falta de decoro parlamentar", por ter aparecido na revista *O Cruzeiro* de casaca, mas de cuecas. Jurou sempre que o repórter David Nasser e o fotógrafo Jean Manzon o tinham enganado, dizendo-lhe que na reportagem só apareceria o seu busto.

Em 1949 uma novidade importante. Por Lei, o prefeito Mendes de Moraes – o construtor do Maracanã – institui a Temporada Lírica Nacional dentro da Temporada de Arte Nacional. Mas o

BIDÚ SAYÃO.
IN: MAYER-SERRA, DR. O. (ORG.).
ENCICLOPEDIA DE LA MÚSICA II MÉXICO:
EDITORIAL ATLANTE, 1944

tertainment films. At the same time, he also returned to his socialist roots. Mussolini was surrounded by many communists and socialists who, convinced that the ex-commandant still believed in his early socialist ideals, had worked to put him in power. In 1943, when Mussolini proclaimed the Repubblica Sociale Italiana, the old socialists united to help coax *Il Duce* back to his socialist roots. This ended tragically in 1945 when the surrender, the civil war, and the Piazza Loreto massacre put an end to everything and the socialists were shot or hung by the *partigiani*. Walter Mocchi, who was one of these socialists, somehow managed to escape and return to Brazil.

The brief season, with a tired Gigli and a confused cast, offered a new voice belonging to Di Stefano. At 27, she performed two encores of "La Donna è Móbile" and sang an unforgettable *Manon*. Diva Pieranti came on the scene and remained her eclectic and confident self until 1988.

From this date until 1956, the seasons were organized by Luiz Laurent Mariosa's company, which always included his general secretary, Gianni Pellas. In 1950, Edmundo Barreto Pinto appeared as its president; president or not, he was the one who really managed the opera seasons during this time. A restless and curious character and friend of Getúlio Vargas, Pinto had been forced to resign his political office for a "breach of parliamentary decorum" the result of his having appeared in the magazine, *O Cruzeiro,* wearing only a tie and tails and his underpants. He always swore that the reporter David Nasser and the photographer Jean Manzon had fooled him by telling him that he would only appear from the waist up.

autor desta Lei, é preciso não esquecer, foi um compositor chamado Ary Barroso, que sempre se queixou de nunca ter recebido um agradecimento daqueles que foram favorecidos por ela. Temporadas nacionais houve sempre, a maioria organizadas por sociedades de cantores que programavam a si mesmos. Estas, até 1965, serão organizadas pela Prefeitura, dando lugar a todos os cantores nacionais, do Rio ou não. E nelas surgiram os nomes brasileiros que vão dominar as temporadas futuras, estreantes que se juntarão àqueles já consagrados, como Assis Pacheco, Paulo Fortes, Henriques, Basso, Briani. Serão, a princípio, temporadas bem cuidadas, com bons maestros, bons diretores de teatro, pois nelas já se começou a cuidar da parte cênica. Inicialmente foram convidados cantores aposentados para dirigir, mas em 1952 foi importado um diretor francês, Bronislaw Horowicz. Com a abertura da filial carioca do TBC, em 1954, no ano seguinte aparecem os nomes de Flaminio Bollini, de Gianni Ratto – que prestará inestimáveis serviços como cenógrafo, figurinista e diretor até 1991 – e depois Adolfo Celli. Nelas encontraremos ainda nomes importantes na vida carioca, como Santa Rosa, Bellá Paes Leme, Arlindo Rodrigues, Fernando Pamplona, Joãozinho Trinta.

Voltando às Temporadas Oficiais destes anos, elas tem como característica a vinda, em massa, dos melhores cantores da época, chegando ao ponto de congestionamento, tanto que nas várias récitas de uma mesma ópera o elenco variava a cada uma delas. E os programas que elencavam os cantores diziam "e outros que serão oportunamente contratados no decurso da temporada". Muitos entravam em cena sem ensaio nenhum, baseando-se no fato de já

ASSIS PACHECO / BIDÚ SAYÃO / GINO BECCHI. TMRJ. [194-?]. FBN

Nineteen forty-nine brought with it an important innovation. By law, Mayor Mendes de Moraes, who built Maracanã – instituted the Temporada Lírica Nacional within Temporada de Arte Nacional. However, it's important to remember that the author of the law was the well-known composer, Ary Barroso, who always complained about never having been thanked by those who he had helped. There had always been national seasons, mostly organized by singing groups that created programs for themselves. Until 1965, these national seasons would be organized by the mayor's office and open space for all Brazilian singers who were from Rio or not. The Brazilian names that appeared in these seasons would dominate future ones and singers making their debut would mix with already famous ones, such as Pacheco, Fortes, Henriques, Basso, and Briani. In the beginning, these were carefully planned seasons, with first-rate maestros and theater directors who had started to improve the theatrical quality of the productions. They were initially invited to direct retired singers, but in 1952, the mayor's office imported a French director, Bronislaw Horowicz. With the opening of the Rio branch of the TBC or Teatro Brasileiro de Comédia in 1954, the following year the theater hired artists such as Flaminio Bollina and Gianni Ratto, who, until 1991, would make valuable contributions to the theater as a set designer, costume designer, and director. Later, Adolfo Celli would also appear. There were also other important names from Rio such as Santa Rosa, Bellá Paes Leme, Arlindo Rodrigues, Fernando Pamplona, and Joãozinho Trinta.

terem cantado a ópera dezenas de vezes nos maiores teatros do mundo. Por exemplo, em 1951, havia *seis* tenores italianos se revezando – e competindo – nos papéis de sua corda. Nestas temporadas houve sempre um quadro alemão, com cantores vindos de Wiesbaden, de Munique e até de Viena. Eram bons cantores, de porte médio, mas de primeiro plano só vieram Wilma Lipp, com sua Rainha da Noite, Inge Bork, espetacular Salomé e o excelente baixo Arnold van Mill, logo favorito da plateia. Um grande regente, Karl Elmendorff, foi homenageado pelos próprios músicos da orquestra.

Ainda em 49, um admirável *Boris,* para apresentação de Nicola Rossi-Lemeni, regido pelo seu (então) sogro, o grande Tullio Serafin, que juntos a Del Monaco e Sá Earp apresentam um famoso *Guarany.* ∎

MARIA SÁ EARP.
TMRJ. 1949. MT/FUNARJ

One of the characteristics of the Temporadas Oficiais from this time was the presence of many of the era's best singers: so many that each performance of a particular opera featured a different cast. The programs listed cast names "along with others who will be hired as necessary." Many performed without having rehearsed at all because they had sung the opera dozens of times in the world's greatest theaters. In 1951, *six* Italian tenors alternated – and competed – with each other for the tenor roles. These seasons always featured a German cast with singers from Wiesbaden, Munich, and even Vienna. They were good singers, although not the best; the only first-class singer was Wilma Lipp, singing her Queen of the Night; Inge Bork, a spectacular Salome; and the excellent bass, Arnold van Mill, who soon became an audience favorite. The orchestra musicians also paid homage to the great conductor, Karl Elmendorff.

In 1949, there was an admirable *Boris* showcasing Nicola Rossi-Lemeni, directed by his (then) father-in-law, the great Tullio Serafin. They would perform a famous *Guarany* together with Del Monaco and Sá Earp. ∎

"Este ano foi, pode-se afirmar, deveras afortunado para a plateia carioca", asseverava a *Noite Ilustrada* em sua edição de 6 de agosto de 1940, pois "grandes vultos de fama mundial [...] pisaram o palco do Municipal e lhe proporcionaram horas de encantamento, horas de espírito e altas emoções." Entre os "intérpretes da arte em suas diferentes expressões" que se haviam apresentado estavam "Heifetz, o homem do violino encantado; depois Rubinstein e Marilla Jonas, Guiomar Novaes e Simon Barere, formidáveis poetas do teclado", e "por fim o notável maestro Arturo Toscanini e sua orquestra de cem professores, que nos proporcionaram noites de arte maravilhosa que se apagarão dificilmente de nossa memória".

A vinda de Toscanini com a Orquestra da National Broadcasting Company (NBC) montada sob medida para ele, para quatro concertos no Theatro Municipal em junho e julho de 1940, fazia parte de um esforço de aproximação política dos Estados Unidos com os países do continente. Os jornais do Rio destacavam a carta branca de que Toscanini dispusera para escolher os melhores instrumentistas e o "traço de união dos povos", a "aproximação artístico-cultural entre as Américas" configurados na turnê então empreendida, assim como na que se seguiria no mesmo ano, com Leopold Stokowski e sua orquestra de jovens.

MAESTRO ARTURO TOSCANINI E ORQUESTRA | AND ORCHESTRA
TMRJ [194-?]. FBN

PÁGINA SEGUINTE | FOLLOWING PAGE
JASCHA HEIFETZ.
[194-?]. COL. BAIN. LIBRARY OF CONGRESS

MAESTRO ARTURO TOSCANINI.
[194-?]. FBN

MAESTRO LEOPOLD STOKOWSKI.
[194-?]. FBN

concerts & recitals
CLÓVIS MARQUES

"This year was, as one can attest, a very lucky one for Rio audiences," declared the *Noite Ilustrada* in its August 6, 1940 edition. "Great, world-famous figures ... set foot on the Municipal stage, offering us hours of enchantment, spiritual delight, and extreme emotion." Among those "interpreters of art in all its many forms" who had performed were "Heifetz, the man with the enchanted violin; Rubinstein and Marilla Jonas; Guiomar Novaes and Simon Barere, formidable poets of the keyboard;" and "last but not least, the famous maestro Arturo Toscanini and his orchestra of 100 musicians who offered us nights of marvelous artistry that will be difficult to erase from our memory."

Toscanini and the NBC Symphony Orchestra came to Rio to conduct four concerts at the Theatro Municipal in June and July of 1940 as part of an effort by the United States to strengthen its ties with South American countries. Toscanini had built the orchestra from scratch and Rio newspapers emphasized the *carte blanche* he'd been given to choose the best musicians. They also emphasized the "traits that united these different people" and commented on this "endeavor to foster cultural-artistic exchanges between the Americas." This effort continued the following year with the tour of Leopold Stokowski and his young people's orchestra.

"Brazilian audiences haven't heard such an incomparable orchestra since the Vienna Philharmonic played here in the first half of the 1920s," noted the *Jornal do Comércio*. Musicians from the Orquestra do Theatro Municipal who had observed Toscanini's performances told its journalists that "it was the first time they had heard a 'real orchestra': [with] discipline, precision, total control of the instruments, and a complete understanding of conducting – perfection."

"O público brasileiro não ouvia uma orquestra de alto plano" desde as visitas da Filarmônica de Viena na primeira metade da década de 20, lembrava o *Jornal do Comércio*, ao qual músicos da Orquestra do TM que assistiram às apresentações de Toscanini declararam que "tinham ouvido pela primeira vez uma 'verdadeira orquestra': [...] disciplina, precisão, domínio cabal dos instrumentos, compreensão integral da regência, perfeição".

Dando conta no mesmo jornal do segundo concerto, Andrade Muricy considerava que "a orquestração um pouco vazia, e manifestamente pobre, de Schubert [na *Sinfonia em dó maior, a Grande*] ficou valorizada além do possível, sobretudo no *Scherzo*, um pouco pesado, que a direção de Toscanini aligeirou como por encanto." Nas *Variações sobre um Tema de Haydn*, de Brahms, prosseguia Muricy, "a palheta instrumental do autor dos *Intermezzi* rebrilhou, irisada, cheia de cambiantes luminosos, de cristalinas irradiações e, também, de vozes de grave paixão impetuosa. O velho coral 'Santo Antônio' apareceu, assim, revestido de roupagens de uma cintilação que se diria de hoje, quando um Ravel, um Stravinsky, um Respighi, um Villa-Lobos conquistaram tanto matiz, tanto novo timbre para a cromática orquestral." E a *Valsa* de Ravel, concluía o crítico, "foi arrebatada como um puro crepitar de dourado champanhe", com "a sensualidade envolvente e cariciosa da sensibilidade latiníssima do genial diretor".

Mal recuperada de tanta beleza, a plateia carioca voltaria a perder o fôlego com as artes de outra estrela internacional da batuta, o russo americanizado Stokowski, que trazia a sua All-American Youth Orchestra para dois concertos.

Em 8 de agosto, o *Correio da Manhã* dava notícia da arte do maestro russo, que estreara na véspera: "Stokowski é um regente admirável, cujas mãos parecem transmitir ondas 'Teramin' [sic][1].

When he gave the same newspaper an account of the second concert, Andrade Muricy, who thought that "Schubert's orchestration [in the Symphony Nº 9 in C Major, the *Great*], which is somewhat empty and clearly poor, was improved to a degree one would have thought impossible, especially the *Scherzo,* which is a little heavy. And yet with Toscanini conducting, it became so light that it seemed as if he had placed it under a spell." In Brahms's *Variation on a Theme by Haydn* continued Muricy, "the instrumental palette of the *Intermezzi* composer sparkled like a rainbow filled with brilliant variations, crystalline rays, and the deep voices of impetuous passion. The old 'St. Anthony Choral' appeared dressed in the sparkling clothes of today, a time when Ravel, Stravinsky, Respighi, Villa-Lobos have conquered new hues and timbres to expand the orchestra's chromatic possibilities." And Ravel's *Valse*, the critic concluded, "in the tender yet seductive hands of this brilliant and extremely Latin conductor, was as exhilarating as a glass of bubbly golden champagne."

Having barely recovered from this overdose of beauty, Rio audiences would once again swoon over the artistry of another international star, the British-born American conductor Leopold Stowkowski who brought his All-American Youth Orchestra for two concerts.

On August 8, the *Correio da Manhã* reported on the artistry of the American maestro who had made his Municipal debut the night before: "Stokowski is an admirable conductor whose hands seem to transmit theramin waves.[1] The sound miraculously springs from his long fingers. There are no excessive gestures just perfectly elegant attitudes. The orchestra obeys him with incredible precision. It's impossible to enumerate all the virtues of this excep-

MAGDALENA TAGLIAFERRO / MAESTRO
LEOPOLD STOKOWSKI / MAESTRO HEITOR
VILLA-LOBOS.
[194-?]. FBN

A sonoridade brota por milagre dos seus dedos alongados. Nenhum gesto excessivo. Uma elegância perfeita de atitudes. A orquestra obedece-lhe com incrível precisão. As virtudes do excepcional conjunto são inumeráveis, mas podemos ressaltar como das mais importantes a igualdade dos naipes e o equilíbrio", escrevia João Itiberê da Cunha, sem deixar de notar "os elementos femininos que executam instrumentos de metal, trompas, trombone de vara, etc."

No *Correio da Noite*, Lúcia Branco se espantava no dia 10 com o fato de que "um conjunto tão jovem e ainda não amadurecido ao contato das realidades da vida" pudesse dar da *Sinfonia nº 6* de Tchaikovsky – a *Patética*, "verdadeiro repositório de dor, tristeza e sofrimento" – uma interpretação que saiu assim: "Que sinceridade de expressão, que riqueza de colorido e sobretudo que acabamento perfeito das frases em que o som, em *diminuendo* em maravilhosa gradação, ia desaparecendo aos poucos, sem nada perder de sua afinação e segurança!"

Pianista e futura pedagoga de renome, Branco reclamou, contudo, de que a solista, Magdalena Tagliaferro, não tivesse escolhido "um dos belos concertos de Schumann, Chopin, Liszt ou de outros autores modernos que aumentaram com obras de real valor a extensa literatura do piano", dando preferência ao *Momoprecoce* de Villa-Lobos, que, "à parte a originalidade de sua orquestração e dos ritmos característicos brasileiros, pouco mais contém que venha enriquecer a música ou a arte pianística".

|||||||||||||||||||||||||||||||||||||||||||||||||||||||||||||||||||||||||

tional group, although we can say that one of the most important is how balanced and equal the different sections are," wrote João Itiberê da Cunha who also noticed that "female members...played brass instruments, trumpets, slide trombones, etc."

MAGDALENA TAGLIAFERRO.
1940. FBN

In *Correio da Noite* on August 10, Lúcia Branco expressed surprise with the fact that "a group that is too young to have had sufficient contact with the realities of life to have gained maturity" could make Tchaikovsky's Symphony Nº 6 – the *Pathetique* – "a true repository of pain, sadness and suffering" as it had. "What sincerity of expression, what colorful richness, above all, what perfect finishing touches to phrases in which the sound, in *diminuendo* in marvelous graduation, would slowly disappear while remaining both in tune and completely secure!"

Branco, a pianist who would also one day become a renowned teacher, did complain that the soloist, Magdalena Tagliaferro, had not chosen "a beautiful concert by Schumann, Chopin, Liszt, or another modern composer who had contributed truly valuable works to the extensive piano literature." Instead, she had chosen *Momoprecoce* by Villa-Lobos, which, "aside from its original orchestration and characteristic Brazilian rhythms, contains little to enrich either music or the art of the piano."

If the 1930s began with a revolution, the 1940s began amidst an atmosphere of war – a war that, on one side, would cause the flow of foreign musicians to wane significantly in certain years, while on the other it would prompt certain musicians such as the Austrian conductor Erich Kleiber (1890-1956) and the Hungarian conductor Eugen Szenkar (1891-1977) not only to come to South America, but also to establish residency here.

Se a década de 30 começara com uma revolução, a de 40 tinha início em clima de guerra – uma guerra que, por um lado, faria minguar significativamente em certos anos o afluxo de músicos estrangeiros, mas por outro levaria a aportarem na América do Sul, em alguns casos para se estabelecer, regentes como o alemão Erich Kleiber (1890-1956) e o húngaro Eugen Szenkar (1891-1977).

Tendo em seu currículo, em particular, a Ópera de Frankfurt e o Colón de Buenos Aires, Szenkar regeria vários concertos da Orquestra do Theatro e de uma orquestra anônima nesse ano de 1940, quando o compositor de origem paraibana José Siqueira (1907-1985) tomou a frente de um movimento para fundar a Orquestra Sinfônica Brasileira (OSB).

Era uma necessidade e uma demanda da sociedade. No *Jornal do Comércio*, Andrade Muricy arrolava as dificuldades que se acumulavam no caminho de uma vida sinfônica próspera:

MAGDALENA TAGLIAFERRO, AULA PÚBLICA |
CLASS OPEN TO THE PUBLIC, TMSP.
1940. FUNDAÇÃO MAGDALENA TAGLIAFERRO

Having worked at the Frankfurt Opera and the Teatro Colón in Buenos Aires, Szenkar conducted a number of concerts for both the Orquestra do Theatro and for another unnamed orchestra in 1941, the same year when the Paraiban composer José Siqueira (1907-1985) took the initiative to found the Orquestra Sinfônica Brasileira (OSB).

The orchestra's founding was both a necessity and a demand. In the *Jornal do Comércio*, Andrade Muricy listed the difficulties that had accumulated on the path toward a prosperous symphonic life: "a shocking and lamentable lack of 'patrons;' expensive and sometimes even prohibitive composers' royalties" that prevented the repertory from being amply renovated; and insufficient dedication on the part of musicians who "are forced to play in the opera season as well as in movie theaters, restaurants, cabarets, and on radio." He capped it off by detailing the transition from the death of Francisco Braga's Sociedade de Concertos Sinfônicos to the birth of the OSB:

There was one time (I personally witnessed this) when Maestro Braga refused to conduct a concert because most of the musicians hadn't shown up at the dress rehearsal. That's why it [the SCS] went under: it was an organism that was unable to improve and was therefore condemned to playing to empty houses. Why? Economic reasons. It

MAESTRO HEITOR VILLA-LOBOS.
TMRJ [194-?]. FBN

"falta chocante e lamentável de 'mecenas'", "direitos autorais pesados e, por vezes, proibitivos" que impediam a renovação ampla do repertório, insuficiente dedicação de músicos "obrigados a tocarem nas temporadas de ópera, e ainda em cinemas, restaurantes, cabarés, rádios". E rematava relatando a transição do óbito da Sociedade de Concertos Sinfônicos de Francisco Braga para o nascimento da OSB:

Vez houve (assisti pessoalmente) em que o maestro Braga se recusou a reger o concerto, porque a maioria dos músicos deixara de comparecer ao ensaio geral. Foi [a SCS], por isso, um organismo que não conseguiu aperfeiçoar-se e que, por fim, tocava para salas vazias. Tudo isso por quê? Motivo econômico. Era mal subvencionada; pagava mal. Por isso, acertadamente, os idealizadores da nova entidade resolveram valer-se 'dos moldes em que se fundamentam as organizações sinfônicas norte-americanas, isto é, em bases econômicas'.²

No dia 17 de agosto, a estreia teve nas estantes a *Sinfonia nº 5* de Beethoven, antecedida da abertura *Oberon* de Weber e sucedida pela *Serenata* de Nepomuceno e trechos dos *Mestres Cantores* de Wagner e da ópera *Swanda*, de Weinberger. No *Jornal do Brasil*, A. Porto da Silveira comentava no dia seguinte:

was badly subsidized – it paid badly. That's why – and rightly so – those who created this new entity chose to respect "the standards on which North American symphonic organizations are based, in other words, economic ones.²

The August 17 premiere featured Beethoven's Symphony Nº 5 preceded by the Overture to Weber's opera *Oberon*, and followed by Nepomuceno's *Serenata,* passages from Wagner's *Die Meistersinger,* and Weinberger's opera *Schwanda the Bagpiper*. In the next day's *Jornal do Brasil*, A. Porto da Silveira commented,

The organization of this orchestra needs to fulfill two different functions: provide a demonstration of the creative energy of its components and proof of our cultural development. Enough time has already passed to analyze and consolidate the attempts by Francisco Braga, Villa-Lobos, and Burle-Marx, who were the pioneers of this movement.

A little more than two weeks earlier, *O Globo* had reflected on the project's push to popularize classical music. The headline read, "Symphonic concerts at popular prices; People will go to concerts as if they were going to the movies, in regular clothes and no tuxedos required." Meanwhile the interview with Antão Soares, one of the orchestra's founders, started this way: "There is tremendous enthusiasm in Rio's music circles about the creation of the Orquestra Sinfônica Brasileira under the direction of the famous conductor, Szenkar, whose plan of action has already been presented."

A organização dessa orquestra deve ser encarada sob duplo aspecto: como revelação da energia criadora dos seus componentes e como índice do nosso desenvolvimento cultural. Já era tempo que se objetivassem e consolidassem as tentativas de Francisco Braga, Villa-Lobos e Burle-Marx, pioneiros desse movimento.

Pouco mais de duas semanas antes, O Globo refletia o ímpeto de popularização da música clássica contido na empreitada. "Concertos sinfônicos a preços populares; o povo irá ao teatro como se fosse ao cinema, em trajes comuns, sem as exigências do rigor", dizia o cabeçalho, enquanto a reportagem/entrevista com um dos fundadores, o clarinetista Antão Soares, começava: "Grande entusiasmo vai pelos círculos musicais do Rio com a Criação da Orquestra Sinfônica Brasileira, sob a batuta do famoso regente Szenkar e cujo programa de ação temos apresentado."

Era o jornal de Roberto Marinho cumprindo sua parte num acordo com José Siqueira. "Querem saber como começou realmente a OSB? A quem devo tudo?", relataria o fundador da orquestra quarenta anos depois.

Ao Roberto Marinho. [...] Um dia, cheguei à redação de O Globo, em 1940, e disse ao diretor redator-chefe: 'Roberto, se você der à música o mesmo espaço que dá ao futebol, eu darei uma orquestra sinfônica ao Rio de Janeiro.' Dito e feito. Roberto Marinho passou a acompanhar com farto noticiário as atividades da OSB. E assim nasceu a orquestra [3].

Apesar disso, escreve Sérgio Nepomuceno, "o início da OSB foi penoso"[4]: "Os concertos – única fonte de receita nesse difícil começo – não geravam recursos suficientes para o sustento básico

MAESTRO HEITOR VILLA-LOBOS. 1943. D'APRÈS ROCA (PARIS). COL. ESTHER CHAMMA DE CARLOS

Roberto Marinho's newspaper was holding up its end of the agreement with José Siqueira. "Do they really want to know how the OSB began? And to whom I owe everything?" said the orchestra's founder forty years later.

To Roberto Marinho ... One day in 1940 I went to O Globo's editorial offices and told the editor-in-chief, 'Roberto, if you give music the same space you give soccer, I will give Rio de Janeiro a symphonic orchestra.' Said and done. Roberto Marinho gave yards and yards of column space to the OSB's activities. And that's how the orchestra was born.[3]

Despite this, wrote Sérgio Nepomuceno, "the OSB had a painful beginning."[4] "The concerts – the only source of income during this difficult beginning – didn't generate sufficient funds to pay for the group's basic expenses. Only the love of art and the support of some self-sacrificing idealists could guarantee its continuity. That was when the impresario Arnaldo Guinle came to the orchestra's rescue." It started receiving government funding in 1942.

Among the musicians who were part of the new group are many names that still resonate today. In the violin section were the first violinist, Ricardo Odnoposoff, Oscar Borgerth, Santino Parpinelli, and Claudio Santoro; Gomes Grosso, Newton Pádua, Aldo Parisot, and Nydia Soldedade Otero on cello; Kollereutter on flute; and Jaioleno dos Santos on clarinet.

In 1942, when Luiz Heitor completed his first evaluation of the OSB's activities he would emphasize the "abiding confidence and indestructible unity of these musicians." Mentioning the orchestra's difficulties, he commented on how "the orchestra members, bereft of any

dos seus componentes. Só o amor à arte e o apoio de alguns abnegados idealistas garantiria a sua continuidade. Foi quando veio em seu socorro o empresário Arnaldo Guinle", que conseguiria apoio do governo federal em 1942.

Entre os professores que formavam o novo conjunto, muitos nomes têm ressonância ainda hoje: nos violinos, o *spalla* Ricardo Odnoposoff, Oscar Borgerth, Santino Parpinelli, Claudio Santoro; Gomes Grosso, Newton Pádua, Aldo Parisot e Nydia Soldedade Otero nos *cellos*; Kollereutter na flauta e Jaioleno dos Santos na clarineta.

A "confiança inabalável e a indestrutível união desses músicos" também seria destacada por Luiz Heitor ao fazer já em 1942 um primeiro balanço das atividades da OSB e das dificuldades encontradas pelos "componentes da orquestra, sem apoio financeiro inicial de qualquer espécie, arrojando-se a um cometimento que, nas condições do atual mercado artístico, tinha alguma coisa de gloriosamente insensato". O crítico passava em revista novas reclamações pelo fato de o regente titular ser um estrangeiro e detinha-se no estilo do diretor musical, "músico experimentadíssimo, esplendidamente dotado". Mas...: "Não é um intérprete muito fino. É efectista⁵. Recorre a processos primários de impressionar o público; aos coloridos berrantes; a uma intemperança de sonoridades [...] Szenkar é assim, uma espécie de tenor na regência..."

Luiz Heitor criticava ainda "a vulgaridade dos seus programas", embora reconhecendo que "Tchaikovsky demais; e torrentes de valsas de Strauss" podiam "fazer parte de um plano educativo" para "o ouvinte novato". Mas não perdoava a raridade de obras de compositores brasileiros nas primeiras temporadas da OSB.

form of initial financial support, threw themselves into this adventure, which, in the current conditions of the art market, carried more than a whiff of something gloriously insane." The critic weighed new complaints about the main conductor's foreign status and paused to evaluate his talent. "A very experienced musician, splendidly gifted." However…: "He's not a very skilled interpreter.⁵ He resorts to simple tricks, garish colors, and blaring sounds to impress audiences … that's Szenkar for you, he's kind of a tenor who conducts…"

Luiz Heitor also criticized the vulgarity of his programs. He recognized that "too much Tchaikovsky and torrents of Strauss waltzes" might "be part of an educational program" for "the novice listener." However, he refused to forgive the scarcity of works by Brazilian composers in the OSB's first seasons.

Andrade Muricy viewed the Hungarian maestro this way: "As a rehearsal director, he is meticulously accurate and extremely patient. He has real authority and that's half the battle won. He is a good teacher in the best sense of the word."

In the truly extraordinary year of 1940 the following voices were heard in recitals at the Theatro Municipal: Jan Kiepura, Bidú Sayão, and Zinka Milanov accompanied by Francisco Mignone (with *Lieder*, but in the end with arias by Ponchielli and Verdi), and the pianists Arrau, Horszowski, Malcuzýnski, and once again Rubinstein. In May (standing next to Villa-Lobos who welcomed him aboard the *Uruguay*, the American ship that also brought Toscanini and Stowkowski's orchestras), Rubenstein granted a rather flippant interview to a reporter from *O Jornal* who was delighted by the pianist's kindness and communicability. "Sir, do you know that I have never played the piano in Brazil? It's true. Every time I've come

Por sua vez, Andrade Muricy via assim o maestro húngaro: "Como preparador, como ensaiador, é duma acurada minúcia, duma extrema paciência. Tem real autoridade, e isso vale por metade da batalha a ganhar. Um bom 'instrutor', portanto, na melhor acepção do vocábulo."

Esse autêntico ano prodigioso de 1940 trouxe ao TM as vozes recitalistas de Jan Kiepura, Bidú Sayão e Zinka Milanov acompanhada por Francisco Mignone (com *Lieder*, mas no fim árias de Ponchielli e Verdi); e os pianistas Arrau, Horszowski, Malcuzýnski e, mais uma vez, Rubinstein. Este prestou em maio ao repórter de *O Jornal*, encantado com sua simpatia e comunicabilidade (ao lado de Villa-Lobos, que o foi receber a bordo do *Uruguay*, o navio americano que também trouxera as orquestras de Toscanini e Stokowski), este depoimento insolente: "O senhor sabe que eu nunca toquei piano no Brasil? Pois é o que lhe digo. Todas as vezes que aqui aportei via-me na contingência de me empregar a fundo e exaustivamente para arrancar algumas notas de um teclado velho e preguiçoso. Mas desta vez eu trago um piano. Um piano de verdade."

Na primeira metade da década, a relativa *seca* de músicos estrangeiros, temerosos de viajar em tempo de guerra, deu mais relevo à prata da casa. Além das pianistas já citadas, Arnaldo Estrella destacou-se em 1942, José Vieira Brandão tocou no mesmo ano o *Choros nº 11* de Villa-Lobos sob a regência do autor, com a Orquestra do Teatro, Radamés Gnattali regeu seu próprio *Concerto para Violoncelo e Orquestra* na rica temporada de 1944, com a OSB e Gomes Grosso como solista. O Quarteto Pró-Música formado por Mariuccia Iacovino, Santino Parpinelli, Henrique Niremberg e Aldo Parisot abria caminho. Oscar Borgerth brilhava como solista.

Entre os que se aventuraram a cruzar o Atlântico estavam Brailowski, Felicja Blumenthal, que se faria brasileira, Tito Schipa já agora acompanhado por Alceo Bocchino, duas vezes

ANDRADE MURICY.
1947. COL. ESTHER CHAMMA DE CARLOS

ACIMA | ABOVE
MIECIO HORSZOWSKI.
1947. COL. ESTHER CHAMMA DE CARLOS

here I've found myself in the position of having to work very long and hard just to pluck a few notes out of an old lazy keyboard. But this time I actually brought a piano."

In the first half of the decade, the relative drought of foreign musicians, fearful of traveling during wartime, allowed the home team to shine a little brighter. In addition to the pianists mentioned above, Arnaldo Estrella stood out in 1942, the same year that José Vieira Brandão played Villa-Lobos's Choros No. 11 with the composer conducting the Orquestra do Theatro. Radamés Gnattali conducted the OSB and the soloist, Gomes Grosso, in his own Concerto for cello and orchestra. The Quarteto Pró-Música formed by Mariuccia Iacovino, Santino Parpinelli, Henrique Niremberg, and Aldo Parisot led the way. Oscar Borgerth sparkled as a soloist.

Among those who risked crossing the Atlantic were Brailowski, Felicja Blumenthal, who would become a Brazilian citizen, and Tito Schipa, who was accompanied by Alceo Bocchino. Menuhin came twice (in May 1941, his programs included Villa-Lobos's *Sonhar* and *A Lenda do Caboclo* and Henrique Oswald's *Berceuse*); Segovia, who premiered the Twelve Études that Villa-Lobos had composed for him; Henryk Szeryng; Jennie Tourel (also accompanied by Mignone); Tomás Terán; and a Rudolf Firkusny who became the darling of Rio audiences.

Brimming with national pride, the OSB included more works by the Brazilian composers Oswald, Miguez, Mignone, Siqueira, Assis Republicano, Nepomuceno, Villa-Lobos, Braga, Gomes, Eleazar de Carvalho, and Fernandez. Yet from the vocabulary of these titles – prelude, nocturne, celebration, interlude, overture, dance, serenade, twilight, dawn, elegy – we can see that these pieces were destined to occupy the niche for short works that begin a concert, a practice that still continues today in concerts of Brazilian music by the city's orchestras.

Menuhin (que em maio de 1941 incluiu em seus programas *Sonhar* e *A Lenda do Caboclo*, de Villa-Lobos, além da *Berceuse* de Henrique Oswald), Segovia, estreando estudos a ele dedicados por Villa, Henryk Szeryng, Jennie Tourel (também acompanhada por Mignone), Tomás Terán e um Rudolf Firkusny que se tornaria verdadeira coqueluche do público carioca.

Mexida em seus brios nacionais, a OSB passou a programar mais amiúde compositores brasileiros: Oswald, Miguez, Mignone, Siqueira, Assis Republicano, Nepomuceno, Villa-Lobos, Braga, Gomes, Eleazar de Carvalho, Fernandez. Mas já no vocabulário empregado nos títulos das obras – Prelúdio, Alvorada, Noturno, Festa, Interlúdio, Abertura, Dança, Serenata, Elegia, Madrugada – vemos que eles ocupavam apenas aquele nicho de obras curtas para começo de concerto que ainda hoje prevalece, tratando-se da música de concerto brasileira, nas orquestras da cidade.

A OSB também evoluía lentamente de seus festivais Johann Strauss para uma primeira integral das Sinfonias de Beethoven em 1943 e obras mais raras ou mesmo inéditas: a *Sinfonia Fausto* de Liszt em 1943 e a estreia brasileira da *Sinfonia nº 3* de Mahler em 1945, requerendo quase três meses de ensaios.

O outro cometa europeu da regência a fulgurar então foi o austríaco Kleiber, que em 1938 se fizera argentino para escapar à barbárie europeia. Regendo a Orquestra do Municipal, ele espraiou-se em junho e julho de 1944 em seis concertos com repertório germânico (Händel, Haydn, Beethoven, Weber, Wagner, Richard Strauss) mas também Dvořák (a *Quinta*), Stravinsky (*Pássaro de Fogo*), Ravel (*Ma Mère l'Oye*) e Braga (*Episódio Sinfônico*), Mignone (*Momus*), Villa (o

QUARTETO BRASILEIRO: MARIUCCIA IACOVINO / SANTINO PARPINELLI / HENRIQUE NIREMBERG / ALDO PARISOT. 1944. COL. ESTHER CHAMMA DE CARLOS

The OSB also slowly evolved from its Johann Strauss festivals to a 1943 festival that included Beethoven's complete symphonies in 1943 and other rarer or even unpublished works such as Liszt's *Faust Symphony* in 1943 and the Brazilian premiere of Mahler's Symphony Nº 3 in 1945, which required nearly three months' rehearsal.

The other European conducting star to shine brightly was the Austrian conductor, Kleiber, who, in 1938, had pretended to be Argentine in order to escape the European massacres. Conducting the Orquestra do Municipal, he spread himself thin during June and July 1944, conducting six concerts from a German repertory (Handel, Haydn, Beethoven, Weber, Wagner, Richard Strauss), and also Dvořák (*Fifth*), Stravinsky (*The Firebird Suite*), Ravel (*Ma Mère l'Oye*), Braga (Symphonic Episode), Mignone (*Momus*), Villa (the "Allegretto Scherzando" from his Symphony Nº 2), and Camargo Guarnieri (Abertura Concertante). Kleiber also returned to conduct the Orquestra do Theatro Municipal the following year.

In *Jornal do Brasil*, Arthur Imbassahy crowed: "In not one of those monuments to sound architecture was there the smallest nuance, the slightest hint of an intentional melodic detail, the tiniest thread woven into the thickness of the harmonic fabric that couldn't be heard. All the colors of an abundant musical palette were evenly distributed in an infinite gradation of hues." Admiring the "magic that Erich Kleiber wields on the spirit of those playing" in a "disciplined, coherent, attentive, compliant orchestra that is visible committed to succeeding," Imbassahy also reported that "the great conductor brings the composer's thoughts to life as

Allegretto Scherzando da *Sinfonia nº 2*) e Camargo Guarnieri (*Abertura Concertante*). Kleiber voltaria a reger a Orquestra do Theatro Municipal no ano seguinte.

No *Jornal do Brasil*, Arthur Imbassahy, festejava: "Em nenhum daqueles monumentos de arquitetura sonora houve um traço melódico intencional, um fio entretecido na espessura do urdimento harmônico, não houve enfim uma nuança, um pormenor, um detalhe, por mais sutil que fosse, que não tivesse vindo à tona. Por todos eles eram inteligentemente distribuídas as cores da abundante paleta musical, na gradação infinita de seus matizes." Admirado da "magia que Erich Kleiber exerce no espírito dos executantes", frente a uma "orquestra disciplinada, coesa, atenta, dócil ao comando, visivelmente empenhada no sucesso", Imbassahy registrava ainda que "o pensamento do compositor, que o grande chefe aviventa, como que se corporifica numa expressiva analogia de movimentos de dedos, mãos, braços, fisionomia do corpo inteiro".

Passada a guerra, a OSB trouxe para regê-la em 1946 um plantel respeitável – Eugène Ormandy, Charles Münch, William Steinberg e Ernest MacMillan –, e em 1947, além do retorno de Kleiber, propiciaria as estreias locais de Jascha Horenstein, Pedro de Freitas Branco, Jaroslav Krombholc e Oliviero de Fabritiis, todos maestros de grande prestígio internacional. Nos anos restantes da década, brilhariam em seus concertos solistas como Kirsten Flagstad, Walter Gieseking, Alexis Weissenberg em início de carreira, Kempff, Byron Janis, Friedrich Gulda; e foram dadas estreias brasileiras de mais fôlego, como a *Bachianas Brasileiras nº 3* de Villa-Lobos, com Vieira Brandão ao piano, e a *Sinfonia nº 1* de Lorenzo Fernandez, ambas sob a regência de Eleazar de Carvalho.

Yara Bernette estava entre as pianistas brasileiras que se apresentavam no Municipal em recital ou concerto, assim como Anna Stella Schic, Altea Alimonda, Ivy Improta, Nise Obino, Taglia-

ERICH KLEIBER.
1944. COL. ESTHER CHAMMA DE CARLOS

if he embodied the physiognomy of his entire body through an expressive analogy of finger, hand, and arm movements."

After the war, in 1946, the OSB brought a respectable team of conductors – Eugène Ormandy, Charles Münch, William Steinberg, and Ernest MacMillan. In 1947, in addition to the return of Kleiber, there were debuts by maestros of great international prestige such as Jascha Horenstein, Pedro de Freitas Branco, Jaroslav Krombholc, and Oliviero de Fabritis. In the remaining years of the decade, there were soloists such as Kirsten Flagstad, Walter Gieseking, an early-career Alexis Weissenberg, Kempff, Byron Janis, and Friedrich Gulda and important Brazilian premieres including Villa-Lobos's *Bachianas Brasileiras nº 3* with Vieira Brandão on piano and Lorenzo Fernandez's Symphony Nº 1, both conducted by Eleazar de Carvalho.

Yara Bernette was one of the Brazilian pianists who performed at the Municipal in recital or in concert, along with Anna Stella Schic, Altea Alimonda, Ivy Improta, Nise Obino, Tagliaferro, and Novaes. Singers who performed included Violeta Coelho Netto de Freitas, Aracy Bellas Campos, Madalena Lébeis, Maria Sá Earp, and Olga Praguer Coelho. Villa-Lobos directed a festival of premieres during the 1946 season (Symphony Nº 1, Concerto Nº 1 for piano and orchestra, Fantasy for cello and orchestra, *Madonna*, Suite Nº 2 from the *Descobrimento do Brasil*) with the Orquestra do Theatro; Florent Schmitt climbed the podium with his works in 1949 and that same year Oriano de Almeida rose to prominence at the International Frederic Chopin Competition.

While different series of "popular concerts" promoted by the Mayor's Office attracted audiences with Brazilian musicians, including those at the Orquestra do Theatro, the post-

ferro e Novaes; e as cantoras Violeta Coelho Netto de Freitas, Aracy Bellas Campos, Madalena Lébeis, Maria Sá Earp e Olga Praguer Coelho. Villa-Lobos regeu um festival de primeiras audições suas na temporada de 1946 (*Sinfonia nº 1, Concerto nº 1 para Piano e Orquestra, Fantasia para Violoncelo e Orquestra, Madonna, Suíte nº 2 do Descobrimento do Brasil*) com a Orquestra do Theatro; Florent Schmitt subiu ao pódio com sua produção em 1949. Nesse ano, Oriano de Almeida revelou-se no Grande Concurso Internacional de Piano Chopin.

Enquanto várias séries de "concertos populares" promovidos pela Prefeitura atraíam para recitais com músicos brasileiros, inclusive da Orquestra do Theatro, a bonança do pós-guerra incluía o retorno de Arrau, Gieseking, Kempff e Szering com frequência digna de nota. Entre os menos frequentes ou estreantes, Isaac Stern, Ginette Neveu, Szymon Goldberg, Zino Francescatti e Carlo Felice Cillario como violinista; Beniamino Gigli com Licia Albanese, Victoria de Los Angeles, os Meninos Cantores de Viena; Nikita Magaloff, Samson François, José Iturbi e Willhem Backahus – este, em 1947, com nada menos que uma integral das *Sonatas* de Beethoven.

No *Diário de Notícias*, D'Or (pseudônimo de Ondina Ribeiro Dantas) evocava em 5 de novembro desse ano um concerto da OSB que, sob a regência de Szenkar, era oferecido "sob os auspícios da Associação Brasileira de Concertos, nossa mais recente organização musical, mas que, não obstante isso, se coloca hoje entre as mais altas expressões da nossa vida artística". Nele, Backhaus, tocava o *Concerto Imperador* "como portador de uma das mais belas credenciais a que pode almejar um pianista – o de maior intérprete da obra musical de Beethoven para piano". ∎

VIOLETA COELHO NETTO DE FREITAS. TMRJ. [194-?]. MT/FUNARJ

HENRIQUE SZERING. [194-?]. COL. ESTHER CHAMMA DE CARLOS

war bonanza offered the return of Arrau, Gieseking, Kempff, and Szering with noteworthy frequency. The more rarely heard musicians and those making their Municipal debut included the violinists Isaac Stern, Ginette Neveu, Szymon Goldberg, Zino Francescatti, and Carlo Felice Cillario; Beniamino Gigli with Licia Albanese, Victoria de Los Angeles, the Vienna Boys Choir; Nikita Magaloff, Samson François, José Iturbi, and Willhem Backahus – who played Beethoven's complete sonatas in 1947.

In *Diário de Notícias* on November 5 of this year, D'Or (the pseudonym of Ondina Ribeiro Dantas) mentioned a concert conducted by Szenkar that OSB presented "under the auspices of the Associação Brasileira de Concertos. "Even though it is our newest musical organization, it currently holds its own among the greatest expressions of our artistic life." During this concert, Backhaus played the *Emperor Concerto* "as one who can lay claim to one of the most impressive credentials a pianist dreams of – that of the greatest interpreter of Beethoven's works for piano." ∎

Em 1940, o Theatro Municipal recebeu os Ballets Russes de Monte Carlo, que tinha como diretor artístico e coreógrafo Leonid Massine. Um dos herdeiros diretos do legado de Serge Diaghilev, representando a tradição do balé russo, com seu ideal de beleza e perfeição técnica, o grupo capitaneado por Massine realizava então sua primeira turnê pela América do Sul, e entre os dias 30 de maio e 18 de junho apresentou quinze espetáculos.

Alexandra Danilova (1903-1997), Alicia Markova (1910-2004), Irina Baronova (1919-2008) e Igor Youskevitch (1912-1994) foram importantes bailarinos que participaram dessa temporada, mostrando um repertório recheado de obras famosas como *O Lago dos Cisnes*, *Giselle*, *Coppélia*, *O Espectro da Rosa*, *Schéhérazade*, *L'Après Midi d'un Faune*, *Danças Polovitsianas*, *Gaité Parisienne* e *La Boutique Fantasque*, essas duas últimas criações de Massine, que também se apresentou dançando.

Cercado de enorme expectativa, os Ballets Russes de Monte Carlo foram recebidos com grande entusiasmo tanto por parte do público, que lotou todas as récitas, quanto pela crítica especializada que ressaltou a qualidade apresentada em cena. O crítico João Itiberê da Cunha, do *Correio da Manhã*, afirmou que naquele grupo podia-se perceber "toda uma tradição de arte [...] a fim de poder elevar a coreografia a um nível estético desconhecido".[1]

À companhia de Massine imputava-se não apenas a manutenção da tradição do balé, mas também a responsabilidade de apresentar uma grande temporada de dança, o que o Corpo de Baile do Theatro Municipal havia realizado apenas um ano antes.

Além de observações acerca do desempenho da companhia, de um modo geral sempre elogiosas, é interessante observar como a imprensa registrava a recepção do público em eventos como esse. Na crítica publicada por D'Or, no *Diário de Notícias*, em 30 de maio de 1940, há um relato desse

---

In 1940, the Theatro Municipal welcomed the Ballets Russes de Monte Carlo whose artistic director and choreographer was Leonid Massine. One of Sergei Diaghilev's heirs, Massine, who represented the tradition of Russian ballet and its twin ideals of beauty and great technical skill, was taking the group on its first South American tour. The company performed 18 times between May 30 and June 18.

Alexandra Danilova (1903-1997), Alicia Markova (1910-2004), Irina Baronova (1919-2008), and Igor Youskevitch (1912-1994) were important ballet dancers who danced in the season's program in a repertory filled with famous works such as *Swan Lake*, *Giselle*, *Coppélia*, *Le Spectre de la Rose*, *Schéhérazade*, *L'Aprés midi d'un Faune*, *Polovtsian Dances*, *Gaité Parisienne,* and *La Boutique Fantasque*. Massine, who also performed as a dancer, created these last two works.

The Ballets Russes de Monte Carlo was surrounded by enormous expectations. All performances were sold out and audiences and dance critics enthusiastically applauded the quality of the work. João Itiberê da Cunha wrote in *Correio da Manhã* that the company's "artistic tradition ... allowed it to elevate choreography to unbelievable aesthetic levels."[1] Massine's company was not only responsible for maintaining the tradition of ballet, but for presenting a great dance season by the Corpo de Baile do Theatro Municipal one year earlier.

In addition to the reviews of the company's performance, which generally offered high praise, it's interesting to see how the press recorded the audiences' reaction to events such as this. This was clear in a review published by D'Or in *Diário de Notícias* on May 30, 1940. After stating that the public hadn't been disillusioned by the quality of the dances, the critic suggested that there were two performances to be seen at the same time.

dança
dance
BEATRIZ CERBINO

aspecto. Além de afirmar que o público não havia se desiludido em relação à qualidade dos bailados, atestou que se tratava de dois espetáculos a serem observados ao mesmo tempo:

> Um no palco e outro na plateia. Em ambos, o sentido artístico é respeitado e elevado ao mais alto grau. No primeiro, rebrilham os encantos da música, os passos gentis da coreografia [...]. No segundo, não menos rebrilham as 'toilettes' custosas, as joias de elevado preço, algumas legítimas, outras meras imitações, enquanto o apuro de uma 'écharpe' caída a 'negligé' e uma flor realçando o cuidado de uma cabeleira desafiam em concepção de arte, a perfeição do 'maquillage' e a boniteza de umas unhas pontiagudas escarlates.[2]

Pode-se perceber que não se tratava apenas de assistir aos espetáculos, mas também de ver e ser visto no Theatro Municipal. A plateia, da galeria à frisa, independente da localização de seu assento e do que era apresentado no palco, preparava-se para um acontecimento social – a ida ao Theatro. Nas duas décadas que se seguiram essas idas ao Municipal intensificaram-se ainda mais, a dança havia, definitivamente, ocupado seu espaço no palco mais importante da cidade.

A década de 1940 foi plena de espetáculos de importantes temporadas nacionais e internacionais. Entre as nacionais cabe ressaltar a realizada em 1945 pelo Corpo de Baile do Theatro Municipal, com direção artística de Igor Schwezoff (1904-1982), bailarino e coreógrafo russo naturalizado norte-americano. Sua importância deve-se não apenas à

> *One on the stage and the other in the audience. In both, artistic sentiment is respected and elevated to the highest degree. In the first, the enchanting music and the choreography's gentle steps shine. ... No less shimmering in the second are the expensive 'toilettes' and costly jewels – some authentic and other mere imitations. An artfully draped 'écharpe' and a flower accenting a skillful coiffure are challenging concepts of art, as are the perfectly made-up face and beautiful, sharp, scarlet nails.*[2]

YUCO LINDBERG E ALUNAS DA EEDMO | AND EEDMO PUPILS. MÁRCIA HAYDÉE (DE XADREZ | WEARING CHECKS). [194-?]. EEDMO

PÁGINA ANTERIOR | PREVIOUS PAGE
ALEXANDRA DANILOVA, *COPPÉLIA* .
1940. PH. MAURICE SEYMOUR.
COL. HELGA LOREIDA

It's clear that more was at stake than just watching the performances: it was about seeing and being seen at the Theatro Municipal. From the boxes to the second balcony, independently of where one was seated or what one was watching, audiences were prepared for a social event: a trip to the Theatro. These visits to the Municipal would become increasingly important in the following two decades – dance had definitively carved out a space on the city's most important stage.

The 1940s were filled with shows from important national and international tours. Among those performed by national companies was the 1945 season of the Corpo de Baile do Theatro Municipal. Its artistic director was Igor Schwezoff (1904-1982), the Russian ballet dancer and choreographer who had become a naturalized American citizen. Schwezoff was important both for the quality of the dances he choreographed and staged and for the new generation of Brazilian ballet dancers he introduced – all of whom had been trained in Brazil. Bertha Rosanova (1930-2008), who was named absolute prima ballerina of Brazil in 1958; Tamara Capeller (1930); Edith Pudelko (1927-1984); Carlos Leite (1914-

qualidade das coreografias por ele criadas e montadas, mas também por ter apresentado uma nova geração de bailarinos brasileiros, todos formados aqui. Foi neste momento que nomes como Bertha Rosanova (1930-2008), que em 1958 receberia o título de primeira-bailarina absoluta do Brasil, Tamara Capeller (1930), Edith Pudelko (1927-1984), Carlos Leite (1914-1985) e Wilson Morelli (1925-2005) conquistaram papéis de maior relevância e ganharam reconhecimento do público e da crítica.

Em 25 de junho de 1941, estreou o American Ballet, dirigido por George Balanchine e Lincoln Kirstein (1907-1996), ficando em temporada até 6 de julho, perfazendo um total de nove espetáculos.[3] Em turnê pela América do Sul, o grupo de Balanchine trouxe um repertório cheio de novidades, mesclando peças clássicas com outras mais ousadas em termos coreográficos. O que causou estranhamento em alguns críticos, como Oscar D'Alva, da revista *Fon-Fon* que, ao comentar a terceira récita, afirmou que *Juke-box*, de William Dollar (1907-1986), com música de Alec Wilder (1907-1980), e *Billy the Kid*, de Eugene Loring (1911-1982), música de Aaron Copland (1900-1990), não deveriam ser apresentados em uma "grande casa de espetáculos como é o Municipal", mas em um teatro de outra classe, já que o que se viu não foram bailados, mas "pulos, cambalhotas, correrias [...] sem nenhum valor artístico".[4] Apesar dessas divergências, a temporada foi um grande sucesso de público. Uma plateia ávida por informações em relação à dança que, apesar de uma preferência pelos grandes clássicos, também se interessava por novas, e diferentes, percepções coreográficas.

Três peças criadas por Balanchine tiveram suas estreias mundiais no Rio de Janeiro: *Ballet Imperial*, com música de Piotr Tchaikovsky (1840-1893), *Concerto Barroco*, música de Johann Sebastian Bach (1685-1750), e *Divertimento*, música de Gioachino Rossini (1792-1868), o que parece

1985); and Wilson Morelli (1925-2005) performed major roles and gained the recognition of both audiences and critics.

June 25, 1941, marked the debut of the American Ballet directed George Balanchine and Lincoln Kirstein (1907-1996). The season lasted until July 6 with the company giving a total of nine performances.[3] On tour in South America, Balanchine's company brought a repertory filled with novelties, mixing classical pieces with other more choreographically daring ones. Some critics, such Oscar D'Alva, of *Fon-Fon* Magazine, in his review of the third program, felt that *Juke-Box* by William Dollar (1907-1986), with music by Alec Wilder (1907-1980) and *Billy the Kid* by Eugene Loring (1911-1982), with music by Aaron Copland (1900-1990), should not have been performed in a "important theater such as the Municipal," but in another category of theater since what one saw was not ballet, but "jumping, summersaults, running … that had no artistic value."[4] Despite these differences of opinion, the season was a great success with audiences. Although they preferred the great classic ballets, audiences were hungry for information about dance and interested in new and different choreographic ideas.

Three works created by Balanchine had their world premieres in Rio de Janeiro: *Ballet Imperial*, with music by Piotr Tchaikovsky (1840-1893); *Concerto Barroco*, with music by Johann Sebastian Bach (1685-1750); and *Divertimento*, music by Gioachino Rossini (1792-1868). Audiences were so curious about these new pieces that three extra performances were added. Another factor that might have contributed to this success was that Brazilian artists had created sets and costumes for the company. Candido Portinari (1903-1962) designed *Serenade*, which was billed here as *Serenata*,[5] and Tomas Santa Rosa (1909-1956)

TAMARA CAPELLER / BERTHA ROSANOVA.
1945. EEDMO

MERCEDES BATISTA.
[194-?]. EEDMO

ter aguçado ainda mais a curiosidade do público e levou à realização de três récitas extras. Outro fator que também pode ter contribuído para esse sucesso foi a colaboração de dois artistas plásticos brasileiros na criação de cenários e figurinos para a companhia: Candido Portinari (1903-1962) para *Serenade*, que constou no programa como *Serenata*,[5] e Tomás Santa Rosa (1909-1956), que desenhou para *Apollon Musagète*, e aqui recebeu o nome de *Apolo Musageta*.[6]

Foi durante essa turnê sul-americana que Balanchine criou o balé *Fantasia Brasileira*, com música de Francisco Mignone, e cenário e figurinos de Enrico Bianco (1918). Sua estreia ocorreu no Theatro Municipal de Santiago do Chile, para onde a companhia seguiu após os espetáculos no Rio de Janeiro. A obra, no entanto, constou do repertório da companhia apenas nesse período, não voltando a ser montada.[7]

Certamente a passagem dessas duas companhias foi de extrema importância para a ampliação do conhecimento sobre dança no Rio de Janeiro, mas foi somente a partir de 1942, com as temporadas do Original Ballet Russe, que este ideal pode ser conferido mais de perto. O grupo dirigido pelo Wassily de Basil (1888-1951), também conhecido como Coronel de Basil, apresentou-se aqui três vezes, em 1942, 1944 e 1946, passando temporadas de cerca de dois meses na cidade, quando conviveu intensamente com bailarinos locais, críticos e empresários da área.[8]

A primeira temporada do Original Ballet Russe ocorreu de 20 de abril a 10 de maio de 1942; a segunda iniciou-se em 5 de maio indo até 1º de junho de 1944; e a terceira e última dividiu-se em duas etapas: de 3 a 14 de junho e de 10 a 23 de agosto de 1946.[9] Fizeram parte do elenco, nessas três

BALUSTRADE. TATIANA LESKOVA / T. TOUMANOVA / G. RAZOUNOVA. COREOGRAFIA | CHOREOGRAPHER, GEORGE BALANCHINE. COMPOSITOR | COMPOSER, IGOR STRAVINSKY. ORIGINAL BALLET RUSSE. 1941. COL. TATIANA LESKOVA

designed the sets and costumes for *Apollon Musagète*, which was billed as *Apolo Musageta*.[6]

During this South American tour Balanchine created the ballet *Fantasia Brasileira*, with music by Francisco Mignone and sets and costumes by Enrico Bianco (1918). It premiered at the Theatro Municipal de Santiago de Chile, the company's next stop following its performances Rio de Janeiro. However, the work was only part of the company's repertory during this tour and was never staged again.[7]

Certainly the presence of these two companies was extremely important for broadening knowledge about dance in Rio de Janeiro. However, it was only in 1942, with the seasons of the Original Ballet Russe that this ideal could be examined closely. The group directed by Wassily de Basil (1888-1951), also known as Coronel de Basil, performed here three times: in 1942, 1944, and 1946. The company had extensive contact with local dancers, critics, and theatrical producers during its two-month-long seasons.[8]

The Original Ballet Russe's first season occurred from April 20 to May 10, 1942; the second from May 5 through June 1, 1944; and the third and last was divided in two parts; from June 3 to 14 and August 10 to 23, 1946.[9] Important figures from the international dance world such as Alexandra Danilova (1903-1997), Alicia Markova (1910-2004), Irina Baronova (1919-2008), Nina Verchinina (1910-1995), Oleg Tupine (1921-2003), Tamara Grigorieva (1918), Tamara Toumanova (1919-1996), Tatiana Riabouchinska (1917-2000), David Lichine (1910-1972), Igor Youskevitch (1913-1997), Yurek Shabelewski (1910-1983), and others performed and helped establish

ocasiões, importantes nomes da dança internacional como Alexandra Danilova (1903-1997), Alicia Markova (1910-2004), Irina Baronova (1919-2008), Nina Verchinina (1910-1995), Oleg Tupine (1921-2003), Tamara Grigorieva (1918), Tamara Toumanova (1919-1996), Tatiana Riabouchinska (1917-2000), David Lichine (1910-1972), Igor Youskevitch (1913-1997), Yurek Shabelewski (1910-1983), entre outros profissionais que ajudaram a estabelecer um parâmetro de qualidade que foi seguido no Brasil e nos vários países que se apresentaram.

Em sua estreia no Rio de Janeiro, a companhia foi apresentada pelo crítico Jaques Corseuil, na revista *Ilustração Brasileira* de maio de 1942, como aquela que mantinha a tradição do "balé russo". Salientava a qualidade de seus bailarinos assim como do repertório apresentado. Já para o crítico Antonio Bento (1902-1988), do jornal *Diário Carioca*, o verdadeiro "ballet russo" não estava na reprodução de obras tradicionais, como *Les Sylphides* ou *Lago dos Cisnes*, mas em coreografias como *Galo de Ouro*, de Michel Fokine, que "deu uma magnificente impressão do verdadeiro ballet russo,

IRINA BARANOVA, *COPPÉLIA*.
1940. PH. MAURICE SEYMOUR.
COL. HELGA LOREIDA

TAMARA TOUMANOVA.
[194-?]. FBN

parameters of quality that were upheld in Brazil and the other countries where they performed.

In its Rio de Janeiro premiere the company was presented by the critic Jaques Corseuil in the May 1942 issue of the magazine, *Ilustração Brasileira*, as the one that maintained the traditions of "Russian ballet." He emphasized the quality of both its dancers and its repertory. The critic Antonio Bento (1902-1988) of the newspaper, *Diário Carioca*, thought the true "Russian ballet" didn't exist in the traditional ballets such as *Les Sylphides* or *Swan Lake*, but in dances such as *Le Coq d'Or* by Michel Fokine, which "gave a magnificent impression of the real Russian ballet with organic choreography and profusion of colors based on the popular traditions that inspired Pushkin and Rimsky Korsakov."[10] Even though there were two distinct perceptions of different company characteristics and how they were perceived, all the company's performances in Rio were a success.

On its second tour to Rio de Janeiro in 1944, the Original Ballet Russe once again excited critics and audiences as D'Or noted in his review published in the *Diário de Notícias* on May 6: "the Ballet Russe's premiere was greeted with the generous and enthusiastic applause of a sold-out theater, opening with a gold key, as we say, the Theatro Municipal's official season."[11]

com a profusão de suas cores e a organicidade de sua coreografia, calcada na tradição popular, onde Puschikine e Rimsky Korsakov se inspiraram".[10] Ou seja, duas percepções distintas que apontam diferentes características da companhia e como esta era percebida. De uma maneira ou de outra, o sucesso foi uma constante em todas as apresentações que realizou na cidade.

Em sua segunda passagem pelo Rio de Janeiro, em 1944, o Original Ballet Russe voltou a entusiasmar críticos e público, como observou D'Or em crítica publicada no *Diário de Notícias*, de 6 de maio: "foi com aplausos fartos, e entusiasmados de uma sala superlotada, que o 'Ballet Russe' estreou abrindo com chave de ouro, como se costuma dizer, a temporada oficial do Theatro Municipal".[11]

NINA VERCHININA E ALUNAS | AND PUPILS. [194-?]. FBN

Foi também durante essa temporada que Tatiana Leskova (1922), então primeira-bailarina da companhia, resolveu fixar residência no Rio de Janeiro. Ao longo dos anos, Leskova tornou-se um dos nomes mais importantes do balé brasileiro, não apenas pelo trabalho que desenvolveu como diretora do Corpo de Baile do Theatro Municipal do Rio de Janeiro, mas também por sua dedicação como mestra na formação de gerações de bailarinos.

Como era prática nas cidades em que a companhia se apresentava por mais tempo, alguns profissionais foram contratados: Lorna Kay, que participou da segunda temporada, permanecendo por um ano e meio com o grupo, e Marília Franco (1923) também contratada em 1944, continuando até meados de 1945.[12] Além dessas bailarinas, cabe citar a participação de Leda Iuqui (1922), que no início da década tornara-se primeira-bailarina do Theatro Municipal, Carlos Leite e Tamara Capeller.

LORNA KAY, *PRESAGE*. 1949. PH. RICHARD SASSO. COL. BEATRICE SASSO

It was also during this season that Tatiana Leskova (1922), the company's principle ballerina, decided to move to Rio de Janeiro. Over time, Leskova became one of the most important names in Brazilian ballet, not only for her work with the Corpo de Baile do Theatro Municipal do Rio de Janeiro, but also for her dedication to teaching generations of ballerinas.

It was standard practice at the time for the theater to hire professionals from companies that stayed for longer seasons: Lorna Kay, who participated in the second season, stayed with the group for a year and a half, and Marília Franco (1923) who was also hired in 1944, continued until the middle of 1945.[12] In addition to these ballerinas, it is worth noting the participation of Carlos Leite, Tamara Capeller, and Leda Iuqui (1922), who became principle dancer at the Theatro Municipal in the beginning of the decade.

In 1946, its third and final season at the Theatro Municipal, the Original Ballet Russe performed *Yara,* choreographed by Vania Psota (1908-1952) with music by Francisco Mignone, sets and costumes by Portinari, and a story by Guilherme de Almeida (1890-1969). The ballet had a Brazilian theme and was based on the Amazonian legend of Yara, the water goddess and androgynous myth, set against the drought in the Northeast. Critical reception among both audiences and critics was mixed. Actually, it was the subject matter itself that seems to have made the era's dance critics most uncomfortable. Accioly Neto, in the August 31, 1946 issue of the magazine, *O Cruzeiro,* found *Yara* a "depressing ballet" less for its aesthetic concept and more for the fact that he believed it exposed rather unflattering aspects of Brazilian reality, such as the northeastern droughts and the immigrants it created.[13] Antonio Bento, on the other hand, considered the ballet to be one of Psota's great works, capable of bringing

Em sua terceira e última temporada no Theatro Municipal, em 1946, o Original Ballet Russe apresentou *Yara*, coreografia de Vania Psota (1908-1952), com música de Francisco Mignone, cenários e figurinos de Portinari, e argumento de Guilherme de Almeida (1890-1969). Com temática brasileira, fundindo a lenda amazônica de Iara, mãe d'água e mito andrógino, com a seca no Nordeste, o bailado dividiu opiniões, não tanto por parte do público, mas dos críticos. Na verdade, foi exatamente essa mistura temática que parece mais ter incomodado alguns que escreviam sobre dança nos periódicos da época. Accioly Neto, na revista *O Cruzeiro*, de 31 de agosto de 1946, afirmou ser *Yara* um "balé deprimente", menos por sua concepção estética do que pelo fato de evidenciar, segundo o jornalista, aspectos pouco lisonjeiros da realidade brasileira, como a seca nordestina e os retirantes.[13] Antonio Bento, por sua vez, considerou o bailado uma grande criação de Psota, capaz de projetá-lo no cenário internacional.[14] O balé foi incorporado ao repertório da companhia e foi apresentado na excursão norte-americana iniciada nesse mesmo ano. A coreografia, porém, não obteve o mesmo sucesso alcançado no Brasil.[15]

Em suas três visitas à cidade o Original Ballet Russe apresentou um repertório variado, composto de coreografias como *L'Aprés Midi d´un Faune*, de Nijisnky, *Choreartium*, *Os Presságios* e *Sinfonia Fantástica*, de Massine, *Les Sylphides, O Espectro da Rosa, Pássaro de Fogo* e *Paganini*, de Fokine, *Baile dos Graduados*, de Lichine, além de *O Lago dos Cisnes*, em uma versão de dois atos, e *Bodas de Aurora*, versão de um ato para *A Bela Adormecida*. Percebe-se que esses programas eram formados, basicamente, por coreografias tradicionais, de maior apelo junto ao público. Na montagem de diferentes combinações de suas obras para cada uma das récitas é possível identificar dois objetivos: a preocupação em apresentar um panorama bastante abrangente de seu repertó-

him international attention.[14] The ballet was incorporated into the company's repertory and performed on its North American tour in the same year, although the choreography did not achieve the same success it reached in Brazil.[15]

In its three visits to the city the Original Ballet Russe presented a varied repertory composed of choreography such as Nijinsky's *L'Aprés midi d´un Faune*; Massine's *Choreartium, Les Presages* and *Symphonie Fanstastique*; Fokine's *Les Sylphides, Le Spectre de la Rose, The Firebird,* and *Paganini*; and Lichine's *Graduation Ball* in addition to a two-act version of *Swan Lake* and *Aurora's Wedding,* a one-act version of *Sleeping Beauty.* It's clear that these programs were basically comprised of crowd-pleasing traditional ballets. There are two objectives evident in the presentation of different combinations for each performance: a concern with presenting a broad panorama of its repertory and adapting the repertory to audiences' tastes. This was common practice among the great dance companies that toured several cities and countries.

Two French companies closed the decade in high style, the Ballet de Champs Elysées in 1949 and the Balé da Ópera de Paris in 1950, demonstrating that quality ballet could have a French accent as well as a Russian one.

From May 18 to June 25, 1949, the group directed by the French ballet dancer and choreographer, Roland Petit (1924) presented 20 performances. According to Mário Nunes, the company displayed "an unapologetic spirit of renewal without infringing on the rigid rules that govern classical dance." The opening night program, said Nunes, "on Wednesday night brought out the *crème de la crème* of Rio society both from high society and from the worlds of art, literature, politics, and finance. Thus, the season's opening night was applauded by a

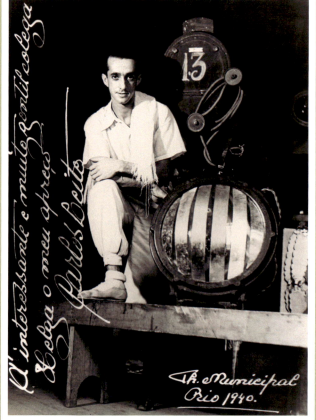

LEDA IUQUI.
1943. PH. AVILA B. AYRES. COL.
HELGA LOREIDA

CARLOS LEITE.
TMRJ. 1940. COL. HELGA LOREIDA

rio, assim como se adaptar ao gosto das plateias. Na verdade, uma prática comum das grandes companhias de dança que excursionavam por variados países e cidades.

Duas companhias francesas fecharam a década com chave de ouro, mostrando que balé de qualidade podia ter outro sotaque que não apenas o russo: o Ballet de Champs Elysées, em 1949, e o Ballet da Ópera de Paris, em 1950.

De 18 de maio a 25 de junho de 1949, o grupo dirigido pelo bailarino e coreógrafo francês Roland Petit (1924) realizou vinte récitas, mostrando ao público carioca, segundo Mário Nunes, o "espírito da renovação sem repudio das leis inflexíveis que regem a dança clássica". O espetáculo de estreia, ainda de acordo com Nunes "levou ao Municipal, na noite de quarta feira o que há de mais seleto na sociedade carioca, na esfera mundana ou das artes e das letras, da política e das finanças. Foi assim, o espetáculo inaugural da temporada aplaudido por um público de elite".[16] Sua fala interessa por mostrar que público frequentava o Theatro Municipal, em especial espetáculos de dança, e como inovações nessa área eram recebidas, desde que fundadas na escola clássica.

O grande sucesso da companhia foi, sem dúvida, Le Jeune Homme et la Mort, coreografia de Roland Petit, com música de Bach e libreto de Jean Cocteau (1889-1963). Para o crítico Antonio Bento, do Diário Carioca, tratou-se de um balé excepcional, "de estilo novo, em tudo oposto ao sublime estilo clássico. [...] Os gestos angulosos dos bailarinos ajustam-se à própria concepção da obra, deixando de ser 'feios'."[17]

A década encerrava-se da melhor maneira possível, mostrando ao público diferentes maneiras de fazer dança, com uma riqueza de referências que se manteve nos anos seguintes. ■

very elite audience.[16] Interestingly, Nunes's comments give a sense of the identity of the public that frequented the Theatro Municipal, especially to see dance, and that innovations were welcome as long as they were classically based.

Without a doubt, the company's great success was *Le Jeune Homme et la Mort*, choreographed by Roland Petit, with music by Bach and a libretto by Jean Cocteau (1889-1963). The *Diário Carioca* critic, Antonio Bento, thought it was an extraordinary ballet "with a new style, the complete opposite of the sublime classical style. ... The dancers' angular gestures cease to be 'ugly' because they embody the concept of the work itself."[17]

The decade closed in the best way possible by offering the public different ways of dancing, with a wealth of references that continued in the following years. ■

JEAN BABILÉE. *LE JEUNE HOMME ET LA MORT*.
PH. THOMAZ FARKAS, [CA.1947]. IMS

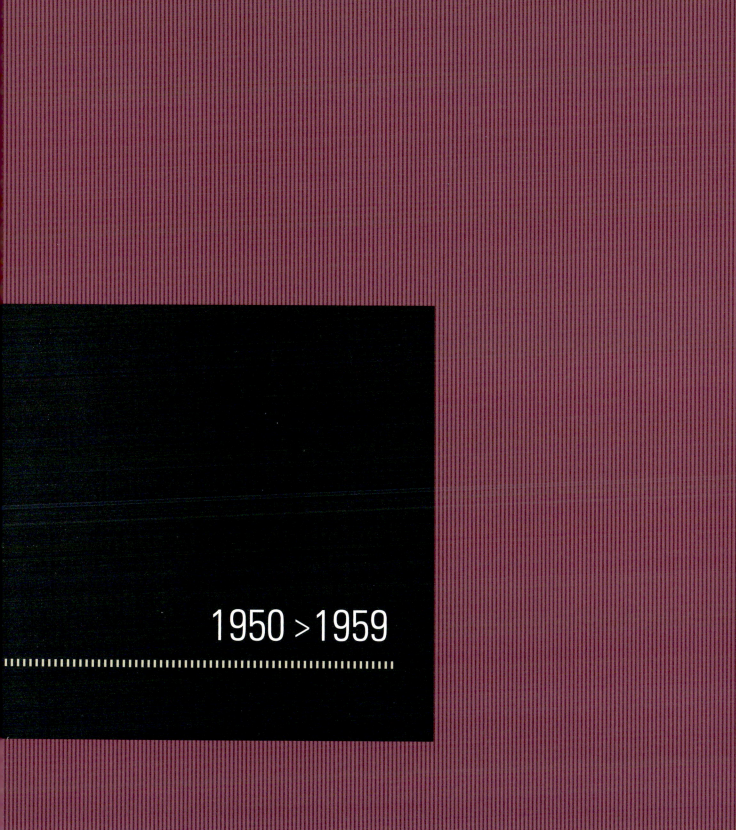

1950 >1959

CARTAZ ORIGINAL DE *O MAMBEMBE*.
ORIGINAL POSTER OF *O MAMBEMBE*.
1959. CEDOC-FUNARTE

1950 compensa o triste silêncio de 1949 com a primeira visita ao Brasil da Companhia Madeleine Renaud-Jean-Louis Barrault que, além de vários atores de grande nome, traz Pierre Boulez como diretor musical e Félix Labisse como cenógrafo. O repertório, de alta categoria, traz obras de Marivaux, Molière, Shakespeare, Claudel, Marcel Achard e Sartre, alcançando extraordinário sucesso.

Merece uma palavra à parte a apresentação de *O Processo*, de Kafka, monumental encenação com magníficos cenários de T. Bérard, que recebeu, no final, uma ovação que durou dez minutos ou mais.

Modesto, o Brasil só apresenta *Quebranto*, de Coelho Neto, pelo Teatro Universitário, trazendo no elenco Nathalia Timberg e Sergio Britto, entre outros, e *O Duque Brasileiro*, de Renato Vianna, como homenagem às Forças Armadas.

1951 foi tão brasileiro que quase fez crer que Artur Azevedo realizara seu sonho; o prestígio do Theatro Municipal era tanto que todas as várias companhias profissionais queriam ser vistas em seu palco, apresentando aproximadamente o mesmo tipo de repertório que vinha sendo, quase sempre, apresentado pelas companhias estrangeiras, inclusive pela única, italiana, que nos visitou em junho desse ano, liderada por Vittorio Gassmann e Luigi Squarzina, cuja principal montagem foi *Oreste*, de Alfieri.

Em quatro ocasiões diferentes até mesmo o teatro infantil foi apresentado, sendo que em duas delas foram encenadas *O Casaco Encantado* e *Simbita e o Dragão*, de Lucia Beneddetti, parte fundamental da renovação do gênero.

Foram várias as companhias profissionais vistas no TM nesse ano: em junho a Companhia

PÁGINA ANTERIOR | PREVIOUS PAGE
CAPA DO PROGRAMA DA TEMPORADA OFICIAL
COVER OF THE SEASON'S OFFICIAL PROGRAM
1955. CEDOC-FUNARTE

teatro
theater

BARBARA HELIODORA

In 1950, the Compagnie Madeleine Renaud-Jean-Louis Barrault visited Brazil for the first time, which compensated for the previous year's empty stages. In addition to several renowned actors, the company brought Pierre Boulez as musical director and Félix Labisse as set designer. The top-quality repertory included works by Marivaux, Molière, Shakespeare, Claudel, Marcel Achard, and Sartre, and met with extraordinary success.

Kafka's *The Trial* deserves special mention due to its impressive staging, with magnificent scenery by T. Bérard, who received a standing ovation for more than ten minutes.

Brazil only presented Coelho Neto's *Quebranto* by the Teatro Universitário, with a cast that included Nathalia Timberg and Sergio Britto, and *O Duque Brasileiro* by Renato Vianna to honor the Armed Forces.

The year 1951 was so Brazilian that it was almost possible to believe that Artur Azevedo's dream had come true. The Theatro Municipal was so prestigious that every single professional company wanted to be seen on its stage, mostly offering the same kind of repertory usually staged by foreign companies. This included the only company to visit us in June of that year, an Italian group led by Vittorio Gassmann and Luigi Squarzina, whose main production was Alfieri's *Oreste*.

There were four different children's theater productions with two shows of Lucia Benedetti's *O Casaco Encantado* and *Simbita e o Dragão*, a fundamental contribution to the renewal of the genre.

Several professional companies were seen at the Theatro Municipal that year: in June, the Companhia Dulcina-Odilon staged *Ninotchka* twice; in August, Eva e seus Artistas pre-

Dulcina-Odilon deu duas récitas de *Ninotchka*, em agosto Eva e seus Artistas apresentava *Cândida* de Bernard Shaw e *Iaiá Boneca* de Ernani Fornari, e a seguir Raul Roulien monta *O Senhor Também É?*, de Dario Nicodemi. Para o dia 27 de agosto há ainda o registro de que houve um Festival de Comédia, com as companhias de Eva, Dulcina, Alda Garrido, Procópio, Jayme Costa, Roulien, Aimée, Silveira Sampaio e Záquia Jorge representando *Manequim*, de Henrique Pongetti.

Uma emocionante visita do teatro universitário de Coimbra lotou o Municipal apresentando o *Auto das Barcas*, de Gil Vicente, e interrompeu o fluxo brasileiro, que logo depois volta com Jayme Costa em *A Morte do Caixeiro Viajante*, de Arthur Miller, uma bela comprovação de que os atores mais presos aos velhos hábitos pré-Nelson Rodrigues já estavam agora dialogando bem com a dramaturgia mais moderna. Procópio se apresentaria também, porém com seu tradicional repertório: *O Avarento*, *Deus Lhe Pague*, e *Esta Mulher É Minha*.

Sem maiores indicações sabe-se que em novembro houve duas récitas de *A Valsa nº 67*, de Nelson Rodrigues, logo seguida pelos Artistas Unidos, companhia estrelada por Henriette Morineau, com *O Complexo do Meu Marido* e *A Poltrona 47*.

Não deixa de ser surpreendente saber que a Escola de Teatro do TM apresentou, também em novembro, o *Édipo* de André Gide (com Tereza Rachel e Carlos Alberto aparecendo no elenco).

Memorável também foi a visita do Teatro Brasileiro de Comédia (TBC) que apresentou nada menos que dez récitas de *A Dama das Camélias*, dirigida por Luciano Salce, com um elenco que incluía Cacilda Becker, Cleyde Yaconis, Paulo Autran e Leo Villar, entre outros. Concluindo o ano, Bibi Ferreira apresentou *A Pequena Catarina*, *Diabinho de Saias* e *A Hipócrita*.

Em 1952, como no ano anterior, o TM foi ocupado por grande variedade de companhias, des-

CACILDA BECKER, *A DAMA DAS CAMÉLIAS*. TMRJ. 1951. CEDOC-FUNARTE.

sented Bernard Shaw's *Candida* and Ernani Fornari's *Iaiá Boneca*; and, after that, Raul Roulien presented Dario Nicodemi's *O Senhor Também É?*. The record for August 27 mentions a Festival de Comédia featuring the companies of Eva, Dulcina, Alda Garrido, Procópio, Jayme Costa, Roulien, Aimée, Silveira Sampaio, and Záquia Jorge who presented *Mannequim* by Henrique Pongetti.

An exciting visit by the university theatre from Coimbra drew a full house with its production Gil Vicente's *Auto das Barcas*. It interrupted the flood of Brazilian productions that resumed with Jayme Costa in Arthur Miller's *Death of a Salesman*, proof positive that the actors most enslaved by the old habits that had prevailed prior to the theater of Nelson Rodrigues were up to dealing with more modern plays. Procópio would also perform, albeit with his traditional repertory: *The Miser, May God Reward You,* and *This Woman is Mine*.

Although we lack greater details, we do know that two performances of Nelson Rodrigues's *Valsa nº 6*, were staged in November and were closely followed by productions of *O Complexo do Meu Marido* and *Poltrona 47* by the Artistas Unidos, a company starring Henriette Morineau.

It's no surprise that in November the Theatro Municipal's Escola de Teatro also presented André Gide's *Oedipus* (with Tereza Raquel and Carlos Alberto).

Another memorable guest was the Teatro Brasileiro de Comédia (TBC) with no less than ten performances of *Camille*, directed by Luciano Salce, whose cast included Cacilda Becker, Cleyde Yaconis, Paulo Autran, and Leonardo Villar. In December, Bibi Ferreira presented *A Pequena Catarina*, *Diabinho de Saias*, and *A Hipócrita*.

CAPA DO PROGRAMA: COMÉDIE FRANÇAISE.
PROGRAM COVER: COMÉDIE FRANÇAISE.
1952. CEDOC-FUNARTE.

ta vez com duas visitas da França: a Comédie Française, com pequeno repertório de seis peças, dentre as quais se destacaram *La Reine Morte*, de Henri Montherlant e *Le Mariage de Figaro* de Beaumarchais, e o excelente grupo estudantil da Universidade de Paris, Les Théophiliens, com o magnífico *Mystère de la Passion* do séc XV, e um encantador espetáculo criado em torno de poetas medievais, com o nome de *Le Miracle de la Veillée*.

Os brasileiros abriram o ano com as companhias de Silveira Sampaio e Bibi Ferreira (que montou *O Noviço*, com ela no papel-título), e depois das visitas estrangeiras vieram Sarah Nobre-Cesar Borba, novamene Silveira Sampaio, *Iracema* de Alencar-André Villon, o Teatro de Arte, Procópio e finalmente Henriette Morineau, formando um conjunto um pouco desigual e sem qualquer momento de grande destaque.

A novidade de 1953 foi a apresentação da Companhia Dramática Nacional, que era a tentativa de se estabelecer uma companhia estável, financiada pelo estado, e que apresentou uma temporada de três textos nacionais: *A Falecida* de Nelson Rodrigues e *A Raposa e as Uvas*, de Guilherme Figueiredo, foram grandes sucessos, principalmente o trabalho de Sérgio Cardoso em todas duas; mas *Canção Dentro do Pão*, de Magalhães Junior, alcançou resultado bem mais modesto.

Logo depois disso Rodolfo Mayer apresentou-se no Municipal com seu eterno *As Mãos de Eurídice*, de Pedro Bloch, que interpretou anos a fio, e por todo o Brasil, com imenso sucesso popular. Bibi Ferreira voltou logo depois, com a comédia americana *Beija-me e Verás*, enquanto o TEB de Paschoal Carlos Magno volta ao teatro com *O Noviço* e, de Eurípides, *Hécuba*. E depois de a companhia Sarah Nobre-Cesar Borba aparecer de novo com *As Bruxas Já Foram Meninas*, a Comédia Brasileira faz uma temporada com duas peças de Roberto Gomes: *A Casa Fechada, Sonho de Uma*

SÔNIA OITICICA / NELSON RODRIGUES,
PERDOA-ME POR ME TRAÍRES.
TMRJ. 1957. CEDOC-FUNARTE

ACIMA | ABOVE
SÔNIA OITICICA / SÉRGIO CARDOSO /
LEONARDO VILLAR, *A FALECIDA*.
TMRJ. 1953. CEDOC-FUNARTE

As it had the year before, in 1952 the Theatro Municipal hosted a huge variety of companies. This time it invited two French guests: the Comédie Française, with a small repertory of six plays, among them Henri Montherlant's *La Reine Morte* and Beaumarchais's *Le Mariage de Figaro,* and an excellent student group from the Université de Paris, Les Théophiliens, with the magnificent 15th-century *Mystère de la Passion,* as well as a charming play inspired by medieval poets called *Le Miracle de la Veillée.*

Brazilians opened the year with the Silveira Sampaio and Bibi Ferreira companies (the latter produced *O Noviço*, in which she played the title role). After shows by foreign companies, Brazilian productions included Sarah Nobre-Cesar Borba, Silveira Sampaio once again, Alencar-André Villon's *Iracema,* the Teatro de Arte, Procópio and, finally, Henriette Morineau. The quality of these shows was uneven and there was not one noteworthy event.

The novelty of 1953 was the Companhia Dramática Nacional, an attempt to establish a stable company that was government financed. It presented a season featuring three domestic texts: both Nelson Rodrigues's *A Falecida* and Guilherme Figueiredo's *A Raposa e as Uvas* were major hits, mostly due to Sérgio Cardoso's performance; the success of Magalhães Junior's *Canção Dentro do Pão* was much more modest.

Soon after, Rodolfo Mayer played at the Municipal with his long-running show *As Mãos de Eurídice* by Pedro Bloch, which was continually performed all over Brazil to tremendous popular success. Bibi Ferreira was back soon afterwards with the American comedy *Kiss Me and You'll See* and Paschoal Carlos Magno's TEB returned to the theater with

Noite de Luar, e em récita especial, *A Ceia dos Cardeais*, de Júlio Dantas, com o notável ator português João Villaret juntando-se a Jayme Costa e Sergio Cardoso para formar um elenco estelar. O ano é concluído com as peças de final de curso da Escola Martins Pena.

1954, como os dois anos anteriores, não foi ano de muita atividade teatral, porém nem por isso ele é menos significativo: volta ao Rio a Cia. Madeleine Renaud-Jean-Louis Barrault, com temporada mais curta, porém com alguns espetáculos memoráveis, por suas encenações particularmente primorosas: *Le Cocu Magnifique*, de Crommelynk, *La Cérisae*, de Tchekhov, e *Le Misanthrope*, de Molière, foram espetáculos que marcaram época, visual e interpretativamente.

A Companhia Dramática Nacional voltou a se apresentar em junho, com uma temporada que incluiu *Senhora dos Afogados* de Nelson Rodrigues, *As Casadas Solteiras* de Martins Pena, *A Cidade Assassinada*, de Antonio Callado, e *Lampião*, de Raquel de Queiroz, as duas últimas notáveis por serem das raríssimas incursões dos dois autores pelo teatro.

Il Piccolo Teatro di Milano, dirigido pelo grande Giorgio Strehler, faz uma breve temporada que inclui a histórica atuação de Marcello Moretti em *Arlecchino Servitore di Due Padroni* como principal atração, e o ano é concluído pela Escola Martins Pena com *A Primeira Legião*, de Emmet Lavry.

1954 abre com a companhia de Silveira Sampaio apresentando oito récitas de um único texto, *Um Homem Magro Entra em Cena*, mas logo a seguir, em abril, chega de São Paulo o extraordinário espetáculo da companhia de Maria Della Costa e Sandro Polloni, *O Canto da Cotovia*, o primeiro trabalho de direção e cenografia, no Brasil, de Gianni Ratto, que o casal trouxera da Itália, e viria a ter imensa e notável participação no teatro brasileiro, vivendo em seu país de adoção até a morte.

RODOLFO MAYER, *AS MÃOS DE EURÍDICE*.
1953. CEDOC-FUNARTE

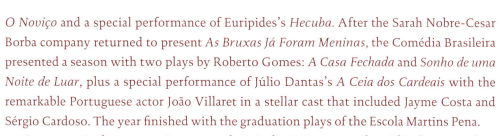

O Noviço and a special performance of Euripides's *Hecuba*. After the Sarah Nobre-Cesar Borba company returned to present *As Bruxas Já Foram Meninas*, the Comédia Brasileira presented a season with two plays by Roberto Gomes: *A Casa Fechada* and *Sonho de uma Noite de Luar*, plus a special performance of Júlio Dantas's *A Ceia dos Cardeais* with the remarkable Portuguese actor João Villaret in a stellar cast that included Jayme Costa and Sérgio Cardoso. The year finished with the graduation plays of the Escola Martins Pena.

In 1954, as in the two previous years, theatrical activity was at a low. This, however, does not make it any less meaningful: the Madeleine Renaud-Jean-Louis Barrault company returned to Rio with a shorter season but with some plays that were memorable for their especially exquisite staging: Crommelynk's *The Magnificent Cuckold*, Chekhov's *The Cherry Orchard*, and Molière's *The Misanthrope* were landmarks of visual effects and acting.

The Companhia Dramática Nacional was back on stage in June with a season that included *Senhora dos Afogados* by Nelson Rodrigues, *As Casadas Solteiras* by Martins Pena, *A Cidade Assassinada* by Antonio Callado, and *Lampião* by Raquel de Queiroz. The last two were remarkable for being one of the rare occasions either of these authors wrote for the theatre.

Il Piccolo Teatro di Milano, directed by the great Giorgio Strehler, presented a brief season that included Marcello Moretti's famous performance in *Harlequin, Servant of Two Masters* as their main attraction. The year came to an end with the Escola Martins Pena staging Emmet Lavry's *The First Legion*.

The year of 1954 began with Silveira Sampaio's company presenting eight performances of a single play, *Um Homem Magro Entra em Cena*. Soon later, in April, the Maria Della Costa

SERGIO BRITTO / MARIA DELLA COSTA,
O CANTO DA COTOVIA.
1954. CEDOC-FUNARTE

Nesse seu primeiro espetáculo brasileiro, Gianni Ratto, que fora o cenógrafo fundador do notável Piccolo di Milano, criou um cenário austero, sugerindo algum reduto privado de alguma catedral, com pesados segmentos de parede separados por outros, mais finos, que ficavam reentrados; na cena final, para a morte e santificação de Joana d'Arc, as partes finas das paredes ficavam translúcidas e transformavam-se em gloriosos vitrais coloridos.

Após uma única apresentação, por um grupo alemão, da *Ifigênia em Táuris*, de Goethe, o TM recebe o Théâtre National de Belgique, que em sua temporada apresenta pelo menos dois espetáculos excepcionais, *La Chasse aux Sorcières*, de Arthur Miller, e *Barrabás*, de Michel Ghelderode. O diretor deste último, Maurice Vaneau, voltou um pouco mais tarde ao Brasil, por muitos anos e com muito sucesso.

Pouco depois seguem-se três récitas únicas brasileiras: um grupo não identificado apresenta *O Mambembe* de Artur Azevedo, Rodolfo Meyer dá mais uma vez *As Mãos de Eurídice* de Pedro Bloch, e o ano teatral é encerrado com mais uma *Poeira de Estrelas*, com participações de todos os grupos que atuavam então no Rio de Janeiro.

1956 é um ano que merece especial atenção, porque a não ser por uma apresentação medíocre de *A Casa de Chá do Luar de Agosto,* por um espetáculo americano criado só para excursionar, e uma única apresentação de *Kabale und Liebe* (*Intriga e Amor*), de Schiller, de um grupo teatral de Frankfurt, toda a temporada é realizada por brasileiros.

Em maio o Teatro Popular de Arte (Maria Della Costa e Sandro Polloni) apresenta *A Rosa Tatuada* de Tennessee Williams, *A Casa de Bernarda Alba* de Garcia Lorca e *Manequim* de Henrique Pongetti. No mês seguinte o Movimento Brasileiro de Arte, que tem pouca duração, monta

MARCELO MORETTI, *ARLECCHINO SERVITORE DI DUE PADRON*. 1954. PICCOLO TEATRO DI MILANO – TEATRO D'EUROPA

O Anjo, de Agostinho Olavo, e *Electra do Circo*, de Hermilio Borba Filho, dirigida por Geraldo Queiroz, com grande elenco. Em setembro outro grupo que logo desapareceu, o Teatro da Fonte, monta *A Descoberta do Novo Mundo*, de Morvan Lebesque inspirado em Lope de Vega, em récita única.

Ainda em setembro, após mais uma *Poeira de Estrelas*, tem lugar a estreia de *Orfeu da Conceição*, de Vinicius de Moraes, com direção de Leo Jusi, cenário de Oscar Niemeyer e música de Tom Jobim, em que Haroldo Costa aparecia no papel-título. E logo a seguir a Cia. Nydia Licia-Sérgio Cardoso apresenta-se com nova montagem do *Hamlet*, diversa da que consagrara Sérgio Cardoso, e *Quando as Paredes Falam*, de Ruggero Jacobbi.

Novembro é ocupado por *O Conselheiro*, do Teatro Universitário de Comédia, por uma temporada de duas semanas da Cia. Jayme Costa, que apresenta *Eu Arranjo Tudo*, de Cláudio de Souza, *Carlota Joaquina* de Raymundo Magalhães Jr., e *Copacabana S.A.*, de Jota Gama, sendo seguidos pela montagem de *César e Cleópatra* de Bernard Shaw pelos formandos da Escola Martins Pena, terminando-se o mês com uma única récita da *Marquesa de Santos*, de Viriato Correa, pela Cia. Dulcina-Odilon.

Em 1957, a presença nacional e a estrangeira equilibram-se: o ano começa em abril com a Cia. Nicette Bruno-Paulo Goulart apresentando dois textos nacionais, *Os Amantes*, de Samuel Rawet, e *A Vida Não é Nossa*, de Acioly Neto, com doze récitas cada uma, enquanto em maio o TBC faz uma rápida visita ao Rio com apenas quatro récitas de *Gata em Teto de Zinco Quente*, de Tennessee Williams.

Em junho a Compagnia Italiana di Prosa Lullo-Falk-Guarnieri-Valli alcança grande êxito apresentando *Il Sucesso*, de Alfredo Testoni, *La Fiaccola Sotto il Moggio* de Gabrielle D'Annunzio,

SANTA ROSA / NELSON RODRIGUES, *SENHORA DOS AFOGADOS*. SANTA ROSA / NELSON RODRIGUES, *SENHORA DOS AFOGADOS*. TMRJ. 1954. CEDOC-FUNARTE

NATHALIA TIMBERG, *SENHORA DOS AFOGADOS*. TMRJ. 1954. CEDOC-FUNARTE

and Sandro Polloni company arrived from São Paulo with their extraordinary production of *The Lark*. This was the first work by director and stage designer Gianni Ratto who the producing couple had brought from Italy. Ratto played an enormous role in theater in Brazil and lived in his adopted country for the rest of his life.

In his first Brazilian production, Gianni Ratto, who had been the founding set designer of the remarkable Piccolo di Milano, created an austere set that suggested a private chamber in a cathedral where heavy segments of walls were separated from other thinner recessed ones. In the final scene of the death and sanctification of Joan of Arc, the thin parts of the walls became translucent and were transformed into glorious colored stained-glass windows.

After a single performance of Goethe's *Iphigenia in Tauris* by a German group, the Theatro Municipal hosted the Théâtre National de Belgique which, in its first season, presented at least two remarkable plays, *The Crucible* by Arthur Miller and *Barabbas* by Michel Ghelderode. The director of *Barabbas*, Maurice Vaneau, returned to Brazil many times where he was very successful.

Soon afterwards, there were performances of the only three Brazilian plays that were staged that year: an unidentified group presented Arthur Azevedo's *O Mambembe*, Rodolfo Meyer once again staged *As Mãos de Eurídice* by Pedro Bloch, and the theatrical season drew to a close with all the active theater groups in Rio de Janeiro participating in one more production of *Poeira de Estrelas*.

The following year, 1956, deserves special attention because, with the sole exception of a mediocre American touring production of *Teahouse of the August Moon* and a single

ELENCO | CAST *OS AMANTES*. FOI POSSÍVEL IDENTIFICAR | ONE CAN IDENTIFY: NICETTE BRUNO / PAULO GOULART / MAURÍCIO SHERMAN TMRJ. 1957. CEDOC-FUNARTE

PAULO GOULART / NICETTE BRUNO, *OS AMANTES*. TMRJ.1957. CEDOC-FUNARTE

GRANDE OTELO. [S.D.]. CEDOC-FUNARTE

Diário de Anna Frank, de Goodrich e Hackett, *Spiritismo Nell'Antica Casa*, de Hugo Betti, *Larazo* de Luigi Pirandello, e *Gl'Innamorata*, de Carlo Goldoni; e no mesmo mês Marcel Marceau também tem grande sucesso com dezenas de esquetes de mímica.

Perdoa-me por me Traíres, de Nelson Rodrigues, montada por Gláucio Gil por duas semanas em junho, marca no meio de sua temporada o 2000º espetáculo teatral apresentado no Theatro Municipal, enquanto no final do mês e entrando por agosto é montada mais uma *Poeira de Estrelas*, seguida, no mesmo mês, por *Sortilégio*, de Abdias do Nascimento, pelo Teatro Experimental do Negro.

Em setembro tem lugar a temporada do Théâtre National Populaire, com direção de Jean Villar e direção musical de Maurice Jarre, com *Don Juan* de Molière, *Le Triomphe de l'Amour* de Marivaux, *Le Faiseur*, de Honoré de Balzac, e *Marie Tudor*, de Victor Hugo, que sustentou excepcional qualidade em todas as quatro montagens.

Na apresentação do *Don Juan*, destacaram-se o excepcional Sganarelle de Daniel Sorano, infelizmente morto muito cedo, e a extraordinária iluminação da cena no cemitério. Don Juan, aceitando o convite do Comendador de pedra, avança por todo um caminho com colunas de um lado

performance of Schiller's *Intrigue and Love*, with a theater group from Frankfurt, the entire season was Brazilian.

In May, the Teatro Popular de Arte (Maria Della Costa and Sandro Polloni) presented *The Rose Tattoo* by Tennessee Williams, *The House of Bernarda Alba* by Garcia Lorca, and *Mannequin* by Henrique Pongetti. The following month, the short-lived Movimento Brasileiro de Arte staged *O Anjo* by Agostinho Olavo and *Electra do Circo* by Hermilio Borba Filho, with a large cast directed by Geraldo Queiroz. In September, another fleeting group, the Teatro da Fonte, staged a single performance of *A Descoberta do Novo Mundo* by Morvan Lebesque inspired by Lope de Vega.

Also in September, after one more production of *Poeira de Estrelas* came the premiere of Vinicius de Moraes's *Orfeu da Conceição* directed by Leo Jusi with sets designed by Oscar Niemeyer and music by Antonio Carlos Jobim, featuring Harold Costa in the main role. Soon later, the Companhia Nydia Licia-Sérgio Cardoso presented *Quando as Paredes Falam* by Ruggero Jacobbi and a new staging of *Hamlet* that was different from the one that had made Sérgio Cardoso famous.

November was a busy month with *The Counselor* by the Teatro Universitário de Comédia followed by a two-week season of the Companhia Jayme Costa presenting *Eu Arranjo Tudo* by Claudio de Souza; *Carlota Joaquina* by Raimundo Magalhães Jr.; and *Copacabana S.A.* by Jota Gama, followed by a production of Bernard Shaw's *Ceasar and Cleopatra* staged by graduating students of the Escola Martins Pena. The month ended with a single performance of Viriato Correa's *Marquesa de Santos* by the Companhia Dulcina-Odilon.

e outro, composto exclusivamente de luz, enquanto no chão focos cruzados nos mostravam o luar atravessando as folhagens de árvores que não víamos.

O americano Teatro da Universidade de Minnesota, apenas competente, ofereceu em setembro *Nossa Cidade* de Thornton Wilder, e *Sonho de Uma Noite de Verão*, de Shakespeare, e em novembro houve cinco récitas de *Paixão da Terra*, de Heloisa Maranhão, com imenso elenco no qual encontramos nomes como Nilson Penna, Grande Otelo, Orlando Miranda, Nicette Bruno, Paulo Porto, Sônia Oiticica e Paulo Goulart. Mas o último espetáculo do ano foi o encantador *Natal na Praça*, de Henri Ghéon, com Paulo Autran, Cláudio Corrêa e Castro, Margarida Rey, Tônia Carrero e Antonio Ganzarolli, dirigido por Benedito Corsi e encenado nas escadarias do TM.

1958 é o ano em que começam a rarear os espetáculos teatrais no Theatro Municipal; não que fosse menor o prestígio da sala, ou menos procurado por espetáculos de maior porte; porém é daí em diante que vai ficando mais claro para todos que o TM é um teatro de ópera, não recomendado para intimismos teatrais. Em julho vem a primeira temporada teatral, com o Teatro Stabile della Città di Genova, que traz no elenco os notáveis Tino Buazelli e Enrico Maria Salerno, apresenta quatro textos: *Misura per Misura* de Shakespeare, *Il Diavolo Peter*, de Salvato Cappelli, *La Locandiera* de Goldoni e *La Conchilia all Oreccjo* de Valentino Bompiani.

TÔNIA CARRERO, *NATAL NA PRAÇA*.
TMRJ. 1957. COL. TÔNIA CARRERO

In 1957, there were equal numbers of national and international performances. The year started in April with the Companhia Nicette Bruno-Paulo Goulart presenting twelve performances each of two Brazilian texts – Samuel Rawet's *Os Amantes* and Acioly Neto's *A Vida Não é Nossa*. In May, the TBC came to Rio briefly for just four performances of *Cat on a Hot Tin Roof* by Tennessee Williams.

In June, the Compagnia Italiana di Prosa Lullo-Falk-Guarnieri-Valli had several major hits with *The Success* by Alfredo Testoni; *The Light under the Bushel* by Gabrielle D'Annunzio; *The Diary of Anne Frank* by Goodrich and Hackett; *Spirit-Raising in the Old House* by Ugo Betti; *Lazaro* by Luigi Pirandello; *Gl'innamorata* by Carlo Goldoni. That same month, Marcel Marceau and his dozens of mime skits were a great success.

The 2000th theatrical performance presented at Theatro Municipal occurred during a performance of Nelson Rodrigues's *Perdoa-me por me Traíres* directed by Gláucio Gil which had a two-week run in June. At the end of the month and during part of August there was another production of *Poeira de Estrelas* and, later that same month, Abdias do Nascimento's *Sortilégio*, performed by the Teatro Experimental do Negro.

LÉA GARCIA / ABDIAS NASCIMENTO,
SORTILÉGIO.
1957. COL. ABDIAS NASCIMENTO / IPEAFRO

In September, there was a season by the Théâtre National Populaire directed by Jean Villar with Maurice Jarre as musical director. The company's four productions – Moliere's *Don Juan*, Marivaux's *The Triumph of Love*, Honoré de Balzac's *The Show-Off*, and Victor Hugo's *Marie Tudor* – were all exceptionally good.

In *Don Juan*, Daniel Sorano, who unfortunately died young, was an exceptional Sganarelle. Another high point was the extraordinary lighting of the cemetery scene when

Depois de o Teatro Rural do Estudante mais uma vez apresentar Zé do Pato, o Teatro Popular de Arte de Maria Della Costa traz sua bela montagem de A Alma Boa de Set-Suan, de Bertolt Brecht, com direção de Flaminio Bollini Cerri, que tem doze récitas e alcança grande sucesso.

Em dezembro Abdias Nascimento encerra o ano com O Vale de Electra de Péricles Leal.

1959 viu em maio uma breve visita da Comédie Française, que trouxe como apresentação mais significativa o Port Royal de Henri de Montherlant, a par de Les Femmes Savantes, de Molière e Le Jeu de l'Amour et du Hasard, de Marivaux tudo em uma única semana.

As apresentações brasileiras começam com nove récitas, em setembro com Gimba, o Presidente dos Valentes, de Gianfrancesco Guarnieri, que tem a ação situada em uma favela carioca, com um grande elenco a peça alcança enorme sucesso, um ponto alto do novo teatro brasileiro.

ACIMA | ABOVE
A ALMA BOA DE SET-SUAM.
TMRJ. 1958. CEDOC-FUNARTE

GIMBA, O PRESIDENTE DOS VALENTES.
TMRJ. 1959. CEDOC-FUNARTE

GIMBA, O PRESIDENTE DOS VALENTES.
DA ESQUERDA PARA A DIREITA | FROM LEFT TO RIGHT: CELESTE LIMA / MARIA DELLA COSTA / SADI CABRAL / OSWALDO LOUZADA.
TMRJ. 1959. CEDOC-FUNARTE

Don Juan accepts the Commandant's invitation. A column-lined path was created exclusively from light, while on the floor, crisscrossed spotlights showed the moon shining through the unseen tree leaves.

The merely competent American theater of the University of Minnesota arrived in September with Thornton Wilder's Our Town, and Shakespeare's A Midsummer Night's Dream. In November, an enormous cast filled with names such as Nilson Penna, Grande Otelo, Orlando Miranda, Nicette Bruno, Paulo Porto, Sônia Oiticica, and Paulo Goulart presented five performances of Heloisa Maranhão's Paixão da Terra. However, the last play of the year was the charming Natal na Praça written by Henri Ghéon and directed by Benedito Corsi with Paulo Autran, Cláudio Corrêa e Castro, Margarida Rey, Tônia Carrero, and Antonio Ganzarolli that was staged on the steps of the Theatro Municipal.

In 1958, theatrical performances at the Theatro Municipal started to become scarcer. Not that the venue lost any of its prestige or was any less sought out for larger shows. And yet from that point on, everyone understood that the Theatro Municipal was a venue of opera rather than intimate theatrical performances. The first theater season took place in July with the Teatro Stabile della Città di Genova whose cast included the remarkable Tino Buazelli and Enrico Maria Salerno performing four different texts: Shakespeare's Measure for Measure, Salvato Cappelli's The Devil Peter, Goldoni's The Mistress of the Inn, and Valentino Bompiani's The Shell Held to the Ear.

After the Teatro Rural do Estudante had once again presented Zé the Duck, Maria Della Costa's Teatro Popular de Arte staged twelve beautiful and enormously successful per-

FERNANDA MONTENEGRO / RENATO CONSORTE / SERGIO BRITTO, *O MAMBEMBE*. TMRJ. 1959. CEDOC-FUNARTE

NAPOLEÃO MONIZ FREIRE / YOLANDA CARDOSO / FERNANDA MONTENEGRO / GRACE MOEMA, *O MAMBEMBE*. TMRJ. 1959. CEDOC-FUNARTE

TARCISO ZANOTTA / FERNANDA MONTENEGRO / ZILKA SALABERRY / NAPOLEÃO MONIZ FREIRE, *MAMBEMBE*. TMRJ. 1959. CEDOC-FUNARTE

formances of *The Good Woman of Szechuan* by Bertold Brecht and directed by Flaminio Bollini Cerri.

In December, Abdias Nascimento closed the year with Péricles Leal's *O Vale de Electra*.

In May 1959, the main attraction of the Comédie Française's one-week tour was Henri de Montherlant's *Port Royal* even though its other productions of Moliere's *The Learned Ladies* and Marivaux's *The Game of Love and Chance* were equally good.

The Brazilian plays began in September with nine performances of *Gimba, o Presidente dos Valentes* by Gianfrancesco Guarnieri which took place in a shantytown or *favela* in Rio de Janeiro and featured a large cast. The play was enormously successful and scored high points for the new Brazilian theater.

In November, even greater success was achieved by the historical staging of Artur Azevedo's *O Mambembe* to honor the playwright and celebrate the theater's 50th anniversary, although the theater hadn't turned out quite as the playwright had hoped. It was the first production by the Teatro dos Sete and five of its founding members participated in the performance: Gianni Ratto was the director and set designer, Fernando Torres was his assistant, and Fernanda Montenegro, Sergio Britto, and Ítalo Rossi formed the central trio of actors in a huge cast with standout performances by Napoleão Moniz Freire, Renato Consorte, Waldir Maia, and Labanca. The opening night was one of the most glorious in the theater's history and the audience was equally enchanted by all fifteen performances that took place at the Municipal before the play moved to the Teatro Copacabana. Regarding the opening night, Gianni Ratto said, "The entire Theatro Municipal stood up and clapped loud and long,

PLATEIA | PUBLIC AUDIENCE, *O MAMBEMBE*.
TMRJ. 1959. CEDOC-FUNARTE

MAESTRO KALUÃ / GIANNI RATTO NA
ESTREIA | AT THE OPENING, *O MAMBEMBE*.
TMRJ. 1959. CEDOC-FUNARTE

CENA DE | SCENE FROM GIANNI RATTO, *O MAMBEMBE*.
TMRJ. 1959. CEDOC-FUNARTE

Maior sucesso ainda alcançou, em novembro, a histórica montagem de *O Mambembe*, de Artur Azevedo, sendo assim o autor devidamente reverenciado quando o teatro, que não era bem o que ele sonhou, completou cinquenta anos. A produção era a primeira do Teatro dos 7, com cinco de seus fundadores como participantes diretos: Gianni Ratto como diretor e cenógrafo, tendo Fernando Torres como seu assistente, enquanto Fernanda Montenegro, Sergio Britto e Ítalo Rossi formavam o trio central de intérpretes, em um vasto elenco no qual se destacavam Napoleão Moniz Freire, Renato Consorte, Waldir Maia e Labanca. A noite de estreia foi uma das mais gloriosas de toda a história do TM, com o público ficando igualmente deslumbrado em todas as quinze récitas ali apresentadas, antes de o espetáculo se mudar para o Teatro Copacabana.

Logo depois o Teatro Nacional de Comédia apresentou o pouco satisfatório *D. Juan Tenório* de José Zorilla, que tinha a destacar em seu elenco a presença de Jayme Costa e Zbigniew Zienbinski. ■

it seemed to go on forever – the actors came back on stage fifty times. I am not saying this to brag, but it was an intoxicating experience."

Soon afterwards, the Teatro Nacional de Comédia staged the mediocre *Don Juan Tenório* by José Zorilla, in which the presences of Jayme Costa and Zbigniew Ziembinski were worthy of notice. In spite of two major hits, *Gimba* and *O Mambembe* out of a total of 258 performances at the Municipal, there were only 36 theater performances. ■

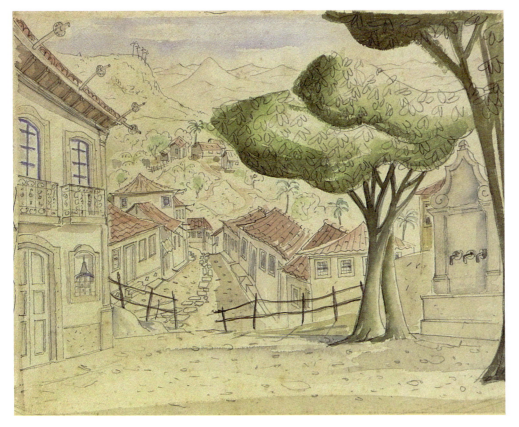

FIGURINOS | COSTUMES BY GIANNI RATTO,
O MAMBEMBE.
1959. CEDOC-FUNARTE

CENÁRIOS | SCENARIOS BY GIANNI RATTO,
O MAMBEMBE.
1959. CEDOC-FUNARTE

Em 1950, na Temporada Nacional, nasce nova estrela brasileira: Aracy Bellas Campos. E na Internacional volta pela última vez Leonard Warren.

Em 1951 o grupo de Milão, Angelicum, com sua orquestra, cenários, figurinos e um conjunto de cantores, apresenta três óperas do século XVIII: *Il Fratello Inamorato* (Pergolesi), *Bastien und Bastianne* (Mozart) e *Il Matrimonio Secreto* (Cimarosa).

Na história do Theatro este ano de 1951 fica como o da estreia de Renata Tebaldi, aclamadíssima e logo favorita do público, e de Maria Callas, dividindo o público, ambas alternando-se nas representações de *Traviata* e *Tosca*. Outro gigante da ópera, Boris Christoff, em um *Don Carlo* inesquecível. E no naipe de tenores, di Stefano, Campora, Picchi, Puma e *last but not least* Gigli, em sua última temporada, 32 anos depois de sua primeira.

À ESQUERDA | LEFT
RENATA TEBALDI / MAESTRO C. PICCINATO / ANTONIO LEMBO
TMRJ. *TRAVIATA*, 1951.
COL. ANTONIO LEMBO

À DIREITA | RIGHT
MARIA CALLAS / GIANNI POGGI / ANTONIO LEMBO / MAESTRO GAYONNE
TRAVIATA, 1951. TMRJ.
COL. ANTONIO LEMBO

PÁGINA SEGUINTE | FOLLOWING PAGE
RENATA TEBALDI.
1950. ISTITUTO ITALIANO DI CULTURA, NEW YORK

MARIA CALLAS.
1952. PH. R. MITCHELL. GETTY IMAGES

BRUNO FURLANETTO

In 1950, during the domestic season, a new Brazilian star was born: Aracy Bellas Campos. Leonard Warren returned to the international season for the last time.

The Milanese group, Angelicum, with its own orchestra, costumes, and cast of singers presented three 18th-century operas: *Il Fratello Innamorato* (Pergolesi), *Bastien und Bastianne* (Mozart), and *Il Matrimonio Secreto* (Cimarosa). Historically significant events at the Theatro in 1951 included premieres by the highly acclaimed Renata Tebaldi, who soon became an audience favorite, and Maria Callas, who divided public opinion. They alternated roles in performances of *Traviata* and *Tosca*. Another opera giant, Boris Christoff, sang an unforgettable *Don Carlo*. Tenors included Di Stefano, Campora, Picchi, Puma, and last but not least, Gigli, in the final season of a career spanning 32 years.

A reminder. That year, TV Tupi broadcast the first operas on Brazilian television: *Cavalleria* and *Pagliacci* with Gigli, and *The Barber of Seville* with Tito Gobbi and Cesare Valletti. It was the first and last time and was never to be repeated because Brazilian broadcasters, unlike those in every other country in the world, think opera doesn't exist. Having brought opera to the attention of millions, television was responsible for the popular revival of opera that began in the 1980s – except in Brazil.

In 1952, a German company featuring Elmendorff's electrifying conducting had hits with *Tristan* and especially, *Fidelio*. The public greeted the great Victoria de los Angeles with indifference.

The following year, *Der Freischütz* and *The Magic Flute* were heard for the first time and enchanted audiences. The controversial Ramon Vinay presented his famous *Otello* and *Samson*.

Um fato que merece ser lembrado: neste ano a TV Tupi retransmitiu as primeiras óperas na televisão brasileira; *Cavalleria* e *Pagliacci* com Gigli e *O Barbeiro de Sevilha* com Tito Gobbi e Cesare Valletti. Primeiras e últimas, pois até hoje isto não se repetiu, porque a televisão brasileira, ao contrário de muitas, pensa que a ópera não existe. Mas foi a televisão que promoveu o seu renascimento como um espetáculo popular a partir dos anos 80, levando-a ao conhecimento de milhões. Menos no Brasil.

Em 52 o sucesso foi do conjunto alemão e a regência eletrizante de Elmendorff em *Tristão* e, especialmente, *Fidelio*. Entretanto, a grande Victoria de los Angeles foi recebida com indiferença pelo público.

No ano seguinte ouve-se pela primeira vez *Der Freischütz* (O Franco Atirador) e *Zauberflöte* (A Flauta mágica) que encanta o público. O discutível Ramon Vinay apresenta seus famosos *Otello* e *Samson*.

1954 foi um ano agitado. Os alemães apresentam-nos *O Rapto do Serralho* (Van Mill levantando o público) e *A Noiva Vendida* (em alemão), e monta-se *Cecília*, uma insignificância musical, para brilho da Tebaldi, que se despede do público, que a adora, nesta sua quarta temporada consecutiva. Pela primeira vez temos um quadro francês da Opéra de Paris, com o raro *L'Aiglon*, da dupla Honneger-Ibert, e *Thais* que acaba em sonora vaia. Em sua única apresentação no Rio, Constantina Araújo aparece em *Aida*, vinda de seus sucessos na Europa, especialmente no Scala onde canta em cinco temporadas

Nineteen fifty-four was a busy year. The Germans performed *The Abduction from the Seraglio* (Van Mill brought audiences to their feet) and *The Bartered Bride* (in German), and staged *Cecilia*, an insignificant opera to showcase Tebaldi who bid farewell to the audiences that had adored her in this, her fourth consecutive season. For the first time we had a French company from the Paris Opera with the rare *L'Aiglon* by the duo of Honneger-Ibert, and *Thais* which was loudly booed. Constantina Araújo appeared in *Aida*, her only performance in Rio following her successes in Europe, especially at La Scala where she sang for five consecutive seasons, including operas staged especially for her. There was also another Brazilian who would have a long career at the Municipal: the era's best mezzo, Glória Queiroz.

Cosi Fan Tutte arrived in 1955 to stay; *Kovantchina* did not. What did remain was the memory of Ítalo Tajo's masterful interpretation of Kovansky, the libidinous, corrupt, and murderous prince. The cast included Peter Gottlieb, a young baritone who was a standout in the following seasons until he established himself at the Paris Opera and *Opéra-Comique* and never returned. A North American company with, according to the composer's instructions, just one Afro-American cast, presented ten performances of the Brazilian premiere of Gershwin's *Porgy and Bess*.

sucessivas tendo, inclusive, óperas montadas especialmente para ela. E outra brasileira, que fará longa carreira no Theatro, a melhor *mezzo* do período, Glória Queiroz. *Cosi Fan Tutte* chega em 1955 para ficar. Não ficou *Kovantchina*. Ficou a lembrança de Ítalo Tajo numa criação de mestre como Kovansky, o príncipe libidinoso, corrupto, assassino. No elenco, Peter Gottlieb, jovem barítono, que brilhará nas próximas temporadas até se estabelecer na Opéra e na Opéra-Comique de Paris e não mais voltar. Um conjunto norte-americano, com um elenco só de negros, como era a especificação do compositor, faz com dez récitas a estreia de *Porgy and Bess*, de Gershwin, no Brasil..

A temporada de 1956 foi de altos e baixos. No alto, Boris Christoff num inesquecível *Boris*, finalmente em russo. E, com grande sucesso surge a poderosa voz do barítono Giangiacomo Guelfi.

Mas já naquele mesmo ano ocorria um fato que traria sérias consequências, não apenas para o futuro do Municipal mas para a cidade do Rio de Janeiro: a aprovação pelo Congresso do decreto que determinava a transferência da capital para Brasília. A medida, aos olhos dos cariocas uma injustificada agressão ao Rio de Janeiro, atingiria em cheio o Theatro Municipal no tocante à qualidade de sua programação. Pois, com a ida do Distrito Federal para a nova cidade, foram-se também as verbas destinadas à cultura. E com elas as do Municipal.

A consequência é que de 1956 a 1978 não houve mais temporadas com uma programação pensada, artistas contratados antecipadamente, vários tipos de assinaturas, como seria de se esperar num teatro de ópera. Passou-se a ter espetáculos avulsos, alguns feitos pelo Estado – o Municipal continua até hoje sendo do Estado do Rio de Janeiro, apesar de "Municipal" no nome. A situação é motivo de uma eterno debate entre o Estado e o Município, que o quer de volta e que,

WALTER MOCCHI / ARACY BELLAS CAMPOS. 1952. TMRJ. COL. ANTONIO LEMBO

BENIAMINO GIGLI / PAULO FORTES. [195-?]. TMRJ COL. PAULO FORTES

The 1956 season was one of highs and lows. High points were Boris Christoff in an unforgettable *Boris*, finally in Russian, and the successful appearance of the powerful voice of baritone Giangiacomo Guelfi.

However, that same year, something happened that would have serious consequences not just for the future of the theater, but also for the city of Rio de Janeiro: Congress approved a decree transferring the nation's capital to Brasília. For Rio residents, the measure was an unjustified aggression against Rio de Janeiro and had a direct impact on the quality of the Theatro Municipal's programming. When the federal capital moved to the new city, the funds destined for culture went with it, including those earmarked for the Municipal.

Consequently, from 1956 to 1978, there were no more opera seasons featuring planned programming, artists hired in advance, different kinds of subscriptions, etc. – all the trappings of a normal opera house. The theater started to offer one-time shows, sometimes produced by the state government. Until today, the Municipal continues to belong to the State of Rio de Janeiro, despite the word "Municipal" in its name. An eternal battle rages on between the state and the city, which wants the theater back, and therefore denies the theater any municipal funding. Other operas are produced by groups of artists, opera lovers, or performers who raise funds to produce "their" opera. This results in crude and amateurish performances, even when sung by professionals, with old sets, precarious lighting, poor costumes or ones that belong to the singers themselves and often contrast with those of their richer colleagues, and few rehearsals because the theater has been transformed into a rental space with a stage where anything goes. Once in a while, there are foreign compa-

BORIS CHRISTOFF.
1956. ROBERT LAKENBACH, TIME LIFE
PICTURES, GETTY IMAGES

PAULO FORTES / IDA MICOLIS.
TMRJ. [195-?]. COL. PAULO FORTES

ACIMA | ABOVE
PAULO FORTES / OLGA MARIA SCHORO /
ASSIS PACHECO, *PEDRO MALAZARTE*,
ESTREIA MUNDIAL | WORLD OPENING.
TMRJ. 1952. COL. PAULO FORTES

por causa disso, lhe nega qualquer verba municipal. Outros espetáculos foram promovidos por sociedades de artistas, sociedades de amantes da ópera ou por artistas que conseguiam uma verba para montar a "sua" ópera... Daí espetáculos sem recursos, amadorísticos, mesmo se cantados por profissionais, com velhos cenários, roupas pobres, ou dos próprios artistas, muitas vezes em contraste com as dos outros colegas mais abastados, iluminação precária, ensaios mínimos, pois o Theatro tinha se transformado num teatro de aluguel, em cujo palco tudo era permitido. E, vez por outra, apareceram conjuntos estrangeiros que, obviamente, vinham "fazer a América" e seus espetáculos, para enganar o público, ganharam o reluzente rótulo de Temporada Internacional...

Nós mesmos testemunhamos isto, pois fomos ao ensaio-geral – aquele que deve ser um espetáculo completo e acabado – de um *Rigoletto* sem cenários e sem figurinos... E a uma montagem na qual o barítono Cornell Mac-Neill, celebridade da época, ensaiava ele mesmo dois aturdidos comprimários, orientando-os como deveriam contracenar com ele, tal era a falta de direção do espetáculo.

Uma pena, pois havia nestes espetáculos excelentes artistas, como as sopranos Ida Miccolis, Agnes Ayres, Diva Pieranti, Aracy Bellas Campos, Ruth Staerke; mezzo-sopranos Maria Henriques, Glória Queiroz, Kleuza de Pennafort; tenores Assis Pacheco e Alfredo Colósimo; os barítonos Lourival Braga, Fernando Teixeira; o baixo Carlos Walter. Neles estrearam futuros artistas internacionais: Nelson Portella, Peter Gottlieb e Eduardo Álvares.

O que salva este período foram as estreias de muitas óperas brasileiras: *Il Neo* (Henrique Oswald), *A Boiúna* (W. Porto Alegre), *A Compadecida* (José Siqueira), *Um Homen só* e *Pedro Malazarte* (Camargo Guarnieri), *Izath* (encenada), *A Menina das Nuvens* (Villa-Lobos) e *A Ceia dos Cardeais* (Iberê Lemos).

nies who've obviously come to "make money" and whose shows, to fool audiences, receive the glossy imprimatur of "International Season."

We ourselves witnessed this at a dress rehearsal – which ought to have been a complete finished performance – of a *Rigoletto* without sets or costumes, and another where baritone Cornell MacNeill, who was a celebrity at that time, himself rehearsed two stunned supporting singers, teaching them how they should perform the scene with him, an example of the total lack of direction.

It was a pity because these performances featured excellent singers such as sopranos Ida Miccolis, Agnes Ayres, Diva Pieranti, Aracy Bellas Campos, and Ruth Staerke; mezzo-sopranos Maria Henriques, Glória Queiroz, and Kleuza de Pennafort; tenors Assis Pacheco and Alfredo Colósimo; baritones Lourival Braga and Fernando Teixeira; and bass Carlos Walter. Among them were singers who would later pursue international careers: Nelson Portella, Peter Gottlieb, and Eduardo Álvares.

What saved this period were the premieres of several Brazilian operas: *Il Neo* (Henrique Oswald), *A Boiúna* (W. Porto Alegre), *A Compadecida* (José Siqueira), *Um Homem Só* and *Pedro Malazarte* (Camargo Guarnieri), *Izath* (staged) and *A Menina das Nuvens* (Villa-Lobos), *A Ceia dos Cardeais* (Iberê Lemos).

There were also operas from the international repertory: *The Medium, Amahl and the Night Visitors, Amelia al Ballo, The Consul,* and *The Telephone* (Menotti); *Assassino nella Cattedrale* (Pizzetti); *Il Campanello* (Donizetti); *Il Dibuk* (Rocca); *L'Enfant Prodigue* (Debussy); *The Golden Cockerel* (Rimsky-Korsakov); *Hin und Zurük* (Hindemith); *Peter Grimes* – with

Também óperas modernas do repertório internacional: *The Medium, Amahl and the Night Visitors, Amelia al Ballo, The Consul* e *The Telephone* (Menotti), *Assassinio nella Cattedrale* (Pizzetti), *Il Campanello* (Donizetti), *Il Dibuk* (Rocca), *L'Enfant Prodigue* (Debussy), *O Galo de Ouro* (Rimsky-Korsakov), *Hin und Zurük* (Hindemith), *Peter Grimes* – com o compositor Benjamin Britten presente na estreia, em 1967, regida por Henrique Morelenbaum, o herói da maioria dessas estreias – *Il Signor Bruschino* e *La Cambiale di Matrimonio* (Rossini), *La Voix Humaine* (Poulenc), *Dido and Aeneas* (Purcell), *Bastien und Bastienne* (Mozart), *Il Segreto di Susanna* (Wolff-Ferrari), *Maria Egiziaca* (Respighi) e *Una Partita* (Zandonai).

Em 1957 ocorre a visita do Teatro de Ópera de Câmara de Buenos Aires, que apresentou *Il Filosofo di Campagna (*Galuppi) e surge uma Cia. Lírica Italiana em *tournée*, com artistas de segunda classe.

Em 1959 comparece um quadro alemão de cantores das províncias e que nos dá a pérola de umas *Bodas de Fígaro* em alemão. Chega depois um grupo italiano, com alguns nomes importantes, mas em fim de carreira, e uma estrela de verdade: Virginia Zeani. ∎

Benjamin Britten attending the premiere in 1967 which was conducted by Henrique Morelenbaum, the hero of most of these premieres; *Il Signor Bruschino* and *La Cambiale di Matrimonio* (Rossini); *La Voix Humaine* (Poulenc); *Dido and Aeneas* (Purcell); *Bastien und Bastienne* (Mozart); *Il Segreto di Susanna* (Wolff-Ferrari); *Maria Egiziaca* (Respighi); and *Una Partita* (Zandonai).

In 1957, there was a visit by the Teatro de Ópera de Camara de Buenos Aires, which presented *Il Filosofo di Campagna* (Galuppi), and also a touring company, the Cia. Lirica Italiana, with second-class singers.

In 1959, a German company with singers from the provinces appeared and gave us the gift of performances of *The Marriage of Figaro* sung in German. Later, there was an Italian company with known singers at the end of their careers and one real star: Virginia Zeani. ∎

CAPA DO PROGRAMA, TEMPORADA DO CINQUENTENÁRIO.
PROGRAM COVER,
50TH ANNIVERSARY SEASON.
1909-1959. CEDOC-FUNARTE

A década de 1950 foi tempo de acidentada consolidação da Orquestra Sinfônica Brasileira, que passou por um de seus periódicos apertos financeiros; de advento de uma geração de grandes pianistas brasileiros do sexo masculino (para matizar a presença feminina mais forte), entre eles Jacques Klein, Antônio Guedes Barbosa, Arthur Moreira Lima e Nelson Freire – estes dois consagrados no I Concurso Internacional de Piano do Rio de Janeiro, que causou sensação na cidade em 1957; de confirmação do Theatro Municipal como vitrine dos grandes nomes da cena clássica internacional, mas já agora também de algumas lendas vivas do popular; e de Maria Callas!

Visto daqui, o período parece dominado pelas apresentações da diva do século em 1951. Mas é claro que a perspectiva não era esta então. Em 1950, o italiano Lamberto Baldi, diretor do Teatro Sodre de Montevidéu e da Sinfônica Municipal de Buenos Aires, "excepcional ensaiador de meticulosidade lendária"[1] e regente afeito ao repertório moderno, recebia a batuta de Eugen Szenkar, que se afastava da OSB. Baldi deu estreias de Honegger, Martinu, Malipiero e Luiz Cosme (*Salamanca do Jarau*) e trouxe o maestro Nino Sanzogno, que mostrou ao público a difícil dodecafonia dos compatriotas Petrassi e Dallapicola. Foi também no primeiro ano da década que estrearam com a orquestra o violinista e futuro regente Henrique Morelenbaum, então com 19 anos, e Arthur Moreira Lima, depois de conquistar no ano anterior, aos 9, o primeiro prêmio do concurso para jovens solistas da OSB.

O piano de Solomon, Friedrich Gulda, Aldo Ciccolini e Brailowsky (dez recitais!), o baixo Nicola Rossi-Lemeni, o barítono Gino Bechi e a contralto Marian Anderson, Pierre Fournier com seu cello, Isaac Stern e Yehudi Menuhin com seus violinos brilharam ainda em 1950. Quase todos esses solistas estrangeiros continuavam incluindo peças de compositores brasileiros em seus programas:

concerts & recitals
CLÓVIS MARQUES

In 1950s, the Orquestra Sinfônica Brasileira had a rough time getting started and went through one of occasional periods of financial difficulties. The decade also saw the advent of a generation of great Brazilian male pianists (which diluted the more pronounced female presence), among them were Jacques Klein, Antônio Guedes Barbosa, Arthur Moreira Lima, and Nelson Freire. Lima and Freire established themselves in the public's imagination at the I International Rio de Janeiro Piano Competition, which caused a sensation in 1957. It was also the decade when the Theatro Municipal's confirmed its status both as a showcase for great names from the international classical music world as well as some popular living legends such as Maria Callas!

In hindsight, the period seems dominated by the 1951 performances of the diva of the century, although it didn't seem that way at the time. In 1950, the Italian conductor Lamberto Baldi, director of the Teatro Sodre de Montevidéu and Sinfônica Municipal de Buenos Aires, "an exceptional rehearsal director, legendary for his meticulousness"[1] and a conductor who was familiar with the modern repertory, inherited the baton from Eugen Szenkar, who was no longer conducting the OSB. Baldi gave premieres of Honegger, Martinu, Malipiero, and Luiz Cosme (*Salamanca do Jarau*) and welcomed the conductor Nino Sanzogno, who introduced audiences to the difficult dodecaphonic compositions of his fellow countrymen, Petrassi and Dallapicola. The first year of the decade also marked the debuts of the 19-year-old violinist and future conductor Henrique Morelenbaum and Arthur Moreira Lima. A 9-year-old Lima had won first prize in the OSB's competition for young soloists the year before.

1º CONCURSO INTERNACIONAL DE PIANO
DO RIO DE JANEIRO.
1ST INTERNATIONAL PIANO CONTEST.
TMRJ. 1957. COL. NELSON FREIRE

In 1950, there were also brilliant performances by the pianists Solomon, Friedrich Gulda, Aldo Ciccolini, and Brailowsky (ten recitals!); bass Nicola Rossi-Lemeni; baritone Gino Bechi; contralto Marian Anderson; cellist Pierre Fournier; and violinists Isaac Stern and Yehudi Menuhin. Almost all these foreign soloists continued to include pieces by Brazilian composers in their programs – mostly ones by Villa-Lobos, but also pieces by Fructuoso Viana and Camargo Guarnieri (Firkusny), Heckel Tavares (Anderson), Oswaldo de Sousa (Rossi-Lemeni), Mignone (Solomon), Guarnieri, and Flausino Valle (Stern).

PASCHOAL CARLOS MAGNO,
LILY KRAUS, ENTREGANDO O DIPLOMA
DE PARTICIPAÇÃO PARA NELSON FREIRE.
HANDING NELSON FREIRE HIS
PARTICIPANT'S DIPLOMA.
TMRJ. 1957. COL. NELSON FREIRE

Actually, Villa-Lobos conducted the Orquestra do Theatro Municipal in several of his works, among them the premiere of his Symphony No. 6 and *Bachianas Brasileiras* No. 7, in addition to his Fantasia of mixed movements for violin and orchestra with Mariuccia Iacovino. In July, the same group of musicians welcomed the Associação de Canto Coral de Cleofe Person de Mattos [Cleofe Person de Mattos Choral Association] to celebrate Bach's bicentennial with his Cantata No. 46 conducted by Hans Joachim Koellreutter. Among the many Concertos Populares was a recital of works by Alceo Bocchino who played piano and accompanied Tito Schipa. In October, the accordionist Mário Mascarenhas gave a concert with dozens of students and an extremely varied repertory.

Nineteen hundred and fifty-one was a relatively weak year for the OSB, which brought the French conductor Manuel Rosenthal and performed the local debut of Stravinsky's *Rite of Spring*. It was also the year when great popular names started to perform at the Municipal, beginning with a show by Maurice Chevalier in July.

In October 1951, the glory of the human voice was celebrated in the "The Great

YEHUDI MENUHIM.
1950. COL. GABI LEIB

CAMARGO GUARNIERI.
TMRJ [195-?]. FBN

ACIMA | ABOVE
JACQUES KLEIN.
[195-?]. FBN

predominância de Villa-Lobos, mas presença de Fructuoso Viana e Camargo Guarnieri (Firkusny), Heckel Tavares (Anderson), Oswaldo de Sousa (Rossi-Lemeni), Mignone (Solomon), Guarnieri e Flausino Valle (Stern).

Villa-Lobos, por sinal, regeu a Orquestra do TM em várias obras suas, entre elas, em estreia, a *Sinfonia nº 6* e a *Bachianas Brasileiras nº 7*, além da *Fantasia de Movimentos Mistos* para violino e orquestra, com Mariuccia Iacovino. A mesma formação receberia em julho a Associação de Canto Coral de Cleofe Person de Mattos para celebrar o bicentenário de Bach com a *Cantata nº 46*, sob a regência de Hans Joachim Koellreutter. Os numerosos Concertos Populares incluíram um recital de obras de Alceo Bocchino, tendo ao piano o autor, que também voltou a acompanhar Tito Schipa. Em outubro, o acordeonista Mário Mascarenhas deu um sonoro concerto com dezenas de alunos em repertório variadíssimo.

Relativamente pálido para a OSB, que trouxe o regente francês Manuel Rosenthal e ofereceu a estreia local da *Sagração da Primavera* de Stravinsky, 1951 assistiu ao advento dos grandes nomes populares no Municipal, com uma apresentação de Maurice Chevalier em julho.

A glória da voz humana foi celebrada em outubro no concurso "O Grande Caruso", promovido pela Metro Goldwyn-Mayer para lançar o filme homônimo de Mario Lanza; foi sagrado vencedor o então barítono (depois tenor) brasileiro João Gibin, que faria ilustre carreira internacional – voltando ao Municipal do Rio só para duas montagens de ópera na década de 1960. O Coro dos Cossacos do Don estreou na casa, assim como a cantora Vanja Orico, que ficaria famosa como intérprete do fundo folclórico e em filmes como *O cangaceiro*, de 1953, mas então chamava a atenção da crítica para dotes mais clássicos. Acompanhada por Alceo Bocchino num repertório incluindo desde

Caruso" competition promoted by Metro Goldwyn-Mayer to publicize the film of the same name starring Mario Lanza. The big winner was the Brazilian baritone (and later, tenor) João Gibin, who would go on to an illustrious international career and only return to the Municipal in Rio for two opera productions in the 1960s. The Don Cossack Choir made its municipal debut, as did the Brazilian singer Vanja Orico who later became famous as a country singer in films such as the 1953 *O Cangaceiro*. In 1951, however, Orico attracted critical attention for her more classical gifts. Accompanied by Alceo Bocchino in a repertory that ranged from Gluck, Bellini, and Bizet to 20th-century French and Brazilian composers, she received excellent reviews from Andrade Muricy in the September 22 edition of *Jornal do Comércio*.

> *Vanja Orico's entire recital for Brazilian audiences was not only a display of youth, it was also what might be a harbinger of hope for the arduous, fragile, ungrateful, and brilliant art of chamber singing. And not just chamber singing – a singer who's as gifted as Vanja Orico could also perform opera.*

However, if the subject is voices, the year belonged to Callas, Renata Tebaldi, and *tutti quanti* who gave a lyric concert on September 14 to mark the end of their opera season. Sharing the stage were sopranos Maria Canali, Maria de Sá Earp, and Cristina Carroll; mezzo-soprano Maria Henriques; contralto Elena Nicolai; tenors Giuseppe Campora and Salvatore Puma; baritones Enzo Mascherini, Antonio Salsedo, and Paolo Silveri; and bass Boris Christoff, accompanied on piano by Nino Gaioni and Enrico Sivieri.

Gluck, Bellini e Bizet a compositores franceses e brasileiros do século XX, ela era saudada no *Jornal do Comércio* a 22 de setembro por Andrade Muricy:

> *A audição inteira que apresentou Vanja Orico ao público do Brasil valeu por um espetáculo de juventude e desvendou mais uma perspectiva feliz para uma arte tão árdua, tão melindrosa, a um só tempo brilhante e ingrata, que é a do canto de câmara. E nem somente para este, porque Vanja Orico, tão ricamente dotada, tem possibilidades também no terreno da arte lírica.*

Mas se falamos de voz, o ano foi de Callas, Renata Tebaldi e *tutti quanti*, que em 14 de setembro deram um concerto lírico à margem da temporada de ópera em que se apresentavam. Com elas subiram ao palco as sopranos Maria Canali, Maria de Sá Earp e Cristina Carroll, a mezzo Maria Henriques e a contralto Elena Nicolai, os tenores Giuseppe Campora e Salvatore Puma, os barítonos Enzo Mascherini, Antonio Salsedo e Paolo Silveri e o baixo Boris Christoff, acompanhados ao piano por Nino Gaioni e Enrico Sivieri.

Tebaldi cantou a "Ave Maria" e a "Canção do salgueiro" do *Otello* de Verdi. Callas, a grande ária da *Traviata*. Só. A impressão causada na antevéspera por sua voz e sua arte, na sétima récita da *Norma* de Bellini, regida por Antonino Votto, estava nesse mesmo dia nas páginas do *Jornal do Comércio*, pela pena de um Andrade Muricy que decididamente se antecipava a uma espécie de consenso quanto a esse instrumento estranho e privilegiado:

> *Esperava-se muito da estreante, o soprano Maria Callas, de que se dizem maravilhas. Por isso mesmo, a impressão inicial foi de estranheza, e por fim de prazer e admiração, porém de forma inesperada. Aquela cantora dispõe de técnica vocal não digo completa e perfeita, po-*

RENATA TEBALDI.
[195-?]. FBN

Tebaldi sang the "Ave Maria" and the "Willow Song" from Verdi's *Otello*, and Callas, the great aria from *Traviata*. Period. The impression Callas's voice and interpretation caused in the seventh performance of Bellini's *Norma*, conducted by Antonino Votto two days earlier, was in the pages *Jornal do Comércio* in a review penned by Andrade Muricy who had uncannily foreseen a kind of future consensus about her strange, yet privileged instrument:

> *There were great expectations for the soprano Maria Callas, of whom one hears great things. For exactly that reason, the initial impression was one of strangeness, followed by unexpected pleasure and admiration. What that singer has at her command is not what I would call a complete or perfect vocal technique. It is, however, rare and extraordinary. Her pianos and pianissimos are touchingly sweet and notably agile. Although her high notes are sometimes brittle, they don't lose their timbre and her low notes have a strange resonance that catches everyone off guard. This is caused by the range (of her voice)[2] which goes from mezzo-soprano to light soprano. In this last register it occasionally achieves impressive feats. Nevertheless the movement between registers doesn't have the necessary balance, as Marian Anderson's does. It is, however, the source of the audience's somewhat uneasy admiration. This is added to the fact that her voice is not itself beautiful, but acquires its insinuating color when it is sung piano. She's a good dramatic actress who has complete mastery over her difficult role.*

Tebaldi returned the following year, but Callas did not. In 1952, Tebaldi took part in the International Opera Festival accompanied by the house orchestra with Henrique Spedini

rém extraordinária e rara. Os seus 'pianos' e 'pianíssimos' são de tocante doçura e agilidade notável. Já os agudos são por vezes duros, se bem que não se destimbrem, e os seus graves têm ressonância estranha, que a todos surpreendeu. A causa disso é a extensão [da voz, que vai de] [2] mezzo-soprano até o soprano ligeiro, e nesse último registro faz coisas por vezes impressionantes. Entretanto, a passagem de registro não é feita com a necessária igualdade, como consegue por exemplo Marian Anderson. Daí a admiração um pouco inquieta que o público demonstrou. Acresce não ser bela em si mesma a sua voz, que só emitida piano adquire cor insinuante. É boa atriz dramática, dominando completamente o seu difícil papel.

No ano seguinte, Tebaldi retornaria, mas Callas, não. A primeira participou em 1952 do "Festival Lírico Internacional" que, acompanhado pela Orquestra da casa com Henrique Spedini e o pianista Umberto Vedovelli, viu subir ao palco uma constelação ainda mais impressionante – à parte a notável ausência: além de Tebaldi, Maria Caniglia, Victoria de Los Angeles, Maria de Sá Earp, Violeta Coelho Netto de Freitas, Fiorella Carmen Forti, Giacinto Prandelli, Ugo Savarese, Mario Petri e Paulo Fortes. Seria demais imaginar que a ausência da Callas deveu-se aos atritos com Tebaldi, mas o clima eriçado da passagem dos dois tufões ainda repercutiria dezesseis anos depois nas páginas do *Jornal do Brasil*, onde Renzo Massarani relatava a 28 de janeiro de 1967 nada menos que "A vitória de Renata Tebaldi":

O nome da célebre cantora volta nestes dias às crônicas mundiais, depois do êxito estrondoso obtido no novíssimo auditório do Lincoln Center, que acaba de substituir em Nova York o velho e glorioso Metropolitan. Publicando uma entrevista de Livio Caputo com Renata Te-

and pianist Umberto Vedovelli. With the exception of one notable absence, it presented an even more impressive constellation of stars on stage. In addition to Tebaldi were Maria Caniglia, Victoria de Los Angeles, Maria de Sá Earp, Violetta Coelho Netto de Freitas, Fiorella Carmen Forti, Giacinto Prandelli, Ugo Savarese, Mario Petri, and Paulo Fortes. It would be too much to imagine that Callas's absence was due to her conflicts with Tebaldi, but the testy atmosphere that brewed when these two typhoons blew through Rio still reverberated 16 years later in the pages of *Jornal do Brasil*, where on January 28, 1967, Renzo Massarani gave the details behind the story of "The Victory of Renata Tebaldi":

These days the name of this celebrated singer has returned to international newspapers following her thundering success at the brand-new Lincoln Center, which has just replaced New York's old and glorious Metropolitan. Publishing Livio Caputo's interview with Renata Tebaldi, the magazine Época *... noted that the singer no longer appears on Italian stages because she and her colleague, Maria Callas are completely incompatible. 'The hostility between the two sopranos,' writes Caputo, 'started during the 1951 Italian season in Brazil. Miss Callas accused Miss Tebaldi of having schemed to steal the role of Tosca in Rio de Janeiro and declared that comparing Maria to Renata was like comparing champagne to lemon soda.'*

While several *habitués* returned that year (Gieseking seemed to love Rio), 1951 also marked the Municipal debuts of pianist Jörg Demus, violinists Ida Haendel and Ruggiero Ricci, and soprano Erna Berger. Cortot and others returned the following year, which

baldi, a revista Época [...] lembra que a cantora não aparece mais nos palcos italianos, por causa de uma incompatibilidade de caráter com sua colega Maria Callas: 'A inimizade entre os dois sopranos', escreve Caputo, 'começou em 1951, durante uma temporada italiana no Brasil. A senhora Callas acusou a senhora Tebaldi de ter intrigado para lhe roubar o papel de Tosca, no Rio de Janeiro, e afirmou que comparar Maria a Renata era como comparar a champanha a limonada gasosa.

Em meio a vários *habitués* retornando (Gieseking parecia amar o Rio), 1951 assistiu à estreia no TM do pianista Jörg Demus, dos violinistas Ida Haendel e Ruggiero Ricci e da soprano Erna Berger. No ano seguinte – no qual voltou Cortot, entre outros – seria a vez de ninguém menos que Elisabeth Schwarzkopf, que, trazida pela ABC-Pró Arte para um de seus dezesseis concertos na temporada e acompanhada por Fritz Jank, cantou em 29 de outubro um buquê de *arie antiche*, *Lieder* e árias de ópera (alemãs e italianas) no qual quis incluir o mesmo *Azulão* de Jayme Ovalle que já fora entoado em 08 de setembro por Victoria de Los Angeles, programada pela Cultura Artística em sua série de treze saraus.

1952 daria início na OSB à era Eleazar de Carvalho, que assumiu as rédeas do conjunto – nominalmente até 1968, mas no meado dos anos 60 passando a liderança a Alceo Bocchino. "Com os reforços de novos músicos, com uma direção musical forte que prestigiava também o artista nacional, com uma folha

LEONARD BERNSTEIN.
[195-?]. PH. BY AL. RAVENA. NEW YORK
WORLD-TELEGRAM AND THE SUN
NEWSPAPER, LIBRARY OF CONGRESS

also featured Elisabeth Schwarzkopf herself. ABC-Pró Arte brought her for one of its 16 concerts during the season and on October 29, accompanied by Fritz Jank, she sang a bouquet of *arie antiche*, *lieder,* and opera arias (German and Italian). She even hoped to include the same *Azulão* by Jayme Ovalle that had already been sung by Victoria de Los Angeles on September 8 in a series of 13 soirées programmed by the Cultura Artística.

Nineteen hundred and fifty-two marked the beginning of the Eleazar de Carvalho era at OSB. Carvalho technically headed the group until 1968, but in the middle of the 1960s, he passed the baton to Alceo Bocchino. "With the addition of new musicians, a new musical director who also honors Brazilian artists, and employees who are always paid on time, the group's sound has improved considerably," declared Sérgio Nepomuceno[3], referring to the year when Kleiber returned to conduct and Hans Swarowsky and Igor Markevitch came for the first time.

In 1953, the Orquestra Sinfônica Brasileira was conducted by illustrious guests such as Edouard van Beinum, Felix Prohaska, Wladimir Golshmann, and Leonard Bernstein, who was "applauded three times, as conductor, pianist, and composer for his Symphony No. 1 (*Jeremiah*), Ravel's Piano Concerto in G minor, and Schumann's Symphony No. 2, one of his war horses."[4] Meanwhile, Eleazar de Carvalho returned to the modern and contemporary repertory, awarding place of honor to Paul Hindemith and his *Symphonic Metamorphoses on Themes of Weber* and *The Four Temperaments* featuring solos by the same Laís de Souza Brasil who would return the following year to interpret the works conducted by the composer himself.

salarial rigorosamente em dia, a sonoridade do conjunto melhorou consideravelmente", constata Sérgio Nepomuceno[3], referindo-se a este ano em que Kleiber retornou para reger e Hans Swarowsky e Igor Markevitch vieram pela primeira vez.

Em 1953 a Orquestra Sinfônica Brasileira seria regida no Municipal por convidados ilustres como Edouard van Beinum, Felix Prohaska, Wladimir Golshmann e Leonard Bernstein – este "aplaudido na tríplice condição de pianista, regente e compositor em sua *Sinfonia nº 1 (Jeremias)*, no *Concerto em Sol* de Ravel e na *Sinfonia nº 2* de Schumann, um de seus cavalos-de-batalha"[4]. Eleazar de Carvalho, enquanto isto, voltava-se para um repertório moderno e contemporâneo conferindo lugar de honra a Paul Hindemith – com as *Metamorfoses Sinfônicas sobre Temas de Weber* e os *Quatro Temperamentos*, solados pela mesma Laís de Souza Brasil que no ano seguinte voltaria a interpretar a obra sob a regência do autor.

A Orquestra do Theatro Municipal deu em 1953 um show de música brasileira. Por inspiração e iniciativa de Eleazar de Carvalho, foram concertos suculentos: a 31 de março, o *Concertino nº 2* para violão e orquestra de câmara de Radamés Gnattali, com solo de Aníbal Augusto Sardinha, o *Choro* para violino e orquestra de Camargo Guarnieri com Iacovino, a *Fantasia Brasileira nº 1* de Mignone e o *Momoprecoce* de Villa-Lobos com Arnaldo Estrella ao piano; a 10 de abril, o *Concerto em lá menor* para piano e orquestra da Assis Republicano, com Mário Neves, a *Fantasia de Movimentos Mistos* de Villa com Oscar Borgerth e a estreia do *Concerto para Piano e Orquestra* de Santoro com Heitor Alimonda.

Depois de um "intervalo" para que a Associação de Canto Coral fosse convidada no início de novembro, sob a regência de Edoardo de Guarnieri, a um concerto coral-sinfônico de que fazia

FRIEDRICH GULDA. 1958. COL. GABI LEIB

In 1953, the Orquestra do Theatro Municipal gave two delightful concerts of Brazilian music that were the result of Eleazar de Carvalho's inspiration and initiative. The concert on March 31 featured the Concertino No. 2 for guitar and chamber orchestra by Radamés Gnattali, with a solo by Aníbal Augusto Sardinha; the Choro for violin and orchestra by Camargo Guarnieri with Iacovino; the *Fantasia Brasileira No. 1* by Mignone; and *Momoprecoce* by Villa-Lobos with Arnaldo Estrella at the piano. The program on April 10 offered the Concerto in A minor for piano and orchestra by Assis Republicano with Mário Neves; the *Fantasia de Movimentos Mistos* de Villa com Oscar Borgerth; and the premiere of Santoro's Concerto for piano and orchestra with Heitor Alimonda.

There was an "intermission" in the beginning of November when the Associação de Canto Coral conducted by Edoardo de Guarnieri, was invited to perform a choral-symphonic concert that included Stravinsky's *Symphony of Psalms*. Brazilian music returned on November 12 with José Siqueira conducting a concert of his own works: the Symphony No. 2, the Concerto for cello and orchestra with Gomes-Grosso, and *Cinco toadas de Xangô*, for soprano, chorus, and orchestra with Rita Paixão.

parte a *Sinfonia dos Salmos* de Stravinsky, a produção brasileira retornaria a 12 de novembro com obras de José Siqueira regidas pelo autor: a *Sinfonia nº 2*, o *Concerto para Violoncelo e Orquestra* com Gomes-Grosso e *Cinco Toadas de Xangô*, para soprano, coro e orquestra, com Rita Paixão.

Antes de Ferruccio Tagliavini e Fedora Barbieri em outubro, Gérard Souzay foi atração em julho, acompanhado por Dalton Baldwin e incluindo no cantinho brasileiro de seu recital, além do já quase indefectível *Azulão*, o *Engenho Novo* de Braga. Os pianistas Paul Badura-Skoda e Maria Tipo estrearam no pedaço, assim como a Orquestra de Câmara de Suttgart com Karl Münchinger, enquanto Brailowsky se contentava dessa vez com seis recitais.

No recital de encerramento do ano letivo de 1953 da Academia Lorenzo Fernandez, o piano foi tocado pelos juveníssimos Sônia Goulart, Vera Astrachan, Roberto Fuchs e Nelson Freire, este na flor dos seus 9 anos.

A par do minifestival Hindemith, 1954 teve a integral dos Concertos e Sonatas para piano de Beethoven com Friedrich Gulda acompanhado da OSB, que este ano incluiu em seu repertório a *Sinfonia nº 3* de Camargo Guarnieri e a *Sinfonia nº 2 (O Caçador de Esmeraldas)* de Lorenzo Fernandez. Enquanto Eleazar de Carvalho desenvolvia "considerações" sobre as obras para o público dos Concertos para a Juventude, subiam ao pódio da orquestra pela primeira vez Jean Martinon e Edouard Van Remoortel, e entre os solistas estavam Jocy de Oliveira, Clara Sverner, no *Concerto* de Katchaturian, e Jacques Klein.

Os artistas que se apresentaram pela primeira vez no Municipal nos anos subsequentes foram Jorge Bolet em 1955, os Quartetos Janácek e de Budapeste em 1956, o Madrigal Renascentista de Isaac Karabtchevsky, o pianista Menahem Pressler e o Quarteto Húngaro em 1957, o violinista

Prior to Ferruccio Tagliavini and Fedora Barbieri's performances in October, Gérard Souzay, accompanied by Dalton Baldwin, was the attraction in July. Tucked away in the little Brazilian corner of his recital, in addition to the already almost ubiquitous *Azulão*, was Braga's *O Engenho Novo*. The pianists Paul Badura-Skoda and Maria Tipo made their Municipal debuts, as did the Stuttgart Chamber Orchestra with Karl Münchinger. This time Brailowsky made do with six recitals.

In the 1953 end-of-year recital of the Academia Lorenzo Fernandez, the piano was played by four very young pianists: Sônia Goulart, Vera Astrachan, Roberto Fuchs, and Nelson Freire, who was only 9 years old.

Along with the mini Hindemith festival, in 1954, Friedrich Gulda and the OSB performed Beethoven's complete concertos and sonatas for piano. This year the OSB also added Camargo Guarnieri's Symphony No. 3 and Lorenzo Fernandez's Symphony No. 2 (*The Emerald Hunter*) to its repertory. While Eleazar de Carvalho made "comments" about the works for the audience presented in Concertos para a Juventude [Young People's Concerts], Jean Martinon and Edouard Van Remoortel took the podium for the first time. The soloists included Jocy de Oliveira, Clara Sverner playing Katchaturian's Concerto, and Jacques Klein.

In the following years, the artists making their Municipal debuts were Jorge Bolet in 1955; the Janacek and Budapest Quartets in 1956; Isaac Karabtchevsky's Madrigal Renascentista Choir, the pianist Menahem Pressler, and the Hungarian Quartet in 1957; the violinist Leonid Kogan and the pianists Lili Kraus, Joaquin Achúcarro, and Ilana Vered in 1958; and Pierre Barbizet in 1959. Ferras, Janis, Schipa, Anderson, Firkusny, Szigeti, Souzay, Backhaus, Elman, Gul-

MAESTRO HEITOR VILLA-LOBOS.
[195-?]. MVL

Leonid Kogan e os pianistas Lili Kraus, Joaquin Achúcarro e Ilana Vered em 1958, Pierre Barbizet em 1959. Retornavam Ferras, Janis, Schipa, Anderson, Firkusny, Szigeti, Souzay, Backhaus, Elman, Gulda, Stern, Segovia, Tourel, Zabaleta, Malcuzynski, Fournier, Szeryng, Arrau e os Meninos Cantores de Viena nessa segunda metade da década, mas ela parecia prenunciar um esmorecimento da presença de grandes solistas estrangeiros, ao passo que começava a se firmar a de estrelas populares como Louis Armstrong, que se apresentou em três noites de novembro de 1957.

Se tinha início a prática dos recitais de câmara no *foyer* do Theatro, outro esmorecimento no período foi o da Sinfônica Brasileira, que em meio a uma crise financeira e gerencial diminuiu o número de seus concertos de 111 em 1954 e 80 em 1955 para, sucessivamente, 46, 38, 44 e 49 até o fim da década. Entre suas raras atrações estrangeiras nesse período de vacas magras estiveram o pianista Leon Fleischer e o maestro Paul Kletzki. No capítulo raridades, houve em 1955, em homenagem ao seu nonagésimo aniversário, um festival Sibelius, compositor que deixa os brasileiros indiferentes, e em 1956 a *Sinfonia nº 3* de Bruckner, outro incompreendido por estas bandas. Em 1958, Villa-Lobos regeu a OSB em seus dois últimos concertos no Brasil, apresentando entre outras obras sua *Sinfonia nº 11*, depois de ser homenageado no ano anterior pela Orquestra do Theatro Municipal com um concerto pelo seu septuagésimo aniversário.

Foi em 1957 – ano da estreia de Antonio Guedes Barbosa com a OSB, aos 13 de idade – que as multidões se entregaram pela primeira vez em

LOUIS ARMSTRONG / JUSCELINO KUBITSCHEK. 1957. FBN

da, Stern, Segovia, Tourel, Zabaleta, Malcuzynski, Fournier, Szeryng, Arrau, and the Vienna Boys Choir returned during the second half of the decade, but this seemed to foreshadow the diminishing presence of great foreign soloists which coincided with the rise of popular foreign stars such as Louis Armstrong, who performed for three nights in November 1957.

Even though they had begun the practice of holding chamber music recitals in theater hall, the Sinfônica Brasileira was another group that was on the wane. Amidst both a financial and administrative crisis, it decreased the number of its concerts from 111 in 1954 and 80 in 1955 to, successively, 46, 38, 44, and 49 at the end of the decade. Among the rare foreign attractions during these lean times were the pianist Leon Fleischer and Maestro Paul Kletzki. The decade's rarities included a festival in honor of Sibelius's 90th birthday, even though he was a composer who left Brazilians nonplussed. In 1956, there was a performance of the Symphony No. 3 by Bruckner, another composer who was misunderstood in these parts. In 1958, having been honored with a concert by the Orquestra do Theatro Municipal in honor of his 70th birthday the year before, Villa-Lobos conducted the OSB in his two final concerts in Brazil, performing, among others, his Symphony No. 11.

It was in 1957, when a 13-year-old Antonio Guedes Barbosa made his debut with the OSB, that audiences surrendered themselves to the excitement of piano competitions. From August 15 to August 20, I In-

DA ESQUERDA PARA A DIREITA | FROM LEFT TO RIGHT: PIXINGUINHA / LAMARTINE BABO / LOUIS ARMSTRONG / HERIVELTO MARTINS. 1957. FBN

grande estilo às emoções dos concursos para piano. Entre 15 e 20 de agosto, o I Concurso Internacional mostrou o que é o entusiasmo do público carioca pelo piano – e pelo espetáculo das competições. Cobertura farta nos jornais, repercussão na vida da cidade, vibração da plateia, presença do presidente da República, discursos, apresentação dos candidatos pelos embaixadores dos respectivos países: um acontecimento.

Quase duas semanas antes, o *Jornal do Brasil* já estava mobilizado, publicando sob uma foto de JK com alguns dos concorrentes:

Desde quinta-feira começaram a chegar julgadores e concorrentes do concurso: nomes internacionais e já conhecidos. O presidente da Academia de Música de Viena, Sr. Hans Sittner é o nome mais famoso. [...] Ontem, os participantes do Concurso Internacional de Piano foram ao Palácio das Laranjeiras. O Sr. Juscelino Kubitschek os recebeu. [...] Quem lhe informou sobre o certame foi o Maestro A. Sienkiewicz, que vai reger a sinfonia de abertura do Concurso no dia 5: uma composição sua, comemorativa dos 400 anos de São Paulo.

O concerto de abertura, regido pelo pianista e maestro polonês Alexander Sienkiewicz, radicado no Brasil e presidente do júri, teve solo (*Concerto nº 3* de Beethoven) da pianista Lili Kraus – jurada, como ele, ao lado de Eleazar de Carvalho, Eurico Nogueira França, Guiomar Novaes, Souza Lima, Ondina Ribeiro Dantas, o russo Pavel Serebriakov, o polonês Henryk Sztompka, o austríaco Hans Sittner e a francesa Marguerite Long.

Entrevistado por Renzo Massarani, o maestro polaco-suíço Paul Kletzki, convidado da OSB na época, comentava:

MARGUERITE LONG /
MAESTRO HEITOR VILLA-LOBOS.
[195-?]. MVL

ternational Competition demonstrated the enthusiasm that Rio audiences had for both the piano and the competition performaces. There was extensive newspaper coverage about its repercussions in the city, the excitement of the audiences, the presence of the president of the republic, and the presentation of the candidates by the ambassadors of their respective countries: it was a social event.

Almost two weeks beforehand, an already-mobilized *Jornal do Brasil*, had published a photograph of President Juscelino Kubitschek with some of the competitors:

Both well-known and international judges and participants in the competition started arriving on Thursday. Mr. Hans Sittner, president of the Vienna Academy of Music, is the most famous name.... Yesterday, participants in the International Piano Competition visited the Palácio das Laranjeiras where they were greeted by Mr. Juscelino Kubitschek ... the person who briefed him on the event was Maestro A. Sienkiewicz who will conduct the symphony that opens the competition on the 5th with a work he composed to commemorate the 400th anniversary of São Paulo.

The opening concert, conducted by pianist and Polish maestro Alexander Sienkiewicz, who had moved to Brazil and was president of he jury, featured a solo (Beethoven's Concerto No. 3) by pianist Lili Kraus – who was also on the jury along with Eleazar de Carvalho, Eurico Nogueira França, Guiomar Novaes, Souza Lima, Ondina Ribeiro Dantas, and Pavel Serebriakov from Russia, Henryk Sztompka from Poland, Hans Sittner from Austria, and Marguerite Long from France.

Observei, assistindo às últimas provas, um elevado nível de qualidades artísticas também nos concorrentes brasileiros, pois Fernando Lopes deixou-me uma grande impressão e Nelson Freire demonstrou possuir dons extraordinários, mesmo se tão jovem e não totalmente amadurecido. [...] Mas o que mais me impressionou, no concurso, foi o público. Continuando estas manifestações, o público se apaixonaria cada vez mais pela música: o Rio acabaria tendo de repetir todo concerto duas vezes, como acontece em Santiago ou Montevidéu: nas suas ruas se ouviria assobiar Bruckner, como ouvi em Viena, ou Mozart, como ouvi em Praga.

O pequeno Nelson Freire, que se apresentara com a OSB no Concerto *Jeunehomme* de Mozart no ano anterior, saiu do concurso consagrado, como criança prodígio, com um nono lugar, antecedido por Fernando Lopes no oitavo e seguido por Arthur Moreira Lima no décimo. O vencedor foi o austríaco Alexander Jenner, com Serguei Dorenski e Giuseppe Postiglione em segundo; dentre os demais premiados, os nomes que ainda têm ressonância hoje são Tamás Vásáry (5º) e Augustin Anievas (7º). Outras duas edições do concurso se sucederiam no início dos anos 60. ■

GUIOMAR NOVAES /
MAESTRO ELEAZAR DE CARVALHO.
[195-?]. FBN

In an interview with Renzo Massarani, the Swiss-Polish maestro, Paul Kletzki, who was OSB's guest conductor at the time, commented:

In all the final exams, I observed an high level of artistic quality also present in the Brazilian competitors. Fernando Lopes made a great impression on me, and Nelson Freire demonstrated that he possesses extraordinary gifts, even though he's very young and hasn't yet completely matured.... But the audience was what impressed me the most in the competition. If these public demonstrations continue, audiences will become more and more passionate about music; Rio will have to repeat every concert twice, as they do in Santiago and Montevideo. In its streets you'll hear people whistling Bruckner as you do in Vienna, or Mozart as you do in Prague.

For the young Nelson Freire who performed Mozart's *Jeunehomme Concerto* with OSB the following year, the competition established his status as a child prodigy. He finished in ninth place sandwiched between Fernando Lopes in eighth and Arthur Moreira Lima in tenth. The winner was the Austrian pianist Alexander Jenner followed by Serguei Dorenski and Giuseppe Postiglione in second place. Among the other prizewinners, the names that still resonate today are Tamás Vásáry (fifth) and Augustin Anievas (seventh). Other editions of the competition followed in the early 1960s. ■

A década de 1950 contou com a presença de grandes bailarinas como Margot Fonteyn (1919-1991), Tamara Toumanova e Alicia Alonso (1920), além das temporadas do American Ballet Theatre, do Ballet do IV Centenário, do Ballet do Marquis de Cuevas e de uma intensa programação do Corpo de Baile do Theatro Municipal.

Apresentando-se duas vezes nessa década, em 1951 e 1955, o American Ballet Theatre, ou simplesmente ABT, foi muito bem recebido pelo público e pela crítica, apesar de algumas resistências iniciais decorrentes de comparações com companhias europeias, em especial as russas.[1] A importância da temporada de 51 está no fato de ter sido a primeira apresentada por uma companhia norte-americana em dez anos, e também de ter apresentado aos cariocas outra possibilidade de se fazer balé, isto é, bailarinos com uma outra formação (não exclusivamente a escola russa) e bailados de temática norte-americana, como *Billy the Kid*, de Eugene Loring (1911-1982), e *Rodeo*, de Agnes de Mille (1905-1993), além de obras tradicionais como *Giselle*, *Les Sylphides* e *pas-de-deuxs* de *O Lago dos Cisnes* e *O Quebra-Nozes*.

Dirigido por Lucia Chase (1907-1986) com os primeiros-bailarinos Alicia Alonso e Igor Yuskevitch (1912-1994) entre suas principais figuras, a companhia realizou dezessete espetáculos entre 23 de maio e 10 de junho de 1951, com cinco récitas extras.

Entre os números clássicos, chamou especial atenção a atuação dos dois no *pas de deux Cisne Negro*, de *O Lago dos Cisnes*. Para Antonio Bento, tratou-se de uma brilhante execução de Igor Youskevitch

SERGE LIFAR / TAMARA TOUMANOVA [195-?]. FBN

The 1950s were filled with important names such as Margot Fonteyn (1919-1991), Tamara Toumanova, and Alicia Alonso (1920), along with seasons by the American Ballet Theatre, Ballet do IV Centenário, Ballet do Marquis de Cuevas, and intense programming by the Corpo de Baile do Theatro Municipal.

In 1951 and 1955, the American Ballet Theatre, or simply ABT, was warmly received by audiences and critics, despite some initial resistance springing from comparisons with European and especially Russian companies.[1] The season was an important one because it was the first performance by a North American company in ten years, and also because it introduced Rio residents to another way of dancing ballet. Its dancers hadn't been trained in the Russian school and performed American-themed ballets such as *Billy the Kid* by Eugene Loring (1911-1982) and *Rodeo* by Agnes de Mille (1905-1993) as well as traditional works such as *Giselle*, *Les Sylphides*, the *pas-de-deux* from *Swan Lake,* and the *Nutcracker Suite*

PÁGINA ANTERIOR | PREVIOUS PAGE
ALICIA ALONSO / IGOR YOUSKEVITCH. 1953. PH. LIPNITZKI, ROGER VIOLLET / GETTY IMAGES

Directed by Lucia Chase (1907-1986) with principal dancers such as Alicia Alonso (1920) and Igor Yuskevitch (1912-1994), the company gave 16 performances from May 23 and June 10, 1951, adding five extra performances.

The performance by these two principals attracted the most attention in the Black Swan pas-de-deux from *Swan Lake*. The critic Antonio Bento found Igor Youskevitch's execution brilliant "demonstrating that he's the most well-rounded male dancer working today. Alicia Alonso's performance was also perfect and her electrifying series of 34 *fouetté* turns had audiences holding their breaths."[2]

dance

BEATRIZ CERBINO

"demonstrando que é mesmo o mais completo bailarino clássico da atualidade. Também foi perfeita a atuação de Alicia Alonso, cuja eletrizante série de fouettés (34) deixou a plateia suspensa".[2]

Foi também de Antonio Bento uma interessante observação acerca da curta, mas intensa, temporada do ABT, que apresentou vinte diferentes balés em duas semanas: "representar bem todo um repertório, em prazo tão curto, é realmente coisa difícil, senão impossível de ser alcançada, pois o corpo de baile fatiga-se depressa com as mudanças contínuas de programa."[3] Apesar da qualidade técnica exibida pelo grupo, o ritmo intenso e a quantidade elevada de apresentações afetou, de alguma maneira, as performances do ABT, o que não passou despercebido para alguns críticos cariocas, como o próprio Bento e Eurico Nogueira França, do *Correio da Manhã*, que se disse "decepcionado" com algumas coreografias apresentadas pelo grupo, em especial *Pas de Quatre*, do coreógrafo inglês Keith Lester (1904-1993).[4]

Porém, Mário Nunes, do *Jornal do Brasil*, em sua crítica sobre a última récita de assinatura do ABT, fez questão de ressaltar o sucesso alcançado pela companhia e a acolhida entusiástica do público: "realizando a despeito de despeitados e impenitentes maldizentes, temporada triunfal". De acordo com Nunes, a apresentação de Alicia Alonso e Igor Youskevitch, "que se tornaram ídolos da plateia", no *pas de deux* do 3º ato de *O Lago dos Cisnes*, foi aplaudida por mais de quinze minutos, exigindo a presença dos dois artistas em cena cerca de vinte vezes – um "verdadeiro delírio".[5] Alonso e Youskevitch retornaram em 1958, participando da temporada oficial do Corpo de Baile como artistas convidados.

Essa passagem interessa, sobretudo, por evidenciar diferentes percepções das temporadas realizadas no Theatro Municipal, assim como apresentar um possível caminho para o entendimento de

Antonio Bento also observed something interesting about the intense, but short, ABT season, which featured 20 different ballets over a two-week period: "it's really difficult, if not impossible to perform an entire repertory so well in such a short time because a ballet company is easily tired by the constantly changing program."[3] Despite the company's high technical level, the effect this intense rhythm of recitals had on the ABT's performances din't go unnoticed by certain critics such as Bento and Eurico Nogueira França of *Correio da Manhã*, who said he was "disappointed" with some of the company's ballets, especially *Pas de Quatre* by the English choreographer Keith Lester (1904-1993).[4]

Not everyone shared this view. In his review of the American Ballet Theatre's final performance, Mário Nunes of *Jornal do Brasil* insisted the season had been an enormous success for both the public and the company. The ABT had been enthusiastically applauded and "unabashed, and malicious gossip notwithstanding, had a triumphant season." Agreeing with Nunes, he said the performance by Alicia Alonso and Igor Youskevitch, "who audiences' idolized" in the pas-de-deux from Act Three of *Swan Lake* was given a 15-minute ovation, with the "absolutely delirious" audience demanding 20 curtain calls.[5] In 1958, the Corpo de Baile do Theatro Municipal invited Alonso and Youskevitch to be guest artists for its official season.

These reviews are interesting not only because they demonstrate the variety of opinions about these seasons at the Theatro Municipal, but also because they present a possible way of understanding the debate among those who attended these performances. Mário Nunes publically responded to criticism of ABT, and Antonio Bento was one of those who called attention to the wear and tear artists endured during these short seasons. Even more important

como o debate entre aqueles que frequentavam estes espetáculos se dava. Mário Nunes está respondendo publicamente críticas feitas ao ABT, e Antonio Bento foi um dos que chamou atenção para o desgaste provocado nos artistas pelas curtas temporadas. Porém, mais do que opiniões díspares, vale observar como nesta década, assim como na anterior, os críticos de dança, então atuantes, exerciam papel considerável nas discussões acerca da vida cultural e artística da cidade, ao traçar ideias e noções da dança apresentada no principal palco do Rio de Janeiro.

Além disso, é importante notar que essa temporada mostrou obras até então desconhecidas do público brasileiro, como *Billy the Kid*, *Rodeo* e *Interplay*, esta última usando o jazz como partitura musical para a coreografia, o que levou alguns críticos a discutirem porque não se fazia igual uso de temáticas brasileiras para os espetáculos de balé aqui produzidos.[6] Isso já tinha sido feito antes – Maria Olenewa e Vaslav Veltchek criaram coreografias com temáticas nacionais nas décadas de 1930 e 1940 –, a questão levantada era exatamente porque essas tentativas não eram feitas com mais frequência.

Após a companhia norte-americana foi a vez do Corpo de Baile do Theatro Municipal realizar seus espetáculos. Ao longo da década, o Corpo de Baile, dirigido de 1950 a 1958 por Tatiana Leskova, realizou temporadas em todos os anos, por vezes com artistas internacionais convidados e outras contando apenas

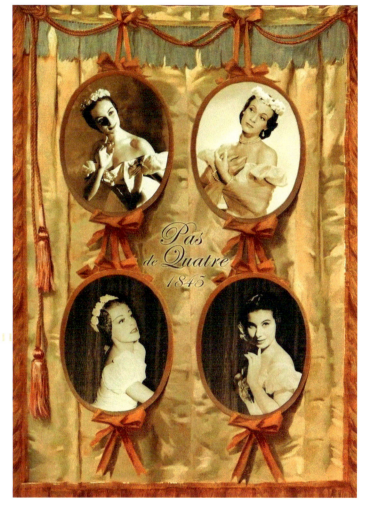

BERTHA ROSANOVA / TATIANA LESKOVA / TAMARA CAPELLER / BEATRIZ CONSUELO, *PAS DE QUATRE*. 1953. COL. TATIANA LESKOVA

than the variety of opinions, it's important to note that dance critics in both this decade and the previous one had an important role in discussions about the city's cultural and artistic life because they generated ideas about the dances presented on Rio de Janeiro's main stage.

Furthermore, it's important to emphasize that this season contained works new to Brazilian audiences such as *Billy the Kid*, *Rodeo,* and *Interplay*. This last work was choreographed to jazz, prompting some critics to debate why local productions didn't also draw their inspiration from Brazilian themes.[6] Not that this hadn't been tried before; in the 1930s and 1940s, Maria Olenewa and Vaslav Veltchek had created dances based on national themes. The question was why these attempts were so erratic.

After the American company left, it was the Corpo de Baile do Theatro Municipal's turn. During this decade the company was directed by Tatiana Leskova from 1950 to 1958 and had annual seasons. Sometimes they featured international guest artists and sometimes seasons spotlighted the company's resident dancers. Nonetheless, they established a standard of quality that both critics and audiences noticed and supported.

In 1951, *Giselle* was staged in its entirety for the first time in Brazil with Leskova and Bertha Rosanova in the principal roles. In the newspaper *O Globo* on October 29, Otávio Bevilacqua found the performance to be "a demonstration of the technical progress of its components" emphasizing the quality of the company and its soloists.[7]

com a prata da casa, estabelecendo um padrão de qualidade ressaltado pela crítica e aplaudido pelo público.

Logo em 1951, *Giselle* foi montado na íntegra pela primeira vez no Brasil, com Leskova e Bertha Rosanova nos papéis principais. Para Otávio Bevilacqua, de *O Globo*, de 29 de novembro, o espetáculo "foi uma demonstração de progresso da técnica de seus elementos", salientando a qualidade apresentada tanto pelos solistas quanto pelo corpo de baile.[7]

Já na temporada de 1952, Eurico Nogueira França, no *Correio da Manhã*, de 8 de abril, fez questão de enfatizar o "período construtivo, cuja vitalidade não deixa dúvidas", em que se encontrava o Corpo de Baile. Para o crítico, o rumo que tomava a companhia de balé do Theatro Municipal era "legítimo e fecundo", ao investir seriamente na formação de seus bailarinos e na ampliação de seu repertório. Atitude que contrastava com "o artificial e estéril que seria se só recebêssemos no Municipal artistas e companhias estrangeiros". Era preciso apostar não apenas na contratação de convidados internacionais, mas, sobretudo, nos profissionais aqui formados, produzindo tempo-

BERTHA ROSANOVA / PAULO FORTES,
LE COQ D'OR.
TMRJ. 1959. COL. PAULO FORTES

Meanwhile, in the 1952 season, Eurico Nogueira França writing for the *Correio da Manhã* on April 8, highlighted this "constructive period whose vitality has dispelled any doubts" in which the Corpo de Baile found itself. For the critic, having wisely invested in the training of its dancers and the broadening of its repertory, the Corpo de Baile do Theatro Municipal had chosen a direction that was "legitimate and fertile." This choice emphasized how "artificial and sterile it would be if the Municipal merely hosted foreign artists and companies." Although it was important to hire international guest artists, it was vital to produce seasons that offered locally trained dancers significant roles.[8]

Throughout the decade names such as Ady Addor (1935), Aldo Lotufo (1925), Arthur Ferreira (1922-1985), Beatriz Consuelo (1931-2008), Berta Rosanova, David Dupré (1930-1973), Dennis Gray (1924-2005), Edmundo Carijó (1930-2009), Johnny Franklin (1931-1991), Ruth Lima (1939), Sandra Dieken (1930), and Tamara Capeller were cited as examples of technical and artistic quality on the stage of the Theatro Municipal.

ENSAIO | REHEARSAL.
TMRJ. [195-?]. COL. DALAL ACHCAR

ADY ADDOR.
1956. PH. RICHARD SASSO.
COL. ADY ADDOR

TATIANA LESKOVA / DENNIS GRAY /
SANDRA DIEKEN, *GÂITE PARISIENNE*.
TMRJ. [195-?]. EEDMO

BERTHA ROSANOVA / ALDO LOTUFO.
TMRJ. 1959. EEDMO

DENNYS GRAY / SANDRA DIECKEN,
PAPAGAIO DE MOLEQUE.
TMRJ. [195-?]. PH. CLÁUDIO. EEDMO

TAMARA CAPELLER / DAVID DUPRÉ /
BEATRIZ CONSUELO.
TMRJ. 1950. COL. HELGA LOREIDA

CAPA DO PROGRAMA DA TEMPORADA
NACIONAL DE ARTE.
NATIONAL ART SEASON PROGRAM COVER.
1956. CEDOC-FUNARTE

radas em que esses tivessem efetiva participação. Opinião partilhada pelos críticos que escreviam sobre dança na imprensa carioca.[8]

Nomes como os de Ady Addor (1935), Aldo Lotufo (1925), Arthur Ferreira (1922-1985), Beatriz Consuelo (1931-2008), Bertha Rosanova, David Dupré (1930-1973), Dennis Gray (1924-2005), Edmundo Carijó (1930-2009), Johnny Franklin (1931-1991), Ruth Lima (1939), Sandra Dieken (1930) e Tamara Capeller foram comentados em toda a década como referência de qualidade técnica e artística no palco do Theatro Municipal.

Dois anos chamam especial atenção tanto pelos coreógrafos quanto pelos bailarinos que deles tomaram parte: 1955 e 1956. Dividida em duas partes, a temporada oficial de 1955 contou, em maio, com a participação de Violeta Elvin (1924) e John Field (1921-1991), primeiros-bailarinos da companhia londrina Sadler's Wells Ballet, e, em outubro, com o coreógrafo Paul Szilard e os húngaros Nora Kovach (1931-2009) e Istvan Rabovsky (1930). Casal que, dois anos antes, havia causado sensação no cenário artístico mundial, ao desertar durante uma excursão do balé da Ópera Estatal de Budapeste em Berlim Oriental, fugindo de metrô até a parte ocidental da cidade.

É possível observar que a presença dos bailarinos internacionais foi utilizada como parâmetro para o amadurecimento artístico do Corpo de Baile. Antonio Bento, do *Diário Carioca*, em sua primeira crítica da temporada, fez questão de salientar o sucesso dos bailarinos estrangeiros, Elvin e Field, e, sobretudo, a competência apresentada pelo balé do Theatro Municipal:

> O sucesso alcançado pela atual temporada veio mostrar que já se pode utilizar o Corpo de Baile do Municipal com um rendimento artístico satisfatório. Contratados dois ou três bailarinos de categoria internacional, atuando como solistas e encarregando-se dos 'pas de deux' clássicos,

MARIA ANGÉLICA.
1950. EEDMO

NORA KOVACK / ISTVAN RABOVSKY.
1955. PH. MAURICE SEYMOUR.
COL. HELGA LOREIDA

286 THEATRO MUNICIPAL DO RIO DE JANEIRO

será possível organizar-se um repertório capaz de suprir a falta das companhias estrangeiras, inacessíveis neste momento às nossas fracas disponibilidades em matéria de divisas.[9]

Além dos comentários acerca do desempenho dos bailarinos e da elaboração de um repertório consistente para a companhia do Theatro Municipal, este trecho é também uma importante fonte de como a situação econômica do país interferia diretamente nas contratações artísticas para o Theatro Municipal, muitas vezes forçando a reformulação de práticas ou instaurando novas diretrizes de investimento, nesse caso na companhia da casa que, na década de 1950, teve um papel ativo na programação do teatro.

A primeira parte da temporada de 1955 também contou com Nina Verchinina (1910-1995) e Vaslav Veltchek como coreógrafos convidados. A presença de Verchinina importa por se tratar do retorno da famosa bailarina e mestra ao Theatro Municipal, que já havia tido uma rápida passagem como diretora do Corpo de Baile em 1946 e 1947. Suas obras *Matizes* e *Narciso* foram apontadas por Accioly Neto, de *O Cruzeiro*, como de "intensa beleza dinâmica", especialmente pela aproximação com o que chamou de "dança livre", denominação usada na época para dança moderna. Accioly Neto também chamou atenção para o desempenho de Sandra Dieken em *Matizes*, apontada por ele como "exemplar".[10]

Em outubro, quando Nora Kovach e Istvan Rabovsky se apresentaram, a percepção em relação aos bailarinos do Theatro Municipal não foi diferente. Além dos elogios ao casal, apontado como "admiráveis" e "bailarinos de estirpe",[11] o equilíbrio demonstrado pelo Corpo de Baile chamou, mais uma vez, atenção. A crítica Ondina Ribeiro Dantas (D'Or), do *Diário de Notícias*,

In 1955 and 1956, the work of choreographers and dancers attracted special attention. The official 1955 season was divided in two parts; in May, there were Violeta Elvin (1924) and John Field (1921-1991), the principal dancers from the Sadler's Wells Ballet in London, and in October, the choreographer Paul Szilard and the Hungarian dancers Nora Kovach (1931-2009) and Istvan Rabovsky (1930), a couple who had caused a sensation in the artistic world, two years earlier, when they deserted during a tour by the Budapest State Opera to East Berlin where they escaped to the western part of the city by subway.

It's possible to observe how the presence of international dancers was used as a parameter for the Corpo de Baile's artistic growth. In his first review of the season, Antonio Bento of the *Diário Carioca* emphasized the success of the international dancers Elvin and Field, but also the level of skill displayed by the theater's resident ballet company:

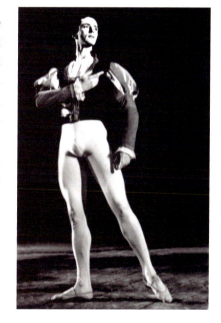

The success of the current season demonstrates that i's already possible for the Corpo de Baile do Municipal to give an agreeable artistic performance. With two or three international soloists performing the classic pas-de-deux, it's possible to organize a repertory that can offset the lack of foreign companies currently beyond the reach of our feeble currency.[9]

In addition to comments about the dancers' performances and the creation of a repertory consistent with the company's abilities, this excerpt provides important information about the direct impact Brazil's economic situation had on its ability to contract artists for the Theatro Municipal; either procedures had to be redesigned or new investment guidelines

MERCEDES BATISTA.
TMRJ. 1953. EEDMO

HELGA LOREIDA / ARTHUR FERREIRA.
TMRJ. 1955. COL. HELGA LOREIDA

EDMUNDO CARIJÓ.
TMRJ. 1956. EEDMO

pontuou os progressos exibidos pelo grupo, a "segurança de seus movimentos", além de destacar a disciplina e agilidade do naipe masculino, assim como a "segurança e a graciosidade" exibidas pelo grupo feminino.[12]

Ainda em 1955, o Theatro Municipal recebeu Léonid Massine como coreógrafo convidado, produzindo três espetáculos em novembro que contaram, além do Corpo de Baile, com a participação dos primeiros-bailarinos norte-americanos Maria Tallchieff (1925) e Andre Eglevsky (1917-1977).

Após a intensa e longa programação dos meses anteriores, a "temporada Massine", como foi chamada a rápida passagem do famoso coreógrafo e bailarino pelo Theatro Municipal, foi alvo de interessantes questionamentos acerca da validade, e viabilidade, dessas curtas temporadas do ponto de vista artístico. Para Eurico Nogueira França, do *Correio da Manhã*, o "lucro artístico" com a visita de Massine, apesar de existir, foi precário não apenas pelo pouco tempo passado com o Corpo de Baile, como também pela repetição de obras, com um repertório pouco renovado. A crítica D'Or, do *Diário de Notícias*, concordou que as atividades coreográficas do Theatro estavam "alongando-se demais" e tornando-se repetitivas, "enfastiando" o público com reprises de *Sílfides* e *Lago dos Cisnes*.[13]

De um modo geral, porém, a passagem de Massine pelo Rio de Janeiro em 1955, assim como no ano seguinte, foi muito bem recebida pela imprensa e pelo público, que lotou todas as réci-

BALANCHINE / MARIA TALLCHIEF. 1953. PH. TOM HOLLYMAN. PHOTORESEARCHES/LATINSTOCK

created. In this case, during the 1950s the resident company was responsible for much of the dance programming.

The first part of the 1955 season featured guest choreographers Nina Verchinina (1910-1995) and Vaslav Veltchek. Verchinina's presence was important because it marked the return of the famous ballerina and dance teacher to the Theatro Municipal and Rio de Janeiro. The ballerina had served as director of the Corpo de Baile for brief periods in 1946 and 1947. In the magazine, *O Cruzeiro*, Accioly Neto had written that her dances, *Narciso* and *Matizes,* had an "intense dynamic beauty" that came from their similarity to "free dance," a term that was used to refer to modern dance. Accioly Neto also called Sandra Dieken's performance in *Matizes* "exemplary."[10]

When Nora Kovach and Istvan Rabovsky performed in October, critics thought the same thing about the Municipal's dancers. Although the duo was praised as "admirable…dancers of lineage",[11] the Corpo de Baile once again attracted attention for its balanced performance. On October 14, the critic Ondina Ribeiro Dantas (D'Or), writing in the *Diário de Notícias* mentioned the progress the company had made and "the confidence in its movements." He also highlighted the discipline and agility of the male dancers and the "confidence and grace" of the women.[12]

Léonid Massine was guest choreographer in 1955 and the theater presented three shows in November featuring the Corpo de Baile and the American dancers Maria Tallchieff (1925) and Andre Eglevsky (1917-1977).

After the previous months' long and intense programming, the brief "Massine season" was the target of questions about the artistic value and viability of such short seasons. For Eu-

tas. A coreografia por ele aqui criada, *Hino à Beleza*, com música de Francisco Mignone, a partir do poema de Charles Baudelaire (*Hymne à La Beauté*), se não foi saudada como grande obra, foi importante para mais uma afirmação do Corpo de Baile, pois teve Helga Loreida como protagonista, além dos primeiros-bailarinos Lupe Serrano (1930) e Michael Lland.

Em 1956, como no ano anterior, a temporada de dança foi dividida em duas fases: a primeira, com direção de Igor Schwezoff, que em 1945 havia feito um importante trabalho com o Corpo de Baile, contou com a presença de Alicia Markova, Oleg Briansky e Beatriz Consuelo, e a segunda com Massine, que teve como bailarinos convidados Yvette Chauviré (1917) e Milorad Miskovitch (1928). Foi neste ano que Massine remontou seu famoso balé sinfônico *Os Presságios*, que aqui recebeu o nome de *Quinta Sinfonia*.

NILSON PENNA / ALICIA MARKOVA.
EXPOSIÇÃO SOBRE BALLET
BALLET EXPOSITION
TMRJ 1956. COL. NILSON PENNA

Três anos depois, no cinquentenário do Theatro Municipal, em 1959, o trabalho desenvolvido por toda a década foi mais uma vez reconhecido tanto pelo público quanto pela crítica. O Corpo de Baile do Theatro Municipal, então sob direção de Eugenia Feodorova (1925-2007), foi responsável por um marco do balé brasileiro: a apresentação, pela primeira vez na América Latina, da versão completa de *O Lago dos Cisnes*. Com Bertha Rosanova e Aldo Lotufo nos papéis de Odete/Odile e do príncipe Siegfried. O público lotou o Theatro Municipal, aplaudindo-os com entusiasmo e ím-

rico Nogueira França of *Correio da Manhã*, Massine's visit had generated an "artistic profit" but it was almost negligible. The choreographer had spent little time with the ballet company and the repertory was virtually unchanged meaning the same dances were being performed over and over again. In *Diário de Notícias,* D'Or agreed that the theater's repertory was "being stretched too thin" and the company was repeating itself and "boring" audiences with reprises of *Les Sylphides* and *Swan Lake*.[13]

Massine's sold-out performances in Rio de Janeiro in 1955 and 1956 generally received the approval of the press and the public. He created *Hino à Beleza*, with music by Francisco Mignone, based on a poem by Charles Baudelaire. Although, *Hino à Beleza* was not considered a masterpiece, it was one more important vote of confidence for the Corpo de Baile because it featured Helga Loreida in the main role along with the principal dancers Lupe Serrano (1930) and Michael Lland.

EUGENIA FEODOROVA.
1954. EEDMO

In 1956 and 1954, the dance season was divided into two phases: the first was directed by Igor Schwezoff who had choreographed an important work for the ballet company in 1945 and featured Alicia Markova, Oleg Briansky, and Beatriz Consuelo; the second phase was directed by Massine and featured the guest artists Yvette Chauviré (1917) and Milorad Miskovitch (1928). This year Massine restaged his famous symphonic ballet, *Les Presages*, which was given the name *Quinta Sinfonia* (Fifth Symphony) in Brazil.

Three years later during the Theatro Municipal's 50th anniversary in 1959, critics once again praised the work that had been developed during the decade. Under the direction of Eugenia Feodorova (1925-2007), the Corpo de Baile do Theatro Municipal was responsible for a landmark

peto, segundo Mário Nunes, do *Jornal do Brasil*. Para Nunes, "Berta Rosanova conheceu mais uma noite de glória dignificadora, a soberania da técnica a serviço da sensibilidade poética", enquanto seu par, Aldo Lotufo, apresentou-se "audacioso e viril nos saltos e rodopios de realização difícil".[14]

O Grand Ballet du Marquis de Cuevas, também conhecido como Ballet do Marquis de Cuevas, apresentou-se no Theatro Municipal três vezes nessa década: em 1952, 1954 e 1960. Ocasiões em que teve a oportunidade de mostrar porque era tida como a companhia sucessora dos grandes conjuntos internacionais, como o Original Ballet Russe e o Ballet Russe de Monte Carlo.

Dirigido por George de Cuevas (1885-1961), empresário chileno naturalizado norte-americano, as temporadas do grupo foram fartamente noticiadas na imprensa carioca, principalmente pelos importantes nomes da dança que participaram do grupo, como Ana Ricarda (1918-2000), Beatriz Consuelo, George Skibine (1920-1981), George Zoritch (1917-2009), Marjorie Tallchief (1926), Rosella Hightower (1920-2008) e Serge Golovine (1924-1998).

Em 1952, Mário Nunes, ao escrever sobre a estreia da companhia, em 3 de junho, no *Jornal do Brasil*, fez uma interessante descrição do público do Municipal: "Estava presente a elite social carioca, a graça feminina, a correção masculina, todos muito bem postos. [...] A certa frieza inicial – é sempre assim – sucedeu uma demonstração de quanto ama nossa plateia o bailado clássico".[15]

Com um repertório composto de obras como *Giselle*, *O Lago dos Cisnes*, primeiro ato e o *grand pas de deux O Cisne Negro*, *Les Sylphides*, *pas de*

MARQUIS DE CUEVAS.
[195-?]. FBN

BALLET MARQUIS DE CUEVAS,
DONA INES DE CASTRO.
TMRJ. 1952. FBN

in Brazilian ballet: the first Latin American performance of *Swan Lake* in its entirety. With Bertha Rosanova and Aldo Lotufo in the roles of Odette/Odile and Prince Siegfried, the production performed to sold-out houses at the Theatro Municipal where, according to Mário Nunes of the *Jornal do Brasil*, the company performed to energetic and enthusiastic applause: "Bertha Rosanova had one more glorious night, her superb technique at the service of her poetic sensitivity." Her partner Aldo Lotufo's "difficult jumps and turns were both daring and virile."[14]

The Grand Ballet du Marquis de Cuevas, also known as the Ballet do Marquis de Cuevas, performed at the Theatro Municipal in 1952, 1954, and 1960 and had the opportunity to show why it was considered the successor to the great international companies such as the Original Ballets Russes and the Ballets Russes de Monte Carlo.

Directed by George de Cuevas (1885-1961), the Chilean born American impresario, the group's seasons received abundant coverage in the Rio press, mostly because of the company's important dancers: Ana Ricarda (1918-2000), Beatriz Consuelo, George Skibine (1920-1981), George Zoritch (1917-2009), Marjorie Tallchief (1926), Rosella Hightower (1920-2008), and Serge Golovine (1924-1998).

Mário Nunes had an interesting description of the audience attending the performance on June 3, 1952, "Rio's social elite were all present, the graceful women, their gentlemanly counterparts, everyone well in place. ... The customary initial coolness gave way to a demonstration of the great love our audiences have for classical ballet."[15]

With a repertory comprised of works such as *Giselle*, *Swan Lake*, the first act and grand pas-de-deux of the Black Swan, *Les Sylphides*, the pas-de-deux from *Don Quixote*, *The Blue*

deux de *Don Quixote*, *Le Beau Danube*, *Espectro da Rosa* e *Petrouchka*, além de novidades como *Dona Inês de Castro* e *O Prisioneiro do Cáucaso*, o Ballet do Marquis de Cuevas entusiasmou plateia e crítica, especialmente em momentos de virtuosidade e habilidade técnica como *O Cisne Negro*, dançado por Rosella Hightower e Serge Golovine. É Mário Nunes, mais uma vez, que dá seu testemunho: "tudo se passou – a Entrada, o Adágio, as Variações e a Coda – sob contínuos e eletrizantes aplausos da assistência, no final, de pé, exigindo por mais de vinte vezes, a presença dos artistas no palco".[16]

Em 1954, a companhia não entusiasmou a crítica como na temporada anterior, recebeu, porém, de um modo geral, os aplausos do público.[17] Admiração que voltou, seis anos depois, em junho de 1960, quando a companhia retornou ao Theatro Municipal.

Foi também nesta década que Tamara Toumanova realizou uma série de espetáculos no Rio de Janeiro: em 1953, com Oleg Tupine como seu *partner*, e em 1956 e 1958, com Wladimir Oukhtomsky. Na estreia da bailarina, em 1953, a plateia lotou o Municipal e "delirou de entusiasmo".[18] Em *Les Sylphides*, dançado com o Corpo de Baile, recebeu ótimas críticas, como a de Eurico Nogueira França: "A estrela Toumanova veio demonstrar de novo possuir em 'Silfides' a qualidade perfeita do domínio neuro-muscular responsável pela finura e a graciosidade das pontas, a elevação incomum, e a elegância de uma virtuosidade sem esforço".[19] Sua performance em *A Morte do Cisne* igualmente chamou atenção pelo uso dos braços e expressividade demonstrada em cena, sendo "demorada e calorosamente ovacionada pelo auditório entusiasta que superlotava o teatro".[20]

O grande sucesso alcançado fez com que fossem agendadas duas récitas extras, o que levou Mário Nunes ao seguinte comentário: "Possui o Rio público enorme apreciador do bailado clássico.

Danube, *Espectro da Rosa* and *Petrouchka*, plus new pieces such as *Dona Inês de Castro* and *O Prisioneiro do Cáucaso*, the Ballet do Marquis de Cuevas excited audiences and critics, especially with its moments of virtuosity and technical prowess in the Black Swan danced by Rosella Hightower and Serge Golovine. Once again Mário Nunes was our witness: "Everything – the entrance, the *adágio*, the variations, and the coda – was accompanied by continuous electrifying applause and, at the end, a standing ovation and twenty curtain calls."[16]

In 1954, the company didn't excite the critics as it had the previous season, though it generally received audiences' usual admiration;[17] admiration that was still evident when the company returned to the Theatro Municipal six years later in June 1960.

This was the decade when Tamara Toumanova performed a series of recitals in Rio de Janeiro: in 1953, with Oleg Tupine as her partner and in 1956 and 1958, with Wladimir Oukhtomsky. During the ballerina's debut in 1953, the theater was sold out to "enthusiastic and delirious" audiences.[18] She received excellent notices for her dancing in *Les Sylphides* with the Corpo de Baile, such as this from Eurico Nogueira França: "In *Les Sylphides*, the star has demonstrated once again that she's mastered perfectly the neuro-muscular region responsible for finesse and grace on point, extraordinary elevation, and the elegance of her effortless virtuosity."[19] Her performance in the Dying Swan also attracted attention for her arm work, and her expression onstage and was rewarded with the "long, warm, and enthusiastic applause of a standing-room-only theater."[20]

Due to this great success, two extra performances were added, prompting a comment from Mário Nunes: "Rio has a large audience that appreciates classical ballet. The seed that

Beatriz Cerbino   1950 > 1959 | DANÇA | DANCE   291

MARGOT FONTEYN / MARIA LUISA NORONHA.
CHEGADA AO AEROPORTO |
ARRIVING AT THE AIRPORT.
1959. COL. MARIA LUISA NORONHA

Caiu em bom terreno a semente lançada por Maria Olenewa há vinte e cinco anos".[21] Mais do que uma simples observação sobre a temporada de 1953, Nunes fazia um diagnóstico do cenário da dança no Rio de Janeiro, desde a fundação da escola oficial de bailados por Olenewa, em 1927, que ele também havia ajudado a criar.

No fim da década, outro importante nome da dança internacional apresentou-se no Municipal: Margot Fonteyn (1919-1991). Em 1959, ela esteve no Rio de Janeiro com seu *partner* Michael Somes (1917-1994), realizando dois espetáculos com o Corpo de Baile do Theatro Municipal, o destaque dessa rápida passagem foi *Giselle*. Todos os críticos, sem exceção, fizeram questão de salientar a técnica e a qualidade interpretativa da bailarina, assim como a leveza e harmonia de seus movimentos. Para Antonio Bento, do *Diário Carioca*, tratou-se de um espetáculo raro no Municipal. Segundo ele, Margot Fonteyn "brilhou" como Giselle, papel "no qual [teve] uma das grandes criações de sua carreira artística", justificando inteiramente sua fama, enquanto Michael Somes saiu-se "muito bem como partner da estrela". O desempenho do Corpo de Baile foi igualmente aplaudido, pelo público e pela crítica, especialmente a atuação de Josemary Brantes, no papel de Myrtha, Rainha das Wilis.[22]

Foi uma década plena de grandes espetáculos e importantes temporadas, com casa lotada e várias récitas extras, fechada em grande estilo por Margot Fonteyn e pelo Corpo de Baile do Theatro Municipal. ■

Maria Olenewa planted 25 years ago landed on fertile soil."[21] More than a simple observation about the 1953 season, Nunes gave his verdict of the dance scene in Rio de Janeiro that began with Olenewa's founding of the official ballet school in 1927, and which he had also helped create.

At the end of the decade, another important name in international dance performed at the Municipal: Margot Fonteyn (1919-1991). In 1959, she was in Rio de Janeiro with her partner Michael Somes (1917-1994) for two performances with the Corpo de Baile at Theatro Municipal and *Giselle* was the highlight of this brief visit. Without exception, all the critics emphasized the ballerina's technique and interpretation and her light, harmonic movements. For Antonio Bento of the *Diário Carioca*, it was a rare treat. According to him, Margot Fonteyn "shone" as Giselle, in a role "that [was] one of the great creations of her artistic career," and which entirely justified her fame. Michael Somes was "very good as her partner in this debut." The ballet company's efforts were equally applauded by critics and audiences alike, especially the performance of Josemary Brantes as Myrtha, the Queen of the Willies.[22]

It was a decade filled with great shows and important seasons, with full houses and extra performances, ending in grand style with Margot Fonteyn and the Corpo de Baile do Theatro Municipal. ■

THE
OLD VIC
COMPANY

Teatro Municipal
do Rio de Janeiro
1962

PROGRAMA OFICIAL GRATIS

1960 > 1969

A presença teatral em 1960 foi pequena. Em diferentes momentos foram apresentados três espetáculos nacionais em récitas únicas: *Pedro Mico*, de Antonio Callado, por Nicette Bruno e Paulo Goulart; *O Auto da Compadecida*, de Ariano Suassuna e *As Árvores Morrem de Pé*, de Alejandro Casona, ambas pela Fundação Brasileira de Teatro, nova identidade da antiga Cia. Dulcina-Odilon.

Bem mais importante foi a apresentação, pelo Novo Teatro, de *Mãe Coragem*, de Bertolt Brecht, com direção de Alberto d'Aversa, que trazia Lelia Abramo no papel-título e Berta Zemel fazendo sua filha muda. O espetáculo foi muito bem recebido, e teve sete récitas.

A única visita estrangeira do ano foi a do Teatro Stabile Della Città di Torino, que deu cinco espetáculos com um repertório interessante: *Bertoldo a Corte*, de Massimo Dursi, *Miles Gloriosus*, de Plauto, *La Giustizia* de Giuseppe Dessi, *La Moschetta* de Ângelo Beolco (o Ruzzante) e *L'Uomo, la Bestia e la Virtù*, de Pirandello. Tivemos, assim, apenas 15 récitas de teatro em 237 espetáculos.

1961 começou bem, em maio, com a nova Cia. Tonia-Celi-Autran (CTCA) fazendo sua estreia com *Otelo*, de Shakespeare, que alcançou grande sucesso em suas sete récitas, o primeiro na história dessa companhia que teve vida longa.

Logo a seguir, ainda em maio, há nova visita da companhia de Madeleine Renaud e Jean-Louis Barrault, que agora levava o nome de Théâtre de France, e apresenta, além de Molière, Giraudoux e Marivaux, *Le Chien du Jardinier*, de Georges Neveux (inspirado em Lope de Vega) e *Rhinocéros* do ícone do teatro do absurdo Eugène Ionesco. É da França que vem a temporada seguinte, a de Marcel Marceau, que sempre teve grande sucesso no TM, junto ao público carioca.

Após os dois franceses seguiram-se três inesperadas temporadas de língua inglesa, a primeira com o monólogo do irlandês Michael Mac Liamoir apresentando em duas récitas *The Importance*

BERTHA ZEMEL.
MÃE CORAGEM, TMRJ. 1960.
CEDOC-FUNARTE

PÁGINA ANTERIOR | PREVIOUS PAGE
CAPA DO PROGRAMA OFICIAL /
COVER OF THE OFFICIAL PROGRAM
OLD VIC COMPANY, 1962. CEDOC-FUNARTE

teatro
theater
BARBARA HELIODORA

There was little theater in 1960. During the year there were three single performances of three Brazilian plays: Antonio Callado's *Pedro Mico* with Nicette Bruno and Paulo Goulart; Ariano Suassuna's *O Auto da Compadecida*; and Alejandro Casona's *As Árvores Morrem de Pé*. The last two were produced by the Fundação Brasileira de Teatro, the new name for the old Cia. Dulcina-Odilon.

The most important show was Novo Teatro's production of Bertolt Brecht's *Mother Courage* directed by Alberto d'Aversa with Lelia Abramo in the title role and Berta Zemel as her deaf daughter. There were seven performances and the show was very well received.

The only foreign company to visit that year was the Teatro Stabile Della Città di Torino with five performances of an interesting repertory: Massimo Dursi's *Bertoldo at Court*, Plautus's *Miles Gloriosus*, Giuseppe Dessi's *The Justice*, Ângelo Beolco's (o Ruzzante) *La Moschetta,* and Pirandello's *The Man, the Beast and the Virtue*. There were only 15 theater performances out of a total of 237 shows.

The year 1961 got off to a good start in May with seven successful performances of Shakespeare's *Othello*, the debut production of the Cia. Tonia-Celi-Autran (CTCA) which would last for many years.

Later that May, Madeleine Renaud and Jean-Louis Barrault's company, now called the Théâtre de France returned and presented Molière, Giraudoux, Marivaux, Georges Neveux's adaption of Lope de Vega's *The Gardener's Dog*, and *Rhinoceros* by the icon of theater of the absurd, Eugène Ionesco. Another Frenchman, Marcel Marceau, a favorite of Rio audiences, followed with another successful run.

of Being Oscar que, brincando com o título da obra mais famosa do autor, fala da vida brilhante e trágica, como também da obra de Oscar Wilde.

Em agosto vem a New York Repertory Theatre, na qual se destacam Betty Field, Viveca Lindfors e Ben Piazza, trazendo, além de duas peças de Tennessee Williams, o notável ato único de Edward Albee, *The Zoo Story*, e *I Am a Camera*, de van Druten, a semente do famoso *Cabaret*. Em setembro, um grupo intitulado Theatre Guild American Repertory Company, encabeçado pela consagrada Helen Hayes e incluindo Roy Scheider no início da carreira, apresenta *The Skin of Our Teeth*, de Thornton Wilder, *The Glass Menagerie* de Tennessee Williams, e *The Miracle Worker*, de William Gibson.

Ainda em setembro temos uma rara visita alemã, em cujo repertório aparecem dois espetáculos significativos: *Die Raeuber* (Os Salteadores) de Schiller e *Biedermann und die Brandstifter* (Biedermann e os Incendiários), de Max Frisch. O grupo Os Duendes chefiado por João das Neves, encerra o ano com uma récita de *O Noviço*, de Martins Pena. Foram apenas 46 récitas de teatro ao todo.

Com menor número ainda de apresentações de teatro de prosa, 1962 apresenta mais grupos estrangeiros do que brasileiros. Em maio, com a chancela da The Old Vic Company, encabeçada por Vivien Leigh, que tinha John Merivale como galã e incluía no elenco o iniciante Patrick Stewart, apresenta *Noite de Reis* e *Grandes Cenas de Shakespeare* além de duas traduções do francês, *The*

TÔNIA CARRERO / CLAUDIO CORRÊA E CASTRO / PAULO AUTRAN.
OTELO, TMRJ. 1961. COL. TÔNIA CARRERO

After the two French companies, there were three unexpected English-language tours: the first was Irish playwright Michael MacLiamoir in two performances of his monologue *The Importance of Being Oscar*. A pun on the title of Wilde's most famous work, the piece itself discusses Wilde's works and his both brilliant and tragic life.

In August, the New York Repertory Theatre appeared with notable performances by Betty Field, Viveca Lindfors, and Ben Piazza in two pieces by Tennessee Williams, Edward Albee's famous one-act play, *The Zoo Story*, and Van Druten's *I Am a Camera*, the starting point for the famous musical *Cabaret*. In September, a group called the Theatre Guild American Repertory Company headed by the famous Helen Hayes with newcomer Roy Scheider presented Thornton Wilder's *The Skin of Our Teeth*, Tennessee Williams's *The Glass Menagerie,* and William Gibson's *The Miracle Worker*.

In September, we also had a rare visit from a German company whose repertory featured two important shows: Schiller's *The Robbers* and Max Frisch's *The Fire Raisers*. The Brazilian group Os Duendes directed by João das Neves closed the year with a performance of Martins Pena's *O Noviço*. All together, there were only 46 theater performances.

In 1962, there were more foreign companies than Brazilian ones and fewer productions of straight theater. In May under the auspices of the The Old Vic Company, headed by Vivien

RHINOCÉROS, COMPAGNIE MADELEINE
RENAUD & JEAN-LOUIS BARRAULT.
1960. PH. LIPNITZKI/ROGER VIOLLET.
GETTY IMAGES

SERGIO CARDOSO / HENRIQUE CESAR /
CACILDA BECKER.
A VISITA DA VELHA SENHORA, TMRJ. 1962.
CEDOC-FUNARTE

MARCEL MARCEAU
1961. GETTY IMAGES

Lady of the Camelias e *Duel of Angels*. Vivien Leigh, em entrevista ao JB, disse que "preferia que o Municipal fosse um verdadeiro teatro com a plateia próxima ao palco, e não uma casa de ópera", pois gosta de fazer teatro na intimidade com o público. Lamentou a falta de bons teatros no Brasil e prontificou-se "a vir carregar tijolos para construir um ou dois, se fosse feita campanha neste sentido". (JB 12.05.62, p. 5)

Em junho, chega um bom espetáculo da França: *Cher Menteur*, do canadense Jerome Kilty, com base na correspondência entre Bernard Shaw e Mrs. Patrick Campbell, com Maria Casarès e Pierre Brasseur.

Fiéis a suas tradições, os universitários venezianos do grupo Cà Foscari apresentam *La Comedia degli Zanni*, de Giovanni Poli, *Le Massere*, de Goldoni, *L'Angeli in Belvedere* de Carlo Gozzi e o solene *Laudes Evangelicorum* também de Poli. A última visita estrangeira do ano chega em setembro, com Les Comédiens des Champs Elysées, que traz *Calígula,* de Albert Camus, *La Jeune Fille Violaine,* de Paul Claudel, e *L'Inconnu d'Arras*, de Armand Salacrou.

Em julho há uma única récita dos Jograis de São Paulo que apresentaram *História do Brasil*, e de São Paulo também vem o Teatro Cacilda Becker, que apresentou nove récitas de uma discutida *Visita de Velha Senhora,* de Friedrich Durrenmatt, com Cacilda e Sergio Cardoso nos principais papéis. Em novembro o ano teatral foi concluído por *Todo Anjo é Terrível*, do Teatro Oficina, e direção de José Celso Martinez Corrêa, com Henriette Morineau como principal figura, em apenas quatro récitas.

1963 foi particularmente pobre, pois na prosa só houve uma temporada de duas récitas do Teatro Popolare Italiano, dirigido por Vittorio Gassmann, em que foram apresentados o *Oreste*

Leigh, leading man John Merivale, and newcomer Patrick Stewart presented *Twelfth Night*, *Great Scenes from Shakespeare,* and two translations of French plays: *The Lady of the Camellias* and *Duel of Angels*. In an interview with *Jornal do Brasil*, Vivien Leigh said that she "wished the Municipal was a real theater with the audience close to the stage, rather than an opera house," because she enjoyed performing theater when there was more intimacy with the public. She lamented the lack of good theaters in Brazil and volunteered to "come and carry bricks to build one or two if there were such a campaign." (JB 12.05.62, p. 5)

In June, Maria Casarès and Pierre Brasseur performed in a good French production of *Cher Menteur* written by Canadian Jerome Kilty and based on the correspondence between Bernard Shaw and Mrs. Patrick Campbell.

Loyal to their traditions, the Venetian university students from the Cà Foscari presented Giovanni Poli's *La Commedia degli Zanni*, Carlo Goldoni's *Le Massere*, Carlo Gozzi's *L'Angeli in Belvedere,* and Poli's solemn *Laudes Evangelicorum.* The year's last visit by a foreign company was in September with Les Comédiens des Champs Elysées which brought Albert Camus's *Caligula,* Paul Claudel's *La Jeune Fille Violaine,* and Armand Salacrou's *The Unknown Woman of Arras.*

In June, there was one performance of *História do Brasil* by Jograis de São Paulo. The Teatro Cacilda Becker of São Paulo came for nine performances of a controversial production of Friedrich Durrenmatt's *The Visit* starring Cacilda Becker and Sergio Cardoso. The theater season ended in November with four performances of the Teatro Oficina's production of *Todo Anjo é Terrível* directed by José Celso Martinez Corrêa and starring Henriette Morineau.

de Alfieri e um espetáculo de cenas diversas com o título de *Il Giofco degli Eroi*, no qual Gassmann podia dar mostras variadas de seu talento.

1964 não registra, no TM, a instauração da ditadura militar. Mas celebra o quarto centenário do nascimento de William Shakespeare com o Conselho Britânico trazendo ao Brasil, no próprio mês do aniversário, abril, a Shakespeare Festival Company, com Ralph Richardson e Barbara Jefford. No elenco, em princípio de carreira, o futuro notável Alan Howard e o constante Julian Glover, para apresentar *Sonho de Uma Noite de Verão* e *O Mercador de Veneza*. Em agosto vem também da Inglaterra *Uma Noite com Basil Rathbone*, um espetáculo solo, composto por vários trechos shakespeareanos, com esse ator de notável dicção, mas só conhecido no Brasil como vilão de filmes de aventura de Errol Flynn, ou como intérprete de vários filmes com casos de Sherlock Holmes.

Outra comemoração foi a apresentação de *A Megera Domada*, pela Comédia do Paraná, com um elenco em que brilhavam Nicette Bruno, Paulo Goulart e Claudio Corrêa e Castro.

O principal espetáculo nacional, no entanto, foi a montagem de *Depois da Queda*, de Arthur Miller, em que Maria Della Costa e Paulo Autran tinham os papéis principais, dirigidos por Flávio Rangel. E com isso completam-se as 23 récitas teatrais do ano.

O ano de 1965 começa em março com uma montagem da *Santa Joana,* de Bernard Shaw, cuja direção, por Flávio Rangel, foi altamente controvertida. Maria Fernanda fazia a protagonista, apoiada por numeroso e talentoso elenco, que nem por isso conseguiu equilibrar os enganos da direção.

Em maio foi à cena uma nova versão de *Vestido de Noiva*, dirigida por Sergio Cardoso, que teve recepção não muito entusiástica, já que o espetáculo inicial, dos Comediantes, ficara eternamente gravado na memória dos cariocas, sobretudo dos que frequentavam os acontecimentos

Nineteen sixty-three was especially meager – the only straight theater production had two performances by the Teatro Popolare Italiano under the direction of Vittorio Gassmann presenting Alfieri's *Oreste* and a show of skits called *Il Giofco degli Eroi*, a showcase for the multi-talented Gassmann.

The military coup in 1964 seems to have passed unnoticed at the Theatro Municipal, although the theater did manage to celebrate the 400th anniversary of the birth of William Shakespeare in April with the British Council's production of the Shakespeare Festival Company performing *A Midsummer Night's Dream* and *The Merchant of Venice* with a cast featuring Ralph Richardson, Barbara Jefford, newcomer Alan Howard, and the ever present Julian Glover. In August, another English show: *A Night with Basil Rathbone*, a monologue of excerpts from the actor with the distinguished voice who was only known in Brazil as Sherlock Holmes or the villain in Errol Flynn adventure movies.

Another delightful event was the Comédia do Paraná's *Taming of the Shrew* with brilliant performances by Nicette Bruno, Paulo Goulart, and Claudio Corrêa e Castro.

However, the main Brazilian show was Arthur Miller's *After the Fall* starring Maria Della Costa and Paulo Autran and directed by Flávio Rangel. It was the last of that year's 23 theater performances.

The 1965 theater season began in March with Bernard Shaw's *Saint Joan*. Flávio Rangel directed this controversial production and not even Maria Fernanda in the title role nor the large talented supporting cast was able to compensate for the flawed direction.

do TM. Os mais significativos espetáculos do ano, na verdade, foram estrangeiros; o primeiro foi a Companhia Francesa de Comédias Jacques Charon-Roberto Hirsch, com *Britanicus*, de Racine, *Le Mariage Forcé*, de Molière, *Le Roi se Meurt*, de Ionesco, e um extraordinário espetáculo de comédia com *Un Fil à la Patte*, de Georges Feydeau. Marcel Marceau se apresenta novamente no TM, sem novidades em seus espetáculos, porém com o mesmo sucesso de sempre. Em julho, Brenda Bruce e Donald Sinden apresentam *Happy Days* (Dias Felizes), de Samuel Becket.

No início de setembro Vittorio Gassmann traz um único espetáculo de canções dos mais variados autores, mas viria da Grécia o mais importante grupo estrangeiro a nos visitar nesse ano, em que se comemorava o quarto centenário da cidade do Rio de Janeiro. O Teatro do Pireu, com direção de Dimitrios Rondíris, apresenta duas montagens extraordinárias, de *Electra*, de Sófocles, e *Medeia*, de Eurípides, uma revelação de vida e vibração na montagem de textos da antiguidade.

Em setembro ainda, o Teatro Alemão monta o *Fausto*, de Goethe, com direção do famoso Gustav Gründgens, e o ano teatral é concluído com mais um espetáculo da série *Poeira de Estrelas*, dessa vez com texto de Sergio Viotti, que seria sempre grande colaborador dos empreendimentos da Fundação Brasileira de Teatro, de Dulcina.

Em 1966 temos novamente uma presença forte com um espetáculo de alta qualidade no TM: logo em abril vem o Teatro Oficina, com direção de José Celso Martinez Corrêa e trilha sonora de Chico Buarque, *Os Inimigos*, de Gorki, adaptado por Fernando Peixoto e José Celso, com um numeroso elenco em que aparecem vários nomes que terão grande destaque em todo o teatro do Rio e São Paulo a partir daí. Foram dadas treze récitas. A única visita estrangeira, em maio, é a de um grupo formado por Brenda Bruce, Michael Gough e Ernest Clark, que apresentam, em espetá-

DINA SFAT EM PRIMEIRO PLANO | FOREFRONT, PAULO AUTRAN / MARIA DELLA COSTA (EM PÉ, ESQ. | STANDING, LEFT). ELENCO DE | CAST OF *DEPOIS DA QUEDA* TMRJ. 1964. CEDOC-FUNARTE

In May, a new version of *Vestido de Noiva* directed by Sergio Cardoso had a lukewarm reception. It was unable to compete with the play's first production by the Comediantes which was still fresh in the memories of Municipal audiences. The year's most important productions were foreign ones: the Companhia Francesa de Comédias Jacques Charon-Roberto Hirsch with Racine's *Britanicus*, Molière's *The Forced Marriage*, Ionesco's *Exit the King*, and an extraordinary comedy, Georges Feydeau's *How to Get Rid of Your Mistress*. Marcel Marceau presented another show at the Municipal and was as successful as always even though he didn't perform any new material. In July, Brenda Bruce and Donald Sinden presented *Happy Days* by Samuel Becket.

In early September, Vittorio Gassmann brought just one show featuring songs by several different composers. However, a Greek company was the most important foreign company to perform during the year of the 400th anniversary of the founding of Rio de Janeiro. The Piraeus Theatre directed by Dimitrios Rondiris presented two extraordinary productions of Sophocles's *Electra* and Euripedes's *Medea* that were exciting and lively revelations of ancient texts.

In September, the German Theater presented Goethe's *Faust* directed by the famous Gustav Gründgens. The theater year ended with one more production of *Poeira de Estrelas*

culo duplo, *The Public Eye,* de Peter Shaffer, e *Village Wooing,* de Bernard Shaw, e no dia seguinte *The Lover* e *A Slight Ache,* de Harold Pinter.

A seguir os amadores da Companhia Israelita de Comédias, em outubro, apresentam uma temporada com *Os Irmãos Ashkenazi,* de Singer, adaptação de Kadison, *O Vagabundo, A Bruxa* e *Loja de Música,* de Tchekhov.

Os brasileiros voltam com *Julio César,* de Shakespeare, produção de Ruth Escobar, com elenco no qual se destacavam Juca de Oliveira, Jardel Filho, Sadi Cabral e Renato Consorte, que em razão de sérios conflitos internos, cancelaram algumas das récitas previstas.

O mais significativo espetáculo do ano, no entanto, veio de São Paulo, do Teatro da Universidade Católica (TUCA), com a montagem de *Morte e Vida Severina,* de João Cabral de Melo Neto, com direção de Silnei Siqueira e música de Chico Buarque, em sete récitas que tiveram extraordinária repercussão. O espetáculo não só visitou vários pontos do Brasil como obteve grande sucesso no Festival de Nancy.

No final de novembro os alunos da Escola de Teatro Martins Pena apresentaram *Conflitos na Consciência,* de Isaac Gondim Filho.

O ano foi concluído com um espetáculo estrangeiro de alta categoria: a 2 de dezembro houve uma única apresentação de *Men and Women of Shakespeare,* um recital de seleções da obra de Shakespeare com os extraordinários atores John Gielgud e Irene Worth, que deixou a platéia do TM entre o incrédulo e encantado.

Em 1967 houve duas visitas estrangeiras de alta qualidade: em maio a Comédie Française apresentou *Le Cid,* de Corneille, *Les Caprices de Marianne* de Musset, e *Cantique des Cantiques,*

PAULO AUTRAN.
MORTE E VIDA SEVERINA,
1966. CEDOC-FUNARTE

with a text by Sergio Viotti who has always contributed greatly to projects by Dulcina's Fundação Brasileira de Teatro.

In 1966, theater was once again strongly represented at the Theatro Municipal by high-quality productions: early in April, the Teatro Oficina presented 13 performances of an adaptation of Gorki's *Enemies* by Fernando Peixoto and José Celso Martinez Corrêa with direction by José Celso himself and music by Chico Buarque featuring a giant cast filled with a number of actors who later become celebrated members of Rio and São Paulo's theater communities. In May, that year's only foreign company featured Brenda Bruce, Michael Gough, and Ernest Clark in two double bills: *The Public Eye* by Peter Shaffer and *Village Wooing* by Bernard Shaw, and on the following day *The Lover* and *A Slight Ache* by Harold Pinter.

In October, the amateur Companhia Israelita de Comédias presented a season with Singer's *The Brothers Ashkenazi* and Chekov's The *Vagabond, The Witch,* and *In a Music Shop.*

The Brazilians returned with Ruth Escobar's production of Shakespeare's *Julius Cesar* with noteworthy performances by Juca de Oliveira, Jardel Filho, Sadi Cabral, and Renato Consorte. Due to a series of internal problems, some programmed performances were cancelled.

And yet the year's most important show came from the Teatro da Universidade Católica (TUCA) São Paulo with seven performances of *Morte e Vida Severina* by João Cabral de Melo Neto with direction by Silvei Siqueira and music by Chico Buarque. The show had enormous repercussion. It toured throughout Brazil and was critically acclaimed at the Festival de Nancy.

At the end of November, students from the Escola de Teatro Martins Pena presented *Conflitos na Consciência* by Isaac Gondim Filho.

de Giraudoux, e em junho o Teatro Stabile di Genova apresentou *I Due Gemeli Veneziani*, de Goldoni, com direção de Luigi Squarzina.

A Escola de Teatro Martins Pena encerrou o ano com *Barbara Heliodora*, de Anival Mattos.

Em 1968 não houve espetáculos teatrais no TM, enquanto em 1969, a não ser por um único espetáculo de formatura dos alunos da Escola Martins Pena, houve apenas uma série de conferências, uma do diretor do Teatro Stabile di Catania, que foi apresentar seu espetáculo no Teatro Carlos Gomes, e as outras todas de Paulo Rónai, cobrindo um panorama de história do teatro.

Em 1969 o teatro ficou resumido a duas récitas da Comédie Française, a primeira com *Tueur Sans Gages*, e a segunda composta por quatro pequenas peças em um ato.

O panorama desses dois anos foi forte indício da tomada de consciência de que o Theatro Municipal é uma casa para ópera e música (principalmente orquestral), onde o teatro se apresenta com dificuldade e, por isso mesmo, cada vez mais raramente. ∎

JOHN GIELGUD. 1964. COL. VAN VECHTEN. LIBRARY OF CONGRESS

An excellent foreign production brought the theater season to a close on December 2 with one performance of *Men and Women of Shakespeare*, a recital of excerpts from Shakespeare. The extraordinary actors John Gielgud and Irene Worth left the Municipal audience both astonished and enchanted.

In 1967, there were two high-quality foreign companies. In May, the Comédie Française presented Corneille's *Le Cid*, Musset's *The Moods of Marianne,* and Giraudoux's *Song of Songs,* and in June, the Teatro Stabile di Genova presented Goldoni's *The Two Venetian Twins* directed by Luigi Squarzina.

The Escola de Teatro Martins Pena finished the year with Anival Mattos's *Barbara Heliodora*.

In 1968, there was no theater at the Municipal and in 1969, except for an end-of-year show by the graduating class of Escola Martins Pena, there was just a conference series with a talk by the Teatro Stabile di Catania director who presented a show at the Teatro Carlos Gomes and others by Paulo Ronai who gave a general survey of theater history.

In 1969, the theater season was reduced to two performances by Comédie Française: *Tueur Sans Gages*, and four small one-act plays.

The last two years of the decade left a strong sense that the Theatro Municipal was better suited for opera and music (especially orchestral music), it was a difficult stage to perform theater on, and plays in turn, became increasingly rare. ∎

Em 1960 faz-se uma Temporada Oficial, com sete récitas, sendo duas com *Assassinio nella Cattedrale* (Pizetti), num súbito reaparecimento de Rossi-Lemeni. Os outros estrangeiros são desconhecidos. Em 1961 ocorre última e melancólica aparição de Ferrucio Tagliavini, acompanhando um pouco expressivo grupo italiano que se aventura em duas récitas de duas óperas diferentes, *Turandot* e *Tosca*.

Em 1964 foi montada uma temporada internacional com grandes nomes: as sopranos Magda Olivero, um sucesso estrondoso, Gianna d'Angelo, a fabulosa Gencer, que não agrada, os tenores Labó e o brasileiro Gibin, de volta de seus sucessos europeus. Os barítonos Capecchi, Guelfi e Cappucilli, o baixo Zaccaria e a celebridade, Cesare Siepi. Não esqueçamos os regentes: Rescigno e Molinari-Pradelli. Todos os espetáculos, exceto dois, foram dirigidos pelo competentíssimo Carlo Maestrini, um recorde. E já que estamos falando de estrelas, Cesare Siepi, depois que, em *Mefistófele*, não obteve o triunfo esperado (pois quem arrebatou a plateia foi a Magda Olivero), foi embora antes da apresentação do *Guarany* na qual faria o Cacique e completaria o elenco maravilhoso com a d'Angelo, Gibin e Cappucilli.

O ano de 1965 foi marcado pelo IV Centenário e, para homenageá-lo, um desfile de pequenos conjuntos estrangeiros. Primeiro veio um de Viena, oportunidade de ver o famoso Barão Ochs de Otto Edelmann em *Rosenkavalier*. O segundo veio da Opéra de Paris, excelente elenco para um exemplar *Dialogues des Carmelites*. Por fim chegou, com cenários e figurinos, um quadro da Opera di Roma com um *Barbeiro de Sevilha* perfeito e dois grandes cantores-atores: Rolando Panerai e Paolo Montarsolo.

Durante estes dez anos, em todos houve as chamadas Temporadas Líricas Nacionais que foram, no princípio, bem organizadas. Porém, ao longo do decênio, elas foram ficando cada vez

PÁGINA ANTERIOR | PREVIOUS PAGE
PAULO FORTES.
COL. PAULO FORTES

::

In 1960, Rossi-Lemeni suddenly reappeared for an "Official Season" of seven recitals, two of which were *Assassinio nella Cattedrale* (Pizetti). The other foreign singers are unknown. In 1961, an Italian group gave two performances of two operas, one of which was *Turandot (sic!)* In the middle of it all was Senor Tagliavini.

In honor of the theater's 50th anniversary in 1965 the Municipal presented an international season filled with great names: the sopranos d'Angelo, Magda Olivero, who was an enormous success, and the fabulous, but unappreciated Gencer; the tenors Labó and the Brazilian Gibin, back from his European successes; the baritones Capecchi, Guelfi, and Cappucilli; the basses Zaccaria and the celebrity Cesare Siepi. And we mustn't forget the conductors: Rescigno and Molinari-Pradelli. The very capable Carlo Maestrini directed all the performances except for two, which is a record. And speaking of stars, after he didn't achieve his expected triumph in *Mefistofele* (it was Magda Olivero who astounded audiences), Cesare Siepi left before performing Cacique in *Guarany*, thus absent from a marvelous cast that included d'Angelo, Gibin, and Cappucilli.

The following year was a procession of small foreign companies. The first one from Vienna provided an opportunity to see the famous Baron Ochs de Otto Edelmann in *Die Rosenkavalier*. The second was an excellent cast from the Paris Opera who brought an exemplary *Dialogues of the Carmelites*. Finally, a group from the Opera di Roma arrived with costumes and sets to perform a perfect *Barber of Seville* with two great singer-actors: Rolando Panerai and Paolo Montarsolo.

In 1967, some French and Brazilian singers joined forces for a *Manon* and a *Faust*.

opera
BRUNO FURLANETTO

MAGDA OLIVERO.
1964, TMRJ. COL. PAULO FORTES

PRIMEIRA AUDIÇÃO NO BRASIL
DA ÓPERA PETER GRIMES DE
BENJAMIN BRITTEN.
FIRST PERFORMANCE IN BRAZIL
OF BENJAMIN BRITTEN'S
OPERA PETER GRIMES.
MAESTROS HENRIQUE
MORELENBAUM / BENJAMIN
BRITTEN / PETER PEARS AO
FUNDO | IN BACK.
TMRJ. 1967. COL. HENRIQUE
MORELENBAUM

During every one of these ten years there were the so-called Temporadas Líricas Nacionais [National Opera Seasons] that started out quite well organized. However, as the decade wore on, these seasons became shorter and shorter, declining from 30 performances at the beginning of the decade to ten at the end of the 1960s. The reason: they always presented the same singers alternating in the same operas.

Every year the repertory included *Bohème, Madame Butterfly, Traviata,* and the foolproof *Rosenkavalier* and *Pagliacci. Rosenkavalier* was part of every possible combination of operas. The consequence: audiences began to stay away because neither the repertory nor the singers offered anything new.

From 1968 until the theater closed in 1975 the situation grew worse. The 1949 Law was ignored and there were no more national seasons, never mind international ones, and the Municipal was reduced to the status of a provincial theater. During these years there were occasional shows, although audiences were not notified – publicity was almost non-existent. Most of these performances were produced by artists' groups that were fighting to stay alive and some were produced by the theater itself, with no criteria except for a fleeting desire on the part of its directors or of the pompously named "Artistic Panels."

In 1968, there was a season of two operas by the Ópera Francesa whose only high point was hearing the excellent British mezzo-soprano, Josephine Veasey, the perfect Charlotte in *Werther.*

menores, passando de 30 récitas no começo para 10, no final dos anos 60. A explicação para este movimento de declínio está no fato de serem apresentados sempre os mesmos cantores revezando-se nas mesmas óperas. O repertório incluía todos os anos *Bohème, Madama Butterfly, Traviata* e as indefectíveis *Cavalleria* e *Pagliacci*, sendo a primeira apresentada em todos os tipos de combinações. A consequência foi o afastamento do público, pois não havia mais novidade alguma, quer de cantores, quer de repertório.

De 1968 até o fechamento do Theatro em 1975 a situação se tornou mais grave. Não houve mais Temporadas Nacionais, a Lei de 1949 sendo ignorada e, menos ainda, as Internacionais. O Municipal ficou reduzido a um teatro provinciano. Nestes anos aconteceram espetáculos avulsos de ópera – muitos até sem que o público tomasse conhecimento, pois a divulgação quase não existia –, a maioria feita por associações de artistas lutando pela sua sobrevivência e algumas promovidas pelo próprio Theatro, porém sem os recursos necessários, a não ser a vontade momentânea de seus diretores ou das pomposamente chamadas "Comissões Artísticas".

Em 68 apareceu uma "temporada" de Ópera Francesa, com duas óperas, que serviu apenas para ouvirmos uma excelente *mezzo* britânica, Josephine Veasey, perfeita Charlotte de *Werther*. Em 69 o empresário paulista Gagliotti traz ao Rio – sua finalidade maior era São Paulo – o Teatro di San Carlo, de Nápoles, completo. Enorme sucesso, de lotações esgotadas, onde se canta pela primeira vez *Nabucco*, ópera emblemática de Verdi, com Guelfi. *La Gioconda* faz brilhar Gianni Raimondi, mais do que a protagonista Suliotis e *Otello* com Del Monaco ainda em forma, despedindo-se do Rio 20 anos após sua estreia. Maravilhosa como Desdemona, a Ilva Ligabue. De volta também nossos conhecidos, de Fabritis e Carlo Maestrini. ∎

MARIO DEL MONACO.
IN: CARMNER, JAMES (ED.). STARS OF THE OPERA 1950-1985. NEW YORK: DOVER PUBLICATIONS, INC. 1986

In 1969, the São Paulo impresario Gagliotti brought the complete Teatro di San Carlo of Naples to Rio, even though his ultimate destination was São Paulo. It was an enormous success, with sold-out houses of Guelfi in *Nabucco*, Verdi's signature opera. In *La Gioconda* Gianni Raimondi shone brighter than the soloist Suliotis. There was also *Otello* with del Monaco still in top form, bidding farewell to Rio 20 years after his debut. Ilva Ligabue was marvelous as Desdemona. Carlo Maestrini and de Fabritis were among the familiar faces who returned. ∎

POSSE DE HENRIQUE MORELENBAUM COMO MAESTRO DO CORO DO TMRJ. HENRIQUE MORELENBAUM TAKES OFFICE AS CONDUCTOR OF THE TMRJ CHOIR. PRESENTES | PRESENT, ARLINDO PENTEADO (ADM. DA ORQUESTRA | ORCHESTRA ADM.), MAESTRO NELSON NILO HACK (DA ORQUESTRA SINFÔNICA JUVENIL DO TMRJ | FROM THE YOUTH SYMPHONIC ORCHESTRA), MAESTRO HENRIQUE MORELENBAUM, ANTONIO VIEIRA DE MELO, MÁRIO TAVARES. TMRJ. 1969.
COL. HENRIQUE MORELENBAUM

Os primeiros anos da década de 60 assinalam a chegada de Mário Tavares à direção da Orquestra do Theatro Municipal – a cujo nome seria acrescentada a palavra "Sinfônica", para marcar uma vontade de ampliar suas temporadas fora do fosso – e o advento dos vários organismos musicais da Rádio Ministério da Educação e Cultura (MEC), entre eles a Orquestra Sinfônica Nacional, fundada em 1961 por Juscelino Kubitschek como conjunto sinfônico do Serviço de Radiodifusão Educativa: Francisco Mignone, Edino Krieger e Alceo Bocchino estavam na origem do projeto.

Já em 29 de maio de 1960 a Orquestra de Câmara da Rádio MEC dava – sob a regência de Tavares – um concerto de obras barrocas e contemporâneas, entre estas o *Divertimento para Orquestra de Cordas* de Krieger. Nos anos seguintes, além da OSN, outras formações da MEC fariam frequentes apresentações no Municipal: uma orquestra de câmara, um quarteto de cordas, um trio, um duo pianístico, um conjunto de música antiga, um coro e o quarteto vocal dirigido por Bruno Wyzuj.

Apesar de afundada em mais uma de suas crises financeiras e artísticas (que só começaria a se resolver em 1966, com a criação da Fundação Orquestra Sinfônica Brasileira), a OSB apresentou em 1960 a estreia sul-americana do oratório *Jeanne au Bûcher*, de Honneger, e, no contexto de uma ampla homenagem a Villa-Lobos, a *Sinfonia nº 10 (Sumé Pater Patrium)* – em ambos os casos com o concurso da Associação de Canto Coral. Diriam as más línguas que foi precisamente por estar em crise que no ano seguinte a orquestra, novamente sob a direção musical de Eleazar de Carvalho, teve peito de programar uma Semana de Música Eletrônica de Vanguarda que trouxe ao palco do Municipal o belga Henri Pousseur e o italiano Luciano Berio – este regendo com Carvalho, Diogo Pacheco e Alceo Bocchino uma obra sua (*Allelujah II*) para cinco grupos instru-

MAESTRO MÁRIO TAVARES.
[CA. 1961]. FBN

concertos e recitais
concerts & recitals
CLÓVIS MARQUES

The early 1960s marked Mário Tavares's arrival as director of the Orquestra do Theatro Municipal. The word "Sinfônica" or Symphonic was added to its name to emphasize the group's desire to expand its season out of the orchestra pit. A number of musical groups at the Rádio Ministério da Educação e Cultura (MEC) had their start that year including the Orquestra Sinfônica Nacional or (OSN) founded by President Juscelino Kubitschek in 1961 as the symphonic arm of the Serviço de Radiodifusão Educativa [Educational Radio Service]. Francisco Mignone, Edino Krieger, and Alceo Bocchino were involved in the creation of the project.

On May 29, 1960, Tavares conducted the Orquestra de Câmara da Rádio MEC in a concert of contemporary and baroque works that included Krieger's Divertimento for string orchestra. In the following years, in addition to the OSN, other groups from the MEC would frequently perform at the Municipal: a chamber orchestra, a string quartet, a trio, two pianists, an early music group, a choir, and a vocal quartet directed by Bruno Wyzuj.

Although it was mired in one of its artistic and financial crises (these problems began to be resolved in 1966 when the orchestra's foundation, the Fundação Orquestra Sinfônica Brasileira, was created), in 1960, the OSB gave the South American premieres of Honneger's oratory *Jeanne au Bûcher*, and, as part of its broad *hommage* to Villa-Lobos, the composer's Symphony No. 10 (*Sumé Pater Patrium*) – both were sung by the Associação de Canto Coral. The following year, still under the direction of Eleazar de Carvalho, wagging tongues hinted that the orchestra only dared to program the Semana de Música Eletrônica de Vanguarda [Avant-garde Electronic Music Week] because it was stuck in another crisis.

mentais. A pianista Lili Kraus esteve entre os solistas da OSB e Mário Tavares e Oscar Borgerth deram a tardia estreia brasileira do *Concerto para Violino* de Sibelius.

Ainda em 1960, Luiz Medalha Filho era revelado numa primeira edição do Concurso Nacional de Piano, que no ano seguinte daria um segundo lugar a João Carlos Assis Brasil. Jacques Klein e Arnaldo Estrella continuavam brilhando, como em quase todas as temporadas, e Daniel Barenboim também foi ouvido, assim como Fernando Lopes, Gulda, Nathan Schwartzmann, Nicanor Zabaletta, Ferras, a Orquestra de Arcos de Milão, a Orquestra de Câmara de Munique e Peter Frankl – o húngaro que causou sensação ao se sagrar vencedor, em 1959, da segunda edição do Concurso Internacional de Piano. A pianista de origem polonesa Felicja Blumenthal deu, a 13 de junho, a primeira audição brasileira do *Concerto nº 5* de Villa-Lobos com a OSB regida por Bocchino, num programa exclusivamente brasileiro, comportando ainda a *Sinfonia nº 2* de Lorenzo Fernandez e as *Bachianas Brasileiras nº 4*.

Em 1961, Mstislav Rostropovich aportava pela primeira vez no Municipal tocando já Villa-Lobos (o *Prelúdio* das *Bachianas nº 2*) e o mesmo *Concerto para Violoncelo e Orquestra* de Dvořák que voltaria a incluir aqui em seus programas de 1978 e 1999! Parecia que não haveria outros concertos, mas nessa primeira visita *Slava* também deu ao público do teatro a estreia local do *Concerto nº 1* de Shostakovich, a ele dedicado e que havia criado apenas dois anos antes, em outubro de 1959, com a Filarmônica de Leningrado.

Enquanto a pequena Cristina Ortiz estreava aos 11 anos com a OSB, depois de vencer seu Concurso Jovens Solistas, o movimento de grandes orquestras estrangeiras era pequeno, destacando-se mais conjuntos de câmara como o Octeto da Filarmônica de Berlim, o Quinteto de

ESTREIA DE CRISTINA ORTIZ NO TMRJ E MAESTRO ELEAZAR DE CARVALHO.
CRISTINA ORTIZ'S DEBUT IN TMRJ AND MAESTRO ELEAZAR DE CARVALHO.
1961. COL. CRISTINA ORTIZ

The program included works by the Belgian Henri Pousseur and the Italian Luciano Berio who, along with Carvalho, Diogo Pacheco, and Alceo Bocchino, conducted one of his works (*Allelujah II*) for five instrumental groups. The pianist Lili Kraus was one of the OSB soloists and Mário Tavares and Oscar Borgerth performed the belated Brazilian premiere of Sibelius's Violin Concerto.

Also in 1960, Luiz Medalha Filho caused a stir at the First National Piano Competition and the following year, the competition awarded second place to João Carlos Assis Brasil. Jacques Klein and Arnaldo Estrella continued to shine as they did almost every season and Daniel Barenboim performed along with Fernando Lopes, Gulda, Nathan Schwartzmann, Nicanor Zabaletta, Ferras, the Orquestra de Arcos de Milão, the Munich Chamber Orchestra, and Peter Frankl – the Hungarian who created a stir when he won the Second International Piano Competition in 1959. On June 13, Bocchino conducted the OSB in an exclusively Brazilian program that included the Symphony No. 2 by Lorenzo Fernandez and *Bachianas Brasileiras No. 4* by Villa-Lobos. The concert featured the Polish-born pianist Felicja Blumenthal playing the first Brazilian performance of Villa-Lobos's Concerto No. 5.

In 1961, Mstislav Rostropovich visited the Municipal for the first time, playing Villa-Lobos (the Prelude to the *Bachianas No. 2*) and the same Concerto for cello and orchestra by Dvořák that he would later include in his programs in 1978 and 1999! It might have seemed that the Dvořák was the only concerto around, but then during this first visit, *Slava* also offered Municipal audiences the local premiere of Shostakovich's Concerto No. 1. The composer had dedicated the piece to Rostropovich when he created it with the Leningrad

Sopros da Sinfônica de Viena, a Orquestra de Câmara de Toulouse e o Noneto de Praga – todos em 1961. Foi também nesse ano que a Juventude Musical Brasileira apresentou a I Semana de Música de Vanguarda, mais um evento numa *movida* que levaria dentro de alguns anos à criação das Bienais de Música Contemporânea; mas além de Pousseur (com música eletrônica de compositores como Maderna, Ligeti, Stockhausen, Cage, Berio e dele próprio) e Koellreutter (regendo obras suas e de Krenek, Webern e Hindemith). A Semana também reuniu, para um concerto de "Jazz de Vanguarda", músicos que logo entrariam para a lenda popular brasileira: Luís Eça, Roberto Menescal e Sérgio Mendes.

Em 1962, a Sinfônica de Bamberg, regida por Joseph Keilbert, apresentou-se na programação da ABC-Pró Arte, que também trouxe o pianista Hans Richter-Haaser e o Quarteto Koeckert. O III Concurso Internacional de Piano premiou Bernard Ringeissen, dando um terceiro lugar a Moreira Lima (entre os participantes estavam Theodor Paraskivesco e Joel Bello Soares). Foi também o ano do Modern Jazz Quartet, do eminentíssimo Quarteto de Budapeste, do pianista francês Jacques Février e de uma Noite de Música Popular que, apresentada por Sérgio Porto, Sérgio Cabral e Vinícius de Moraes, reunia um plantel fulgurante de nomes hoje históricos da MPB: o Grupo da Velha Guarda, João da Baiana, Pixinguinha, Moreira da Silva, Dilermando Pinheiro, Ciro Monteiro, Lamartine Babo, Sílvio Caldas, Zé Kéti, Cartola, Nelson Cavaquinho, Juca Chaves, Tamba Trio e Baden Powell!

Se a Sinfônica Nacional da Rádio MEC brilhava pela presença da música de concerto brasileira (Mignone, Siqueira e Camargo Guarnieri regendo obras suas, neste e no ano seguinte), na OSB – que foi regida em 1962 por Aaron Copland e Carlos Chávez – estreava um rapazola de 14 anos chamado Arnaldo Cohen (no *Concerto nº 1* de

ARTHUR MOREIRA LIMA. [196-?]. FBN

PIXINGUINHA E MÚSICOS. TMRJ. 1968. COL. PIXINGUINHA. IMS

Philharmonic just two years earlier in October 1959.

Although little 11-year-old Cristina Ortiz made her debut with the OSB after having won its Young Soloists Competition, there were few visits by large foreign orchestras. In 1961, the standouts were chamber groups such as the Berlin Philharmonic Octet, the Vienna Wind Quintet, the Toulouse Chamber Orchestra, and the Czech Nonet. This was also the year the Juventude Musical Brasileira presented the First Week of Avant-guard Music, one more event in a movement that a few years later would lead to the creation of Contemporary Music Bienials. In addition to Pousseur (with electronic music by composers such as Maderna, Ligeti, Stockhausen, Cage, Berio, and Pousseur himself) and Koellreutter (conducting his own works and others by Krenek, Webern, and Hindemith), the festival also included a "Jazz de Vanguarda" concert that brought together Brazilian musicians and future legends such as Luís Eça, Roberto Menescal, and Sérgio Mendes.

In 1962, Joseph Keilbert conducted the Bamberg Symphony as part of the ABC-Pró Arte, which also included the pianist Hans Richter-Haaser and the Koeckert Quartet. The III International Piano Competition awarded first prize to Bernard Ringeissen and gave third place to Moreira Lima (the other participants included Theodor Paraskivesco and Joel Bello Soares). The year also featured the Modern Jazz Quartet, the renowned Budapest String Quartet, the French pianist Jacques Février, and the Noite de Música Popular [Night of Popular Music]. Sérgio Porto, Sérgio Cabral, and Vinícius de Moraes produced the event, bringing together a

Mendelssohn), e Isaac Karabtchevsky tomava da batuta pela primeira vez à frente do conjunto que dirigiria por quase trinta anos a partir de 1969 – e se registrava "o fato invulgar de um jovem maestro, nativo do país, sendo aplaudido de pé pelo público e, mais singular ainda, pelos próprios professores da orquestra"[1].

Em seu empenho de tirar do fosso operístico exclusivo a Orquestra Sinfônica do TM, Mário Tavares ofereceu em 1963 um festival José Siqueira que incluiu a estreia da *Sinfonia nº 3* e da "cantata fetichista" *Cavalo dos Deuses,* para dupla orquestra de cordas, percussão e soprano, com a dedicatária Alice Ribeiro como solista. O esforço do diretor musical seria reconhecido na imprensa, por exemplo, por Edino Krieger, que alguns anos depois, em 1967, falando no *Jornal do Brasil* de uma formação que considerava "o mais bem equipado conjunto sinfônico da cidade", concluía:

> [...] extremamente atenta a regência segura de Mário Tavares, a orquestra conduziu-se com igual fluência e segurança no Concerto nº 3, de Beethoven, prestando uma valiosa colaboração à pianista Ivy Improta [...] Formado no convívio diário com os problemas da orquestra e dotado de um talento inato para a direção (que os estudos com Victor Tevah e a experiência prática confirmaram plenamente), Mário Tavares é hoje um dos melhores valores – e dos mais sérios – do nosso meio musical.

Recém-fundado por Celso Woltzenlogel (flauta), Wilfrid Berk (clarineta), Paulo Nardi (oboé), Airton Lima Barbosa (fagote) e Carlos Gomes (trompa), entrava em cena nesse ano de 1963 o Quinteto Villa-Lobos, que em diferentes formações continua ocupando desde então um lugar de brilho e inovação no cenário musical brasileiro. Entre os músicos estrangeiros que

glittering and historic roster of names in Brazilian popular music: the Grupo da Velha Guarda, João da Baiana, Pixinguinha, Moreira da Silva, Dilermando Pinheiro, Ciro Monteiro, Lamartine Babo, Sílvio Caldas, Zé Kéti, Cartola, Nelson Cavaquinho, Juca Chaves, Tamba Trio, and Baden Powell!

The Sinfônica Nacional da Rádio MEC offered splendid performances of Brazilian concert music (Mignone, Siqueira, and Camargo Guarnieri conducted their own works this year and the next), and in 1962 the OSB hosted guest conductors Aaron Copland and Carlos Chávez. That year also marked both the debuts of a 14-year-old boy named Arnaldo Cohen (in Mendelssohn's Concerto No. 1) and of Isaac Karabtchevsky who took the podium for the first time to conduct a group that, beginning in 1969, he would conduct for almost 30 years. The newspapers registered "...the extraordinary fact that a young maestro, a native of this country, received a standing ovation. Even more astonishing was that it was given by the orchestra musicians themselves."[1]

In his effort to take the Orquestra Sinfônica do Theatro Municipal out of the orchestra pit, in 1963, Mário Tavares presented a José Siqueira festival that included the premiere of the Symphony No. 3 and the "cantata fetichista," *Cavalo dos Deuses,* for double string orchestra, percussion, and soprano, dedicated to the soprano soloist Alice Ribeiro. The press recognized the musical director's effort: in *Jornal do Brasil* in 1967, speaking about the creation of what he considered "the city's best-equipped symphonic group," Edino Krieger concluded that the orchestra was

ARNALDO COHEN EM SUA ESTREIA COM A OSB NO TMRJ.
ARNALDO COHEN'S DEBUT WITH THE OSB IN THE TMRJ.
1962. COL. ARNALDO COHEN

estrearam nesse ano estavam o duo pianístico formado por Alfons e Aloys Kontarsky, o Trio de Triste e os Quartetos Endres e Parrenin – este no contexto do I Festival Interamericano de Música do Rio de Janeiro, com 21 concertos que também reuniram, em agosto, Carlos Chávez regendo a sua música com a Orquestra do Teatro e a suntuosa Orquestra Filarmônica de Londres. Esta se apresentou em concertos alternados com John Barbirolli (que regeu o *Concerto nº 2* de Brahms com Claudio Arrau) e Igor Stravinsky acompanhado de Robert Craft – este regendo *Feux d'Artifice* e a *Sinfonia em Três Movimentos*, enquanto o próprio autor assumia a direção de *Le Baiser de la Fée*.

Dando conta dessa segunda visita do autor da *Sagração da Primavera*, Eurico Nogueira França falava no *Correio da Manhã*, a 5 de setembro, da "homenagem apoteótica que lhe soube prestar nosso público, quando anteontem à noite, no Municipal, se escreveu uma página histórica da cultura musical brasileira"[2]:

> *Sua música – nas duas primeiras partituras executadas pelo conjunto londrino, e regidas pelo seu assistente Robert Craft – foi bebida com encantamento. Houve, então, o intervalo, e, depois, com a Orquestra já de volta ao palco, desenhou-se em todo o Teatro um movimento inédito de sensação: era Stravinsky, com os seus oitenta e um anos, apoiado em uma bengala preta, que vinha assumir o seu posto no púlpito da regência. [...] Que diferença de quando Stravinsky esteve no Rio pela primeira vez, há cerca de trinta anos! Com a receptividade e atualização do público, evoluímos muito, desde aquela época. Agora, sua música não precisa mais de explicações. [...] E ao final, as vagas de um gigantesco e comovente sucesso agitaram o Teatro, fazendo o 'gênio vivo' retornar múltiplas vezes ao proscênio.*

...extremely attentive to Mário Tavares assured conducting and was itself equally fluent and confident in Beethoven's Concerto No. 3, with the valuable contribution of the pianist Ivy Improta...With his daily contact with the orchestra's problems and innate talent for directing (which his studies with Victor Tevah and his practical experience fully confirm), Mário Tavares is currently one of the most valuable and most serious people in the music world.

Since its appearance in 1963, the varying configurations of the Villa-Lobos Quintet, founded by Celso Woltzenlogel (flute), Wilfrid Berk (clarinet), Paulo Nardi (oboe), Airton Lima Barbosa (bassoon), and Carlos Gomes (French horn), have continued to occupy a brilliant and innovative place in Brazilian music. Among the foreign musicians who made their Municipal debut that year were the piano duo of Alfons and Aloys Kontarsky, the Trieste Trio, and the Parrenin and Endres Quartets. The Endres Quartet appeared at the I Rio de Janeiro Inter-American Music Festival. In August, the festival presented 21 concerts featuring Carlos Chávez conducting the theater orchestra in performances of his own work and the sumptuous London Philharmonic Orchestra which alternated performances of John Barbirolli (who conducted Brahms's Concerto No. 2 with Claudio Arrau), Igor Stravinsky conducting his *Le Baiser de la Fée,* and Robert Craft conducting Stravinsky's *Fireworks* and Symphony in Three Movements.

In his account of the second visit by the *Rite of Spring* composer in *Correio da Manhã* on September 5, Eurico Nogueira França spoke of "the thunderous applause our Municipal

No universo das estrelas da música popular, 1963 foi o ano de Ray Charles e Maurice Chevalier.

Dois futuros monstros sagrados pisaram o palco da Cinelândia em 1964: o pianista italiano Arturo Benedetti-Michelangeli e a soprano catalã Montserrat Caballé, que em setembro deu com Fritz Jank um recital de canções alemãs, francesas e espanholas. Vieram também o Coral e Orquestra Robert Shaw, I Musici, tendo à frente Felix Ayo, e o Ensemble Baroque de Paris, com Jean-Pierre Rampal. Começando um belo percurso internacional, o jovem pianista gaúcho Roberto Szidon, de 22 anos, deu em novembro um recital eclético (Brahms, Chopin, Debussy) que também incluiu o *Rudepoema* de Villa-Lobos e a *Sonata nº 3* de Mignone, a ele dedicada, em primeira audição.

Se a Orquestra Filarmônica retornou em 1965, com Barbirolli e Paul Kletzki, o ano foi dominado pela nova visita da Filarmônica de Viena, desta vez tendo à frente Karl Böhm, para um único programa, em setembro, com a *Sinfonia nº 35* de Mozart e a *Sétima* de Bruckner. No *Jornal do Brasil*, a 15 de setembro, Renzo Massarani registrava que "as inúteis comparações chegaram à conclusão de que esta orquestra vienense supera a londrina das semanas passadas, por ser mais musical, por tocar longe das seduções dos fáceis efeitos e das preciosidades virtuosísticas", louvando em Böhm uma "técnica diretorial [que] em Mozart era reduzida a poucos movimentos [...] e a poucos pulinhos nervosos sobre o estrado". Depois de assinalar que no extra do *Danúbio azul* "regente e conjunto perderam toda aparente solenidade [...] com um fraseio, uma respiração, uma *souplesse* que chegaram a fazer delirar comovendo", o crítico elogiava:

RAY CHARLES.
1963. PH. PETER GOULD. TIME LIFE
PICTURES. GETTY IMAGES

audiences gave the night before last when a page was written in the history of Brazilian musical culture."[2]

> *His music – in the first two pieces executed by the London group and conducted by his assistant, Robert Craft – was imbibed with delight. This was followed by an intermission, then, with the orchestra already back onstage, an unprecedented sensation rippled through the theater: it was an 87-year-old Stravinsky, propped up by a black cane, who had come to take his position on the conductor's podium. ... What a difference from Stravinsky's first visit to Rio almost 30 years ago! Since then audiences have become so much more modern and receptive – we have evolved enormously. His music no longer needs to be explained. ... At the end, a tidal wave of success flooded the theater, forcing the "living genius" to return to the stage over and over.*

In the universe of popular music, 1963 was the year of Ray Charles and Maurice Chevalier.

Two future musical stars stepped on the Municipal stage in 1964; the Italian pianist Arturo Benedetti-Michelangeli and, in September, the Spanish soprano Montserrat Caballé, who gave a recital with Fritz Jank featuring German, French, and Spanish songs. That year's programming also featured The Robert Shaw Chorale, I Musici, led by Felix Ayo, and the Paris Baroque Ensemble with Jean-Pierre Rampal. In November, the 22-year-old pianist from southern Brazil, Roberto Szidon, who was starting a beautiful international career, gave an eclectic recital (Brahms, Chopin, Debussy) that also included Villa-Lobos's *Rudepoema* and the premiere of Mignone's Sonata No. 3, which he dedicated to the composer.

O sentido de responsabilidade dos artistas hóspedes, antes disto, era confirmado pelo fato de terem aceito apresentar Anton Bruckner na Sétima Sinfonia, desistindo da fácil possibilidade de conquistar certa parte do público com Tchaikovsky ou algo igualmente popular. Uma hora de música do desconhecido Bruckner podia ser um perigo, e não foi; o público participou atento e sensível, e acabou aplaudindo freneticamente. Uma boa lição para os que não acreditam nos cariocas.

O IV Concurso Internacional de Piano premiou os russos Oksana Yablonskaya e Alexey Lubinov, tendo concorrido nas atenções do público, no mês de outubro, com um Concurso Internacional de Violino de que saiu vitorioso o francês Patrice Fontanarosa. Mas uma nova era de competições tinha início com o II Concurso Internacional de Canto do Rio de Janeiro, iniciativa de Helena de Oliveira que começara dois anos antes na Sala Cecília Meireles, e que nesse ano de 1965 consagrou o tenor romeno Ludovic Spiess.

A destacar ainda a introdução do público à música do polonês Witold Lutoslawski (a *Musique Funèbre* pela OSB e os *Jeux Vénitiens* pela Orquestra do TM), as apresentações de Dominique Merlet, Rudolf Buchbinder e do Quarteto de Praga e a vinda do conjunto de música antiga New York Pro-Musica, presença decisiva na formação do cravista e regente Roberto de Regina – ele próprio fazendo sua entrada em cena no Municipal, em abril, com o seu Coro de Câmara Dante Martinez.

Em 1966, mais dois conjuntos sinfônicos estrangeiros de peso aportaram no Theatro Municipal no mesmo mês de abril: a Orquestra Sinfônica da NHK de Tóquio, com Hiroyuki Iwaki, e a Orquestra de Filadélfia, com Eugene Ormandy e Stanislaw Skrowaczewski. Dois grandes dos ar-

||||||||||||||||||||||||||||||||||||||||||||||||||||||||||||||||||||||||||||||

The Philharmonic Orchestra returned in 1965 with Barbirolli and Paul Kletzki, however the year was dominated by a single performance given by the Vienna Philharmonic with Karl Böhm conducting Mozart's Symphony No. 35 and Bruckner's Symphony No. 7 in September. In *Jornal do Brasil* on September 15, Renzo Massarani noted that "…it's fruitless to compare this orchestra with the London orchestra that performed a few weeks ago: the Viennese orchestra is more musical because its playing avoids the seduction of facile effects and virtuosic gems." He praised Böhm's directorial technique [that] in the Mozart, was "…reduced to a handful of movements…and a couple of nervous hops on the podium." After noticing that in the Blue Danube encore both the "…conductor and the group lost all their apparent solemnity…with a phrasing, a breath, a suppleness, that made the audience delirious," the critic offered the following praise:

Prior to this, the sense of responsibility on the part of the guest artists was confirmed by the fact that they had decided to perform Bruckner's Seventh, giving up an easy opportunity to win over audiences with a Tchaikovsky or something popular. An hour of music by the unfamiliar Bruckner might have been dangerous, yet it wasn't; the audience was attentive and sensitive and ended up applauding frenetically. It was a good lesson for those who have no faith in Rio audiences.

The IV International Piano Competition gave first place to the Russian pianists Oksana Yablonskaya and Alexey Lubinov, although in October it competed for the public's attention with the International Violin Competition won by the French violinist Patrice Fontanarosa.

cos, a violoncelista Christine Walevska e o violinista Augustin Dumay, estiveram entre as atrações internacionais, assim como o Quarteto Viotti, o tenor Jan Peerce, acompanhado de Irwin Gage, e o grande *Kapellmeister* Karl Richter, num *Oratório de Natal* de Bach que contou com a Orquestra do Theatro Municipal e a Associação de Canto Coral; entre os talentos brasileiros despontando, os jovens violonistas Sérgio e Eduardo Abreu e Turíbio Santos.

Ainda em seu inferno astral, a OSB pôde reunir Eleazar de Carvalho à pianista Jocy de Oliveira, sua mulher, num programa Stravinsky que dava conta da dedicação do casal à música contemporânea. Pouco antes, no mesmo mês de setembro, Claudio Santoro confiara a Heitor Alimonda a estreia de seu *Concerto para Piano e Orquestra*, com o conjunto da casa.

1967 marcaria o início de uma redenção da Sinfônica Brasileira, transformada em fundação no ano anterior por obra e graça de eminências ministeriais ligadas à ditadura e a um general-presidente (Castello Branco) afeito à música. Nesse ano, Eleazar de Carvalho passou "Uma tarde com Anton von Webern", em mais uma ousada incursão pela música moderna, e o jovem maestro suíço Charles Dutoit veio reger a orquestra em junho – um mês depois de, por coincidência, a pianista argentina Marta Argerich (que viria a ser sua mulher) estrear no pedaço, na flor de seus 26 anos, com sonatas de Schumann, Prokofiev e Chopin.

Grande repercussão nesse ano teve a iniciativa de Isaac Karabtchevsky de incluir num concerto com obras de Weber e Chopin duas estreias brasileiras de índoles muito diferentes: o *Concerto para Violino, Piano e 32 Instrumentos Solistas* com que Francisco Mignone presenteava Mariuccia Iacovino e Arnaldo Estrella, presentes como solistas,

PROGRAMA | PROGRAM FESTIVAL STRAWINSKY. 1966. COL. JOCY DE OLIVEIRA.

However, a new era of competitions had begun with the II Rio de Janeiro International Singing Competition which Helena de Oliveira had founded two years earlier. It was held at the Sala Cecília Meireles and in 1965 it brought the Romanian tenor Ludovic Spiess to public attention.

Other highlights included the public debut of music by the Polish composer Witold Lutoslawski (the OSB played *Musique Funèbre* and the Orchestra do Theatro Municipal played *Jeux Vénitiens*), performances by Dominique Merlet, Rudolf Buchbinder, and the Prague Quartet, and the arrival of the New York early music group Pro-Musica, whose presence was decisive in the education of the harpsichordist and conductor Roberto de Regina, who debuted on the Municipal stage in April with his Coro de Câmara Dante Martinez.

In April 1966, two other important foreign symphony orchestras came to the Theatro Municipal: the NHK Symphony Orchestra of Tokyo with Hiroyuki Iwaki and the Philadelphia Orchestra with Eugene Ormandy and Stanislaw Skrowaczewski. Two great string players, the cellist Christine Walevska and the violinist Augustin Dumay, were among the international attractions, as were the Viotti Quartet with the tenor Jan Peerce, accompanied by Irwin Gage, and the great *Kapellmeister* Karl Richter who performed Bach's *Christmas Oratory* with the help of the Orquestra do Theatro Municipal and the Associação de Canto Coral. Among the young Brazilian talents who appeared were the young violinists Sérgio and Eduardo Abreu and Turíbio Santos.

Although it was still struggling, the OSB was able to join Eleazar de Carvalho and his wife, the pianist Jocy de Oliveira, in a Stravinsky program that showcased the couple's

e a *Rapsódia sobre Temas de Chico Buarque de Holanda* (também presente, para solar *Carolina*) arranjada por Lindolfo Gaia.

Dando conta do sucesso, num Theatro Municipal que botou gente pelo ladrão, o *Jornal do Brasil* relatava a 13 de novembro que Chico Buarque "recebeu ontem à tarde a maior consagração de sua carreira artística ao ver aplaudido de pé, durante vários minutos, o poema sinfônico que o maestro Lindolfo Gaia compôs, baseado em suas principais músicas". Mas no *Globo* o crítico Antonio Hernandez – informando que Mignone comparecera de gravata preta, como sinal de luto – mostrou-se indignado com a "infeliz iniciativa [...] que tem muito de demagogia e leviandade". Ponderando que Mignone propunha ali "uma peça sumamente elaborada [...] composta em linguagem difícil mesmo para os iniciados", Hernandez não punha em questão o talento de Chico – "uma pérola de rapaz, talento excepcional, poderosa antena do sentido popular, nobilíssimo poeta dos sons, dos vocábulos, das palavras e das ideias" –, mas falava de uma incompatibilidade dos dois universos musicais, reclamava que se tivesse estabelecido "no templo de Euterpe, o ambiente das grandes festas do Maracanã" e sentenciava:

Convocar o público de Chico Buarque para ouvir o mais novo concerto de Mignone foi como chamar aos berros os admiradores de Verdi interpretado por Caruso e Toscanini e fazê-los ouvir antes os quartetos de Anton Webern anunciados em surdina. [...] O argumento da procura do novo público não é valido: os admiradores da música popular não voltarão ao teatro para ouvir Mignone. Os admiradores de Mignone, de Estrella, de Chopin não voltarão

IGOR STRAWINSKI / JOCY DE OLIVEIRA.
RIO DE JANEIRO, 1963.
COL. JOCY DE OLIVEIRA

dedication to contemporary music. Earlier that September, Claudio Santoro entrusted Heitor Alimonda and the house orchestra with the premiere of his Concerto for piano and orchestra.

Nineteen sixty-seven marked the beginning of the Sinfônica Brasileira's recovery. It had been transformed into a foundation the year before thanks to influential ministers connected with the dictatorship and a president general (Castelo Branco) who liked music. That year, in another bold incursion into modern music, Eleazar de Carvalho spent "An Afternoon with Anton von Webern." In June, the young Swiss maestro Charles Dutoit came to conduct the orchestra. Coincidentally one month earlier, the Argentine pianist Marta Argerich, who at 26 was in her prime (and who later married Dutoit), visited and performed sonatas by Schumann, Prokofiev, and Chopin.

Isaac Karabtchevsky's initiative to combine works by Weber and Chopin with premieres of two very different pieces of Brazilian music had enormous repercussions. The concert included the Concerto for violin, piano, and 32 solo instruments – Francisco Mignone's gift to the soloists Mariuccia Iacovino and Arnaldo Estrela, and Lindolfo Gaia's arrangement of the *Rhapsody on Themes by Chico Buarque de Holanda* (who was also present to sing the solo "Carolina").

Reporting on the concert's success in an overflowing Theatro Municipal on November 13, *Jornal do Brasil* reported that Chico Buarque "...received the greatest praise of his artistic career when he received a several-minute-long standing ovation for a symphonic poem by

LAÍS DE SOUZA BRASIL /
CAMARGO GUARNIERI.
PRIMEIRO CONCERTO DA OSUSP;
A PIANISTA TOCOU *OS QUATRO
TEMPERAMENTOS*, DE HINDEMITH.
FIRST OSUSP CONCERT; THE PIANIST
PLAYED *FOUR TEMPERAMENTS*,
BY HINDEMITH.
28.11.1975. COL. LAÍS DE SOUZA BRASIL

conductor Lindolfo Gaia that was based on one of Buarque's most popular songs." However, *Globo* critic Antonio Hernandez – who had been told that Mignone appeared in black tie as a sign of mourning – was indignant with the "unhappy initiative … which has more than a whiff of demagoguery and insolence." Imagining that Mignone had proposed "an extremely elaborate piece … composed in a language that is difficult, even for the initiated," Hernandez did not question Chico's talent; he thought he was "… a jewel of a young man, exceptionally talented, a powerful antenna of popular feeling – a noble poet of sound, vocabulary, words, and ideas." Instead, he spoke of the incompatibility of the two musical universes, complaining that it might have worked if "… the atmosphere of the great celebrations at Maracanã" had been established at "Euterpe's temple." But –

> Inviting Chico Buarque's audiences to hear Mignone's newest concerto was like shouting at fans of Verdi-as-interpreted-by-Caruso-and-Toscanini and first making them listen to [a performance of] Anton Webern's quartets that had been announced on the sly.… The argument about the demands of new audiences won't fly: popular music fans won't return to the theater to hear Mignone. Admirers of Mignone, Estrela, and Chopin won't return to hear popular music.… Why doesn't OSB follow some good examples? In one of the most cultured cities in the United States, the same orchestra plays Ketelbey, Jerome Kern, Irving Berlin – and Grofé, Stravinsky, Mignone, Villa-Lobos, Bach, and Schönberg. But the orchestra has two names: the Boston Symphony Orchestra and the Boston Pops. Avoid la mescolanza.

para ouvir música popular. [...] Por que a OSB não imita os bons exemplos? Numa das mais cultas cidades dos Estados Unidos, a mesma orquestra faz Ketelbey, Jerome Kern, Irving Berlin e Grofé, ou Stravinsky, Mignone, Villa-Lobos, Bach e Schönberg. Mas a orquestra tem dois nomes: Sinfônica de Boston e Boston Pop's. Evita la mescolanza.

O II Concurso Internacional de Canto não deu prêmio algum ao barítono alemão Siegmund Nimsgern, que faria esplêndida carreira internacional, mas abriu portas, no primeiro e no segundo lugares, para duas outras vozes que também dariam o que falar – a mezzo russa Irina Bogacheva e a soprano finlandesa Taru Valjakka, esteios, nas décadas seguintes, das casas de ópera de seus respectivos países. Em 1968, passaram pelo Municipal a Orquestra Hallé com John Barbirolli, a English Chamber Orchestra e o regente austríaco Hans Swarowsky, conhecido internacionalmente como pedagogo da regência, e que montou, à frente da Sinfônica Nacional da Rádio MEC, o oratório *Judas Macabeus*, de Händel.

A regularização das contas da OSB permitiu nova floração de solistas convidados, destacando-se em 1968 Pierre Fournier, Isaac Stern e Ruggiero Ricci, Jörg Demus, Malcolm Frager, Miecio Horszowski, Paul Badura-Skoda e Lily Kraus, que interpretou em três récitas nove concertos para piano de Mozart; e em 1969 Itzhak Perlman, Antonio Janigro, Géza Anda, Philippe Entremont e, além de Dutoit novamente, Richter regendo uma *Paixão Segundo Mateus* com Edda Moser e Julia Hamnari entre os solistas e Gerd Albrecht, comandando um Festival Hans Werner Henze em que Laís de Souza Brasil deu a estreia brasileira do *Concertino para Piano*. Mas 1969 seria, sobretudo para a OSB, o ano da entronização de Isaac Karabtchevsky como seu diretor musical. ∎

PAUL HINDEMITH.
1954. COL. LAÍS DE SOUZA BRASIL

||||||||||||||||||||||||||||||||||||||||||||||||||||||||||||||||||||||||

The II International Singing Competition didn't award any prize to the German baritone Siegmund Nimsgern, who would go on to have a splendid international career. Rather, it opened doors in first and second place for two other voices that would also set tongues wagging: the Russian mezzo-soprano Irina Bogacheva and the Finnish soprano Taru Valjakka. In the following decades both women became familiar names in the opera houses of their respective countries. In 1968, the Hallé Orchestra with John Barbirolli, the English Chamber Orchestra, and the Austrian conductor Hans Swarowsky – internationally known as the master teacher of conducting – staged Handel's oratory, *Judas Maccabeus*, which he conducted with the Sinfônica Nacional da Rádio MEC.

With its finances in order, the OSB's guest soloists were now able to bloom. The 1968 highlights were Pierre Fournier, Isaac Stern, Ruggiero Ricci, Jörg Demus, Malcolm Frager, Miecio Horszowski, Paul Badura-Skoda, and Lily Kraus, who played nine of Mozart's piano concertos in three recitals. In 1969, Itzhak Perlman, Antonio Janigro, Géza Anda, and Philippe Entremont were the Theatro's main attractions. Dutoit returned again, Richter conducted *St. Matthew's Passion* with Edda Moser and Julia Hamnari among the soloists, and Gerd Albrecht commanded a Hans Werner Henze Festival during which Laís de Souza Brasil gave the Brazilian premiere of the Concertino for piano. Above all, 1969 was the year when Isaac Karabtchevsky took the throne as OSB's musical director. ∎

O início da década de 1960 foi marcado pelo retorno do Ballet do Marquis de Cuevas que, na época, contava com a colaboração de Bronislava Nijinska (1891-1972). A mestra e coreógrafa russa, naturalizada norte-americana, atuou como diretora e renovou a companhia, revitalizando seu repertório e conjunto de bailarinos, o que não passou despercebido nos oito espetáculos apresentados no Theatro Municipal.

Renzo Massarani (1898-1975), crítico do *Jornal do Brasil*, foi taxativo sobre o sucesso alcançado na estreia ao afirmar, em sua matéria de 5 de junho de 1960, que se tratava de uma "companhia no seu apogeu, num conjunto perfeitamente harmonizado e sincronizado, no qual ninguém, nem nada – nem um passo, nem um gesto – desafinaram: uma Companhia que durante três horas esteve perfeita".[1]

A plateia também foi alvo de observações. Mário Nunes, em uma de suas críticas sobre o Ballet do Marquis de Cuevas, narrou suas impressões:

Assistência, a de sempre, elegante e entusiasta; elegante à maneira extravagante de hoje, moças com saias estojadas pelos joelhos, parecendo bailarinas egressas do palco, esquecidas de pentear os cabelos, que lhes caem sobre os olhos e empastados sobre as têmporas; ou enfeitadas, as senhoras, por horrorosas perucas; os homens, mais disciplinados, black tie e smoking.[2]

Pouco depois foi a vez de Margot Fonteyn e Michael Somes retornarem à cidade, desta vez dividindo o palco do Theatro Municipal com o Ballet do Rio de Janeiro, companhia dirigida por Dalal Achcar. Porém, ao contrário de 1959, não se apresentaram em um balé completo, preferindo mostrar dois *pas de deux*: *Scénes d'Amour* e *La Péri*. Com apoio da revista *Senhor*, importante pe-

....

The decade of the 1960s began with a return visit from the Ballet do Marquis de Cuevas, which then counted Bronislava Nijinska (1891-1972) among its collaborators. The Russian-born master and choreographer who had become an American citizen was the company director and had revamped the company, rejuvenating its repertory and its group of dancers, which did not go unnoticed during the eight recitals at the Theatro Municipal.

Renzo Massarani (1898-1975), the *Jornal do Brasil* critic, was adamant about the company's success on opening night. In his article on June 5, 1960, he stated that this was "a company at the height of its powers; the group's harmony and synchronization are so complete that there is not one harsh step or gesture. It is a company that was perfect for three hours."[1]

The audience was also the target of observations. Mario Nunes gave his impressions of them in one of his reviews of the Ballet do Marquis de Cuevas:

The audience was the same as always – elegant and enthusiastic. Elegant in the extravagant style of today. Girls in knee-length box skirts looked like ballerinas who had just left the stage and had forgotten to comb their hair that covered their eyes and was slicked down over their temples; and the ladies adorned with their hideous wigs. The men showed more control in their tuxedos and black tie.[2]

BEATRIZ CERBINO

A little later Margot Fonteyn and Michael Somes returned to the city. This time they divided the Theatro Municipal stage with the Ballet do Rio de Janeiro, the company directed by Dalal Achcar. However, in contrast with 1959, they didn't present a complete ballet, instead performing two *pas de deux*: *Scénes d'Amour* and *La Péri*. Funded by *Senhor* maga-

riódico carioca voltado para a cena cultural, os espetáculos apresentaram um repertório em que o destaque foi *Zuimaalúti*, de Nina Verchinina, dançado pelo Ballet do Rio de Janeiro.

Com música de Claudio Santoro (1919-1989), libreto de Manuel Bandeira (1886-1968), a partir do poema *Toada do Pai-do-mato*, de Mário de Andrade (1893-1945), e cenários e figurinos de Roberto Burle Marx (1909-1994), *Zuimaalúti* chama atenção pelo seleto grupo de artistas envolvidos em sua criação. A coreografia recebeu críticas entusiasmadas:

[...] apresentou maior fantasia, tendo tido o ballet todo uma força e um ritmo admiráveis. Graças à Verchinina, à plasticidade e à personalidade de Arthur Ferreira e Elza Garcia Galvez, e os belíssimos trajes de Roberto Burle Marx, este foi o bailado mais empolgante e definitivo [...].³

Para o Corpo de Baile do Theatro Municipal, apesar de não ter sido uma época tão intensa quanto a anterior, a década de 60 mostrou-se produtiva e o balé *Descobrimento do Brasil*, que estreou em dezembro de 1960, foi um dos destaques desse período. Com música de Villa-Lobos, coreografia de Eugenia Feodorova e Tatiana Leskova, libreto de Circe Amado e cenografia de Gianni Ratto, recebeu boas críticas. Para Eurico Nogueira França o espetáculo foi emocionante e de "inequívoca beleza", tanto do ponto de vista estético, quanto da elaboração histórica, fazendo "vibrar o público em aplausos intensos, ao fim dos quatro quadros".⁴

HENRIQUE MORELENBAUM / MARGOT FONTEYN APÓS A APRESENTAÇÃO DE *LA PÉRI* DE PAUL DUKAS. COREOGRAFIA DE FREDERICK ASHTON. FILHA DE PAI INGLÊS, MÃE IRLANDESA E AVÔ BRASILEIRO, O EMPRESÁRIO ANTONIO GONÇALVES FONTES, A GRANDE BAILARINA, CUJO NOME DE BATISMO ERA MARGARET HOOKMAN, NASCEU EM REGATE (UK). AO INICIAR SUA CARREIRA, ADOTOU O NOME DE MARGOT E TRANSFORMOU O FONTES EM FONTEYN. HENRIQUE MORELENBAUM / MARGOT FONTEYN AFTER THE PRESENTATION OF PAUL DUKAS' *LA PÉRI*. CHOREOGRAPHY BY FEDERICK ASHTON. MARGOT FONTEYN WAS BORN MARGARET HOOKHAM IN REIGATE (UK), TO AN ENGLISH FATHER AND AN IRISH MOTHER WHO WAS THE DAUGHTER OF BRAZILIAN INDUSTRIALIST ANTONIO GONÇALVES FONTES. WHEN SHE BEGAN HER CAREER SHE ADOPTED THE NAME FONTEYN, AN ADAPTATION OF FONTES.
1960, TMRJ.
COL. HENRIQUE MORELENBAUM

zine, an important Rio periodical that reported on cultural events, the shows presented a repertory whose highlight was Nina Verchinina's *Zuimaalúti*, danced by the Ballet do Rio de Janeiro.

With music by Claudio Santoro (1919-1989) and libretto by Manuel Bandeira (1886-1968) based on the poem *Toada do Pai-do-mato* by Mário de Andrade (1893-1945), with sets and costumes by Roberto Burle Marx (1909-1994), *Zuimaalúti* attracted attention for the select group of artists involved in its creation. The choreography received enthusiastic reviews such as this one from Renzo Massarani:

It showed great imagination and the entire ballet had remarkable grace and strength. Thanks to Verchinina, the beauty and personality of Arthur Ferreira and Elza Garcia Galvez, and Roberto Burle Marx's beautiful costumes, this was the most important and fascinating ballet....³

Although this decade was not as intense as the previous one, the 1960s were very productive for the Corpo de Balé do Theatro Municipal. The ballet *Descobrimento do Brasil* which premiered in December 1960, was one of the period's highlights. With music by Villa-Lobos, choreography by Eugenia Feodorova and Tatiana Leskova, libretto by Circe Amado, and sets by Gianni Ratto, the ballet received good reviews. For Eurico Nogueira França, the show was moving and "undeniably beautiful" both from the aesthetic point of view and because of its historic content. It thrilled "the audience [which responded] with intense applause at the end of the four acts."⁴

Ao contrário dos anos anteriores, em que foram poucos os espetáculos de dança moderna apresentados no Theatro Municipal, nesta década três importantes companhias – José Limón (1908-1972), Alvin Ailey (1931-1989) e Paul Taylor (1930) – mostraram ao público carioca diferentes técnicas de dança e modos diversos de construir e organizar cenicamente o espaço. No início não lotaram o teatro, mas logo foram destacados pela crítica.

Limón foi apontado por Mário Nunes, do *Jornal do Brasil*, e Eurico Nogueira França, do *Correio da Manhã*, como um dos renovadores da dança, ao se afastar da tradição acadêmica.[5] Distanciamento realizado por meio da pesquisa de novos movimentos do corpo e também pela teatralidade implícita, e explícita, nesses movimentos, isto é, pela expressividade do intérprete, em sua ca-

ESTREIA DE *LAGO DOS CISNES* | OPENING OF SWAN LAKE. COREÓGRAFA | CHOREOGRAPHER EUGENIA FEODOROVA. DA ESQUERDA PARA A DIREITA | FROM LEFT TO RIGHT: ANTONIO VIEIRA DE MELLO, EUGENIA FEODOROVA, BERTHA ROSANOVA, YOLANDA COSTA E SILVA, ALDO LOTUFO, ELEONORA OLIOSI, HENRIQUE MORELENBAUM, ALICE COLINO. TMRJ. 1967.
COL. HENRIQUE MORELENBAUM

DESCOBRIMENTO DO BRASIL.
COREOGRAFIA DE EUGENIA FEODOROVA / TATIANA LESKOVA.
CHOREOGRAPHY BY EUGENIA FEODOROVA / TATIANA LESKOVA.
TMRJ. 1960. COL. TATIANA LESKOVA

Differently from previous years, when few productions of modern dance were presented at the Theatro Municipal, during this decade three important companies showed Rio audiences different dance techniques and ways of constructing and organizing space on stage. Even though José Limón (1908-1972), Alvin Ailey (1931-1989), Paul Taylor (1930), and their respective companies did not perform to sold-out theaters, they soon attracted the critics' attention.

Mário Nunes, of *Jornal do Brasil,* and Eurico Nogueira França, of *Correio da Manhã*, considered José Limón one of dance's innovators because he had distanced himself from academic tradition.[5] This distancing was accomplished by researching new body movements and also by the implicit and explicit theatricality of these movements; in other words, by the dancer's eloquence and his or her ability to convey emotion and sensation. A disciple of one of the icons of modern dance, the North American master and choreographer, Doris Humphrey (1895-1958), Limón's style of dancing attracted attention at the Theatro Municipal in October 1960 precisely because of his highly expressive dances. Among his most important works performed here were *The Moor's Pavane* with music by Henry Purcell, and *The Emperor Jones* with music by Villa Lobos.

In an in-depth review in *Jornal do Brasil* on October 16, Nunes explored the reasons for the importance of shows of that nature at the Theatro Municipal when he said that while it stood for more than just "freedom from the canon" these works needed to be understood as making an "important contribution" to art – that they sought to interpret "that which made the era incoherent and incomprehensible." It wasn't "just about dancing with per-

pacidade de comunicar emoção e sentimento. Discípulo da mestra e coreógrafa norte-americana Doris Humphrey (1895-1958), um dos ícones da dança moderna, Limón apresentou no TM, em outubro de 1960, um tipo de dança que chamou a atenção exatamente pelo grau de expressividade de suas peças, entre as principais aqui apresentadas, pode-se citar *Pavana do Mouro*, música de Henry Purcell, e *O Imperador Jones*, com música de Villa Lobos.

Em uma extensa crítica no *Jornal do Brasil*, de 16 de outubro, Nunes expôs as razões da importância da presença de espetáculos como aquele no Theatro Municipal, ao dizer que, mais do que uma "libertação de cânones", esses deviam ser percebidos como uma "efetiva contribuição" à arte, em uma busca por interpretar "sua época, incompreensões e incoerências". Logo, não se tratava "apenas de dançar, com perfeição e graça, mas também de reproduzir a emoção tal como a experimenta o bailarino". O que nem sempre era fácil para quem assistia e Nunes apontou essa dificuldade ao afirmar que "o intérprete será melhor sucedido se maior for o grau de afinidade de sua sensibilidade e a dos espectadores; por isso, a renovação não dispensa o preparo estético da platéia".[6]

Assim como a produção artística se transformava era preciso que o público também se preparasse para recebê-la. Esse processo de mudança não ocorreu apenas a partir dessa década – ele sempre existiu –, mas foi nesse período que a programação de dança do Municipal, predominantemente de balé, passou a abrir mais espaço para a dança moderna.

Se, em 1960, Limón não atraiu uma grande plateia, cinco anos depois, a Paul Taylor Dance Company praticamente lotou o Municipal. Além de uma programação mais eclética, as mudanças de hábito, gostos e práticas culturais engendradas na década de 1960 certamente colaboraram

fection and grace, but also about reproducing emotion as a dancer experiences it," which is not always easy for those who are watching. Nunes mentioned this difficulty when he stated that "dancers will do this more successfully when there is a greater degree of affinity between their sensitivity and the audience's; innovation also means giving audiences an aesthetic education."[6]

Since artistic production was being transformed, it was vital that audiences be prepared to receive these transformations. This process of change did not just start during this decade – it had always existed – but it was during this time that dance programming at the Municipal, which mostly meant ballet, began to open space for modern dance.

Although Limón didn't attract large audiences in 1960, five years later the Paul Taylor Dance Company performed to an almost sold-out Municipal. In addition to a more eclectic program, changes in habits, tastes, and cultural practices that had taken place during the 1960s definitely contributed to the growth of audiences at the company's two performances. Paul Taylor's most famous work, *Aureole*, with music by George Frederic Handel, was the program's highlight.

The critic D'Or, the pseudonym for Ondina Ribeiro Dantas of *Diário de Notícias*, called attention to the fact that the Municipal had almost sold out the two nights. She saw in the choreographer's rationale a concept of beauty that distanced itself from the parameters proposed by ballet:

> *Instead he keeps the body excited through continuous, explosive movements – using every resource and creating a strange and disturbing atmosphere. To this end, the choreographer manages to keep the public's attention by presenting an infinite number of forms that don't always fit what is considered conventionally beautiful.[7]*

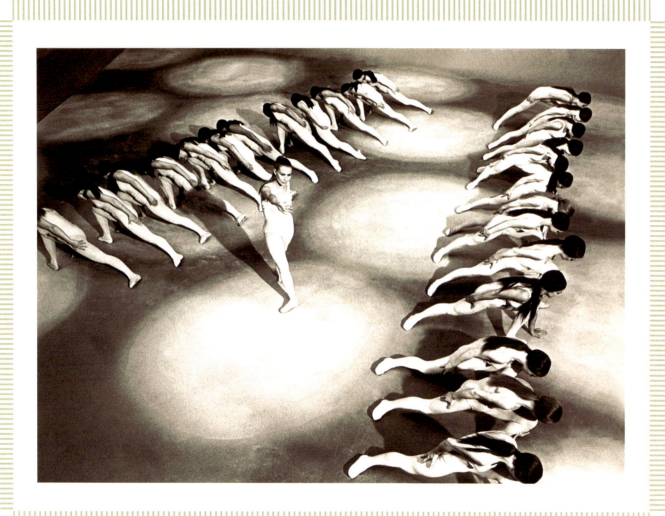

LE SACRE DU PRINTEMPS COM TANIA BARI.
THE RITE OF SPRING WITH TANIA BARI.
MAURICE BÉJART, BALLET DU XXÈME SCIÉCLE, 1963.
PH. ROBERT KAYAERT.
ARCHIVE LA MONNAIE, BRUSSELS

TATIANA LESKOVA, *AS BODAS DE AURORA*.
1960. PH. MAURICE SEYMOUR.
COL. TATIANA LESKOVA

ARTHUR FERREIRA, TATIANA LESKOVA,
ÉTUDES.
TMRJ,1960. COL. TATIANA LESKOVA

With Paul Taylor, modern dance definitively conquered a place on the stage of the Theatro Municipal.

Maurice Béjart (1927-2007) and his Ballet of the 20th Century was another highlight of this decade. The short season lasted from May 20-24, 1963 and was comprised of five shows during which Bejart, who the Rio press introduced as "the most expressive choreographer working today," presented a repertory composed of works such as *Bolero* and *Rite of Spring,* the latter was given a standing ovation by the sold-out audience at the company's Municipal premiere.[8]

Writing about *Bolero,* Eurico Nogueira França stated that "after *Rite of Spring* it was "the most important work that Béjart showed us. It was uproarious and was one of the highpoints of the company's brief stay here." On the subject of the choreography's characteristic solo, here performed by the ballerina Tania Bari (1936), França said that it was a symbol that "should belong to the modern repertory, just as, for example, *Swan Lake* belongs to the old repertory."[9]

Nogueira França also made an interesting observation about the company's technique: …"they make us finally realize how outdated academic classicism is. And yet, these dancers are nourished by academic discipline – proof that Béjart can make classical technique fertile and fruitful…"[10]

In April 1967, Margot Fonteyn and Rudolf Nureyev (1938-1997) came to Rio invited by Dalal Achcar and presented four sold-out shows with the Ballet do Rio de Janeiro. The first

324 THEATRO MUNICIPAL DO RIO DE JANEIRO

para o crescimento do público nos dois espetáculos de Paul Taylor. Entre as coreografias, destaque para *Aureole*, sua peça mais famosa, com música de George Frederic Handel.

Dois aspectos dos espetáculos de Taylor foram destacados por Ondina Ribeiro Dantas: o fato de o Municipal estar praticamente lotado nas duas noites e sua proposta de dança. Segundo Ondina, Taylor não se deixou seduzir por uma construção coreográfica fácil e sua idéia de beleza, apesar de trazer novidades em termos de movimentação, não se afastou completamente da proposta estética do balé. Textualmente ela afirma:

> *Antes tenta agitá-lo [o corpo] num contínuo trabalho explosivo, usando de todos os recursos e criando uma atmosfera estranha e perturbadora. Com esse propósito consegue prender a atenção do público tal a infinitude de plásticas que apresenta, nem sempre, porém, de integrado naquilo que se convencionou chamar o 'belo'.*[7]

Com Paul Taylor a dança moderna conquistou definitivamente seu espaço no palco do Theatro Municipal.

Outro destaque dessa década foi Maurice Béjart (1927-2007) e seu Ballet du XXéme Sciècle. A curta temporada, de 20 a 24 de maio de 1963, foi composta de cinco espetáculos nos quais Béjart, apresentado pela imprensa carioca como o "coreógrafo mais expressivo da atualidade", mostrou um repertório formado por obras como *Bolero* e *Sagração da Primavera*, esta última ovacionada pelo público que lotou o Municipal na estreia da companhia.[8]

Sobre *Bolero* Eurico Nogueira França afirmou ser "o mais importante que nos apresentou Béjart, depois de *Le Sacre du Printemps*. Seu triunfo foi estrepitoso, assinalando um dos momen-

performance was a coveted gala celebrating the 76th anniversary of *Jornal do Brasil,* which had funded the event. According to D'Or, Dame Margot Fonteyn, who was returning to the city after a seven-year absence, demonstrated that she was still a light, agile ballerina. "There's not the slightest hint of the years that have passed and which she must shoulder. It's the same Margot as always."[11]

On his first trip to Brazil, the already internationally acclaimed Nureyev was equally celebrated by critics for his exceptional technique: from the virtuosity of *Le Corsaire* to the excitement of *Marguerite et Armand*, in which he and Fonteyn were singled out as the "greatest performers of the essence of dance."[12]

On the closing night performance at Maracanãzinho stadium, the audience of 17,000 gave the performers a standing ovation.

Metástasis, by Nina Verchinina, was another highlight of this quick tour. According to Eurico Nogueira França, the choreography with music by Iannis Xenakis, showed

> *…a rich freedom in the treatment of the group of bodies in play, darkly symbolizing a collective drama, with all those figures that oppose the main figure, Nelly Laport, who ends elusively rising. This piece also shows the characteristic attraction exerted by the ground in modern dance; characters bow to the to the law of gravity instead of rising in space.*[13]

Tradition and modernity, ballet and modern dance, closed out the decade. It was an important moment for dance at the Theatro Municipal, when distinct perceptions and techniques harmoniously shared the stage of one of the most important theaters in Brazil. ■

tos mais altos da breve estada do conjunto entre nós". Acerca do solo que marca a coreografia, aqui realizado pela bailarina Tania Bari (1936), disse tratar-se de uma coreografia que "merece ficar para o repertório moderno como, por exemplo, *A Morte do Cisne*, para o antigo".[9]

Foi ainda Nogueira França quem observou que a companhia se afastava da estética tradicional do balé, mas que o elenco se nutria "de pura disciplina acadêmica" provando "como a técnica clássica se pode fazer fértil e fecunda [...]".[10]

RUDOLF NUREYEV / DALAL ACHCAR. 1967, RIO DE JANEIRO. COL. DALAL ACHCAR

Em abril de 1967, Margot Fonteyn e Rudolf Nureyev (1938-1997) vieram ao Rio a convite de Dalal Achcar e apresentaram quatro espetáculos em conjunto com o Ballet do Rio de Janeiro que lotaram o TM. A primeira apresentação foi uma concorridíssima noite de gala na qual o *Jornal do Brasil*, patrocinador do evento, comemorou seus 76 anos. Dame Margot Fonteyn, que retornava à cidade depois de sete anos, mostrou que continuava uma bailarina leve e ágil, "não se pressentem nem de leve os anos que se passaram e deveriam pesar sobre seus ombros. É a mesma Margot de ontem, e de sempre".[11]

Sobre Nureyev, já consagrado internacionalmente e em sua primeira passagem pelo Brasil,

DA ESQUERDA PARA A DIREITA, EM PRIMEIRO PLANO | FROM LEFT TO RIGHT IN FOREFRONT MARGOT FONTEYN / DALAL ACHCAR / RUDOLF NUREYEV. 1967, RIO DE JANEIRO. COL. DALAL ACHCAR

a crítica igualmente não poupou elogios à sua técnica excepcional: do virtuosismo de *O Corsário* à emoção em *Marguerite et Armand*, em que ele e Fonteyn foram apontados como "intérpretes máximos de espiritualização dançante".[12] Na despedida da cidade, 17 mil pessoas ovacionaram os bailarinos no espetáculo apresentado no Maracanãzinho.

Metástasis, de Nina Verchinina, foi outro destaque dessa rápida temporada. Segundo Eurico Nogueira França, a coreografia, com música de Iannis Xenakis, mostrou

> [...] uma liberdade fecunda no tratamento dos conjuntos de corpos com que joga, e que obscuramente simboliza um drama coletivo, com todas aquelas figuras que fazem oposição a uma figura principal, Nelly Laport, que no fim se evade, subindo. Há aqui também a atração do solo, própria da dança moderna, as personagens se curvam à lei da gravidade, ao invés de se alçarem no espaço.[13]

Tradição e modernidade, balé e dança moderna, fecharam a década de 1960 em um importante momento da dança no Theatro Municipal, quando percepções e técnicas distintas conviveram no palco de um dos mais importantes teatros do Brasil. ∎

GABI LEIB / RUDOLF NUREYEV.
TMRJ, 1967. COL. GABI LEIB

RUDOLF NUREYEV / MARGOT FONTEYN,
PRAIA DE COPACABANA, RJ.
1967. PH. EVANDRO TEIXEIRA.
COL. GABI LEIB

TEATRO MUNICIPAL

1970 > 1979

As visitas estrangeiras para longas temporadas já vinham desaparecendo há algum tempo, e na década de 70 as limitações se tornam cada vez mais evidentes. Em 1971 só há duas visitas, com uma única récita de *The Taming of the Shrew* que vem com a chancela do consagrado Teatro Old Vic, sem trazer qualquer dos grandes nomes ingleses, enquanto Marcel Marceau, que outrora se demorava bastante no Rio, agora só apresenta três récitas com seu repertório tradicional.

Em 1972 não há nenhum espetáculo, mas uma série de nove conferências de Paulo Rónai a respeito do assunto.

Já em 1973 o teatro marca sua presença no TM, com o imenso sucesso, que estreia no final de junho e se estende até o final de julho, com nada menos que 18 récitas de *O Doente Imaginário*, de Molière, com tradução de Guilherme Figueiredo, direção de João Bethencourt, e Ítalo Rossi e Eva Todor encabeçando um elenco de ótima qualidade em seu conjunto.

Em julho, a Companhia Teatral Italiana Proclemer-Albertazzi traz apenas um espetáculo, *Collage Número 5*, em que o elenco que acompanha a importante dupla dona da companhia apresenta trechos e cenas dos mais variados autores clássicos e modernos.

É em julho ainda que a companhia do Teatro Nacional Popular francês, com sede em Villeubane, chefiada pelo notável Roger Planchon, apresenta, em três récitas, uma magistral encenação de *Le Tartuffe*, de Molière, com detalhes brilhantes como um grande quadro de *O Massacre dos Inocentes* para a cena, na qual o pai idiota, fascinado pela aparente religiosidade de Tartufo, tenta obrigar a filha a casar-se com este. O próprio Planchon era o protagonista nessa montagem visual e interpretativamente memorável, que concluiu a participação anual do teatro no TM.

PÁGINA ANTERIOR | PREVIOUS PAGE
CAPA DO PROGRAMA DA TEMPORADA OFICIAL.
COVER OF THE SEASON'S OFFICIAL PROGRAM.
1979. COL. BRUNO FURLANETTO

Extended visits from foreign companies had been waning for some time, and in the 1970s this became increasingly apparent. In 1971, there were only two visits: a special performance of *The Taming of the Shrew* that came with the seal of the renowned Old Vic Theater, but without any of the big English names of the time, and Marcel Marceau, who had previously had long runs in Rio, but who gave just three performances of his traditional repertory. There were no performances in 1972, although Paulo Ronai gave a series of nine conferences about theater.

Theater marked its presence at the Theatro Municipal in 1973 with an enormous success: 18 performances of Molière's *The Imaginary Invalid*, which debuted in late June and closed in late July. Translated by Guilherme Figueiredo and directed by João Bethencourt, it starred Ítalo Rossi and Eva Todor who led an excellent cast. In July, the Italian theater company Proclemer-Albertazzi brought *Collage Número 5*, a selection of sections and scenes from a wide variety of classical and modern plays performed by the troupe's two excellent namesakes and a supporting cast.

Also in July, the Villeubane-based company from the French national public theater led by the excellent Roger Planchon, presented three performances of a masterful production of Molière's *Tartuffe*. Outstanding in its attention to detail, the set included a large painting of *Massacre of the Innocents* for the scene in which the foolish father, charmed by Tartuffe's apparent piety, tries to force his daughter into marriage. Planchon himself was the protagonist in this visually beautiful and memorable staging that featured excellent performances. It was company's last annual visit to the Theatro Municipal.

teatro
theater

BARBARA HELIODORA

Duas montagens nacionais apenas representam na sala do TM o teatro de prosa em 1974. Em março é montada (com espaço cênico e plateia reunidos no palco) uma belíssima encenação de *A Gaivota*, de Tchekhov, com direção do argentino Jorge Lavelli, e um considerável elenco em que atuaram com brilho Sergio Britto, Tereza Rachel, Renata Sorrah, Carlos Augusto Strasser, Luis de Lima, Monah Delacy e Helio Ary. Foram dadas doze récitas, com imenso sucesso.

Em julho, vem de São Paulo o *Coriolano*, de Shakespeare, dirigido por Celso Nunes e elenco encabeçado por Paulo Autran e Henriette Morineau, que teve dez récitas.

O ano teatral de 1975 se resume a 14 récitas de *Maria da Ponte*, de Guilherme Figueiredo, com direção de João Bethencourt, com Leonardo Villar à frente do elenco, e uma única récita de visita do Japão com um espetáculo de *Kyogen*, a forma clássica de comédia daquele país, durante o qual eram apresentadas três pequenas cenas: *Urinosubito* (*O Ladrão de Melões*), *Kusabira* (*Cogumelos*), e *Kamabara* (*A Foice e o Orgulho Ferido*), interpretado por atores que tinham acompanhamento musical.

Houve um período de teatro fechado até 1978. Em 1984 um esperado espetáculo de Vittorio Gassmann, sob o título de *Non Essere*, não se realiza pela simples razão de faltar teto no aeroporto de Montevidéu e o ator não ter chegado a tempo no Rio[1].

In 1974, only two Brazilian groups presented straight theater at the Theatro Municipal. In March, a beautiful interpretation of Chekov's *The Seagull* (with both the set and audience on stage) was directed by the Argentine Jorge Lavelli and featured a notable cast led by Sergio Britto, Tereza Rachel, Renata Sorrah, Carlos Augusto Strasser, Luis de Lima, Monah Delacy, and Helio Ary. They gave 12 tremendously successful performances.

In July, a group from São Paulo gave ten performances of Shakespeare's *Coriolanus*, which was directed by Celso Nunes and starred Paulo Autran and Henriette Morineau.

Nineteen seventy-five can be summed up by the 14 recitals of Guilherme Figueiredo's *Maria da Ponte* directed by João Bethencourt and starring Leonardo Villar, and *Kyogen*, a unique show by a visiting Japanese troupe. A classic form of Japanese comedy, the actors in *Kygoen* performed three short scenes – *Urinosubito*, *Kusabira*, and *Kamabara* – to musical accompaniment.

The theater was closed for a period until 1978. In 1984, *Non Essere*, an eagerly awaited show by Vittorio Gassmann, was cancelled simply because flights from Montevideo were interrupted due to bad weather, and the actor arrived too late. Between November 1993 and March 1994, the theater's own Salão Assyrio – and not the amphitheater of the Theatro Municipal – hosted 16 performances of *A Ópera do Malandro*, Chico Buarque's Brazilian adaptation of Brecht's *Threepenny Opera*. Instead of using the music of Kurt Weill, the score was by

JACQUELINE LAURENCE / ÍTALO ROSSI / VINICIUS SALVATORI.
O DOENTE IMAGINÁRIO / *THE IMAGINARY INVALID*.

ARY FONTOURA.
O DOENTE IMAGINÁRIO / *THE IMAGINARY INVALID*.

TMRJ. 1973. CEDOC-FUNARTE

ACIMA | ABOVE
ÍTALO ROSSI.
O DOENTE IMAGINÁRIO / *THE IMAGINARY INVALID*.

Entre novembro de 1993 e março de 1994, não no palco do TM, mas no espaço do Salão Assyrio, houve dezesseis récitas de *A Ópera do Malandro*, adaptação para o Brasil, por Chico Buarque, do texto de Brecht para a *Dreigroschenoper*, que não usa as músicas de Kurt Weill e sim do compositor. Nenhum outro espetáculo teatral, nacional ou não, foi oferecido nesses dois anos.

Em 1995 a atividade é ainda menor, com apenas três récitas, em outubro, de *Orfeu da Conceição*, texto de Vinicius de Moraes com música de Tom Jobim, Luis Bonfá e Antonio Maria. A direção era de Haroldo Costa, e o cenário de Oscar Niemeyer.

A modéstia das contribuições estrangeiras fica comprovada pela visita da Comédie Française, que se apresenta por apenas duas récitas da comédia de Molière *Les Fourberies de Scapin* (*As Artimanhas de Scapino*).

Em 2002 a dupla Claudio Botelho e Charles Möeller faz uma de suas primeiras experiências de teatro musical com sete récitas de *O Fantasma do Teatro*, peça de Justin Locke que, além de Zezé Polessa, Edwin Luisi e Sandro Christopher tinha grande elenco de atores e cantores, com o apoio da Orquestra Petrobras Pró-Música e coreografia de Dalal Achcar.

Em junho do mesmo ano o Piccolo Teatro di Milano, com direção de Giorgio Strehler, apresenta *Arlecchino, Servitore di Due Patroni*, de Goldoni, com a novidade do uso de legendas em português projetadas acima da cena. Só houve duas récitas.

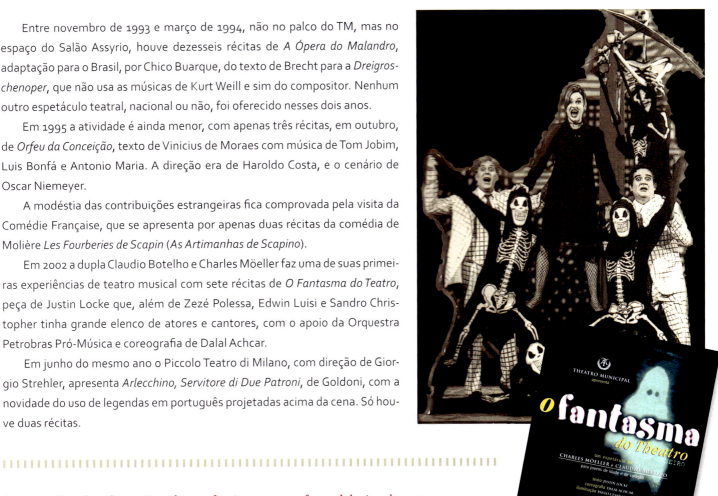

Buarque. No other show – Brazilian or foreign – was performed during those two years.

There was even less activity in 1995 with only three performances in October of *Black Orpheus* written by Vinicius de Moraes with music by Tom Jobim, Luis Bonfá, and Antonio Maria. The show was directed by Haroldo Costa and Oscar Niemeyer designed the set.

The dearth of foreign contributions was underlined during a visit from Comédie Française, which gave only two performances of Molière's comedy *Scapin*. In 2002, the duo Claudio Botelho and Charles Möeller forayed into musical theater with seven performances of Justin Locke's *The Phantom of the Orchestra* which, in addition to Zezé Polessa, Edwin Luisi, and Sandro Christopher, featured an excellent supporting cast of actors and singers, the Orquestra Petrobras Pró-Música, and Dalal Achcar's choreography.

In June 2002, the Piccolo Teatro di Milano under the direction of Giorgio Strehler presented just two performances of Goldoni's *Harlequin, Servant of Two Masters* with the novel use of Portuguese supertitles.

In October, there was a lovely show from Japan called *Bunkaru*, a classical form of Japanese theater involving puppets. With the puppeteers in plain sight (sometimes as many as four people manipulated a single 80-cm-long doll) and splendid costumes, the show was surprisingly natural in its depiction of "actors" performing *Pescando Mulheres* and *Os Amantes Suicidas*. The year 2003 passed without incident and there was only one show in 2004: Marcio Meirelles's *Candares – a Reconstrução do Fogo* by the Companhia dos Comuns. Based on a myth about black female warriors in Egypt, it was an attempt to connect the topic to the condition of black women in Brazil.

DA ESQUERDA PARA A DIREITA | FROM LEFT TO RIGHT: EDWIN LUISI / ZEZÉ POLESSA / SANDRO CHRISTOPHER, *O FANTASMA DO THEATRO* / *THE PHANTOM OF THE THEATER*. TMRJ. 2002. PH. BRUNO VEIGA

O FANTASMA DO THEATRO / *THE PHANTOM OF THE THEATER*, CARTAZ | POSTER. DESIGN EVELYN GRUMACH, TMRJ. 2002. COL. EVELYN GRUMACH

PÁGINA ANTERIOR | PREVIOUS PAGE DA ESQUERDA PARA A DIREITA | FROM LEFT TO RIGHT: RENATA SORRAH / CECIL THIRÉ / CARLOS AUGUSTO STRAZZER / LUÍS DE LIMA, SERGIO BRITTO, TEREZA RACHEL, MONAH DELACY / RENÉE DE VIELMOND / MONAH DELACY / RENATA SORRAH, CECIL THIRÉ / CARLOS AUGUSTO / LUÍS DE LIMA / SERGIO BRITTO E TEREZA RACHEL, *A GAIVOTA* / *THE SEAGULL*. TMRJ. 1974. COL. RENATA SORRAH

E do Japão, em outubro, vem um belo espetáculo de *Bunkaru*, o clássico teatro de bonecos japonês. Com manipuladores à vista (às vezes quatro pessoas manipulavam um só boneco de cerca de 80 cm de altura) e figurinos esplêndidos. O espetáculo atinge um nível surpreendente de naturalidade na interpretação dos "atores", que apresentaram *Pescando Mulheres* e *Os Amantes Suicidas*.

2003 passa em branco, e em 2004 só é apresentado um espetáculo teatral, *Candares – A Reconstrução do Fogo*, de Marcio Meirelles pela Companhia dos Comuns. A peça é inspirada em um mito de mulheres negras guerreiras no antigo Egípcio, e busca relacionar o tema com a condição das mulheres negras no Brasil.

Em 2005 só temos três récitas do Teatro Negro de Praga, fundado pelo ilustrador e cartunista tcheco Frantisek Kratochivíl em parceria com Jiri Smec. A companhia apresentou a peça *Anatomia do Beijo*, que faz uso de atores interagindo com desenhos a partir de efeitos de luz em uma caixa preta. Em 2006 só há uma única récita de espetáculo da Companhia dos Comuns, *Bakulo – Os Bem Lembrados*, novamente encenado por Marcio Meirelles, e após total ausência em 2007, há em 2008 récita única de *L'Oratório d'Aurelia*, com direção de Victorio Thierrée Chaplin, que dirige a filha Aurélia Thierrée. Apesar da ênfase no fato de a atriz ser neta de Charles Chaplin e bisneta de Eugene O'Neill, o espetáculo não alcançou maior repercussão.

Como vimos, a partir da década de 1970 até os dias atuais, o teatro de prosa faz o movimento inverso ao dos primeiros tempos do Municipal e sua presença torna-se cada vez mais rara, participando de sua agenda apenas como exceção. ■

BUNRAKU. TEATRO DE BONECOS JAPONÊS.
BUNRAKU. JAPANESE PUPPET THEATRE.
TMRJ. 2002

In 2005, the Theatro Municipal hosted just three performances by Prague's Black Theater founded by the Czech illustrator and cartoonist Frantisek Kratochivíl and Jiri Smec. The company presented the play *Anatomia do Beijo*, which features actors interacting with the designs created by lighting inside a black box. In 2006, there was only one performance of another show by the Companhia dos Comuns: *Bakulo – os Bem Lembrados*, staged again by Marcio Meirelles. After a complete hiatus in 2007, in 2008 there was one performance of *L'Oratório d'Aurelia* directed by Victorio Thierrée Chaplin and starring his daughter, Aurélia Thierrée. Despite the hype over the fact that the play featured the granddaughter of Charlie Chaplin and the great-granddaughter of Eugene O'Neill, the show attracted little attention.

As we have seen, beginning in the 1970s, straight theater lost the ground it gained during the Municipal's early years and became an increasingly rare and exceptional addition to the theater's regular programming. ■

Em 1970 uma série de espetáculos são realizados sem nenhuma coerência. Uma companhia francesa nos dá *Le Fou,* de Marcel Landowski, tendo como única justificativa para montá-la o fato de seu compositor ser filho do escultor do Cristo Redentor! Depois, infelizmente sem preparação, o que há de mais moderno: *Lulu,* de Alban Berg, mas em italiano, com cantores brasileiros e italianos, que participam, também, de duas estreias, a obra-prima de Béla Bartók, *O Castelo do Barba-Azul*, e *Il Prigioniero,* de Luigi Dallapicola. Para terminar o ano, surge a Ópera de Câmara do Teatro Colón com um Mozart inédito no Municipal, *La Finta Giardiniera,* e a já conhecida *Lo Frate 'Nnamorato*. Neste ano, portanto, cinco óperas novas.

Em 1971, Os Meninos Cantores de Vienna encenam, com acompanhamento de piano, *Il Signor Bruschino,* de Gioacchino Rossini, também nova para o Theatro. Repetiram a façanha em 1988, encenando outra novidade, *Der Dorfbarbier,* de Johann Baptiste Schenk.

Em 1974, um grupo alemão encena *Don Giovanni* e *Così Fan Tutte*, mas são montagens sem vigor. E chegamos a 1975, quando pela primeira vez na história do TM não há um único espetáculo de ópera, sem nenhuma razão ou explicação a não ser o abandono por parte do Estado. Porém, neste mesmo ano Geraldo Matheus Torloni foi empossado Diretor do Theatro e constata as precárias condições para o seu funcionamento: falta de equipamentos; necessidade de reparações no prédio, externas e, principalmente, internas, devido ao seu uso intenso sem manutenção adequada e às frequentes dilapidações causadas pe-

VISITA ÀS OBRAS DO TMRJ | VISIT TO THE TMRJ WORK SITE.
FARIA LIMA (GOVERNADOR DO ESTADO DO RIO DE JANEIRO | GOVERNOR OF RIO DE JANEIRO), GERALDO MATHEUS TORLONI (DIRETOR DO TMRJ | TMRJ DIRECTOR), ADOLFO BLOCH (SECRETÁRIO DE CULTURA | CULTURE SECRETARY)
1977. CPDOC-FGV

In 1970 the Theatro Municipal hosted a series of musicals that seemed to lack any coherence. A French company brought Marcel Landowski's *Le Fou*, whose only reason for being performed – it was said – was that its composer was the son of the sculptor of the Christ the Redeemer statue! Later, with no preparation, the very modern *Lulu* by Alban Berg was performed in Italian, with Brazilian and Italian singers who also starred in two premieres: Bartók's masterpiece *Bluebeard's Castle* and Dallapicola's *Il Prigioniero*. To finish the year, the Municipal hosted the Ópera de Câmara do Teatro Colón with a Municipal premiere of Mozart's *La Finta Giardiniera*, and another production of *Lo Frate 'Nnamorato*. Thus, five new operas premiered in 1970.

In 1971, the Vienna Boys Choir staged another Municipal premiere: Rossini's *Il Signor Bruschino* with piano accompaniment. They premiered another opera in 1988, Schenk's *Der Dorfbarbier*.

In 1974, a German group staged lackluster performances of *Don Giovanni* and *Cosi Fan Tutte*. In 1975, for the first time in the Theatro Municipal's history there were no opera performances, and no reason or explanation for this beyond the state's total lack of interest. At the time, Geraldo Matheus Torloni was named director of the Theatro, only to find it in precarious condition: the building lacked equipment and maintenance and had often been damaged by carnival balls. Due to intense use it needed many unforeseen repairs – not only on the outside but especially on the inside. Torloni also discovered that the sets were built on the fourth floor of the cramped annex behind the Theatro Municipal, although larger sets needed to be assembled on the stage itself, which meant suspending other activities. As a result, Torloni

ópera
opera
BRUNO FURLANETTO

los Bailes de Carnaval. Verificou, também, que os cenários eram feitos no quarto andar do acanhado prédio que ficava nos fundos do Municipal. Quando a cenografia possuía maiores dimensões, era executada no próprio palco, acarretando a paralisação das outras atividades. Criou então a Central Técnica, com grandes espaços para a construção de cenários, figurinos, adereços, perucas etc. que até hoje atende ao Theatro. Fechado em outubro de 75 para as necessárias reparações, reabriu em março de 1978. Mas durante este período outros fatos importantes para o futuro do Theatro aconteceram.

Nomeou-se como Diretor Artístico o maestro Edino Krieger. Este, conhecendo a situação da ópera no Rio, preocupou-se especialmente com a reabertura do Theatro, que desejava fosse uma verdadeira casa de ópera e balé, com espetáculos durante todo o ano, pois há muito existiam os seus corpos estáveis, e de grandes dimensões. Krieger foi ao governador Faria Lima e à secretária de Cultura Myrthes Wenzel. Coincidentemente, estava no Rio o barítono Nelson Portella, que cantava no Colón, e ele sugeriu a Krieger que fosse até Buenos Aires, onde ele o introduziria a uma série de pessoas que poderiam auxiliá-lo em seu projeto. Krieger foi ao Colón e lá entrou em contato com personalidades importantes nos vários setores, tendo vários profissionais se mostrado interessados em vir ao Rio para aqui trabalhar e reerguer o Municipal. Krieger, então, contratou um grupo comandado pelo diretor de cena Oscar Figueroa, composto de auxiliar de direção, maestro de coro, cenógrafo, cenotécnicos, iluminadores, figurinistas, peruqueiros e maestros preparadores. A equipe chegou ao Rio no final de 1977.

Muitos ficaram aqui, por longo tempo, como Marga Niec, diretora de cena, Andrés Máspero, diretor do coro de 78 a 83, Manuel Cellario, diretor do coro de 83 a 2000, Divina Lujan, peruqueira

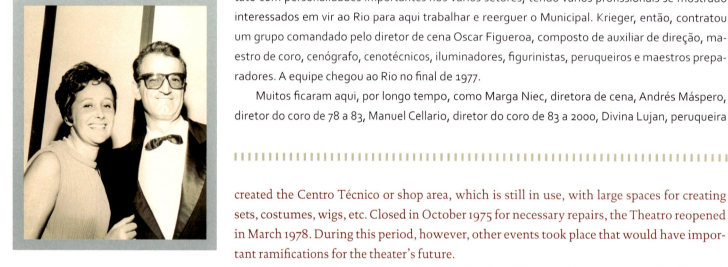

GABI LEIB / EDINO KRIEGER.
COL. GABI LEIB

PÁGINA SEGUINTE | FOLLOWING PAGE
TURANDOT, DE PUCCINI, REABRIU OFICIALMENTE O TMRJ DEPOIS DE 22 MESES FECHADO PARA OBRAS. CENA DO ATO I DA PÁGINA CENTRAL DO PROGRAMA DA ÓPERA E PLATEIA NO DIA DA ESTREIA.
PUCCINI'S TURANDOT OFFICIALY REOPENED THE TMRJ AFTER 22 MONTHS OF RENOVATIONS.
AUDIENCE ON OPENING NIGHT.
15.03.78. PH. ARI GOMES. CPDOC/JB

created the Centro Técnico or shop area, which is still in use, with large spaces for creating sets, costumes, wigs, etc. Closed in October 1975 for necessary repairs, the Theatro reopened in March 1978. During this period, however, other events took place that would have important ramifications for the theater's future.

The conductor Edino Krieger was named artistic director. Krieger, who was familiar with the opera situation in Rio, was especially concerned with the theater's reopening. Because the theater had had its own in-house companies for many years, he hoped it would become a serious venue for opera and ballet with performances throughout the year and shared his thoughts with the governor, Faria Lima, and the secretary of culture Myrthes Wenzel. Coincidentally, the baritone Nelson Portello, who sang at the Colón, was in Rio at the time, and he suggested that Krieger go to Buenos Aires where he would introduce him to several people who could help him in his project. Krieger went to the Colón, and while there, met with important individuals from various sectors and professions who showed interest in visiting Rio to work at and revitalize the Theatro Municipal. Krieger hired a group to work under the theater director Oscar Figueroa that was comprised of an assistant director, choir master, set designer, stage technicians, lighting designers, costume designers, wigmakers, and rehearsal directors. The team arrived in Rio at the end of 1977.

Many stayed in Rio long-term, such as Marga Niec, the stage director, Andrés Máspero, the choir director between 1978 and 1983, Manuel Cellario, the choir director from 1983 to 2000, Divina Lujan, the wigmaker, who still creates wigs for stars, and Hugo de Ana who created marvelous sets and costumes before becoming internationally famous.

que até hoje enfeita as cabeças de divas e divos, e Hugo de Ana, que fez maravilhas em cenários e figurinos antes de partir e tornar-se internacionalmente famoso.

Assim, quando em março de 1978 o Theatro Municipal reabriu com *Turandot*, começou uma nova era, com espetáculos comparáveis aos dos maiores teatros do mundo, modernos teatral e visualmente. Não mais cenários de papel pintado, roupas de armarinho e dramaticamente sem coordenação.

Nesta primeira temporada conhecemos Ghena Dimitrova e Grace Bumbry e Hugo de Ana fez cenários e figurinos dos mais belos vistos no nosso palco para *La Perichole*. Tivemos também a estreia de *O Sargento de Milícias*, de Francisco Mignone. E no final da década o Municipal abriu com um enorme êxito, *La Traviata* – cenários, figurinos, iluminação e direção de Franco Zeffirelli. O público conheceu então o que realmente era uma grande produção de ópera europeia. ■

FRANCO ZEFFIRELLI / NELSON PORTELLA (GERMONT, *LA TRAVIATA*).
DIREÇÃO ZEFFIRELLI.
DIRECTION BY ZEFFIRELLI.
1978. TMRJ. COL. NELSON PORTELLA

Thus, when the Theatro Municipal reopened with *Turandot* in March 1978, a new era began with theatrically and visually modern shows that were comparable to those performed at the world's most important theaters. Long gone were the sets of painted paper and the cheap and dramatically uncoordinated costumes.

In this first season, audiences were introduced to Ghena Dimitrovam and Grace Bumbry. For *La Perichole*, Hugo de Ana created the most beautiful sets and costumes that had ever graced the Theatro Municipal's stage. That season also marked the debut of Mignone's *O Sargento de Milícias*. At the end of the decade, the Theatro Municipal premiered an enormous success, *La Traviata* – with sets, costumes, lighting, and direction by Franco Zeffirelli. Finally, audiences were able to experience a truly great European production. ■

PÁGINA ANTERIOR | PREVIOUS PAGE
LA TRAVIATA, CENÁRIOS, FIGURINOS, ILUMINAÇÃO E DIREÇÃO DE FRANCO ZEFFIRELLI.
LA TRAVIATA, SETS, COSTUMES, LIGHTING, AND DIRECTION BY FRANCO ZEFFIRELLI.
1979. PROGRAMA | PROGRAM, TMRJ. COL. BRUNO FURLANETTO

O SARGENTO DE MILÍCIAS.
1978. PROGRAMA | PROGRAM, TMRJ.
COL. BRUNO FURLANETTO

Encurtada pelo fechamento do Teatro Municipal por dois anos, para obras de reforma, a década de 70 começou com duas presenças marcantes nas temporadas da Orquestra Sinfônica Brasileira: Kurt Masur na primeira de muitas visitas e Claudio Arrau em intervenções que deixaram marca. O grande pianista chileno tocou os cinco *Concertos* de Beethoven num ano, 1970, em que a OSB estreou por aqui o *Requiem de Guerra,* de Benjamin Britten, sob a direção de Karabtchevsky, e também recebeu visitantes como o regente francês Louis Frémaux e o pianista húngaro György Cziffra, mais Pina Carmirelli, Pierre Fournier e o trio formado por Isaac Stern, Leonard Rose e Eugene Istomin no *Concerto triplo* de Beethoven. Erich Lehninger deu a estreia carioca do *Concerto para violino (Em memória de um anjo)* de Alban Berg, e no II Festival de Música da Guanabara, precursor das Bienais que logo viriam, destacou-se uma peça de Marlos Nobre (*Mosaico*) que haveria de se tornar um dos esteios contemporâneos do repertório da orquestra, que a gravou e a incluiu em sua turnê europeia de 1974.

Criado nessa época, o Quarteto da Guanabara – com Mariuccia Iacovino (violino), Frederick Stephany (viola), Iberê Gomes Grosso (violoncelo) e Arnaldo Estrela (piano) – institucionalizaria o uso periódico do *foyer* do Theatro Municipal para recitais de música de câmara. Já em 1956 a ideia ocorrera, por exemplo, a Alimonda, Corujo, Brancaleon, Morelenbaum e Forzanti em formação de câmara, e no mesmo ano Laís de Souza Brasil se apresentara no bonito e aconchegante espaço junto à entrada e às escadarias. Mas a 11 de março de 1971 – quando tocou obras de Schumann, Brahms, Claudio Carneyro e Radamés Gnattali – o Quarteto da Guanabara dava início a uma gloriosa tradição que se prolongou até os anos 80, envolvendo eventualmente outros grupos, como o Quinteto Villa-Lobos. "Pelas qualidades da interpretação e o sucesso obtido", registrava Eurico

concerts & recitals
CLÓVIS MARQUES

Shortened by two years during which the Theatro Municipal was closed for renovations, the 1970s began with two remarkable appearances by the Brazilian Symphonic Orchestra: Kurt Masur on the first of many visits and Claudio Arrau, both in unforgettable presentations. The great Chilean pianist played the five Beethoven concertos in 1970, the same year the OSB first presented Benjamin Britten's *War Requiem*, conducted by Karabtchevsky. That year, the Theatro Municipal also received visitors such as Louis Frémaux and the Hungarian pianist György Cziffra, as well as Pina Carmirelli, Pierre Fournier, and the trio formed by Isaac Stern, Leonard Rose, and Eugene Istomin in Beethoven's Triple Concerto. Erich Lehninger performed the debut of Alban Berg's Violin Concerto (*To the Memory of an Angel*) and, at the II Guanabara Music Festival (a precursor of the bienials soon to follow) a piece by Marlos Nobre (*Mosaic*) stood out and would later become one of the contemporary mainstays of the orchestra, which recorded and included it in its 1974 European tour.

The Guanabara Quartet, formed during this time – with Mariuccia Iacovino (violin), Frederick Stephany (viola), Iberê Gomes Grosso (cello), and Arnaldo Estrela (piano) – would institutionalize the regular use of the Theatro Municipal's foyer for chamber music recitals. The Theatro had done this before, in 1956, for example, with Alimonda, Corujo, Brancaleon, Morelenbaum, and Forzanti in a chamber formation and, that same year, Laís de Souza Brasil performed in the lovely and cozy area next to the entry and the staircase. But on March 11, 1971 – when they played Schumann, Brahms, Claudio Carneyro, and Radamés Gnattali – the Guanabara Quartet introduced a glorious tradition that would last until the 1980s, eventually involving other groups, such as the Villa-Lobos Quintet. "Due to the quality of the in-

Nogueira França no *Correio da Manhã*, no dia seguinte, "o Quarteto da Guanabara faz jus a uma estabilidade que lhe permita desdobrar o repertório do gênero. Nas duas partituras [Brahms e Schumann], o grande pianista Estrela foi o centro de interesse das execuções".

Iniciada em 1969 – quando Cohen, Moreira Lima e Freire participaram cada um de uma maratona com duas ou três obras concertantes numa mesma récita –, a prática dos concertos sinfônicos girando em torno do piano começou a se disseminar. Ela atendia a um evidente fascínio do público por esse instrumento e seus grandes leões. Foi um deles, por sinal, que protagonizou em 1971 um dos momentos privilegiados da OSB: Claudio Arrau, mais uma vez ele, tocando o *Concerto nº 1* de Chopin, o *Concerto em lá menor* de Schumann e o *Concerto nº 2* de Liszt.

No *Jornal do Brasil*, Renzo Massarani começava, no dia 3 de setembro, por dar conta da ojeriza do chileno à música de Rachmaninov: "O grande Claudio Arrau [...] afirmou nestes dias que Rachmaninov 'é tão ruim que nem existe; como compositor tem certo atrativo sensual, mas sua música não é digna deste nome, não passa de musiquinha de *night-club* onde todos vão para conversar e ninguém presta atenção. Pianista sério não deve perder seu tempo tocando Rachmaninov'." O crítico concluía considerando que o pianista "prendeu pela garganta seu enorme público e o levou ao delírio no lindo *Concerto* de Chopin, no lindíssimo de Schumann e no tão desigual de Liszt. [...] Tudo, com ele, foi perfeito, lógico, vibrante. O maestro Karabtchevsky e a Orquestra Sinfônica Brasileira foram sempre à altura, colaborando na melhor das maneiras. Na orquestra, destacaram-se em beleza os solos do oboé de Nardi e do violoncelo de Mallard."

O gosto dos programas pianísticos culminaria, numa noite de agosto de 1979, com o grande carnaval do *Hexameron* de Liszt, em concerto apresentando também obras para três pianos de

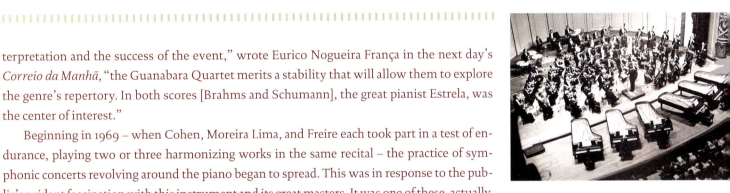

HEXAMERON. ANTONIO GUEDES BARBOSA, ARTHUR MOREIRA LIMA, FERNANDO LOPES, JACQUES KLEIN, NELSON FREIRE / YARA BERNETTE. TMRJ. COL. OSB
A FOTO CAPTA A APRESENTAÇÃO DA OSB PARA A EMBLEMÁTICA PEÇA DE FRANZ LISZT EM 1979 COM A PARTICIPAÇÃO DE SEIS DOS MAIORES PIANISTAS BRASILEIROS.
THE PICTURE SHOWS THE OSB'S PRESENTATION OF FRANZ LISZT'S EMBLEMATIC PIECE IN 1979, WITH THE PARTICIPATION OF SIX OF BRAZIL'S FINEST PIANISTS.

terpretation and the success of the event," wrote Eurico Nogueira França in the next day's *Correio da Manhã*, "the Guanabara Quartet merits a stability that will allow them to explore the genre's repertory. In both scores [Brahms and Schumann], the great pianist Estrela, was the center of interest."

Beginning in 1969 – when Cohen, Moreira Lima, and Freire each took part in a test of endurance, playing two or three harmonizing works in the same recital – the practice of symphonic concerts revolving around the piano began to spread. This was in response to the public's evident fascination with this instrument and its great masters. It was one of these, actually, who starred one of the OSB's privileged moments in 1971: Claudio Arrau, once again, playing Chopin's Concerto No. 1, Shumann's Concerto in A minor, and Liszt's Concerto No. 2.

In the September 3 edition of *Jornal do Brasil*, Renzo Massarani explained the Chilean's aversion to Rachmaninov's music: "The great Claudio Arrau…stated these days that Rachmaninov '…is so bad he is irrelevant; as a composer he has a certain sensual attraction, but his music is not worthy of the name, being no more than music for night-clubs, where everyone goes to talk and nobody pays attention. A serious pianist should not waste his time playing Rachmaninov.'" The critic concluded that the pianist "…grabbed his enormous public by the throat and led it to delirious heights with the beautiful Chopin Concerto, the gorgeous Schumann, and the uneven Liszt…. With him, everything was perfect, logical, vibrant. Maestro Karabtchevsky and the Brazilian Symphonic Orchestra were always up to the challenge, collaborating in the best possible way. In the orchestra, Nordi's oboe solo and Mallard's cello solo were particularly beautiful."

Mozart e para quatro pianos de Bach e reunindo Jacques Klein, Arthur Moreira Lima, Nelson Freire, Antônio Guedes Barbosa, Yara Bernette e Fernando Lopes – todos, curiosamente, de costas para a plateia, na interpretação de uma obra do compositor que no século XIX aboliu esse costume, institucionalizando o posicionamento do pianista no palco de perfil para o público. No mesmo ano, a OSB dava início a uma tradição que perdura até hoje: a das suas séries que a certa altura foram conhecidas como "Os Pianistas", e que então eram inauguradas como "Concertos de Concertos": Klein começou, com três obras de Beethoven, e Freire (que por sinal costumava, nessa época, apresentar-se em duo com Antônio Guedes Barbosa) deu continuidade com o *K 271* de Mozart, o *Concerto* de Grieg e o *Momoprecoce* de Villa-Lobos.

1971 foi também o ano em que a música popular internacional como que marcou território até então virgem para ela, em termos quantitativos, no Teatro Municipal. Em meio a apresentações perfeitamente sofisticadas e "aceitáveis" dos Swingle Swingers, do Jacques Loussier Trio, de Ella Fitzgerald em quatro noites e de Duke Ellington em três, o mês de setembro – que também teve um recital de cítara de Ravi Shankar e uma apresentação de Johnny Mathis – ficaria marcado por um evento pop cuja novidade causou polêmica na imprensa: o show do Santana Blues Band.

ELLA FITZGERALD.
1971. COL. GABI LEIB

The popularity of piano programs would peak one night in August 1979, with the great carnival of Liszt's *Hexameron,* in a concert that also presented a three-piano piece by Mozart and a four-piano piece by Bach, and united Jacques Klein, Arthur Moreira Lima, Nelson Freire, Antônio Guedes Barbosa, Yara Bernette, and Fernando Lopes – all, curiously, facing away from the audience while interpreting the work of a composer who, in the 19th century, abolished this custom, institutionalizing the positioning of the pianist with his profile facing the public. That same year, the OSB introduced a tradition that lasts to this day: its series which was originally called "Concerts of Concerts" and was later changed to "The Pianists." Klein began with three works by Beethoven, and Freire (who, in fact, at the time performed in a duo with Antônio Guedes Barbosa) continued with Mozart's K 271, Grieg's Concerto, and Villa-Lobos's *Momoprecoce.*

Nineteen seventy-one was also the year when international popular music to some extent laid claim to territory previously little explored at the Theatro Municipal. In the midst of perfectly sophisticated and "acceptable" performances by the Swingle Swingers, the Jacques Loussier Trio, Ella Fitzgerald (who performed four nights), and Duke Ellington (who performed for three), the month of September – which also held a sitar recital by Ravi Shankar and a performance by Johnny Mathis – would be marked by a pop event whose novelty gave rise to controversy in the press: the Santana Blues Band show.

Formed five years earlier in San Francisco, California, the band was led by Carlos Santana, a musician who "…was a sensation at the Woodstock Festival in August of 1969, then still virtually unknown," wrote critic Jamari França[1] in 2006, recalling:

Formada cinco anos antes em San Francisco, na Califórnia, a banda tinha a sua frente um músico, Carlos Santana, que "causou sensação no Festival de Woodstock em agosto de 1969, ainda como ilustre desconhecido", lembrava em 2006 o crítico Jamari França[2], rememorando:

Numa época em que a linguagem do rock ainda estava sendo inventada, o impacto de Santana foi avassalador, ainda mais ao sul do Rio Grande, porque veio com uma forte linguagem percussiva cheia de balanço, algo a que somos bem acostumados, misturada ao rock. [...] Assisti ao primeiro show de Santana no Brasil há 35 anos, em setembro de 1971, no Theatro Municipal do Rio. Por que um lugar tão solene, não sei. Queimei a mesada e fui ver o show, que teve o mesmo pique de Woodstock. Nunca esqueci que antes de começar, cortinas fechadas, aparece uma mão com uma taça de vinho levantando um brinde. Logo em seguida, uma mão com uma banana. O repertório foi dos três primeiros discos, uma porrada atrás da outra.

Se 1971 destacou-se também pela visita da Orquestra do Concertgebouw de Amsterdã com Bernard Haitink, em programa culminando com a *Nona* de Mahler; a interpretação de *A voz humana* de Poulenc por Diva Pieranti na abertura do V Concurso Internacional de Canto do Rio de Janeiro; e a estreia mundial da *Sinfonia nº 3* de Gnattali a cargo da Sinfônica Nacional regida por Mário Tavares, o ano seguinte começou em grande estilo com um oratório esquecido de Darius Milhaud – *Saint Louis, Roi de France* – com solistas franceses e a Orquestra do Teatro Municipal sob o comando de Jacques Pernoo.

Jean Martinon e sua Orquestra Nacional da Rádio-Televisão Francesa também se apresentaram em abril de 1972, enquanto a Filarmônica de Israel vinha em setembro com Zubin Mehta para duas apresentações e a Orquestra de Câmara Inglesa chegava em outubro com John Pritchard.

CRISTINA ORTIZ.
EM FRENTE AO | IN FRONT OF TMRJ
[CA. 1970]. COL. CRISTINA ORTIZ

At a time when the language of Rock was still being invented, Santana's impact was overwhelming, especially south of the Rio Grande, because it had strong percussions and was full of swing, something we are well accustomed to, mixed with Rock. ... I watched my first Santana show in Brazil 35 years ago, in September 1971, at the Theatro Municipal in Rio. Why such a solemn venue, I don't know. I blew my entire allowance and went to see the show, which had the same vibe as Woodstock. I've never forgotten that before it began, curtains still drawn, a hand appeared holding a glass of wine, offering a toast. Right after that, a hand gripping a banana. They played the first three records, one hit after another.

Nineteen seventy-one was also noteworthy for the Amsterdam Concertgebouw Orchestra with Bernard Haitink, in a program culminating with Mahler's *Ninth*; the interpretation of Poulenc's *La Voix Humaine* by Diva Pieranti at the opening of the V International Singing Competition of Rio de Janeiro; and the international premiere of Gnattali's Symphony No. 3 executed by the National Symphonic Orchestra conducted by Mário Tavares. The following year began in style with a forgotten oratorio by Darius Milhaud – *Saint Louis, Roi de France* – with French soloists and the Theatro Municipal's orchestra led by Jacques Pernoo.

Jean Martinon and his French National Radio and Television Orchestra also performed in April 1972; Israel's Philharmonic came in September, with Zubin

O ano, farto de pianistas, viu desfilarem o pequeno José Feghali em seus 11 anos, acompanhado da Orquestra de Câmara da Rádio MEC, Cristina Ortiz, Linda Bustani, Arrau mais uma vez, Magdalena Tagliaferro, Nelson Freire e, com a Sinfônica Brasileira, Alicia de Larrocha (no *Quarto* de Beethoven) e Roberto Szidon (no *Concerto em fá* de Gershwin).

A OSB, depois de trazer em 71 o mítico Shura Cerkassky, pianista de pianistas, mais Christian Ferras e Pierre Fournier para o *Concerto duplo* de Brahms e Kurt Masur para um ciclo completo das obras orquestrais do bruxo de Hamburgo, entregando ainda o seu pódio para Mignone, Guarnieri e Guerra-Peixe regerem obras suas, deu a Isaac Karabtchevsky em 72 a oportunidade de apresentar sua primeira *Sinfonia Ressurreição* de Mahler, além de receber os maestros Klaus Tennstedt, Eduardo Mata, o pianista André Watts, a soprano inglesa Heather Harper (na *Quatro últimas canções* de Strauss) e a violista japonesa Nobuko Imai (com o *Concerto para viola* de Bartók).

ZUBIN MEHTA.
[CA. 1975]. PH. KEYSTONE. GETTY IMAGES

Começando com Gilberto Gil e Caetano Veloso, 1972 também abriu espaço para Astor Piazzola, Roberto Carlos e Sarah Vaughan, enquanto em 1973 era a vez do Modern Jazz Quartet e de Charles Aznavour. Foi neste ano que o jovem John Neschling, recém-chegado de estudos com Hans Swarowsky em Viena, empunhou a batuta à frente da Sinfônica Nacional. Depois de Diva Pieranti um ano antes, o *foyer* também era preenchido de música por Sérgio e Odair Assad e Roberto Szidon – além do sempre presente Quarteto da Guanabara. Seu ilustre congênere americano, o Quarteto Juilliard, tocou Haydn, Beethoven e Bartók no auditório principal em setembro.

MAESTRO CÉSAR GUERRA-PEIXE.
[197-?]. FBN

Mehta, for two performances; and the English Chamber Orchestra arrived in October with John Pritchard. The year, rich in pianists, was graced with a performance by 11-year-old José Feghali, accompanied by the Chamber Orchestra of Rádio MEC; Cristina Ortiz, Linda Bustani, Arrau once again, Magdalena Tagliaferro, Nelson Freire, and, with the Brazilian Symphonic, Alicia de Larrocha (in Beethoven's *Fourth*) and Roberto Szidon (in Gershwin's Concerto in F).

The OSB, after having brought the mythical Shura Cerkassky – a pianist of pianists – in 1971, as well as Christian Ferras and Pierre Fournier for Brahms's Double Concerto, and Kurt Masur for a complete cycle of the orchestral works of the wizard of Hamburg (who passed his podium also to Mignone, Guarnieri, and Guerra-Peixe so they too might conduct his works), also granted, in 1972, Isaac Karabtchevsky the opportunity to present his first *Resurrection* Symphony by Mahler. That year, the BSO also received maestros Klaus Tennstedt, Eduardo Mata, pianist André Watts, English soprano Heather Harper (in Strauss's *Four Last Songs*), and Japanese viola player Nobuko Imai (with Bartók's Viola Concerto).

Beginning with Gilberto Gil and Caetano Veloso, 1972 also opened a space for Astor Piazzola, Roberto Carlos, and Sarah Vaughan; 1973 was the year for the Modern Jazz Quartet and Charles Aznavour. That same year the young John Neschling, having recently arrived from studying with Hans Swarowsky in Vienna, took up the baton to lead the National Symphony. After Diva Pierante the year before, the foyer overflowed with music by Sérgio and

Abrindo espaço para a música americana sofisticada de Miles Davis, Carmen McRae e Charles Mingus, 1974 teve o violinista Salvatore Accardo como solista de destaque da OSB. Foi um ano rico para a Orquestra Sinfônica Nacional, à frente da qual um dos grandes instrumentistas brasileiros, o clarinetista José Botelho, brilhou em maio na estreia do *Concertino* de Mignone, em concerto dirigido por Vicente Fittipaldi. Em setembro, a OSN recebia Laís de Souza Brasil para outra primeira audição local, a do *Concerto nº 4* de Camargo Guarnieri, que, do pódio, regia também sua *Dança brasileira* e a *Quarta* de Brahms. Um mês depois, era a vez de Henrique Morelenbaum reger um concerto de música do século XX, com duas obras de Schönberg – o *Concerto para piano e orquestra* e *Kol Nidrei* – mais o *Choro para flauta e cordas* de Edino Krieger e as famosas *Impressões de uma Usina de Aço*, do período "soviético" de Claudio Santoro.

Santoro voltaria a marcar presença em 1975, num concerto em que Karabtchevsky oferecia na OSB as estreias de sua *Cantata elegíaca* e do oratório *Thérèse, l'Amour de Dieu*, de Almeida Prado. A OSN, enquanto isso, aprofundava sua exploração do repertório brasileiro: Braga, Miguez e Nepomuceno (a *Sinfonia em sol menor*) com Morelenbaum, que também regeria um concerto reunindo obras de Nobre, Krieger, Almeida Prado, Santoro e Lindembergue Cardoso; e ainda Mignone regendo sua mulher, Maria Josephina, na terceira e na quarta de suas *Fantasias Brasileiras para piano e orquestra*, ao lado de Bocchino no comando da *Abertura festiva* de Camargo Guarnieri e da suíte *Descobrimento do Brasil* de Villa-Lobos; e a volta de Walter Burle-Marx ao TM, regendo a OSN num programa de que fazia parte sua própria *Sinfonia nº 3*.

Se na frente pop Sérgio Mendes e Charles Aznavour se destacavam, Karabtchevsky regia em setembro de 1975 uma versão de concerto da ópera *L'Enfant et les Sortilèges*, de Ravel. A grande atração

JACQUES KLEIN / SALVATORE ACCARDO. [197-?]. COL. GABI LEIB

Odair Assad and Roberto Szidon – in addition to the ever-present Guanabara Quartet. Their illustrious North American counterpart, the Juillaird Quartet, played Haydn, Beethoven, and Bartók in the main auditorium in September.

Opening the space for the sophisticated North American music of Miles Davis, Carmen McRae, and Charles Mingus, 1974 saw the violinist Salvatore Accardo as the NSO's most noteworthy soloist. It was a rich year for the National Symphonic Orchestra, led by one of Brazil's great instrumentalists, clarinetist José Botelho, who would shine in May at the opening of Mignone's *Concertino,* in a concert directed by Vicent Fittipaldi. In September, the OSN received Laís de Souza Brasil for another first local recital, that of Concerto No. 4 by Camargo Guarnieri who, from the podium, also conducted his *Brazilian Dance* and Brahms's *Fourth*. A month later, Henrique Morelenbaum would conduct a concert of 20th-century music with two pieces by Schönberg – the Concerto for piano and orchestra and *Kol Nidrei* – as well as Edino Krieger's Choro for flute and strings and the famous *Impressions of a Steel Mill* from Claudio Santoro's "Soviet" period.

Santoro's music would once more return to center stage in 1975, at a concert in which Karabtchevsky debuted, with the BSO, his *Elegíaca Cantata* and Almeida Prado's oratorio *Theresa, the Love of God*. The OSN, meanwhile, delved deeper into its exploration of the Brazilian repertory: Braga, Miguez, and Nepomuceno (the Symphony in G Minor) with Morelenbaum, who would also conduct a concert with works by Nobre, Krieger, Almeida Prado, Santoro, and Lindembergue Cardoso. The Brazilian repertory even included Mignone, conducting his wife, Maria Josephina, in the third and fourth of his *Brazilian Fantasies for Piano*

internacional do ano foi a primeira de muitas vindas de Lorin Maazel, à frente da Orquestra de Cleveland. No *Jornal do Brasil*, Massarani se entusiasmava com "a mais eloquente das demonstrações do refinamento e da perfeição técnica a que pode chegar a música sinfônica", prestando particular atenção à técnica de regência do maestro americano em Barber (a abertura *The School for Scandals*), Bartók (*O Mandarim Maravilhoso*) e Brahms (a *Sinfonia nº 1*): "Lorin Maazel revelou-se um músico de escol, vivendo cada partitura com uma sensibilidade à flor da pele. Regente nato, ele se faz compreender plenamente por seus instrumentistas com economia de meios e o máximo de expressão, sendo o pulso – e não o antebraço – o seu veículo de comunicação mais constante com a orquestra."

Em abril de 1978, após dois anos de obras, a Orquestra Sinfônica do Teatro Municipal, a OSB e a Sinfônica do Estado de São Paulo se revezaram nos concertos da reabertura. Mas uma aposta intensificada nas atrações internacionais prenunciava uma era de maior dinamismo nesse terreno a partir dos anos 80.

Na OSB, os convidados estrangeiros não podiam ser mais ilustres. Além dos violinistas Boris Belkin e Ruggiero Ricci e do violonista Narciso Yepes, os pianistas Martha Argerich e Stephen Bishop – companheiros na vida civil – se apresentaram em concertos sucessivos, ele no *Quarto* de Beethoven, ela no *Terceiro* de Prokofiev. Em matéria de violoncelistas, defilaram nada menos que André Navarra, Janos Starker, Aldo Parisot e – *excusez du peu* – Mstislav Rostropovich novamente. Entusiasmado com a apresentação desse "autêntico czar da música", Luiz Paulo Horta comentava a 31 de julho no *Jornal do Brasil*:

> *Pode-se dizer, sem que isto represente diminuição para o maestro Isaac Karabtchevsky, que o concerto teve dois maestros. Rostropovich esteve contido enquanto durou a introdução*

IIIIIIIIIIIIIIIIIIIIIIIIIIIIIIIIIIIIIIIIIIIIIIIIIIIIIIIIIIIIIIIIIIIII

and Orchestra; Bocchino leading *Festive Overture* by Camargo Guarnieri and the *Discovery of Brazil* suite by Villa-Lobos; and the return of Walter Burle-Marx to the Theatro Municipal, conducting the NSO in a program that included his own Symphony No. 3.

If Sérgio Mendes and Charles Aznavour were remarkable on the pop front, Karabtchevsky made waves in September 1975 when he conducted a concert version of Ravel's opera *L'enfant et les Sortilèges*. The main international attraction of the year was the first of many visits by Lorin Maazel, leading the Cleveland Orchestra. In *Jornal do Brasil,* Massarani waxed poetic over "…the most eloquent demonstration of the refinement and technical perfection that can be reached by symphonic music," stressing in particular the American maestro's conducting technique for Barber (overture for *The School for Scandal*), Bartók (*The Miraculous Mandarin*), and Brahms (Symphony No. 1): "Lorin Maazel proved himself a first-rate musician, breathing life into each score with heightened sensibility. A born conductor, he communicates perfectly with his musicians with an economy of movement and an abundance of expression, his wrist – and not his forearm – acting as his main vehicle of communication with the orchestra."

In April 1978, after two years of renovations, the Orquestra Sinfônica do Theatro Municipal, the OSB, and the Sinfônica do Estado de São Paulo took turns performing the reopening concerts. But a new strategy of attracting international talent foretold a more dynamic age for this field beginning in the 1980s.

The OSB could not have invited a more distinguished array of foreigners. In addition to violinists Boris Belkin and Ruggiero Ricci and guitarist Narciso Yepes, pianists Martha Argerich and Stephen Bishop (a couple, offstage), performed in succession, he played Beethoven's

MSTISLAV ROSTROPOVICH.
[CA. 1975]. PH. ERICH AUERBACH.
GETTY IMAGES

MARIA LUCIA GODOY.
EM FRENTE AO | IN FRONT OF TMRJ
1979. CEDOC-FUNARTE

Fourth, she played Prokofiev's *Third*. Distinguished viola players André Navarra, Janos Starker, Aldo Parisot and – *excusez du peu* – Mstislav Rostropovich, once again, came to play. Invigorated by the presentation of this "authentic czar of music," Luis Paulo Horta commented in the July 31 edition of *Jornal do Brasil*:

> *It may be said – and this in no sense diminishes maestro Isaac Karabtchevsky – that the concert had two maestros. Rostropovich contained himself for the duration of the orchestral introduction [of Dvořák's Concerto in B Minor]; but as soon as he drew his bow, he established in the cello a level of artistic tension he then demanded from the orchestra, looking around him like an angry bear, encouraging his neighbors – the group of violinists – and bringing life to the concert, when not playing, with brusque gestures, jaw contractions, head movements and, at other times, abandoning himself entirely to the lyricism of this masterpiece...*

In the same newspaper on September 5, Ronaldo Miranda would give an account of the performance by Israel's Philharmonic, which this time – four months after Zurich's Tonhalle orchestra, conducted by Gerd Albercht – stayed for two nights, with Eliahu Inbal and Charles Dutoit. At the premiere, the critic's impression of Inbal's technique was the opposite of that made by Maazel on Massarani three years prior: in spite of the "scintillating interpretation" of Mahler's *First*, the maestro "… seemed to be a bit schematic in his gesticulation, not always reaching an interpretative depth in proportion to the external brilliance accomplished." Miranda also highlighted, in Ernest Bloch's Hebrew rhapsody *Schelomo,* the

orquestral [do Concerto em si menor de Dvořák]; mas a partir da sua primeira arcada, estabeleceu no violoncelo um nível de tensão artística que ele passou a exigir também da orquestra, olhando à sua volta como um urso bravo, incentivando os seus vizinhos – o naipe de violonistas –, vivendo o concerto, quando não estava tocando, por gestos bruscos, contrações da mandíbula, movimentos de cabeça, e abandonando-se inteiramente em outros momentos ao lirismo desta obra-prima [...]

No mesmo jornal, Ronaldo Miranda daria conta em 5 de setembro de uma das apresentações da Filarmônica de Israel, que desta vez chegava – quatro meses depois da Orquestra da Tonhalle de Zurique, regida por Gerd Albercht – para duas noites, com Eliahu Inbal e Charles Dutoit. Na estreia, o crítico do *JB* teve da técnica de Inbal uma impressão contrária à despertada por Maazel em Massarani três anos antes: apesar da "interpretação cintilante" da *Primeira* de Mahler, o maestro "pareceu eventualmente algo esquemático em sua gesticulação, nem sempre atingindo a profundidade interpretativa na mesma proporção do brilho exterior da realização". Miranda destacava ainda, na rapsódia hebraica *Schelomo*, de Ernest Bloch, "um solista de primeira linha: o jovem e surpreendentemente dotado violoncelista Mischa Maisky", que, num ano particularmente rico para o instrumento, mostrou um "som eloquente e intensa musicalidade". Na noite da Filarmônica de Israel com Dutoit, destacou-se a violinista Silvia Marcovici no *Concerto* de Sibelius.

Outro grande do arco, Leonid Kogan, abrilhantaria a temporada da OSB em 1979, ano em que passaram por suas estantes obras raras como o *Concerto para Orquestra* de Lutoslawski e a *Sinfonia nº 5* de Bruckner e no qual uma noite dedicada à música de Ottorino Respighi, sob a regência de

LUCIANO PAVAROTTI.
1994. PH. FERDINANDO SCIANNA. MAGNUN PHOTOS. CORBIS/LATINSTOCK

presence of a first-class soloist, the young and surprisingly gifted cello player Mischa Maisky, who, in a particularly rich year for this instrument, revealed "…eloquent sound and intense *musicality*." On the night Israel's Philharmonic performed with Dutoit, violinist Silvia Marcovici was the highlight in Sibelius's Concerto.

Another great string instrumentalist, Leonid Kogan, added brilliance to the OSB's 1979 season, a year in which its music stands held rare works such as Lutoslawski's Concerto for orchestra and Bruckner's Symphony No. 5, and during which an evening dedicated to the music of Ottorino Respighi, conducted by David Machado, allowed Maria Lúcia Godoy to perform a solo in *Il Tramonto*. Mario Tavares, leading the Theatro's Symphonic orchestra, conducted his choral symphony Ganguzama, which – having won an award 20 years earlier during a competition for the Theatro Municipal's 50th anniversary – had contributed to making him the house's *principal* conductor.

But the last year of the decade was above all that in which Luciano Pavarotti appeared for the first and only time on the Municipal's stage, in a performance (with pianist John Wustman) that, in May, "…marked the peak of the genre… in this decade," in the words of critic Antônio Hernandez. In the pages of *O Globo,* Hernandez gave a detailed description of the phenomenal art and instrument of the Italian tenor:

348 THEATRO MUNICIPAL DO RIO DE JANEIRO

David Machado, permitiu a Maria Lúcia Godoy solar em *Il Tramonto*. À frente da Orquestra Sinfônica do Theatro, Mario Tavares regeu seu poema coral-sinfônico *Ganguzama*, que – premiado vinte anos antes em concurso do cinquentenário do TM – contribuíra para fazer dele o regente-titular da casa.

Mas o último ano da década foi sobretudo aquele em que Luciano Pavarotti pisou pela única vez o palco do Municipal, em apresentação (com o pianista John Wustman) que, em maio, "marcou a culminância do gênero [...] nesta década", no dizer do crítico Antônio Hernandez. Nas páginas do *Globo*, Hernandez fazia uma detalhada descrição da arte e do *instrumento* fenomenais do tenor italiano:

A beleza do timbre conquistou logo a plateia, na primeira página, mas o tenor completo, a grande personalidade de intérprete, esperou para manifestar-se em Gluck e em Beethoven. Um fôlego de órgão a sustentar notas e prescindir da aspiração para não cortar a frase, o mais amoroso dos caprichos na dicção, cada fonema pronunciado em toda sua dimensão expressiva, e um jogo de dinâmica de ordem fenomenal, dentro de escalas muito amplas, desde fortíssimos capazes de quebrar vidros até os pianíssimos mais sutis, como ressonância do pensamento e do coração do tenor, e tudo sobre o mais rigoroso controle artístico, sem gritar jamais, raramente destimbrando e valendo-se de um sistema poético de legato digno dos aplausos de Alfred Cortot, cuja imagem era impossível deixar de evocar [...] Para os adoradores do gênero, o grande Pavarotti superou tudo quanto tinha feito no último extra: as estrelas do firmamento de Puccini deixaram no Municipal um brilho difícil de ser apagado nos próximos anos. ∎

The beauty of his timbre immediately won the public's heart, on the first page, but the full tenor, the great personality of the performer, reached its height during Gluck and Beethoven. The breath of an organ to sustain notes and a refusal to inhale so as to avoid interrupting the line, *the most loving care with diction, each syllable pronounced to its fullest, and a* phenomenal mastery of dynamics *within very ample scales, from* fortissimos *capable of cracking windows to the most subtle of* pianissimos, *as if resonating the mind and heart of the tenor, and all this under the most rigorous of artistic control, never shouting, rarely losing timbre and making use of a poetic system of* legato *worthy of an applause from Alfred Cortot, whose image it was impossible not to evoke ... For the lovers of the genre, the great Pavarotti went beyond all he had done in the last extra: the stars of Puccini's dome left a brightness in the Municipal that would shine on for years to follow.* ∎

O Ballet Stagium, criado em 1971 pelos bailarinos Marika Gidali (1938) e Décio Otero (1933), e seus diretores desde então, apresentou-se no Theatro Municipal duas vezes na década de 1970: 1972 e 1973, ocasiões em que mostrou uma dança pautada por um comprometimento político e pela busca da brasilidade. Não por acaso a atuação da companhia é apontada como um divisor de águas na história da dança brasileira e uma das matrizes do balé moderno no Brasil.[1]

Em sua primeira passagem pelo Theatro Municipal, o crítico Eurico Nogueira França reconheceu não só a novidade como também a qualidade do trabalho realizado pelo Stagium:

De inesperado requinte, dotado de acabamento admirável e de concepções coreográficas, aliadas à música, de bastante originalidade, o Ballet Stagium, de São Paulo, grupo de câmara que estreou ontem no Municipal, tem repertório versátil, ao qual não falta a nota de brasilidade.[2]

Renzo Massarani, do *Jornal do Brasil*, fez questão de salientar o fato de o repertório não se apoiar em seres encantados, como cisnes e sílfides, nem em imitações, para existir e contar suas histórias. Com um grupo de apenas um ano Marika e Décio "apresentaram um espetáculo perfeitamente realizado, novo, amadurecido".[3]

O Ballet Stagium surgia no cenário nacional mostrando que dança de qualidade não era privilégio das companhias já consagradas, com obras de repertório conhecidas do público. O Stagium também exibia uma técnica de balé que dialogava e aproximava-se de uma forma moderna de encenação.

Ainda em 1973, um importante grupo norte-americano de dança moderna se apresentou no Municipal: o Nikolais Dance Theatre, do norte-americano Alwin Nikolais (1910-1993). Mesmo que

---

Created in 1971 by ballet dancers Marika Gidali (1938) and Décio Otero (1933) who have always been the group's directors, the Ballet Stagium performed twice at the Theatro Municipal in the 1970s: in 1972 and 1973. Those two appearances revealed a politically vocal art form in search of the Brazilian soul. It's no wonder then that company's performance has been hailed as a watershed in Brazilian dance history and a matrix of modern ballet in Brazil.[1]

After the company's first appearance at the Theatro Municipal, critic Eurico Nogueira França acknowledged not only Stagium's innovations but also the quality of its work:

São Paulo's Ballet Stagium made its debut yesterday at the Municipal. With unexpected elegance enhanced by admirable polish and choreographic concepts based on very original music, the company's versatile repertory never fails to strike a chord in the Brazilian soul.[2]

In the *Jornal do Brasil*, Renzo Massarani adamantly pointed out that the company's repertory doesn't rely on enchanted beings such as swans or sylphs or imitations for the group to exist or tell its stories. Markia and Décio's year-old group "delivered a new mature and perfect performance."[3]

Ballet Stagium made its appearance on the Brazilian stage and showed that performing high quality dance wasn't only the privilege of famous companies performing familiar audience favorites. Stagium's ballet technique dialogued with and moved closer to modern staging trends.

BEATRIZ CERBINO

GRUPO CORPO, *MARIA MARIA*. 1976. PH. JOSÉ LUIZ PEDERNEIRAS. COL. GRUPO CORPO

BALLET STAGIUM, COREOGRAFIA | CHOREOGRAPHY MARIKA GIDALI / DÉCIO OTERO. PH. EMIDIO LUISI

In 1973, an important modern dance group from the US performed at the Municipal: American artist Alwin Nikolais's (1910-1993) Nikolais Dance Theatre. Despite the absence of critical reviews during the group's first visit to Rio de Janeiro – the group later performed in 1975 and 1979 – its presence contributed to building an audience for this kind of event since afterwards the Municipal presented a string of similar performances. Nikolais's proposal was daring: differentiated use of lighting, costumes with glow-in-the-dark details, sound, and movement creating abstract and futurist works to deliver visually and kinetically impressive work whose inventiveness surprised audiences.[4] Since the choreography hardly resembled what the Municipal was used to, the audience was baffled. Regarding the company's performance in 1979, dance critic Suzana Braga in the *Jornal do Brasil* stressed that lighting was one of the core fea-

não tenha havido críticas nessa primeira passagem pelo Rio de Janeiro – o grupo também apresentou-se no Theatro em 1975 e 1979 – sua presença certamente contribuiu para a formação de plateia, pois na sequência uma série de apresentações desse tipo foram realizadas no Municipal.

Com uma proposta de espetáculo arrojada, que fazia uso diferenciado da luz, com projeções, figurinos com detalhes fluorescentes, som e movimentação para criar obras abstratas e futuristas, Nikolais apresentou trabalhos de grande impacto visual e cinético, que surpreenderam o espectador pela inovação da cena.⁴ As coreografias pouco ou nada se assemelhavam àquelas já mostradas no palco do Municipal, o que causou estranhamento na plateia. A crítica Suzana Braga, do *Jornal do Brasil*, em 1979, além de destacar a iluminação como um dos aspectos centrais das criações de Nikolais que "permite ver apenas o que o coreógrafo quer que seja visto e ao mesmo tempo destaca detalhes do conjunto", observou como a plateia reagiu às ideias do norte-americano:

MARGOT FONTEYN / DAVID WALL, *FLORESTA AMAZÔNICA*. COREOGRAFIA | CHOREOGRAPHY DALAL ACHCAR. MÚSICA | MUSIC VILLA-LOBOS. TMRJ. COL. DALAL ACHCAR

*Desde o primeiro intervalo, as opiniões, nos corredores dos balcões e no Assyriu's se dividiam: alguns espectadores gostavam do espetáculo e outros não o consideravam exatamente um balé, mas um grande painel de cores e sons com movimentos estanques.*⁵

O importante aqui é perceber sua contribuição para a construção de uma percepção mais ampla sobre a dança, não mais centrada somente em parâmetros figurativos de enredos e personagens. O público da dança expandia-se em número, e também em ideias.

tures of Nikolais's creations and that it "only shows what the choreographer wants to be seen, yet at the same time highlights the company's details." The critic also described audience reaction to the American choreographer's ideas:

*After the first intermission, opinions heard in the balcony's aisles and the Assyriu's snack bar were mixed: some of the audience liked the show while others didn't exactly consider it ballet but rather a huge color and sound panel with self-contained movements.*⁵

The important point here is to realize how Nikolais's company helped create a broader perception of dance with parameters that went beyond plot or character. Dance audiences grew not only in numbers but also in ideas.

In April 1976, Grupo Corpo was also another of the decade's highlights. In its performance of *Maria Maria*, choreographed by Argentine artist Oscar Araiz and set to Milton Nascimento's original music and Fernando Brant's libretto, Corpo offered a work with Brazilian references that was simultaneously open to cosmopolitan perspectives. The company's later performances confirmed this point of view.⁶

Dancer, choreographer, and director Klauss Vianna (1928-1992) who at the time wrote for the *Jornal do Brasil,* stressed both the excellent quality of Araiz's work – "he clearly shows talent and skill to completely fit the text's context, the music's soul, and the entire original idea into dance" – as well the entire group's commitment – "it's beautiful to see how all these young people throw themselves into a serious performance with such verve and urgency. This group deserves our attention and we await future engagements."⁷ The engagements

O Grupo Corpo, em abril de 1976, foi outro destaque da década. Com o espetáculo *Maria Maria*, coreografia do argentino Oscar Araiz para música original de Milton Nascimento e roteiro de Fernando Brant, o Corpo mostrou uma obra com referências brasileiras e ao mesmo tempo aberta às perspectivas cosmopolitas, como a própria trajetória da companhia viria depois confirmar.[6]

O mestre Klauss Vianna (1928-1992), que na época escrevia para o *Jornal do Brasil*, chamou a atenção para a qualidade do espetáculo, ressaltando não só o ótimo trabalho realizado por Araiz – "mostra de maneira cabal o seu talento e capacidade em transportar totalmente para a dança o conteúdo do texto, a alma da música, a totalidade da sua ideia original" –, como também o comprometimento demonstrado por todo o grupo – "é bonito ver a garra e a seriedade com que toda essa gente jovem se joga num espetáculo sério de um grupo que merece a nossa atenção, esperando um próximo contato".[7] Contatos que se intensificaram na década seguinte, quando o Corpo se apresentou várias vezes no Theatro Municipal, instituindo uma tradição que tem se mantido ao longo dos anos.

É importante salientar que as companhias de balé não deixaram de se apresentar no Municipal na década de 1970. Importantes grupos estiveram aqui, como o Ballet Bolshoi e o Ballet de Stuttgart.

O Bolshoi foi o grande acontecimento da dança em 1978. Esperado com ansiedade pelo público, que esgotou as entradas para as sete récitas em 48

MAYA PLISETSKAYA.
ENSAIO NO TMRJ COM O BALLET BÉJART.
BÉJART BALLET REHEARSAL AT TMRJ
1981. PH. VERÔNICA FALCÃO

came in the next decade when Corpo performed several times at the Theatro Municipal, starting an ongoing tradition over the years.

It is important to point out that renowned traditional ballet companies such as the Bolshoi and Stuttgart Ballets still performed at the Municipal in the 1970s. The Bolshoi was the big ballet event in 1970 and tickets for the seven performances sold out in 48 hours to audiences who had been anxiously looking forward to seeing the company. It was the first time the Bolshoi appeared here with Maya Plisetskaya (1925), considered one of the world's greatest ballet dancers, and with full-fledged casts rather than reduced ones. On opening night, a packed sold-out Municipal audience gave Plisetskaya a thundering ovation for her interpretation of "The Dying Swan." Sadly enough, it was to be her only performance – due to a swollen sciatic nerve she was unable to perform in *Isadora* and *Carmen*. Although both had been specially choreographed for the Brazilian tours in Porto Alegre, São Paulo, Brasília, and Rio, they were later cut and this marred the company's program.[8]

Despite its box office success, the Bolshoi's visit was criticized and the program came under heavy flack for mostly including *pas de deux*, solos and *divertissements* rather than complete ballets, with the exception of *Chopiniana* or *Les Sylphides*, as it's known in Brazil. Maribel Portinari's review in *O Globo* was harsh: "without wanting to detract from the qualities of a few soloists or the group's unity in *Chopiniana*, there's no doubt that when the Bolshoi comes to Latin

horas. Era a primeira vez que a famosa companhia apresentava-se aqui com elenco numeroso, e não pequenos grupos, e com a presença da grande bailarina Maya Plisetskaya (1925), tida como uma das melhores do mundo. Com um Municipal lotado, a estreia foi marcada pela ovação apoteótica a Plisetskaya por sua famosa interpretação do solo *A Morte do Cisne*. Na verdade, única peça que dançou, já que uma inflamação no nervo ciático a impediu de apresentar-se em *Isadora* e *Carmen*, coreografias criadas especialmente para ela e programadas para a turnê brasileira – Porto Alegre, São Paulo, Brasília e Rio –, mas cortadas, o que acabou por desestruturar o programa.[8]

A passagem do Bolshoi pelo Rio de Janeiro, apesar do grande sucesso de público, sofreu críticas exatamente pelo programa apresentado. Esse foi duramente criticado por trazer, em sua maioria, *pas de deux*, solos e *divertissements* e não balés completos, a exceção foi *Chopiniana*, aqui mais conhecido como *Les Sylphides*. Maribel Portinari, de *O Globo*, foi dura em sua avaliação: "sem querer desmerecer as qualidades de alguns solistas nem a homogeneidade do conjunto em *Chopiniana* não resta dúvida de que o Bolshoi quando vem à América Latina insiste em manter um repertório incompatível com seu proverbial esplendor". Opinião seguida por Suzana Braga, no *Jornal do Brasil*, que qualificou o programa como "fraco e antigo", com exceção de *Chopiniana* e o segundo ato de *O Lago dos Cisnes*; "o restante", segundo ela, "se constitui de peças de efeito ou corriqueiros, com raríssimas

America, it insists on performing a repertory that doesn't match its proverbial splendor." Suzana Braga in *Jornal do Brasil* voiced the same opinion and labeled the program "feeble and hackneyed," except *Chopiniana* and the second act of *Swan Lake*: "with few exceptions, the rest of the program consisted of showpieces and the same old offerings, all brilliantly salvaged by first-rate ballet dancers." Furthermore, Braga noted that a company as renowned as the Bolshoi deserved better lighting, sets, and costumes.[9]

Thus, a single name accounts for the success of Bolshoi's Rio season: Maya Plisetskaya. With her famous rippling arms in her interpretation of "The Dying Swan," the audience went "wild" and demanded an encore that she performed even after the music and applause had ended. As a token of her appreciation, she continued on point during her curtain call. Undoubtedly, a night to remember.[10]

Maurice Béjart and his Ballet of the 20th Century returned to Brazil after 17 years and performed here from May 22 to 31, 1979. Noteworthy pieces on the program included Ravel's *Bolero*, Pierre Boulez's *Mallarmé III – Tombeau* and, for the Mahler program, three dances: *Ce que la Mort me Dit, Ce que l'Amour me Dit, and Le Chant du Campagnon Errant* – based on the Austrian composer's music.

Although Ravel's *Bolero* has been a standard for ballerinas since it debuted in 1961, Jorge Donn (1947-1992) also began interpreting it and

exceções, salvas brilhantemente por bailarinos de primeira qualidade". Além disso, iluminação, cenários e figurinos foram apontados como de baixa qualidade para serem utilizadas em um conjunto do prestígio do Bolshoi.[9]

O êxito da temporada carioca do Bolshoi deveu-se, portanto, a um único nome: Maya Plisetskaya. O público chegou ao "delírio" com sua interpretação em *A Morte do Cisne*, com sua famosa ondulação de braços, e exigiu bis, no que foi atendido pela artista que continuou a deslizar na ponta pelo palco em agradecimento, mesmo após o fim da música, e até o fim dos aplausos. Uma noite, sem dúvida, memorável.[10]

Após dezesseis anos de ausência, Maurice Béjart e seu Ballet du XXème Siècle voltaram ao Brasil. No Rio de Janeiro, a companhia apresentou-se de 22 a 31 de maio de 1979. Entre as obras mostradas destaque para *Bolero*, com música de Maurice Ravel, *Mallarmé III – Tombeau*, música de Pierre Boulez, e para o programa *Mahler*, com três coreografias – *Ce que la Mort me Dit*, *Ce que l'Amour me Dit* e *Le Chant du Campagnon Errant* – criadas a partir de partituras do maestro e compositor austríaco.

Dançado por bailarinas desde sua estreia, em 1961, *Bolero* passou a ser interpretada por Jorge Donn (1947-1992) em 1979, o que deu à mais famosa coreografia de Béjart um tom mais sensual e, ao mesmo tempo, primitivo. No Theatro Municipal, Donn mostrou em *Bolero* toda sua força interpretativa e controle absoluto do movimento, mostrando ao público o excepcional bailarino que era. Foi ovacionado.

Um ano depois da passagem do Bolshoi, outra importante companhia: o Ballet de Stuttgart, tendo em seu elenco outra grande estrela, a brasileira Márcia Haydée. Porém, ao contrário

PÁGINA ANTERIOR | PREVIOUS PAGE
RICHARD CRAGUN / MÁRCIA HAYDÉE,
A MEGERA DOMADA | THE TAMING OF THE SHREW
EUGENE ONEGIN
1979. BALLET DE STUTTGART.
COL. MÁRCIA HAYDÉE

MÁRCIA HAYDÉE, *GISELLE*.
TMRJ. [CA. 1968]. COL. MADELEINE ROSAY

JORGE DONN, *BOLÉRO* (RAVEL / MAURICE BÉJART). BALLET DU XXÈME SIÈCLE. 1979. PH. ALAIN BÉJART. ARCHIVE LA MONNAIE, BRUSSELS

his performance in 1979 made Béjart's famous choreography both more sensual and primitive. At the Theatro Municipal, all of Donn's interpretative power and absolute control came together in the *Bolero* and showed the audience what an exceptional dancer he was. A thunderous ovation followed.

One year after the Bolshoi's visit, another renowned company arrived: the Stuttgart Ballet with another major star in the cast: Brazilian ballerina Márcia Haydée. Unlike the Bolshoi season, the Stuttgart visit was hailed as flawless and received excellent reviews not only for the program, made up of such works as *Eugene Onegin* and *The Taming of the Shrew,* but also for the special care taken with the event's technical components, especially the lighting which added even more richness with "appropriate stage entrances, crossed focus, and perfect effects."[11]

Braga's observation of the company and its treatment of ballet tradition in the choreography is also noteworthy:

Whoever attends the Stuttgart Ballet hoping to see brilliant and modern ideas, newfangled choreographic movements, or revolutionary novelties will be disappointed. Still, whoever likes good things and isn't biased against particular schools, eras, or traditions will not only be moved by the performance but will also be convinced that those biases are nonsense: the important thing is quality.[12]

The Municipal packed a full house to see the company and Márcia Haydée, especially her performance in *Onegin*. According to Suzana Braga, "Haydée's ability to work with a role is

da temporada do Bolshoi, a passagem do Stuttgart foi apontada como irretocável, merecendo ótimas críticas não apenas pela programação, formada por obras como *Eugene Onegin* e *A Megera Domada*, mas também pelos cuidados com a parte técnica dos espetáculos, em especial a iluminação, que enriqueceu ainda mais as récitas com "entradas corretas, focos cruzados e efeitos perfeitos".[11]

Interessante também é a observação de Braga em relação à companhia, e como a tradição do balé é trabalhada em suas coreografias:

Quem for ver o Balé de Stuttgart esperando encontrar nele ideias geniais e modernas, lances coreograficamente não descobertos ou novidades revolucionárias, ficará decepcionado. Por outro lado, quem gosta do que é bom, sem discriminar escolas, épocas ou tradições, não só se emocionará com o espetáculo como também ficará convencido de que bradar por este ou aquele estilo não passa de tolice: o importante é a qualidade.[12]

O Municipal superlotou para assistir à companhia e Márcia Haydée, especialmente seu desempenho em *Onegin*. Para Suzana Braga, "é inacreditável sua capacidade de trabalhar em cima de um papel. Sem cansar ou esgotar consegue a cada dia que passe requintes de interpretação desconhecidos", tornando-se por isso, e por outras qualidades, "a mais perfeita bailarina dramática da atualidade". Os entusiasmados aplausos na noite de estreia forçaram oito cortinas.[13]

O Ballet de Stuttgart fechou a década com chave de ouro, mostrando aos cariocas espetáculos de alta qualidade e refinamento técnico, o que se manteve no período seguinte. ∎

incredible. Every day this tireless and inexhaustible artist brings elegant new interpretative touches to her work," and for these qualities and others, she's become "the most perfect dramatic ballerina today." The enthusiastic applause on opening night had the curtain opening and closing eight times.[13]

The Stuttgart Ballet ended the decade on a golden note and treated Rio's audiences to high quality and technically skilled performances, a trend that continued in the following decade. ∎

MAURICE BÉJART.
1995. PH. PHILIPPE PACHE. COL. BÉJART BALLET LAUSANNE

1980 > 1989

NELSON PORTELLA, *ONEGIN*.
TEATRO REGIO, TORINO.
1982/83. COL. NELSON PORTELLA

PÁGINA ANTERIOR | PREVIOUS PAGE
DESENHO | DRAWING BY HELIO
EICHBAUER, *ORFEU*.
TMRJ. 1983. COL. HELIO EICHBAUER

BRUNO FURLANETTO

Em 1980, durante uma conversa com a Diretoria sobre a situação de verbas do Theatro Municipal, Fernando Bicudo sugeriu, a exemplo do que tinha visto nos Estados Unidos e no Canadá, quando ali trabalhou para a Petrobras, a criação de uma associação de amigos para o Theatro. Criada a Associação de Amigos do Theatro Municipal, é ela quem ajuda até hoje no seu dia a dia. Da mesma forma que se fazia naqueles países, ele partiu para buscar fundos, não-governamentais, para a temporada de ópera, começando pela Petrobras, com a qual ainda mantinha vínculos de amizade. A Petrobras aceitou a ideia e outros patrocinadores reuniram-se a ela, dando assim início a uma era, que se prolonga até a atualidade, na qual as grandes empresas patrocinam os espetáculos do Theatro. É importante lembrar que naquela época ainda não havia leis de incentivo fiscal para a cultura. Sem estes recursos, penso que o TM teria acabado. Os anos que se seguiram viram uma boa atividade operística até 1989, mas somente três óperas novas: *The Little Sweep* (1984), *Ariadne auf Naxos* (1988) e *Yevgny Onegin* (1989).

O período até 88 caracterizou-se por uma obsessão em ter vários elencos para uma mesma ópera, o que confundia o público com tantos nomes – muitos desconhecidos. Diversas vezes, a combinação não funcionava bem musicalmente, em especial por serem regidas por diferentes maestros, o que afetava a qualidade do espetáculo.

Desta época guardamos uma cenicamente magnífica *Aida,* com cenários de Gianni Quaranta, figurinos de Dada Saligeri e direção de Sonja Frisell, que os mesmos repetiram para o MET de Nova York com bastante modificação. Esta *Aida* é exemplo do que afirmamos acima: em 86 havia elenco tríplice para os papéis principais, mas na reposição de 88, cantavam *quatro* Aidas diferentes.

A lembrar, um *Porgy and Bess* com cantores negros da "Opera Ebony" dos EUA. Mas se exami-

It was during a conversation, while Fernando Bicudo and the Theatro's Board of Directors discussed funding in 1980, that the idea of an association of friends of the Theatro Municipal was born. Bicudo had learned about such organizations during his period working for Petrobras in Canada and in the United States of America. The *Associação de Amigos do Theatro Municipal* was founded and is active to this day in the Theatro's daily life. Drawing on similar experiences, Bicudo looked for non-governmental sources to finance the opera season, starting with Petrobras where he still had personal connections. Petrobras accepted the idea and was joined by other sponsors starting an era in which private enterprises sponsored shows at the Theatro: a tradition that continues to this day. Were it not for such resources, the Theatro Municipal would certainly have come to an end, and one must note, no tax breaks were available for cultural events at the time.

The Municipal was active in opera in the years that followed until 1989, but it only introduced three new operas in the period: *The Little Sweep* (1984); *Ariadne auf Naxos* (1988) and *Yevgny Onegin* (1989). Until 1988, the fashion dictated staging operas with more than one cast, and a litany of names – many of them virtual unknowns – contributed to generate some confusion in the public. More often than not, the combinations floundered, especially since they were conducted by different maestros, negatively affecting the overall quality of the performances. We are left with the memorable performances of *Aida*, sets by Gianni Quaranta and costumes by Dada Saligeri, directed by Sonja Frisell, who, not without a number of modifications, took the show to the Metropolitan Opera in New York. This version of *Aida* was a typical example of the period; in 1986 it was staged with three different casts, and in

CENA DE *AIDA* | SCENE FROM AIDA.
TMRJ. 1986. COL. FERNANDO BICUDO.

EDUARDO ALVARES (RADAMÉS), *AIDA*.
1986. COL. EDUARDO ALVARES

APRILE MILLO, *AIDA*.
1986. COL. FERNANDO BICUDO

1988, it returned starring four different sopranos in the title role. There was a *Porgy and Bess* with black singers from the North American Ebony Opera company, but on closer examination, the program revealed a number of white Brazilian singers in the cast that should have been all black. Among the singers, Aprile Millo, Maria Luisa Nave, Sabine Hass, Edda Moser and Marcello Giordani stood out. It also marked the appearance of Celine Imbert and confirmed the excellent Wladimir de Kanel. Gerald Thomas directed a controversial *Fliegende Holländer* for the first time in 1987, also noted for introducing the use of captions in translation. The method had been created by Lotfy Manouri for the Canadian Opera Company who directed Grace Bumbry's *Norma* for us. This period was also marked by Isaac Karabtchevsky, who then conducted a record number of operas. His companions at the podium were Anton Guadagno, Eugene Kohn, David Machado and John Neschling.

In nineteen eighty nine a few interesting events took place. The three operas produced by the Theatro were directed by Hugo de Ana who also designed the lighting, stage sets, and costumes. All three were highly competent stagings, and *Yevgny Onegin* was a coproduction with the Municipal Theater of Santiago, Chile. One should note the performances by Eduardo Gimenez and Michelangelo Veltri as conductor of *Don Pasquale,* Fernando Teixeira in *Rigoletto* and Eduardo Álvares and Nelson Portella in *Onegin*. The Brazil Opera Company staged four operas in concert format with the Brazilian Symphonic Orchestra (conducted by Karabtchevsky and Dohn) and its own choir. The strategy adopted was to have a celebrity performer supported by a national cast: Carlo Bergonzi sang in *Um Ballo in Maschera,* Aprile Millo in *Andréa Chénier,* Fiorenza Cossoto in *Samson and Delila*. *Manon Lescaut* was staged

namos o programa, encontramos muitos brancos brasileiros no elenco, que só poderia ser negro. Cantores a destacar: Aprile Millo, Maria Luisa Nave, Sabine Hass, Edda Moser e Marcello Giordani. Surge Céline Imbert e se confirma a excelência de Wladimir de Kanel.

Em 1987, pela primeira vez, Gerald Thomas dirige um discutido *Fliegende Holländer*. Nesta montagem inaugura-se o uso da tradução em legendas. O método havia sido criado em 1983 para a Canadian Opera Company por Lotfi Mansouri, que para nós dirigiu a *Norma* de Grace Bumbry. Este período se caracteriza por ter sido o que Isaac Karabtchevsky mais óperas regeu. Seus companheiros de pódio foram Anton Guadagno, Eugene Kohn, David Machado e John Neschling. Em 89 acontecem alguns fatos interessantes. As três óperas produzidas pelo Theatro tiveram direção, cenários, figurinos e iluminação de Hugo de Ana, as três de excelente nível, sendo que *Yevgny Onegin* foi uma coprodução com o Teatro Municipal de Santiago do Chile. A lembrar as atuações de Eduardo Gimenez e a regência de Michelangelo Veltri em *Don Pasquale,* Fernando Teixeira em *Rigoletto* e Eduardo Álvares e Nelson Portella em *Onegin*. A Cia. Ópera Brasil faz, em forma de concerto, quatro óperas com a Orquestra Sinfônica Brasileira (dirigida por Karabtchevsky e Kohn) e Coro próprio. O padrão foi ter uma celebridade internacional em cada uma e cercá-la de artistas nacionais: Carlo Bergonzi para *Um Ballo in Maschera,* Aprille Millo para *Andréa Chénier,* Fiorenza Cossoto para *Samson et Dalila*. Apenas discretos cantores húngaros para *Manon Lescaut*.

Em maio, o Teatro Petruzzelli de Bari veio completo para apresentar *Il Barbiere di Siviglia,* numa encenação desconstrutiva de Dario Fo (Prêmio Nobel de Literatura), agitada sem parar, mas divertida. No bom elenco uma estrela: Nuccia Focile. E, como curiosidade, se assiste *Maria de Buenos Aires,* ópera-tango de Astor Piazzola. ■

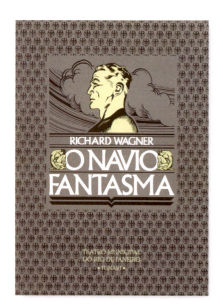

CAPA DO PROGRAMA | PROGRAM COVER
NAVIO FANTASMA
DESIGN VICTOR BURTON
TMRJ. 1988. COL. VICTOR BURTON

||||||||||||||||||||||||||||||||||||||||||||||||||||||||||||||||||||||

with unremarkable Hungarian singers. The Italian star Nuccia Focile came with the Teatro Petruzzelli from Bari that brought the entire company to stage *Il Barbiere di Siviglia,* in an agitated and fun deconstructivist interpretation that had earned them the Dario Fo Prize. Finally, a curiosity, *Maria de Buenos Aires*, a tango-opera by Astor Piazzola. ■

CENA DE | SCENE FROM PORGY AND BESS.
HELIO EICHBAUER: CENÁRIO | SCENARIO,
TMRJ. 1986. PH. DEDÉ VELOSO.
COL. HELIO EICHBAUER

Se desde o fim dos anos 50 uma certa rarefação das apresentações de grandes solistas internacionais podia ser notada no Theatro Municipal, um movimento de intensificação da vinda de orquestras estrangeiras verificou-se (ainda que algo irregularmente) a partir dos anos 80, com o início das atividades no Rio de duas promotoras de concertos ainda hoje em atividade, a Dell'Arte e o Mozarteum. A primeira, que ampliaria sua ação em décadas seguintes, começava nesse período trazendo, entre outros, a Orquestra de Câmara de Moscou (1982), os Solisti Italiani (1984), a grande soprano romena Ileana Cotrubas no mesmo ano e o improvisador jazzístico Keith Jarrett (1986). Por sua vez, o Mozarteum fez os melômanos exultarem com um plantel sensacional de orquestras: a Filarmônica de Nova York duas vezes com Zubin Mehta, em 1982 e 1987, a Sinfônica de Bamberg com Witold Rowicki em 1984, a Orquestra do Concertgebouw de Amsterdã com Bernard Haitink em 1985, a Orquestra da Tonhalle de Zurique com Hiroshi Wakasugi e a Orquestra Nacional da França com Lorin Maazel, ambas em 1988, e a volta de Maazel com a Academia de Santa Cecília romana no ano seguinte, quando também veio a Filarmônica da BBC com Edward Downes.

Fosse por maior afluência da sociedade carioca ou maior dinamismo dos empresários – ou simples convergência de circunstâncias –, já em 1980 se sucediam no Theatro outros conjuntos de prestígio mundial: a Orquestra do Gewandhaus de Leipzig era regida em dois concertos em abril pelo já nosso conhecido Kurt Masur, tocando só Beethoven; a Academy of St. Martin in the Fields apresentou-se com Iona Brown em junho; Daniel Barenboim veio em julho com sua Orquestra de Paris, para um concerto de música francesa (a *Sinfonia Fantástica* de Berlioz, *La Mer*, de Debussy) que também seria lembrado pelo fato de o regente ter interrompido a música nos primeiros compassos para esperar

If great international soloists had been appearing less frequently at the Theatro Municipal since the end of the 1950s, the activities of Dell'Arte and Mozarteum – two currently active music promoters in Rio – ensured more frequent, albeit irregular appearances from foreign orchestras from the 1980s on. While Dell'Arte became more active in the next decades by bringing the Moscow Chamber Orchestra (1982), the Solisti Italiani, the great Romenian soprano Ileana Cotrubas (both in 1986), and the jazz improviser Keith Jarrett (1986), Mozarteum brought joy to music lovers with a string of symphony orchestras: The New York Philharmonic twice with Zubin Mehta (1982 and 1987), the Bamberg Symphony under Witold Rowicki (1984), the Amsterdam Orchestra Concertgebouw under Bernard Haitink (1985), the Tonhalle Orchester Zürich conducted by Hiroshi Wakasugi, and the French National Orchestra with Lorin Maazel (both in 1988) as well as the return of Maazel leading the Accademia Nazionale di Santa Cecilia, and Edward Donnes with the BBC Philharmonic (both in 1989).

Whether due to growing concert attendance in Rio, more dynamic production and booking skills, or simply converging circumstances, other world famous ensembles had already also appeared at the Theatro in 1980: Kurt Masur conducted two all-Beethoven programs with the Gewandhaus Orchestra in April; Iona Brown and the Academy of St. Martin in the Fields in June; Daniel Barneboim with the Paris Orchestra in July with an all-French program (Berlioz' *Symphonie Fantastique* and Debussy's *La Mer*) which is remembered because the conductor interrupted the first bars and waited for the audience to hush up; and finally Zubin Mehta and the Israel Philharmonic in August, one year before

concerts & recitals

CLÓVIS MARQUES

NELSON FREIRE.
TMRJ. 1981. PH. MILTON MONTENEGRO

que o público se aquietasse; Zubin Mehta trazia a Filarmônica de Israel, em agosto, um ano antes de ser designado regente vitalício pelos músicos dessa orquestra com a qual trabalhava desde 1968.

Um regente italiano conhecido por sua colaboração com o coro do Scala de Milão – Romano Gandolfi – começava a conquistar os cariocas com suas interpretações maleáveis e idiomáticas de grandes esteios do repertório operístico, mas também sinfônico-coral: à frente da Orquestra Sinfônica do Theatro Municipal (OSTM), ele regeu em 1980 e 1982 o *Réquiem* de Verdi, voltando a este compositor com o *Stabat Mater* em 1981, ao lado da cantata *Alexander Nevsky* de Prokofiev. A OSTM começara o ano de 1980 com a ambiciosa e não raro comovente *Missa de Santa Cecília* de José Maurício Nunes Garcia, sob a regência de Mário Tavares – que também deu à grande contralto brasileira Maura Moreira, fazendo carreira na Alemanha, a oportunidade de cantar aqui os *Kindertotenlieder* de Mahler. Outro momento marcante da Orquestra com o Coro do TM foi o *Judas Macabeus* de Händel, regido em agosto por Henrique Morelenbaum, contando entre os solistas com outro talento brasileiro radicado na Alemanha: o tenor Aldo Baldin.

A OSB começou 1980, em abril, acompanhando a inimitável Galina Vichnievskaia em árias da Tatiana de *Ievgueni Onieguin*, da Mimi de *La Bohème*, da *Tosca* e de *Madama Butterfly*, e em agosto recebeu Maureen Forrester em recital que comportou os *Lieder Eines Fahrenden Gesellen* de Mahler. Enquanto Isaac Karabtchevsky cultivava seu compositor-fetiche regendo a *Primeira* e a *Terceira Sinfonias* de Mahler – ele daria ainda as estreias locais da *Sexta* em 1984, da *Nona*

the orchestra's musicians, whom he had played with since 1968, named him honorary conductor.

Italian conductor Romano Gandolfim, noted for his work with the Milan Scala Opera Theatre Choral, began attracting Rio concertgoers with his flexible and idiomatic interpretations of the great standards of the opera, symphonic, and choral repertory. In 1980 and 1982, Maestro Gandolfi led the Orquestra Sinfônica do Theatro Municipal (OSTM) in performances of Verdi's *Requiem,* and in 1981 he conducted a performance of Verdi's *Stabat Mater* and Prokofiev's *Alexander Nevsky*.

The OSTM opened the 1980 season with an ambitious and quite moving performance of Father Maurício Nunes Garcia's *Missa de Santa Cecília* [St. Cecilia Mass] with conductor Mário Tavares who also showcased noted Germany-based Brazilian contralto Maura Moreira in Mahler's *Songs on the Death of Children* in Rio. Another memorable performance with the OSTM and Coro do Theatro Municipal was Handel's *Judas Maccabaeus* conducted by Henrique Morelenbaum. Its soloists included another talented Brazilian artist based in Germany: tenor Aldo Baldin.

The OSB kicked off the 1980 season in April with the inimitable Galina Vichnievskaia performing Tatyana's arias from *Eugene Onegin,* Mimi's arias from *La Bohème*, as well as selections from *Tosca* and *Madame Butterfly*. August featured Maureen Forrester in a recital of Mahler's *Songs of a Wayfarer*. That same year also offered Isaac Karabtchevsky conducting Symphonies No. 1 and No. 3 of his pet composer Mahler. Karabtchevsky later performed the Rio premiers of Mahler's Symphonies No. 6 (1984) and No. 9 (1986) and his orchestra also

em 1986 –, sua orquestra recebia como solistas Byron Janis, Rafael Orozco, Salvatore Accardo e os Irmãos Romero com seus violões.

O ano encerrou-se com o compositor francês Marcel Landowsky – filho do escultor do Cristo Redentor – à frente da OSTM num concerto de obras suas, tendo como solista do *Concerto nº 2 para Piano e Orquestra* mais uma ilustre "exilada" brasileira – a pianista Anna Stella Schic, radicada na França.

Se as orquestras visitantes minguaram em 1981 – quando vieram apenas a St. Paul Chamber Orchestra com Pinkas Zukerman e a Orquestra de Cleveland com Lorin Maazel –, Claudio Arrau voltou para recital e concertos com a OSB (Beethoven e Liszt integrais). O ano também foi marcado, na orquestra, pelos dois programas regidos por um "músico-filósofo" de "forte personalidade"[1] que causou grande impressão – o alemão radicado na União Soviética (e depois na RDA) Kurt Sanderling: "Nunca se ouvira", escreveria Sérgio Nepomuceno, "uma *Primeira* de Brahms e uma *Quinta* de Shostakovich tão densamente expressas em seu conteúdo orgânico"[2].

Dois imensos talentos brasileiros despontavam com as orquestras locais: em setembro, a pianista Diana Kacso tocou o *Concerto nº 20* de Mozart com a OSB, um ano depois de sua fulgurante passagem pela Sala Cecília Meireles, num recital-revelação em que parecera transfigurar os *Estudos de Execução Transcendental* de Liszt; e em dezembro Antônio Meneses (então ainda se apresentando como Antônio Jerônimo), um ano antes de conquistar a medalha

MAESTROS MÁRIO TAVARES / GERALDO BARBOSA. TMRJ. [198-?]. COL. BALLET DO TMRJ

featured soloists Byron Janis, Rafael Orozco, Salvatore Accardo, and the Romero brothers, classical guitarists. Nineteen eighty closed with French composer Marcel Landowsky – son of the sculptor of Rio's Christ the Redeemer statue – conducting the OSTM in a concert of his works and a solo performance of his Concerto No. 1 for piano and orchestra with another illustrious Brazilian "expat" – pianist Anna Stella, who lived in France.

If visiting orchestras performed less frequently in 1980, with only the St. Paul Chamber Orchestra with Pinkas Zukerman and the Cleveland Orchestra with Lorin Maazel, Claudio Arrau returned that year for a recital and concerts with the OSB (in all-Beethoven and Liszt programs). The year was also noteworthy for the orchestra in two programs conducted by a "music-philosopher" with a "strong personality"[1] that made quite a splash – Kurt Sanderling, a German musician living in the Soviet Union (and later in East Germany): "Never has one heard," wrote Sérgio Nepomuceno, "the organic content of Brahms's *First* and Shostakovich's *Fifth* so deeply expressed."[2]

Nineteen eighty also saw the rise of two major Brazilian talents performing with local orchestras: in September, pianist Diana Kacso performed Mozart's Concerto No. 20 with the OSB, one year after her dazzling debut recital at Rio's Sala Cecília Meireles recital hall where she reached new heights of virtuosity performing Liszt's *Transcendental Etudes*. In December, one year before winning the gold medal at Moscow's Tchaikovsky Competition, Antonio Menezes (who was still appearing under the name of Antônio Jerônimo), teamed up with conductor Mário Tavares and the OSTM in an all-Villa-Lobos program, performing the composer's Con-

de ouro no Concurso Tchaikovsky de Moscou, participava com Mário Tavares e a OSTM de um programa Villa-Lobos em que tocou o *Concerto para Violoncelo nº 2*, enquanto Moreira Lima dava o *Concerto nº 1 para Piano* e Maria Lúcia Godoy cantava as *Bachianas Brasileiras nº 5*.

O flautista Norton Morozowicz, que pelo fim da década se apresentaria com frequência regendo a Orquestra de Câmara de Blumenau, esteve particularmente ativo em 1981, em duo com Jean-Pierre Rampal na temporada da OSB ou na companhia de Laís de Souza Brasil no "foyer" do Theatro, onde também se apresentaram, além do sempre muito ativo Quarteto da Guanabara, o Quarteto de Cordas da UFRJ (Santino Parpinelli e Jaques Nirenberg, violinos, Henrique Nirenberg, viola, e Eugen Ranevsky, cello) e o duo formado pelo casal Erich Lehninger, ao violino, e Sônia Goulart, ao piano.

Paul Tortelier e Boris Belkin foram os outros solistas ilustres da OSB, e Mireille Mathieu cantou na entrega do Prêmio Molière de teatro, antecedendo Yves Montand no ano seguinte, Sylvie Vartan em 1984 e Juliette Greco em 1989.

O casal Rostropovich-Vichnievskaia retornou em 1982, ao lado da OSTM e Tavares, e dois poloneses ilustres enriqueceram com sua presença a temporada da OSB: o maestro Stanislaw Skrowaczewski, em nada menos que cinco concertos, e o grande compositor Krzystof Penderecki, regendo obras suas. Persistindo a maré vazante das falanges visitantes, veio ainda assim a Orquestra de Câmara de Moscou, e a primeira apresentação carioca da Filarmônica de Nova York com Zubin Mehta levou Luiz Paulo Horta a comentar no *Jornal do Brasil*, dia 28 de agosto, que "há muito tempo não se criava expectativa tão grande em torno de um concerto". Saudando o fato de ter sido atraído um público que não era o habitual, o crítico comentava:

certo No. 2 for cello and orchestra. At that same concert, Arthur Moreira Lima performed the composer's Concerto No.1 for piano while Maria Lúcia Godoy sung Bachianas brasileiras No.5.

Flutist Norton Morozowicz, who appeared frequently toward the end of the decade conducting the Orchestra de Câmara de Blumenau, was particularly active in 1981 when he performed a duo with Jean-Pierre Rampal during the OSB season and Laís de Souza Brasil in the Theater's foyer where other ensembles also appeared such as the very active Quarteto Guanabara, the Quarteto de Cordas da UFRJ (violinists Santino Parpinelli and Jaques Nirenberg, violist Henrique Nirenberg, and cellist Eugen Ranevsky,) and the husband-and-wife team: violinist Erich Lehninger and pianist Sônia Goulart.

Other noteworthy soloists with the OSB at that time include Paul Tortelier and Boris Belkin, and Mireille Mathieu who sung during the Theater's Prêmio Moliere award night, which featured Yves Montand the following year and Sylvie Vartan and Juliette Greco in 1984 and 1989 respectively.

The husband-and-wife duo Rostropovich-Vichnievskaia returned in 1982 with the OSTM and Tavares along with two illustrious Polish musicians whose presence graced the OSB season: conductor Stanislaw Skrowaczewski in no less than five concerts and the great composer Krzystof Penderecki conducting his own works. The incoming tide of visitors also included the Moscow Chamber Orchestra and the first appearance of the New York Philharmonic under Zubin Mehta. Music critic Luiz Paulo Horta wrote in the *Jornal do Brasil* on August 28 "… it's been a long time since there have been such high expectations for a concert." Horta hailed the fact the concert hadn't attracted the usual classical music audience and stated:

Zubin Mehta também não é um espetáculo só para iniciados, com a sua força flexível, sua máscara tão expressiva e uma elegante exuberância que equivale a um outro elogio à espécie humana – de efeito infalível, ao que se podia depreender, sobre o sexo oposto.

Horta lamentava que os nova-iorquinos se apresentassem quatro vezes em Buenos Aires e apenas uma no Rio, o que refletia uma tendência desta e das décadas seguintes: o relativo esvaziamento econômico e cultural-musical da cidade. Se revisitarmos nas décadas do meado do século XX os elencos de solistas estrangeiros que se apresentavam no Municipal, esse refluxo – apesar de relativamente compensado com as temporadas do Mozarteum e da Dell'Arte – torna-se flagrante com o avanço da segunda metade do século. E embora o número de orquestras aumentasse dos anos 80 em diante, em comparação com décadas passadas, o Rio tornou-se caudatário da capital argentina e da paulista na programação de seus concertos internacionais: os conjuntos e solistas contratados para lá *também* podem passar por aqui.

O período intermediário dos anos 80 foi mortinho neste sentido. Por outro lado, do "foyer" a música também daria um passo – ou talvez um tropeço – para chegar, no primeiro ano do governo de Leonel Brizola, às ruidosas escadarias do Municipal, onde seu cultivo não podia ser propício, não obstante a intenção demagógica de "popularização". Em 1983, a Orquestra da casa e alguns outros conjuntos apresentaram-se muitas vezes ali. Mas a palha foi consumida apenas nessa temporada, e o fogo apagou-se na seguinte. Por que diabos, com efeito, ouvir música cercada de barulho, do lado de fora de um teatro construído para ela, se a poucos passos se pode ouvi-la nas condições necessárias, lá dentro?

Zubin Mehta isn't a show only for the initiated; his flexible power, expressive semblance, and elegant exuberance reflecting laudatory on humanity and infallibly effective on the fairer sex.

Horta bemoaned the New York ensemble's four performances in Buenos Aires in contrast to a single performance in Rio. According to the critic, this reflected a trend in the present and upcoming decades: Rio's relative economic and musical/cultural decline. Upon examining the list of foreign soloists appearing at the Municipal in the decades of the second half of the 20th century, we see that the ebb – despite being offset by the seasons managed by Mozarteum and Dell'Arte – becomes noticeable in the second half of the century. Although compared to past decades the number of orchestras appearing increased from the 1980s onward, in terms of international concert programs, Rio took a back seat to Buenos Aires and São Paulo: ensembles and soloists hired to perform there may appear here too.

Hence, the mid-1980s were rather lifeless. During the first year of Rio de Janeiro State Governor Leonel Brizola's term, however, music took a step forward from the foyer, or perhaps a misstep, next to the Munipal's bustling stairs. Despite the demagogic intent to popularize classical music, this area was not an ideal hall. In 1983, the house orchestra and other ensembles performed there frequently, but that only signaled a fleeting brushfire that was quickly put out during the next season. Why on earth should one hear music in the Municipal's noisy adjunct hall, when just a few steps away inside one could enjoy music under ideal conditions?

Apesar das vacas magras, a clarinetista alemã Sabine Meyer, Bruno Leonardo Gelber e Jean-Pierre Rampal apresentaram-se em 1983 com a OSB, que ofereceu uma rara *Sinfonia nº 4* de Bruckner sob a regência de David Machado. Claudio Santoro foi neste ano uma presença marcante, regendo a Sinfônica Brasileira mas também a OSTM – esta na abertura da V Bienal de Música Brasileira Contemporânea, em programa de que constava a sua *Sinfonia nº 10, Amazonas*.

Em 1984, Isaac Karabtchevsky inovou com um ato de *Wozzeck* e outro de *O Navio Fantasma*, em versão de concerto, e a OSB também convidou o barítono Paulo Fortes para interpretar as *Oito Canções para um Rei Louco* do britânico Peter Maxwell Davies. Se Roberto Szidon voltava, raro, ao Municipal, Nelson Freire e Arthur Moreira Lima continuavam se apresentando, como sempre. Além dos já mencionados, estiveram entre as atrações estrangeiras da temporada os ilustres I Musici e a soprano holandesa Ely Ameling (com a OSB).

A soprano Ruth Staerke brilhou duplamente na abertura da temporada de 1985, regida por Claudio Santoro em sua *Canção de Amor e Paz*, num concerto da OSTM em que também se ouviram, do mesmo compositor, a *Fantasia para Violino e Orquestra* com Elisa Fukuda e outra obra refletindo seu engajamento político, os *Estatutos do Homem*; logo depois, em programa da OSB em que Karabtchevsky repetiu a experiência operística (desta vez com cenários e figurinos) – com *Artemis*, de Alberto Nepomuceno –, Staerke fez duo com Carmo Barbosa.

A OSB recebeu o empresário-regente amador americano Gilbert Kaplan, que roda o mundo dando sua versão da *Sinfonia nº 2, Ressurreição*, de Mahler, além de retomar a colaboração com Antonio Guedes Barbosa (no *Concerto* de Ronaldo Miranda) e outro pianista brasileiro sempre presente, Arnaldo Cohen, e de apresentar *Haroldo na Itália*, de Berlioz, com o solo de viola de

Despite the lean years for concert music, German clarinetist Sabine Meyer, Bruno Leonardo Gelber, and Jean-Pierre Rampal performed with the OSB in 1983, the year the orchestra also performed Bruckner's rarely heard Symphony No. 4 conducted by David Machado. Composer-conductor Claudio Santoro was also a noteworthy presence that year leading both the OSB and the OSTM – the latter during the opening of the 5th Festival of Contemporary Brazilian Music in a performance of the composer's Symphony No. 10: *Amazonas*.

In 1984, Isaac Karabtchevsky offered an innovative performance of an act from *Wozzeck* and another from *The Flying Dutchman* in a concert version. The OSB also invited baritone Paulo Forte to perform British composer Peter Maxwell Davies's *Songs for a Mad King*. Although Roberto Szidon rarely appeared at the Municipal, pianists Nelson Freire and Arthur Moreira Lima were frequent guest artists. Beside the aforementioned foreign artists, other highlights include I Musici and Dutch soprano Ely Ameling (with the OSB).

Soprano Ruth Staerke shone twice at the opening of the 1985 season alongside Claudio Santoro in a performance of his *Canção de Amor e Paz* in concert with the OSTM which also featured the composer's Fantasia for violin and orchestra with violinist Eliska Fukuda and another work reflecting the composer's political involvement: *Estatutos do Homem* [The Statutes of Man]. Immediately after, Karabtchevsky repeated his opera experiment (this time with stage and costumes) in a performance of Alberto Nepomuceno's *Artemis* featuring Staerke in a duet with Carmo Barbosa.

The OSB received American music manager and amateur conductor Gilbert Kaplan who'd been trotting the globe with his version of Malher's *Resurrection Symphony* and renewed its

Frederick Stephany. A Orquestra do Theatro Municipal abriu espaço para um concerto Mignone regido por Roberto Duarte (que então ainda usava o "Ricardo" intermediário), tendo Paulo Moura e Maria Josephina como solistas, e em outubro prestou uma homenagem em regra a seu regente-titular, Mário Tavares, que subiu ao pódio para reger várias obras suas: o *Concerto para Violoncelo*, então estreado por Alceu Reis, a cantata para coro e orquestra *Rio, a Epopeia do Morro*, a *Moda e Ponteio para Harpa, Celesta e Cordas* e o *Concertino para Flauta, Fagote e Cordas*.

Antes dos Solisti Veneti em outubro, as duas outras visitas estrangeiras foram de peso, em setembro: a Orquestra do Concertgebouw de Amsterdã com Bernard Haitink levando a plateia às nuvens em Debussy (*Jeux*), Bizet *(a Sinfonia nº 1)* e Beethoven (a *Sétima*) e a Filarmônica de Viena com o onipresente Lorin Maazel, que já visitara o Rio com a orquestra de Cleveland e voltaria em outras temporadas com a Nacional da França, a Academia de Santa Cecília romana, uma Orquestra Filarmônica Mundial e de novo com os vienenses, além de fazer apresentações à frente da OSB.

Dessa vez, Luiz Paulo Horta falava no *Jornal do Brasil*, em 16 de setembro, de "uma noite de eletricidade fantástica, quase mensurável". A intendência de nossa programação de concertos costuma cometer a falha da repetição de peças óbvias, em parte consequência da já mencionada dependência do que propõem Buenos Aires ou São Paulo. Mas foi numa obra que Maazel voltaria a reger pelo menos duas outras vezes na cidade, com orquestras diferentes, que Horta mais entusiasticamente se encontrou com as qualidades do regente, que "romantizara demais o Mozart inicial [a *Sinfonia nº 40*]":

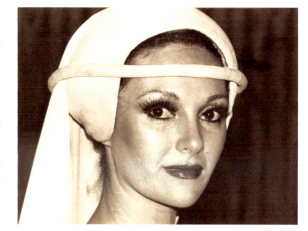

RUTH STAERKE, MICAELA, *CARMEN*. TMRJ. 1978. COL. RUTH STAERKE

collaboration with pianist Antonio Guedes Barbosa (performing Ronaldo Miranda's Concerto), and another frequent orchestra guest, Brazilian pianist Arnaldo Cohen. The OSB also performed Berlioz's *Harold in Italy* featuring Frederick Stephany for the viola solo. The OSTM, under Roberto Duarte (who was still using his middle name "Ricardo"), appeared for a full program of works by Francisco Mignone featuring Paulo Moura and Maria Josephina as soloists. In October, the orchestra paid homage to Mário Tavares, its honorary music director, who came up to the stand to conduct several of his own works including the Concerto for violoncello featuring Alceu Reis, a cantata for chorus and orchestra – *Rio, a Epopeia do Morro*, the *Moda e Ponteio para Harpa, celesta e cordas* and Concertino for flute, bassoon, and strings.

Before the Solisti Veneti arrived in October, two other notable foreign visitors had appeared in September: the Amsterdam Orchestra Concertgebouw under Bernard Haitink, who enraptured the audience with his performance of Debussy (*Jeux*), Bizet (Symphony No. 1) and Beethoven (Symphony No. 7) and the Vienna Philharmonic with frequent guest artist Lorin Maazel, who during previous seasons had performed in Rio with the Vienna Orchestra, the Cleveland Orchestra, the French National Orchestra, the Accademia Nazionale di Santa Cecilia, the World Philharmonic Orchestra, and the OSB.

In *Jornal do Brasil* on September 16, Luiz Paulo Horta wrote that they concert was: "… a night of fantastic, almost measurable electricity." Our concert program managers tend to make the mistake of repeating obvious pieces partly as a result of the aforementioned dependency on concert programs proposed by Buenos Aires and São Paulo. However, Horta was most enthusiastic about the qualities of a conductor, who had "… made the opening

[...] nessa peça [o Pássaro de fogo de Stravinsky], viu-se a olho nu a técnica de regência que fez de Maazel uma 'estrela' da sua profissão. Maazel pertence a um tipo específico de maestro: o que faz questão de reger tudo, de sublinhar cada 'gesto' da partitura. Chegou, sob esse aspecto, a um perfeito virtuosismo. [...] Os dedos longos de Maazel, e o seu próprio corpo, pareciam falar, contando a história do Pássaro de fogo: sua aparição fulgurante no meio da floresta, seus êxtases de voo, suas agonias quando a história desemboca nos terrenos do bruxo Kastchei. Quem tinha bom ouvido percebeu que uma orquestra como a Filarmônica não abusa jamais dos decibéis: economiza potência para oferecer qualidade de som. Assim se ouviram todas as nuances; e o jogo de sopros no final parecia anunciar a entrada no paraíso.

Uma integral das *Sinfonias* de Beethoven por Kurt Masur, outra dos *Concertos* por Bruno Gelber e o oratório *Colombo*, no sesquicentenário de Carlos Gomes, marcaram, além da *Nona* de Mahler, a temporada da Sinfônica Brasileira em 1986, ano em que – feliz acaso, para sair só um pouquinho dos maus hábitos – se abriu espaço no Municipal para duas raras chances dadas ao instrumento dos instrumentos, habitualmente desprezado pelo público carioca: a voz humana. No mesmo mês de agosto, tivemos um recital do barítono francês Jean-Philippe Lafont, que brilhara num dos Concursos Internacionais de Canto promovidos no Rio por Helena de Oliveira, com participação especial de Maria Lúcia Godoy; e uma aparição – a palavra não poderia ser outra – da sublime Gundula Janowitz, com sua voz de oboé, acompanhada por Edson Elias, ainda por cima em seu repertório de eleição: o germânico.

Mozart (Symphony No. 40) too romantic," in a work that Maazel had performed at least twice in Rio with different orchestras:

. . . In this piece (Stravinsky's Firebird Suite*), with the naked eye one saw the conducting technique which has made Maazel a 'star' in his profession. Maazel belongs to a specific type of maestro: the one who insists on conducting everything and underlying the score's every gesture. From this standpoint, he has attained perfect virtuosity. . . . Maazel's long fingers and his body itself seem to speak and tell the story of the* Firebird*: its dazzling appearance in the middle of the forest, its flights of ecstasy, its agony when the story takes place in the magical realm of the immortal Kashchei. Anyone with a good listening ear noted the Philharmonic never overdoes the decibels: it spares potential to offer sound quality and thus all nuances can be heard. At the end, the woodwinds seem to proclaim heaven's doors.*

The 1986 OSB season featured Kurt Masur leading the complete cycle of Beethoven symphonies and Bruno Gelber in a complete Beethoven piano concerto cycle, as well as Carlos Gomes's oratorio *Colombo* for the composer's 150th birthday celebration. The year was a happy one for the OSB and one that broke a few bad habits by giving audiences a chance to hear the human voice – that instrument of instruments – usually underappreciated by Rio's concertgoers. In August, we enjoyed a recital by French baritone Jean-Philippe Lafont, who stood out at one of the international voice competitions organized by Helena de Oliveira, with special guest artist Maria Lúcia Godoy as well as a miraculous appearance – that's the

A OSTM recebeu César Guerra-Peixe e convidados (entre eles Ruth Staerke e a pianista Ruth Serrão) em programa comportando sua *Sinfonia Brasília*. O violoncelista russo Mischa Maisky apresentou-se em agosto com Nelson Freire, Aldo Baldin deu as *Illuminations* de Britten com a OSB. Ivo Pogorelich tocou em setembro, no primeiro contato do público do Rio com sua arte idiossincrática, Mikhail Rudy veio em outubro e o ano encerrou-se com Maazel e a World Philharmonic Orchestra, tocando o segundo *Pássaro de Fogo* do maestro americano na cidade.

Ano do centenário de Villa-Lobos, 1987 assistiu na OSB e na OSTM a um intenso festival, com obras como as suítes integrais do *Descobrimento do Brasil, Uirapuru, Erosão* e alguns dos *Choros* e *Bachianas Brasileiras*. Dois maestros estrangeiros de pouco brilho mas de leal musicalidade serviram à OSB em mais de um concerto cada: o armênio Loris Tjeknavorian, que chegou a reger uma sinfonia de sua autoria, e o austríaco Uwe Mund. O público da orquestra teve direito, em agosto, à estreia mundial da *Sinfonia nº 7* de Camargo Guarnieri, regida por Karabtchevsky.

Zubin Mehta retornou com seus nova-iorquinos para dois concertos, com direito à *Oitava* de Bruckner e às *Bachianas Brasileiras nº 7;* a English Chamber Orchestra esmerou-se em repertório britânico com Stuart Bedford; Philippe Entremont veio regendo a Orquestra de Câmara de Viena; a Sinfônica de Leningrado dirigida por Alexander Dimitriev trouxe como solistas ninguém menos que Lazar Berman (no *Concerto nº 2* de Liszt) e Pavel Kogan (no *Concerto para Violino* de Beethoven); e a Academy of Ancient Music regida por Christopher Hogwood começava a dar ao público local, ao vivo e a cores, o gostinho da música barroca (Purcell, Händel, Vivaldi: as *Quatro Estações*) tocada no estilo e com os instrumentos da época.

only way to describe it – by Gundula Janowitz and her oboe-like voice accompanied by Edson Elias in a performance of her favorite German vocal repertoire.

The OSTM welcomed composer César Guerra-Peixe and guests (among them Ruth Staerke and pianist Ruth Serrão) in a program featuring his *Sinfonia Brasília*. Russian cellist Mischa Maisky appeared alongside Nelson Freire in August and Aldo Baldin performed Britten's *Illuminations* with the OSB. Ivo Pogorelich showcased his idiosyncratic art for Rio concertgoers for the first time, Mikhail Rudy arrived in September, and American maestro Maazel and the World Philharmonic Orchestra wrapped up the 1986 season with a performance of the *Firebird Suite*.

Villa-Lobos's centennial birthday celebration in 1987 was the stage for an exciting festival in which the OSB and OSTM performed the complete suites from *Descobrimento do Brasil*, the symphonic poems *Uirapuru, Erosão*, as well as a few of the *Choros* and *Bachianas Brasileiras*. Two lesser known, albeit first-rate musicians each conducted a concert with the OSB: the Armenian Loris Tjeknavorian, who conducted one of his symphonies, and the Austrian Uwe Mund. Furthermore, in August music lovers were treated to Karabtchevsky conducting the world premiere of Camargo Guarnieri's Symphony No. 7.

Zubin Mehta returned with his New York musicians for two concerts including Bruckner's Symphony No. 8 and Villa-Lobos's *Bachianas Brasileiras No. 7*; Stuart Bedford led the English Chamber Orchestra in a fine program of British music; Philippe Entremont arrived to conduct the Vienna Chamber Orchestra; the Leningrad Symphony under Alexander Dimitriev arrived with top-notch soloists such as Lazar Berman (in Liszt's Concerto No. 2) and Pavel Kogan (Beethoven's Violin Concerto); and the Academy of Ancient Music under

Mas em matéria de atrações internacionais o ano foi o da récita da Orquestra e Coro do TM, regidos por Eugene Kohn, com Plácido Domingo e Aprile Millo em atos inteiros da *Tosca*, do *Otello* e da *Aida*, na companhia de cantores brasileiros como Leila Guimarães, Nelson Portella, Fernando Teixeira, Carmo Barbosa, Wladimir de Kanel e Lahia Rachid – cortesia do *tufão* Fernando Bicudo que então varria com sua energia criativa as temporadas de ópera da casa.

Na frente jazzística, Keith Jarrett voltou e o Oscar Peterson trio apresentou-se em outubro.

As orquestras visitantes refluíram belamente em 1988: a Gewandhaus de Leipzig com Masur, em abril, numa integral das *Sinfonias* acrescida do *Réquiem Alemão* de Brahms; a Orquestra de Filadélfia, em junho, com Riccardo Muti em Beethoven e aberturas de Verdi de extra; a Orquestra de Estado de Suttgart, em julho, com Garcia Navarro e a violinista Silvia Marcovici; a da Tonhalle de Zurique, em setembro, com Wakasugi e Rudolf Buchbinder no piano (Gershwin); a Sinfônica de Bamberg, em outubro, com Horst Stein e a *Sexta* de Bruckner; a Nacional da França, no mesmo mês, com Maazel e a *Novo Mundo* de Dvořák; e os Virtuosi de Moscou, em novembro, com Vladimir Spivakov regendo e solando no violino.

Enquanto Herbie Hancock e Chick Corea atraíam os fãs de jazz, um maestro argentino-israelense, Yeruham Scharovsky, fazia seu primeiro contato com a orquestra (a Sinfônica Brasileira) de que se tornaria titular anos depois, num ano em que a OSB também foi visitada por dois regentes franceses, Jean-Claude Casadesus com uma rara *Sinfonia nº 3* de Roussel e Cyril Diederich em vários concertos. A OSTM recebeu o maestro britânico Richard Hickox e as vozes de Janet Perry, Graciela Lassner, Aldo Baldin e Stephen Saxon para um programa Mozart culminando com o *Réquiem*.

|||||||||||||||||||||||||||||||||||||||||||||||||||||||||||||||||||||

FERNANDO BICUDO / PLÁCIDO DOMINGO. 1987. COL. FERNANDO BICUDO

Christopher Hogwood gave Rio audiences their first taste of authentic baroque music (Purcell, Handel, and Vivaldi: *The Four Seasons*) live and in color played on period instruments.

In terms of international attractions, however, the year was a landmark for the Orquestra and Coro do Theatro Municipal under Eugene Kohn, with Plácido Domingo and Aprile Millo performing full acts from *Tosca*, *Otello,* and *Aída*, alongside Brazilian singers Leila Guimarães, Nelson Portella, Fernando Teixeira, Carmo Barbosa, Wladimir de Kanel, and Lahia Rachid – all courtesy of Fernando Bicudo, the whirlwind music manager and producer whose creative energy swept the theater's opera season off its feet.

In jazz, the year marked the return of Keith Jarrett and the appearance of the Oscar Peterson trio in October.

Visiting orchestras flowed back in nicely in 1988: the Leipzig Gewandhaus with Masur in April in a complete Brahms symphony cycle and the *German Requiem*; Riccardo Muti and the Philadelphia Orchestra performing Beethoven and some Verdi overtures on the side; the Stuttgart State Orchestra in July with Garcia Navarro and violinist Silvia Marcovici; the Tonhalle Orchester Zürich with Wakasugi and pianist Rudolf Buchbinder (Gershwin) in September; the Bamberg Symphony led by Horst Stein performing Bruckner's Symphony No. 6 and the French National Orchestra with Maazel with Dvořák's *New World Symphony* in October; and finally the Moscow Virtuosos with Vladimir Spivakov as conductor and violin soloist.

While Herbie Hancock and Chick Corea attracted jazz fans, Argentine-Israeli maestro Yeruham Scharovsky premiered with the OSB and later became its concertmaster. The year also

Se em matéria de culminância 1988 pôde assistir a outro dos triunfais retornos da soprano americana Aprile Millo, a cantora de primeiro plano internacional que mais se apresentou no Rio nos últimos tempos, em recital com a Orquestra do Teatro Nacional de Brasília regida por Eugene Kohn, foi no ano seguinte que os fãs encerraram a década refestelando-se com uma temporada do empresário Fernando Bicudo, associado com sua Ópera Brasil à OSB na apresentação de óperas em versão de concerto.

Assim foi que desfilaram solistas como Carlo Bergonzi, num apogeu tardio raramente igualado em matéria de canto requintado e beleza da voz, e a opulenta (vocalmente) soprano búlgara Stefka Evstatieva no *Baile de Máscaras* de Verdi, acolitados entre outros por Fernando Teixeira, Adélia Issa, Lício Bruno e Fernando Portari; a mesma Millo, com seu soprano rico em harmônicos e seu *slancio* italianizante, e o tenor romeno Corneliu Murgu, possante mas marmóreo, na *Andrea Chénier* de Giordano, ao lado de Teixeira, Staerke, Glória Queiroz, Lício Bruno, Ignacio de Nonno e Lúcia Dittert; a lendária mezzo italiana Fiorenza Cossoto, já rumando para o fim de carreira, mas esplendidamente impregnada de toda uma cultura do seu registro, ao lado do marido Ivo Vinco, no *Sansão e Dalila* de Saint-Saëns; e os húngaros Ilona Tokody e Peter Kelen na *Manon Lescaut* de Puccini, na companhia de Paulo Fortes.

No dia 14 de julho, 80º aniversário do Municipal, sua Orquestra regida por Mário Tavares acompanhou Nelson Freire no *Concerto em Lá Menor* de Schumann e Antônio Meneses no *Concerto para Violoncelo* do mesmo. A Orquestra de Câmara de Moscou veio nesse ano com o violinista Victor Tretiakov na regência e solando; a Filarmônica de Israel voltou com Mehta e a *Sinfonia Titã* de Mahler; o violinista Boris Belkin solou para a Orquestra de Câmara de Blumenau com Moroso-

witnessed the OSB under the baton of two French conductors, Jean-Claude Casadesus in a rare performance of Roussel's Symphony No. 3 and Cyril Diederich in several concerts. The OSTM opened its doors for British maestro Richard Hickox and the voices of Janet Perry, Graciela Lassner, Aldo Baldin, and Stephen Saxon in an all-Mozart program ending with the *Requiem*.

If the peak at the end of the 1988 season saw the triumphant return of American soprano Aprile Millo – the first-class international singer who had made the most appearances in Rio in recent years – in a recital with the Orquestra do Teatro Nacional de Brasília under Eugene Kohn, music lovers wrapped up the decade in 1989 with a season organized by music producer Fernando Bicudo whose Ópera Brasil joined forces with the OSB to perform concert versions of operas.

Thus, a parade of soloists such as Carlo Bergonzi, in a late-life show of brilliance rarely equaled in terms of vocal beauty and elegance, and Bulgarian soprano Stefka Evstatieva, with her vocal richness, came together in Verdi's *A Masked Ball* alongside Fernando Teixeira, Adélia Issa, Lício Bruno, and Fernando Portari. Millo, with her harmonically rich soprano voice and Italianate *slancio* and Romenian tenor Corneliu Murgu with his powerful yet marble-like voice also teamed up with Teixeira, Staerke, Glória Queiroz, Lício Bruno, Ignacio de Nonno and Lúcia Dittert in Giordano's *Andrea Chénier*. Finally, music lovers were able to appreciate legendary Italian mezzo-soprano Fiorenza Cossoto, in the final years of her career, still alongside her husband Ivo Vinco in Saint-Saëns's *Samson and Delilah* as well as Hungarian artists Ilona Tokody and Peter Kelen in Puccini's *Manon Lescaut* with Paulo Fortes.

To celebrate the Municipal's 80th anniversary on July 14, the OSTM conducted by Mário

ANTONIO MENESES.
COL. ANTONIO MENESES

wicz na regência; Maazel tocou Respighi com a Academia de Santa Cecília; a orquestra da BBC de Londres ofereceu as *Illuminations* de Britten com Heather Harper regida por Edward Downes e, cereja no bolo, o inigualavelmente *flamboyant* Ievgueni Svetlanov veio reger a Sinfônica de Estado da União Soviética em Mussorgsky (abertura da *Khovantchina* e *Uma Noite no Monte Calvo*), Prokofiev (a *Sinfonia Clássica*) e uma rara *Sinfonia nº 2* de Scriabin.

A música barroca voltou a ser tocada *in the style* com La Grande Écurie et La Chambre du Roi, o conjunto de Jean-Claude Malgoire, que aportava aqui com o raro Rameau, mas também Mozart. Em julho, estreava no Theatro Municipal, numa ambiciosa *Missa em Dó Menor* de Mozart ao lado da Associação de Canto Coral, a Orquestra Pró-Música de Armando Prazeres, cujo patrocínio vinha de ser assumido pela Petrobras. E no mês de novembro a VII Bienal de Música Brasileira Contemporânea mostrou obras como os *Pequenos Funerais Cantantes* de Almeida Prado, o *Concerto Breve para Piano e Orquestra* de Marlos Nobre, a *Procissão das Carpideiras* de Lindembergue Cardoso, as *Variações Sinfônicas sobre um Tema Brasileiro* de Lorenzo Fernandez e, de Claudio Santoro, o *Concerto nº 1 para Piano e Orquestra*, com seu amigo e colaborador Heitor Alimonda, e a *Sinfonia nº 14*. ∎

Tavares performed Schuman's Concerto in A minor and Cello Concerto with soloists Nelson Freire and Antonio Menezes respectively. The Moscow Chamber Orchestra with conductor and solo violinist Victor Tretiakov also appeared that year; the Israel Philharmonic with Mehta performed Mahler's *Titan Symphony*; violinist Boris Belkin was soloist with the Orchestra de Câmara de Blumenau under Morozowicz; Maazel conducted Respighi with the Accademia Nazionale di Santa Cecilia; the BBC London Orchestra offered Britten's *Illuminations* with Heather Harper and conductor Edward Downes, and, as a cherry on the sundae, the matchlessly flamboyant Ievgueni Svetlanov led the Soviet Union State Symphony in a performance of Mussorgsky (*Khovantchina Overture* and *Night on Bald Mountain*), Prokofiev (*Classic Symphony*) and Scriabin (Symphony No. 2).

La Grande Écurie et La Chambre du Roi under director Jean-Claude Malgoire made a stop in Rio and with historically-informed baroque music performances of the rarely heard Rameau and Mozart. And in July, the Associação de Canto Coral and the Armando Prazeres Pró-Música Orquestra, sponsored by Petrobras, gave an ambitious local premiere performance of Mozart's C-minor Mass. In November, the VII Contemporary Brazilian Music Festival showcased works such as Almeida Prado's *Pequenos Funerais Cantantes*, Marlos Nobre's Concerto breve para piano e orquestra, Lindembergue Cardoso's *Procissão das Carpideiras*, Lorenzo Fernandez *Variações Sinfônicas Sobre um Tema Brasileiro*, Claudio Santoro's Symphony No. 14 and his Concerto No. 1 for piano and orchestra with friend and collaborator Heitor Alimonda as piano soloist. ∎

A década de 1980 contou com a presença das companhias de dois grandes mestres da dança, Martha Graham e Merce Cunningham, que se apresentaram pela primeira vez no Brasil, como parte da programação do Carlton Dance Festival. Twyla Tharp, Pilobulos, Momix, Nederlands Dans Theater, Sankai Juku, Antonio Gades e David Parsons foram outras presenças marcantes. Uma programação intensa e variada que ainda teve a companhia do próprio Theatro, que em 1977 havia passado a se chamar Ballet do Theatro Municipal do Rio de janeiro.

Com direção de Dalal Achcar, o Ballet do Theatro Municipal realizou importantes temporadas em vários momentos. A começar por 1981, com a versão de *Romeu e Julieta*, de John Cranko, que teve como artistas convidados nomes do quilate de Fernando Bujones (1955-2005), Natalia Makarova (1940), Márcia Haydée (1937) e Richard Cragun (1944) e as estrelas da casa Ana Botafogo (1957) e Áurea Hammerli, apresentando-se em diferentes récitas. Produção que também contou com a presença de Bertha Rosanova, no papel de Lady Capuleto, que voltava ao palco do Theatro após alguns anos de afastamento.

De acordo com Suzana Braga, foi uma prova de fogo para a companhia, mas vencida com honras, já que a montagem do Municipal não deixou nada a dever às versões estrangeiras, pois além de figurinos, cenários e iluminação bem cuidados, contou com a participação de artistas que pertenciam a um "time raro da dança".[1]

A noite de estreia teve Áurea Hammerli e Richard Cragun nos papéis principais, ela uma "Julieta lírica, apaixonada, com lindos desenhos técnicos" e ele um "excepcional bailarino e um partenaire inigualável". Os dois pareciam "levitar" em algumas sequências e o público acabou o espetáculo "extasiado" com o desempenho da dupla, segundo Suzana Braga. Deslumbre percebido

In the 1980, there were visits by the companies of two great dance masters, Martha Graham and Merce Cunningham, who performed for the first time in Brazil as part of the Carlton Dance Festival. The Twyla Tharp, Pilobulos, Momix, Nederlands Dans Theater, Sankai Juku, Antonio Gades, and David Parsons companies also made strong impressions. The varied and intense programming included the theater's resident company which had changed its name to the Ballet do Theatro Municipal do Rio de Janeiro in 1977.

Under the direction of Dalal Achcar, the Ballet do Theatro Municipal occasionally presented important seasons. These began in 1981, with a version of *Romeo and Juliet* by John Cranko that included guest artists on the level of Fernando Bujones (1955-2005), Natalia Makarova (1940), Márcia Haydée (1937), Richard Cragun (1944) and the theater's own principals Ana Botafogo (1957) and Áurea Hammerli who performed in different recitals. Bertha Rosanova, who had returned to the Theatro's stage after a few years' absence, danced the role of Lady Capulet.

According to Suzana Braga, although the production was a kind of baptism by fire for the company, it came off in high style. The Municipal's production was as good as any foreign one: in addition to the carefully crafted costumes, sets, and lighting, its dancers belonged to "dance's most select group."[1]

On opening night, Áurea Hammerli and Richard Cragun danced the main roles. She was a "lyrical, impassioned Juliet, with beautiful technical lines" and he was "an exceptional dancer and incomparable partner." In a couple of sequences the two seemed to "float" and according to Suzana Braga, the audience was "in ecstasy" over the couple's performance. This astonish-

BEATRIZ CERBINO

NATALIA MAKAROVA / STEPHEN JEFFERIES, *ROMEU E JULIETA*.
TMRJ. 1981. PH. VERÔNICA FALCÃO

ANA BOTAFOGO / GRAHAM BART, *LA FILLE MAL GARDÉE*.
COREOGRÁFO | CHOREOGRAPHER EMÍLIO MARTINS
TMRJ. 1983. PH. EDSON MEIRELLES.
COL. ANA BOTAFOGO

DESMOND DOYLE / BERTHA ROSANOVA /
ANTONIO NEGREIROS / CRISTINA COSTA.
TMRJ. [198-?]. PH. PAULO RICARDO.
COL. DALAL ACHCAR

ALAIN LEROY / STEPHEN JEFFERIES.
TMRJ. [198-?]. PH. PAULO RICARDO.
COL. DALAL ACHCAR

ANA BOTAFOGO / FERNANDO BUJONES, *GISELLE*.
TMRJ. 1982. COL. DALAL ACHCAR

ÁUREA HAMMERLI / MARCELO MISAILIDIS, *GISELLE*.
TMRJ. 1981. EEDMO

EMILIO MARTINS
PRIMEIRO HOMEM GRADUADO PELA EEDMO, EX-PRIMEIRO
BAILARINO DO BTMRJ E COREÓGRAFO RESPONSÁVEL POR
LA FILLE MAL GARDÉE.
THE FIRST MAN GRADUATED AT EEDMO, EX-PRINCIPAL
DANCER OF BTMRJ AND CHOREOGRAPHER RESPONSIBLE
FOR *LA FILLE MAL GARDÉE*.
COL. EMILIO MARTINS

desde o início, pois "quando a cortina se abriu, ao som de Prokofiev, para o primeiro ato, o público já sentiu que presenciaria um rico e belo espetáculo e manteve esse comportamento de expectativa, por vezes até extasiado até o final".[2]

Já na temporada de 1983, além das vinte e duas récitas de *La Fille Mal Gardée*, a companhia estreou *Gabriela*, coreografia de Gilberto Motta para música de Edu Lobo, também apresentada 22 vezes. Segundo Antonio José Faro (1933-1991), então crítico de dança do *Jornal do Brasil*, toda a companhia "teve um desempenho absolutamente impecável", com especial destaque para os bailarinos que interpretaram o casal de protagonistas:

Lourdja Mesquita foi uma Gabriela de sonho, com a mistura de pureza e sensualidade que fazia com que sobressaísse mesmo quando o palco estava cheio de movimento. O Nacib de Graham Bart foi soberbo, é a palavra exata. Poucos bailarinos são partenaires tão seguros e atores tão eficientes quanto Bart, e sua presença cênica, mesmo quando parado, domina o ambiente, lembrando mestres como Massine e Franklin.[3]

O resultado em cena foi dos melhores, dos bailarinos aos cenários e figurinos criados pelo artista plástico Carybé (1911-1997). A recepção da plateia foi calorosa, ovacionando o espetáculo, em uma "demonstração clara de que passou o tempo em que só era bom o que vinha de fora".[4] Percepção, na verdade, que não havia começado naquela década, mas pelo menos desde a anterior, quando grupos nacionais como o Stagium e o Corpo mostraram uma dança de qualidade feita no Brasil.

Também merece destaque as 78 récitas que o Ballet do Theatro Municipal realizou de *O Quebra-nozes*, ao longo da década. Apresentado tradicionalmente no fim do ano, o balé foi um grande

||||||||||||||||||||||||||||||||||||||||||||||||||||||||||||||||||||||||

ment was apparent from the beginning because "when the curtain opened for the first act to the sound of Prokofiev, the audience already felt it would witness a beautiful, rich ballet and it maintained this air of expectation or even ecstasy, until the end."[2]

During the 1983 season, in addition to the 22 performances of *La Fille Mal Gardée*, the company danced 22 performances of *Gabriela*, a new piece with choreography by Gilberto Motta and music by Edu Lobo. According to Antonio José Faro (1933-1991), then dance critic of the *Jornal do Brasil*, the entire company "performed absolutely impeccably," with special praise for the couple who danced the two main roles:

Lourdja Mesquita was a dreamy Gabriela, with a mixture of purity and sensuality that set her apart even when the stage was filled with movement. Nacib by Graham Bart was superb, that's the word for it. Few dancers are as secure a partner and as efficient an actor as Bart, and his presence on stage, even when he is still, dominates the space and reminds one of masters such as Massine and Franklin.[3]

It was one of the best results onstage, from the dancers to the sets and costumes created by the visual artist, Carybé (1911-1997). Audience reception was enthusiastic, with standing ovations and "clear demonstrations that excellence didn't always come from abroad."[4] Actually, this perception had begun to take root at least as early as the previous decade, when Brazilian groups such as Stagium and O Corpo presented quality dance made in Brazil.

Another production that deserves mention was the Ballet do Theatro Municipal's *Nutcracker*, which was performed 78 times that decade. Traditionally performed at the end of

sucesso em todas as suas temporadas, lotando récitas e recebendo por parte do público, assim como da crítica, o reconhecimento pela qualidade da produção.

Com uma proposta de dança complexa, mas ao mesmo tempo acessível, construída a partir de uma alta diversidade de referências, a Twyla Tharp Dance Company apresentou-se em 1984 e 1987, conquistando público e crítica com uma composição de movimentos elaborada e atraente. Para Antonio José Faro foi uma "dança com D maiúsculo", marcando definitivamente "a vida artística de nossa cidade" com coreografias como *Telemann* e *Nine Sinatra Songs*. Sobre essa última, escreveu:

> *São 30 minutos de esplendor, sem quedas, com a justa atmosfera para cada um dos duetos e, acima de tudo, um senso musical excepcional, com o clima justo de cada criação sendo refletido no palco por um grupo de bailarinos dos melhores que já nos visitaram, com uma capacidade técnica e interpretativa de nos deixar a um tempo felizes por tê-los visto e com pesar de que a temporada seja tão curta.* [5]

CRISTINA MARTINELLI / GRAHAM BART,
BELONG DE NORBERT VESAK.
TMRJ.1982. PH. VERÔNICA FALCÃO.
COL. CRISTINA MARTINELLI

NORA ESTEVES, *MANDARIN*.
TMRJ. PH. RICHARD SASSO. COL. NORA ESTEVES

the year, all the *Nutcracker* seasons were an enormous success, with sold-out houses and both audiences and critics recognizing the quality of the production.

With its proposal of complex yet accessible dance created from a broad range of references, the Twyla Tharp Dance Company performed in 1984 and 1987, winning over both audiences and critics with its elaborate and attractive movements. For Antonio José Faro it was "dance with a capital 'D'," that left a definitive mark "on the artistic life of our city" with dances such as *Telemann* and *Nine Sinatra Songs*. Regarding the latter he wrote:

> *It's 30 minutes of continuous splendor, with the right atmosphere for each duet. Above all, it has an exceptional musical sense, with the right atmosphere for each duet reflected on stage by a group of the best dancers that have ever visited us, who possess a level of technique and interpretation that make us happy for having seen them and sad the season is so short.* [5]

The following year, in 1985, Group Corpo and the Stuttgart Ballet returned after performing the previous decade. Celebrating its ten-year anniversary and as part of the programming for the I International Rio de Janeiro Dance Festival. Grupo Corpo presented *Prelúdios*, an

No ano seguinte, em 1985, voltaram o Grupo Corpo e o Ballet de Stuttgart, que, na década anterior, já tinham marcado presença no TM. Comemorando seus dez anos e como parte da programação do I Festival Internacional de Dança do Rio de Janeiro, o Grupo Corpo mostrou *Prelúdios*, peça abstrata, composta sobre os 24 Prelúdios, opus 28, de Frederick Chopin, na gravação de Nelson Freire. Esse foi o primeiro grande sucesso de Rodrigo Pederneiras (1955), o que o consagrou como coreógrafo, apontado como obra-prima pela crítica.[6] Os movimentos elaborados e cuidadosamente burilados por Pederneiras, a partir da estrutura musical de Chopin, apontando a íntima relação entre movimento, desenho espacial e música, foram apresentados com extrema competência pelos bailarinos da companhia, donos de técnica apurada. Luiz Sorel, de *O Globo*, destacou ainda os "excelentes figurinos de Freusa Zechmeister e a insinuante iluminação de Paulo Pederneiras" que, em vários momentos, emocionou o espectador, penetrando "fundo na epiderme, através de uma interminável profusão de exuberantes braços, pernas e corpos flexíveis".[7]

Em 1987, quando retornou ao Municipal, participando da 3ª edição do Festival Internacional de Dança, a apresentação de *Prelúdios* foi mais uma vez saudada pela crítica por sua "esplêndida combinação e desenvolvimento inteligentíssimo dos passos, pela notável utilização e ocupação dos espaços do palco e pelo maravilhoso elenco de surpreendentes soluções". Rodrigo Pederneiras foi reconhecido como um coreógrafo de talento, dono de uma "elaboração consciente e minuciosa que leva a uma fruição em que a inteligência e a sensibilidade do espectador são postas à prova, em salutar desafio".[8]

Nos anos e nas décadas seguintes em que voltou ao Municipal o Grupo Corpo já viria como uma das mais importantes companhias brasileiras, reconhecida pela assinatura muito particular de seu coreógrafo e pela qualidade de suas obras.

abstract piece choreographed to Nelson Freire's recording of the 24 preludes from Chopin's Opus 28. Hailed as a masterpiece by critics, it was Rodrigo Pederneiras's (1955) first great success and established him as an important choreographer.[6] Perderneira's elaborate and curious finely detailed movements, performed with extreme skill by the company's technically proficient dancers, were based on Chopin's musical structures and suggested an intimate relationship among movement, spatial design, and music. Luiz Sorel, of *O Globo*, also highlighted "Freusa Zechmeister's excellent costumes and Paulo Pederneiras's suggestive lighting" which, at different moments, moved spectators, penetrating "deep under the skin, through an infinite profusion of exuberant and flexible arms, legs and bodies."[7]

In 1987, when it returned to the Municipal for the III International Dance Festival, critics once again praised *Prelúdios* for its "splendid combinations, intelligent development of its steps, remarkable use and occupation of the stage space, marvelous cast, and surprising solutions." Rodrigo Pederneiras was recognized as a talented choreographer with a "conscious and meticulous creative process that offers a pleasurable experience in which the spectator's intelligence and sensitivity are constructively challenged."[8]

When it returned to the Municipal in the following years and decades, Grupo Corpo became one of the most important Brazilian companies, recognized for the particular style of its choreographer and the quality of its dancers.

The Stuttgart Ballet was another important company that performed in 1985, 1986, and 1988. On these three occasions it showed why it was considered one of the best in the world, a characteristic it had already displayed in 1979 when it visited Brazil for the first time. John

O Ballet de Stuttgart foi outra companhia de peso que realizou temporadas em 1985, 1986 e 1988. E nessas três ocasiões mostrou porque foi apontada como uma das melhores do mundo, qualidade que já havia mostrado, em 1979, quando esteve pela primeira vez no Brasil. A densa e bela versão de John Neumeier (1942) para a peça de Tennessee Williams, *Um Bonde Chamado Desejo*, foi ovacionada na noite de estreia:

> *Neumeier, como coreógrafo e diretor, captou, à perfeição, o ambiente, o clima e a densidade da ação através de passos escolhidos a dedo, que não apenas identificam os personagens de forma clara e sucinta, mas que, com toques pequenos e detalhistas, nos envolvem no clima do drama de maneira total.[9]*

Se a interpretação do personagem Stanley por Richard Cragun mostrou-se, para Faro, criativa e inteligente, a Blanche Du Bois criada por Márcia Haydée foi perfeita, acrescentando "um capitulo à história do balé, pela riqueza de detalhes e capacidade de nos passar, nos menores gestos, sem exageros, a fragilidade, a incompreendida vida de Blanche Du Bois".[10]

A plateia carioca foi definitivamente conquistada pelo Ballet de Stuttgart, tanto pela técnica, interpretação e carisma de sua maior estrela, Márcia Haydée, como pela alta qualidade das produções.

Conquista foi também o que fez o grupo norte-americano Pilobulos Dance Theatre com os espectadores cariocas, em sua estreia no Theatro Municipal, em maio de 1986, sem, contudo, deixar de polemizar sobre suas performances. Fundado em 1971, foi logo aclamado pela singular mistura de força física, efeitos visuais e iluminação, que se diferenciava bastante dos espetáculos de dança daquela época. O Pilobulos mostrou obras que agradaram e ao mesmo tempo provocaram o público.

Neumeier's (1942) dense and beautiful version of Tennessee Williams's *A Streetcar Named Desire*, received a standing ovation on opening night:

> *As choreographer and director, Neumeier perfectly captured the atmosphere, the mood, and the intense action through carefully chosen steps and not only identified the characters clearly and succinctly, but also totally involved us in the mood of the drama through small, detailed touches.[9]*

Faro felt that Richard Cragun's interpretation of Stanley was creative and intelligent and that Márcia Haydée's Blanche Du Bois was perfect and added "a chapter to ballet history through its rich details and ability to use the smallest gestures, without ever exaggerating, to communicate the fragility and misunderstood life of Blanche Du Bois."[10]

Rio audiences were completely won over by the Stuttgart Ballet, both by the technique, interpretation, and charisma of its main star, Márcia Haydée, and by the high quality of its productions.

The American Pilobolus Dance Theatre also won the hearts of Rio audiences in its Theatro Municipal debut in May 1986, despite its very controversial performances. Founded in 1971, the company received early praise for its unique blend of physical strength, visual effects, and lighting, clearly distinguishing it from the usual dances created at that time. Pilobolus showed works that were simultaneously pleasing and provocative.

In 1988, when the company was in Rio de Janeiro for the second time participating in the International Dance Festival, their idea to intermingle bodies in an undistinguishable mass,

Em 1988, quando esteve no Rio de Janeiro pela segunda vez, participando do Festival Internacional da Dança, a proposta de corpos que se fundiam a outros provocou polêmica com coreografias como *Molly's not Dead*, *Land's Edge* e *Carmina Burana, Lado II*. Segundo Danusia Barbara, "alguns saíram encantados com a inventividade do grupo em produzir formas inusitadas com o corpo", outros, por sua vez, clamaram por dança no sentido mais tradicional. Já uns terceiros pediram mais novidades, pois consideraram o que foi visto "déjà vu e soporífero".[11]

Qualquer que tenha sido a percepção acerca dos trabalhos apresentados, importa ressaltar o entendimento mais amplo e democrático acerca da dança como espetáculo cênico que foi oferecido aos cariocas. Ou seja, que em dança não se deve buscar entender linearmente o que acontece em cena, pois há "uma lógica maior, mais na base do 2 mais 2 são 5, sendo dançada".[12] E foi essa lógica que o Pilobolus apresentou, assim como o Momix, em novembro de 1987.

Criado em 1981, por Moses Pendleton (1949), egresso do Pilobolus que também havia ajudado a fundar, o Momix levou à cena uma surpreendente mistura de humor, dança e invenção para, por meio do movimento corporal, criar formas em que o sublime, a poesia e o inusitado eram habituais. Para atingir esse objetivo foram utilizados, nas obras apresentadas no Theatro Municipal, elementos cênicos como cordas, conchas, bolas e esquis. Para Danusia Barbara, "nada é gratuito, tudo tem humor e arte. Os números se sucedem, a plateia delira". O público, após a primeira apresentação da companhia no Rio de Janeiro, "saiu do Municipal querendo ouvir, cheirar, sentir, na pele e nos olhos todas as impressões da noite".[13] Tratou-se, sem dúvida, de um espetáculo em que as sensações e os sentidos eram o ponto de partida para sua fruição em coreografias como *Preface to Previews*, *Brain Waving*, *Bird in my Dreams* e *Circle Walker*.

provoked controversy in dances such *Molly's Not Dead*, *Land's Edge,* and *Carmina Burana, Side II*. According to Danusia Barbara, "some people left enchanted with the company's inventiveness in using the body to produce unexpected forms," others begged for more traditional dance. Others wanted newness because they felt that what they'd seen was "*déjà vu* and sleep inducing." [11]

Regardless of perceptions about the works presented, it's important to emphasize the broader and more democratic understanding of dance as an art form that was offered to Rio audiences. In other words, dance audiences shouldn't try to understand what's happening onstage in a linear fashion because "the logic that's being danced is based on more than 2 plus 2 equals 5."[12] This was the logic that Pilobolus presented, just as Momix did in November 1987.

Created in 1981 by Moses Pendleton (1949) who'd been one of Pilobolus's original founders, Momix used body movements to bring a surprising mixture of humor, dance, and inventiveness to the stage, creating forms in which poetry, the sublime, and the unexpected were commonplace. To reach this goal, props such as ropes, shells, balls, and skis were used in the pieces presented at the Theatro Municipal. Danusia Barbara wrote that in Momix's works "nothing is gratuitous – everything contains humor and art. The pieces follow one after the other and the audience goes wild." After the company's first performance in Rio de Janeiro, the audience "left the Municipal wanting to hear, smell, feel, and see all the night's impressions."[13] It was undoubtedly a show in which the sensations and the senses were the taking-off point for enjoyment in dances such as *Preface to Previews*, *Brain Waving*, *Bird in My Dreams,* and *Circle Walker*.

Para Antonio José Faro, que em fins de 1987 estava escrevendo crítica de dança no *O Globo*, o Momix envolvia o espectador de maneira inteligente e única em sua proposta de criar imagens arrebatadoras, não devendo, por isso, ser comparado a nenhum outro grupo:

Seja saindo de conchas gigantes, oscilando numa enorme escultura de metal, contorcendo-se sobre esquis ou fazendo sombras chinesas a um tempo cômicas e poéticas, atingem em cheio a nossa imaginação, numa viagem cuja única mensagem é atingir o romance, a aventura, as emoções através de imagens.[14]

Foi também em 1988 que outra, e fundamental, mostra, além do Festival Internacional de Dança, aconteceu no palco do Theatro Municipal: o Carlton Dance Festival, de 7 a 14 de abril. Com uma programação variada, focada na dança moderna e contemporânea, o festival permitiu o acesso a trabalhos que pouco circulavam naquela época, tanto pela dificuldade em conseguir fontes visuais, como vídeos, quanto pelo alto custo de trazê-los ao Brasil.

Sankai Juku, grupo japonês de butoh e um dos principais disseminadores dessa arte no Ocidente, apresentou-se no início de abril mostrando uma dança de polaridades – claro/escuro, externo/interno, pisar/pairar –, e de sublime elegância. Foi uma experiência nova para grande parte da plateia. Surgido no Japão no pós II Guerra Mundial, o butoh trabalha, muitas vezes, com temáticas sombrias e densas para falar da perplexidade do homem perante a vida e a morte. No caso do Sankai Juku há uma carga menos pesada, com o aspecto poético sobressaindo em suas propostas, mas não menos impactante. No Rio de Janeiro, apesar do estranhamento do público com os cinco homens em cena de cabeça raspada e com os corpos totalmente pintados de branco, o grupo foi um sucesso com a obra *Kinkan*

For Antonio José Faro, who at the end of 1987 was writing dance reviews for *O Globo,* Momix created images that involved the spectator in unique and intelligent ways and therefore shouldn't be compared to any other company:

Whether coming out of giant shells, oscillating in an enormous metal sculpture, contorting one's body on skis, or making Chinese shadows alternately comic and poetic, they completely filled our imagination in a unique journey whose only goal is to attain romance, adventure, and stir emotion through imagery.[14]

From April 7-14, 1988, another fundamental festival took place on the stage of the Theatro Municipal: the Carlton Dance Festival. With varied programming focused on both modern and contemporary dance, the festival offered access to works that toured very little at that time, both because of the difficulty in attaining visual sources, such as videos, and also because of the high cost of bringing them to Brazil.

Sankai Juku, the Japanese Butoh group and one of the main promoters of this art form in the West, performed in the beginning of April with a dance of polarities: light/dark, external/internal, step/hover whose elegance was a new experience for most of the audience. Having appeared in Japan after World War II, Butoh often worked with deep and somber themes to discuss man's perplexity about life and death. Sankai Juku's work was lighter and it emphasized its objective though a poetic aspect that didn't weaken its impact. In Rio de Janeiro, the company's piece *Kinkan shonen* was a success, even though audiences found it strange to see five men with shaved heads and bodies totally painted

Shonen. Segundo Danusia Barbara, "a lógica cartesiana minguou, as relações habituais entre espaço, tempo e movimento foram redimensionadas. Não havia muito que interpretar, mas sim assistir, sentir e se envolver". Envolvimento que deu aos cariocas uma importante percepção da amplitude da dança contemporânea e o Carlton Dance foi ferramenta fundamental em sua disseminação.

Após o butoh foi a vez do Nederlands Dans Theater II, formada por jovens entre 17 e 23 anos. A companhia caçula do Nederlands Dans Theater/NDT, que também abriga a NDT I, foi criada em 1978 com o objetivo de fornecer bailarinos de alta qualidade técnica para o grupo principal e logo se configurou como um importante núcleo de criação e formação artística para jovens intérpretes e criadores, pois além de obras de coreógrafos já estabelecidos abre espaço em seu repertório para novas coreografias.

Pela primeira vez apresentando-se no Brasil, o grupo mostrou *Nomaden*, música de Igor Stravinsky, e *La Cathédrale Engloutie*, música de Claude Debussy, coreografias de Jirí Kylián (1947), então coreógrafo e diretor artístico do NDT. Sua releitura da técnica e estética do balé, especialmente suas novas propostas para o *pas de deux*, sempre interessantes e inovadoras, foi um sopro de novidade e vitalidade para os admiradores dessa técnica de dança. Aliás, para todos os que apreciam boa dança.

Além de Kylián, o NDT II mostrou ainda *Jardi Tancat*, música de Maria Del Mar Bonet, trabalho do espanhol Nacho Duato (1957), bailarino egresso da companhia principal, então em ascensão como coreógrafo. Uma experiência bem recebida pela plateia.

A programação do Carlton Dance Festival seguiu com uma das atrações mais esperadas: a Merce Cunningham Dance Company, fundada em 1953. Um dos gênios da dança, o norte-americano

white. According to Danusia Barbara, "the Cartesian logic waned, the usual relationships between time, space, and movement were redimensioned. There wasn't a lot to interpret, but there was much to see, feel, and be absorbed by." This involvement gave Rio audiences an important view of the range of contemporary dance and Carlton Dance was a fundamental tool for its dissemination.

After Butoh came the Nederlands Dans Theater II, comprised of young dancers aged 17 to 23. The junior company of the Nederlands Dans Theater/NDT, which also included NDT I, was created in 1978 with the goal of supplying high-quality dancers for the main company. However, it soon became an important place for generating and educating young dancers and creators – in addition to its already established dances, it opened space in the repertory for choreography created by new talents.

During its first performance in Brazil, the company presented *Nomaden*, with music by Igor Stravinsky, and *La Cathédrale Engloutie*, with music by Claude Debussy, choreographed by Jirí Kylián (1947), then NDT's choreographer and artistic director. His always interesting and innovative rereading of ballet technique and aesthetics, especially regarding new ideas about the *pas-de-deux*, was a breath of vitality and originality for the those who admired this dance technique – actually, for everyone who appreciated good dance.

In addition to Kylián's work, the NDT II also presented *Jardi Tancat*, with music by Maria Del Mar Bonet, created by Nacho Duato (1957), a Spanish dancer from the main company who was then an up-and-coming choreographer. It was an experiment that was well received by audiences.

Cunningham (1919-2009), na década de 1940, quando ainda participava da companhia de Martha Graham, propôs uma dança autônoma, bem diferente da convencional, que não buscava apoio na música ou na cenografia para determinar sua estrutura. Despiu-a de ornamentos e focou-a no movimento realizado pelo corpo, estabelecendo com isso uma relação distinta com o tempo e o espaço. O movimento não é reduzido à condição de veículo, mas é ele próprio a dança. Não há uma história com começo, meio e fim, assim como não pressupõe uma relação de causa e efeito entre movimento e sentido, sua dança afasta-se da grandiloquência e da dramaticidade para se organizar em cena. A técnica que criou foi o caminho para colocar em movimento suas ideias. E, desde a fundação da companhia, vem provocando reações diversas nos espectadores. No Rio de Janeiro não foi diferente.

Nos dois espetáculos que realizou no TM, a plateia ficou dividida entre a sensação de estranhamento, provocando, segundo a crítica, até mesmo "bocejos"[15] e a percepção de que se tratava de um momento fundamental para a dança carioca: assistir, finalmente, a um dos grandes mestres da dança ao vivo. Um entendimento que Danusia Barbara teve ao falar sobre *Carousel*:

> *Peça leve e delicada [...]. Era uma indomada mutação. Um detalhe, um elemento mínimo de significação: no início, uma bailarina, legging vermelho, entra em cena vestindo a camisa pelo avesso. Depois, reaparece com a camisa do lado 'certo'. Nos dois momentos, dança do mesmo jeito. É Cunningham falando em surdina do verso e reverso das coisas, das miúdas transformações essenciais.[16]*

Quem procurava uma dança em que a referência primeira era o movimento, certamente havia encontrado.

The Carlton Dance Festival program followed with one of its most highly anticipated attractions: the Merce Cunningham Dance Company, founded in 1953. An American and one of the geniuses of dance, when Cunningham (1919-2009) still danced with Martha Graham's company in the 1940s, he proposed an autonomous style of dance, very different from conventional dance, which didn't depend on music or sets to determine its structure. It rid itself of ornaments and focused on body movements, using this to establish a distinct relationship with time and space. Movement wasn't reduced to being a vehicle; instead it was the dance itself. There was no story with a beginning, middle, and end, as it was no assumed cause-and-effect relationship between movement and feeling. His dancing organized itself onstage by maintaining a distance between grandiloquence and drama and his technique created a way to transform ideas into movement. Ever since the company's founding, it has provoked different audience reactions. Rio de Janeiro was no different.

In the two presentations at the TM, audiences were split between the feeling of alienation that, according to the critic, even made people "yawn,"[15] and the perception that one was witnessing a fundamental moment in Rio's dance world: finally being able to see one of the greatest dance masters live onstage. This was something that Danusia Barbara realized when speaking about *Carousel*:

> *A light delicate piece . . . . It was an untamed mutation. One detail, one small significant element: in the beginning, a dancer in red leggings enters wearing a shirt inside out. Then, the dancer reappears with the shirt on "right" side out. She dances the same*

Foi também no Carlton Dance Festival de 1988 que David Parsons (1959), bailarino e coreógrafo norte-americano, apresentou obras que chamaram a atenção pela força, ousadia e inventividade como *The Envelope*, *Three Courtesies* e *Scrutiny*. Tanto que no fim do mesmo ano sua companhia, a Parsons Dance Company, retornou ao Theatro Municipal para mais uma série de espetáculos, sempre com sucesso de público e crítica. No *Jornal do Brasil*, de 18 de novembro, Nani Rubin destacou as boas ideias e a alta qualidade de seu trabalho: "o que importa é reconhecer no palco um trabalho onde talento, criatividade e pesquisa se integram de forma surpreendente, passando ao público a informação de que aquilo que ele está vendo [...] é novo e ousado".[17]

Em *Caught*, de 1982, grande sucesso que se tornou sua assinatura, um bailarino parece voar quando seus movimentos são congelados no ar pelos efeitos da luz estroboscópica. Desde sua estreia, a coreografia causou sensação pela cuidadosa elaboração, em que Parsons foi também o responsável pela concepção da luz.

Em maio de 1988, Antonio Gades (1936-2004), um dos mais célebres bailarinos e coreógrafos da dança flamenca, reconhecido por ter redimensionado o gênero, modernizando-o e ao mesmo tempo dialogando com a tradição, incendiou um Municipal lotado. Foi aplaudido de pé em sua versão para *Carmen*, cheia de sensualidade, ritmo e vitalidade, extremamente técnica e plena de tensão: uma dança da melhor qualidade.

Em 1989, o Carlton Dance trouxe um dos nomes mais importantes do cenário mundial: a Martha Graham Dance Company. Criada em 1926, a companhia apresentava-se na América do Sul pela primeira vez em seus 63 anos de existência. Tratou-se do mais importante acontecimento para a dança daquele ano.

ANTONIO GADES. EFE. PH. PEPE LAMARCA

way both times. It's Cunningham speaking quietly about the right and wrong sides of things, about the tiny, essential transformations.[16]

Whoever was looking for dance in which movement is the first point of reference had found it.

It was also at the Carlton Dance Festival in 1988 that American choreographer and dancer David Parsons (1959), presented works such as *The Envelope*, *Three Courtesies*, and *Scrutiny* whose strength, boldness, and invention attracted attention. So much so that at the end of the same year, the Parsons Dance Company returned to the Theatro Municipal for one more series of shows that was also a success with audiences and critics. In the *Jornal do Brasil* on November 18, Nani Rubin highlighted the good ideas in and high quality of Parsons's work: "what's important is recognizing work onstage where talent, creativity, and research come together in a surprising fashion and lets audiences know the information that they're seeing ... is new and bold."[17]

In *Caught*, from 1982, a great success that became the company's signature piece, a dancer seemed to fly when the effects of a strobe light froze his movements in mid-air. Since its premiere, the work has caused a sensation for its painstaking creation in which Parsons was also responsible for the lighting concept.

In May 1988, Antonio Gades (1936-2004), one of the most renowned Flamenco dancers and choreographers, famous for having reworked the genre by both modernizing it and simultaneously dialoguing with tradition, electrified a sold-out Municipal. His version of

Uma das pioneiras da dança moderna e, ao lado de Cunningham, um dos gênios do século XX, Martha Graham (1894-1991) criou uma técnica baseada no binômio contração-relaxamento (*contraction-release*) e nos movimentos em espiral, tudo isso levando em conta a expiração e a inspiração. Profundamente conectada, e preocupada, com a expressão do movimento, Graham tinha na emoção e na expressividade do bailarino uma das chaves de sua produção artística. Pelas suas mãos passaram, em diferentes momentos, Merce Cunningham e Paul Taylor, criadores que posteriormente fundaram suas próprias companhias. Apesar dos caminhos opostos trilhados por esses profissionais, a Martha Graham Dance Company foi um importante centro formador de talentos.

Na temporada carioca, foram apresentadas coreografias de diferentes fases de Graham como coreógrafa: *Errand into the Maze* (1947), *Diversion of Angels* (1948), *Acts of Light* (1981) e *Night Chant* (1988). Momentos que podem ser divididos em quando criava para ela mesma dançar e, depois de 1969, quando se retirou do palco, o que implicou em perceptíveis mudanças em sua escrita coreográfica, de acordo com Cristiana Lara:

> *Nos dois balés dos anos 40, é óbvia a preocupação com a vida e suas implicações psicológicas. O traço emocional está fortemente caracterizado, num tempo em que Graham era, além, de coreógrafa, a primeira bailarina, encarnando os principais papéis. Nos balés mais recentes, o primeiro plano está reservado à coreografia, o que explica o toque mais leve no que se refere ao drama humano.[18]*

Um Theatro Municipal lotado emocionou-se com a presença da mítica companhia.

Nesse mesmo ano, e ainda na programação do Carlton Dance, apresentou-se a companhia

Carmen, brimming with sensuality, rhythm, and vitality – technically taut and tension filled – was given a standing ovation; it was dance of the highest quality.

In 1989, Carlton Dance brought one of the dance world's most important names: the Martha Graham Dance Company. Created in 1926, the company was performing in South America for the first time in its 73-year existence. It was an important dance event that year.

One of the pioneers of modern dance, and, alongside Cunningham, one of the geniuses of the 20th century, Martha Graham (1894-1991) created a technique based on spiral movements and the oppositions of contraction and release, both of which took exhaling and inhaling into consideration. Profoundly connected to and concerned with the expression of movement, one of the cornerstones of Graham's artistic production was the dancer's emotion and expressions. At different moments, Merce Cunningham and Paul Taylor, creators who would later form their own companies, had worked with her. Even though these two professionals would carve opposing paths, the Martha Graham Dance Company was an important center for creating new talents.

During the Rio season, the company presented dances from Graham's different choreographic phases: *Errand into the Maze* (1947), *Diversion of Angels* (1948), *Acts of Light* (1981), and *Night Chant* (1988). These phases can be divided into the time she created dances for herself, and the era after 1969, when she retired from the stage. According to Cristiana Lara, this caused noticeable changes in her written choreography:

> *In the dances from the 40s, her concern with life and its psychological implications is evident. The emotional trait is strongly characterized when Graham was not only the*

MARTHA GRAHAM, *ERRAND OF THE MAIZE*.
1947. PH. MICHAEL OCHS. GETTY IMAGES

choreographer, but also the principal dancer performing the main roles. In the more recent dances, center stage is reserved for choreography, which explains the lighter touch with what one calls the human drama.[18]

A sold-out Theatro Municipal was moved by the presence of the mythic company.

This same year, the Carlton Dance programming also included Ultima Vez, the company created by Belgian choreographer, set designer, and photographer, Wim Vandekeybus (1963). With choreography based on his dancers' physical strength and availability and using objects such as bricks, chairs, and jackets in a non-conventional manner onstage, Vandekeybus provoked controversy with the show *What Your Body Does Not Remember*, with music by Thierry De Mey and Peter Vermeerschem, which presented dance based on risky, powerful, violent, and sensual situations. Considered tedious and repetitive, even questioned about whether or not it was dance, the company was accused of having "shocked" part of the audience, who left the Municipal, and actually booed.[19]

And yet these negative reactions were not unanimous. Presenting Wim Vandekeybus, one of the most important artists of his generation, at the same festival as the Martha Graham Company was fundamental for dance in Rio. The aim wasn't to compare different techniques or aesthetics or consider what is or isn't Art, but to offer access to rich and diverse ways of thinking about and making dance. It was the audience who ended up winning. ■

Ultima vez, do coreógrafo, cenógrafo e fotógrafo belga Wim Vandekeybus (1963). Apoiada na força e disponibilidade física de seus bailarinos, a coreografia usou objetos como tijolos, cadeiras e jaquetas de modo não convencional. Vandekeybus causou polêmica com o espetáculo *What your Body does not Remember*, música de Thierry De Mey e Peter Vermeerschem, que apresentou uma dança pautada em situações de risco, poderosa, violenta e sensual. Considerada tediosa e repetitiva, chegando mesmo a ser questionada se era dança, a companhia foi acusada de ter "espantado" parte da plateia, que se retirou do Municipal – e chegou mesmo a ensaiar uma vaia.[19]

Contudo, apesar das reações adversas, elas não foram unânimes. Apresentar Wim Vandekeybus, um dos mais importantes criadores de sua geração, no mesmo festival que a companhia de Martha Graham foi fundamental para a dança carioca. Não pela comparação de técnicas ou estéticas, o que não se coloca em termos de arte, mas por proporcionar o acesso a maneiras tão diversas e ricas de se pensar e se fazer dança. Quem saiu ganhando foi o público. ∎

GRUPO CORPO, *MISSA DO ORFANATO*. 1989. PH. JOSÉ LUIZ PEDERNEIRAS. COL. GRUPO CORPO

1990 > 1999

ELEKTRA.
ROBERTO OSWALD: ENCENAÇÃO | DIRECTION, GABOR ÖTVÖS: DIREÇÃO MUSICAL E REGÊNCIA | MUSICAL DIRECTION AND CONDUCTOR. TMRJ. 1996. PH. BRUNO VEIGA

PÁGINA ANTERIOR | PREVIOUS PAGE
ESTUDOS PARA | SKETCHES OF
IL TRITTICO BY
PAULO MENDES DA ROCHA.
TMRJ. 1995

A Cia. Ópera Brasil abre 1990 apresentando *Carmen* com Plácido Domingo e Justino Diaz como atrações, só que agora com a Orquestra do Theatro. Entretanto, o Municipal fica totalmente sem verba, e acaba por levar *Bohème* e *Madama Butterfly* em cooperativa.

Reeleito governador, Leonel Brizola, que disse que tinha estado uma única vez no Municipal e ficara sufocado pelos mármores e cristais, transformou os anos 1991>1994 em anos perdidos, três óperas em quatro anos, e 93 sem uma única!

Em 1995, da noite para o dia, uma grande diferença se estabelece com o quadriênio anterior. Chamado por sua atuação à frente do Municipal de São Paulo, o gaúcho Emilio Kalil faz voltar as belas noites de ópera no Municipal do Rio. Em 95 um *Trittico* moderno, na boa acepção da palavra, introduz 12 novos cantores nacionais e 13 elementos do coro como solistas. *La Traviata*, numa produção do Chile, serve para o esperado sucesso de Cristina Gallardo-Domas. Os japoneses trouxeram elenco e cenários para *Yuzuru* de Kinoshita. O ano seguinte foi um ano *mirabilis*. Começou com *Elektra,* no elenco a insuperável Leonie Rysanek e o perfeito Tom Fox, dirigidos por Gabor Ötvös. *Fidelio* nos fez conhecer o estupendo Alan Held, regência de Stefan Lano. As duas próximas produções seguintes foram *Bohème* com Eliane Coelho e *Norma* regida por

Nineteen ninety opened with the Brazil Opera Company's performance of *Carmen* starring Plácido Domingo and Justino Diaz, this time with the Theatro's own orchestra. The Theater at the time lacked any funding whatsoever, and staged *La Bohème* and *Madama Butterfly* with the help of a cooperative.

Leonel Brizola, elected for his second term as governor of Rio de Janeiro, said he had only once been to the Theatro and that he'd "been suffocated by its marbles and crystals." The following years resulted in lost seasons, with only three operas staged in four years, and 1993 passing without a single performance!

Change came suddenly in 1995. The Theatro Municipal hired Emilio Kalil, from the state of Rio Grande do Sul, after his success at the Theatro Municipal in the neighboring city of São Paulo. His tenure restored the lovely Theatro Municipal evenings in Rio. In 1995, the theater staged a modern (in the best sense of the word) performance of *Il Trittico*, introducing 12 new domestic singers and 13 members of the choir as solo performers. A Chilean production of *La Traviata* prompted the success of Cristina Gallardo-Domas. Kinoshita's *Yuzuru* was performed by a Japanese cast and sets. The next year was a veritable *annus mirabilis*. It began with *Elektra*, starring the incomparable Leonie Rysanek and the irreproachable Tom Fox, directed by Gabor Ötvös. *Fidelius* introduced the compelling Alan Held directed by Stefan Lano. They were followed by *La Bohème* with Eliane Coelho and *Norma* directed by Veltri and Censabella. All three productions came from Argentina's Teatro Colón. The year came to a close with *The Nose* in its famous staging by Moscow's Camera Opera Theater.

ópera
opera
BRUNO FURLANETTO

IL PAGLIACCI.
ENCENAÇÃO | DIRECTION: BIA LESSA,
DIREÇÃO MUSICAL E REGÊNCIA |
MUSICAL DIRECTION AND CONDUCTOR:
KAMAL KHAN, CORO E ORQUESTRA
SINFÔNICA DO TMRJ.
1997. PH. BRUNO VEIGA

Veltri e Censabella. As três produções vieram do Colón. E o ano terminou com *O Nariz* na famosa encenação do Teatro de Ópera de Câmara de Moscou. Em 97 uma novidade, *Ifigênia em Táuris*, com os bailarinos do Tanztheater de Pina Bausch em cena e os cantores nos camarotes, entre os quais estava uma estupenda Christine Brewer. Mas era o tipo de espetáculo que desagradava tanto os amantes da ópera quanto os da dança.

Com relação à montagem da dupla *Cavalleria* e *Pagliacci*, é a segunda que tem uma excelente direção de Bia Lessa, o que não ocorre com a primeira. O terceiro espetáculo foi o sonho de qualquer amante de ópera: duas grandes *prime donne*: Renata Scotto em *La Voix Humaine* e Eva Marton em *O Castelo de Barba Azul*. 1998 começou com um equívoco: *Time Rocker* era um espetáculo de Robert Wilson, com música, e não uma ópera. Seguiu-se um dos grandes momentos da história do Municipal: *Don Carlo*, espetacular produção do Colón de Hugo de Anna, onde Leona Mitchell, Giovanna Casolla e Dimitri Kavrakos brilharam, mas James Morris dominava tudo e todos como Felipe II. Encerrou o ano e o período *Salomé*, soberbamente regida por Ötvös, com a excelente Makris e o bom Rouillon, mas desapontamento total com a Herodias da famosa Anja Silja. ∎

RENATA SCOTTO, *A VOZ HUMANA*.
ENCENAÇÃO | DIRECTION ALBERTO RENAUD,
DIREÇÃO MUSICAL E REGÊNCIA | MUSICAL DIRECTION
AND CONDUCTOR GABOR ÖTVÖS.
TMRJ. 1997. PH. BRUNO VEIGA

|||||||||||||||||||||||||||||||||||||||||||||||||||||||||||||||||||||||||

In nineteen ninety seven, there was a novel performance at the Theatro of *Ifigênia em Táuris*, with dancers from Pina Bausch's Tanztheater onstage and singers performing at the boxes, among them the excellent Christine Brewer. However, it was the type of performance that displeased both opera and ballet lovers. This was followed by the duet *Cavalleria* and *Pagliacci* both directed by Bia Lessa, the *Cavalleria's* lackluster direction was more than compensated for by the excellent direction of *Pagliacci*. This was followed by two billings that were an opera lover's dream, Renata Scotto in *La Voix Humaine* and Eva Barton in *Bluebeard's Castle*, both prima donnas in their own right. The next year, 1998, began with a mistake, Robert Wilson's *Time Rocker* had music but it wasn't an opera. Nevertheless, one of the pinnacles in the Theatro's history soon followed, *Don Carlo*, in a spectacular production by Hugo de Ana for the Teatro Colón. Leona Mitchell, Giovanna Casolla eand Dimitri Kavrakos all shone in that production, but it was James Morris who commanded the stage in all senses as Phillip II. The year and the series ended with a superbly directed *Salomé* by Ötvös, starring an excellent Makris and a good Rouillon, while Anja Silja's Herodias was utter disappointment. ∎

Período de inflação alta, timidez dos patrocinadores e instabilidade política, o início da década de 90 não transcorreu sob os melhores auspícios para a música no Theatro Municipal. As dificuldades econômico-financeiras golpeavam seriamente a Orquestra Sinfônica Brasileira, na qual a primeira metade da década de 90 foi de temporadas bruxuleantes e transição no comando: cada vez mais distante, com seus compromissos em São Paulo e na Europa, Isaac Karabtchevsky acabou passando a batuta, em 1995, a Roberto Tibiriçá. Um maestro convidado, Fabio Mechetti, que começara a chamar a atenção no pódio da OSB em 1989 com a *Sinfonia nº 1* de Mahler, voltou em 1990: "a precisão milimétrica de seus crescendos, o domínio absoluto da dinâmica, a energia agógica com que a matéria orgânica da música foi posta à prova" não passaram despercebidos a Sérgio Nepomuceno em sua interpretação da *Sinfonia nº 2* de Schuman.[1] Radicado nos Estados Unidos, Mechetti teve no fim dos anos 90 uma meteórica passagem como diretor musical do Municipal, onde não conseguiu implantar a modernização administrativa e artística por que a casa ainda clama.

Em 1990, outro jovem regente começava a despontar à frente dos corpos estáveis do TM: Silvio Barbato, que sucederia a Mário Tavares na direção musical. Foi o ano também em que brilharam na casa Alicia de Larrocha em recital e a Academy of Ancient Music de Christopher Hogwood, antes da Orquestra Nacional de Bordeaux Aquitaine em 1991, com Alain Lombard e os solistas Régis Pasquier (no *Concerto para Violino* de Brahms) e Cristina Ortiz (no *K 266* de Mozart).

Em 1991, a OSB retomava com novo nome uma das tradições mais caras aos assinantes e ao público em geral: era a série Os Pianistas, começando com o argentino Bruno Leonardo Gelber e prosseguindo nos anos seguintes com músicos como Arnaldo Cohen em 1992 (já brindando o

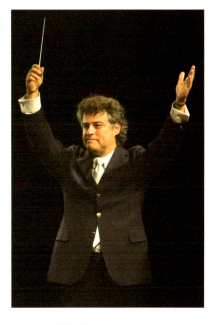

MAESTRO SILVIO BARBATO.
PH. MARCELO DISCHINGER
COL. SILVIO BARBATO

In an era of high inflation, timid sponsorship, and political instability, concert music at the Theatro Municipal didn't get off to a good start in 1990. Economic and financial difficulties took a serious toll on the Orquestra Sinfônica Brasileira (OSB) and the first half of the decade featured lackluster seasons and changes at the helm. Because of his engagements in São Paulo and Europe, Isaac Karabtchevsky increasingly withdrew from the orchestra and, in 1995, handed the baton over to Roberto Tibiriçá. Guest conductor Fabio Mechetti, who in 1989, began to draw attention at the OSB podium with his performance of Malher's Symphony No. 1, returned in 1990. Music critic Sérgio Nepomuceno was quick to notice "the pinpoint precision of his [Mechetti's] crescendos, the absolute mastery of dynamics, and the agogic energy which put the organic material to the test" in his interpretation of Schuman's Symphony No. 2.[1] Living in the U.S., Mechettis's term as musical director of the Municipal was meteoric and he was unable to modernize the theater either artistically or administratively, two tasks that still remain undone.

In 1990, Silvio Barbato, who eventually succeeded veteran Mário Tavares as musical director, was another young conductor being considered for the changing of the guard. That same year, incidentally, was graced by the brilliance of Alicia de Larrocha´s recital and Christopher Hogwood's performance with the Academy of Ancient Music.

Alain Lombard led the Bordeaux Aquitaine National Orchestra with violin soloist Régis Pasquier (in Brahms's Violin Concerto) and pianist Cristina Ortiz (Mozart's Piano Concerto, K266) in 1991. That same year, the OSB reenacted one of the traditions dearest to concert subscribers and general audiences: the series Os Pianistas [The Pianists],

concerts & recitals
CLÓVIS MARQUES

público com sua fenomenal interpretação da *Sonata* de Liszt), Ricardo Castro (recém-laureado em 1993 no prestigioso Concurso de Leeds) e o vietnamita Dang Tai Son, grande premiado do Concurso Chopin de Varsóvia, que impressionou em 1994 com a riqueza de sua arte e se tornaria um queridinho do público carioca. 1991 foi também o ano em que Gundula Janowitz voltou ao Theatro, dessa vez acompanhada da Sinfônica Brasileira nos *Wesendonck Lieder* de Wagner.

Para os melômanos da cidade, ir a Municipal ouvir música de concerto significava acompanhar as temporadas dos grandes promotores privados de concertos. Seguindo a trilha do Mozarteum, foi possível em 1991 enveredar por escaninhos menos visitados do repertório, com a *Sinfonia nº 1* de William Walton pela Filarmônica Real de Londres, dirigida por Vladimir Ashkenazy, e o *Concerto para Trompa nº 1* de Richard Strauss, solado por Marie Luise Neunecker à frente da Orquestra Sinfônica da Rádio de Frankfurt, regida por Dimitri Kitaienko. Um feiticeiro da regência viria no ano seguinte: o lendário Sergiu Celibidache com sua Filarmônica de Munique, que moldava desde 1979 segundo as exigências de seu rigor idiossincrático. No *Jornal do Brasil*, em 16 de maio, Mauro Trindade registrava, a propósito de sua interpretação do *Don Juan* de Richard Strauss:

> *O evangelho musical de Sergiu Celibidache prega a música como revelação. Com absoluta economia de gestos e um estilo muito pessoal, o romeno chegou a regiões inexploradas da partitura. No final da coda, ergueu um dos mais poderosos fortíssimos já ouvidos naquele teatro, seguido de uma pausa aterrorizante. O público inteiro ainda estava nas alturas quando o maestro puxou o tapete e deixou a todos no ar. Depois de tanto som, Celibidache criou um vácuo dramático que paralisou o Municipal. Por um instante, ninguém respirou. A plateia não sabia ao certo o que fazer. Os aplausos vieram pingados, nervosos. Perplexidade total.*

starting with Bruno Leonardo Gelber from Argentina and later musicians such as Arnaldo Cohen in 1992 (who offered a phenomenal interpretation of Liszt's Piano Sonata), Ricardo Castro (a recent award winner in 1993 at the prestigious Leeds competition), and Dang Tai Son (grand prize winner at the Warsaw Chopin Competition), who in 1994 impressed everyone with her rich art and became a darling among Rio's concertgoers. Also in 1991, singer Gundula Janowitz returned to the Municipal to perform Wagner's *Wesendonck Lieder* with the OSB.

For Rio's music lovers, a night out at the Municipal meant attending the seasons organized by the great private-sector producers of concert music. Following in the footsteps of the Mozarteum, it was possible in 1990 to venture into lesser explored areas of the concert repertory with such works as William Walton's Symphony No. 1 with Vladimir Ashkenazy leading the London Royal Philharmonic, and Richard Strauss's Trumpet Concerto No. 1, featuring soloist Marie Luise Neunecker with conductor Dimitri Kitaienko and the Frankfurt Radio Symphony Orchestra.

A sorcerer in the art of conducting arrived in 1992: the legendary Sergiu Celibidache with the Munich Philharmonic. Since 1979, Celibidache had been molding the orchestra in his image to fit his demanding idiosyncratic musical personality. In the *Jornal do Brasil* on May 16, Mauro Trindade commented on Celibidache's interpretation of Richard Strauss's *Don Juan*:

> *The musical gospel according to Sergiu Celibidache preaches music as revelation. With an absolute economy of gestures and a very personal style, the Romanian artist delved into the score's uncharted regions. At the end of the coda, the orchestra climaxed with one*

E concluía Trindade:

Sergiu Celibidache não pertence ao nosso tempo. Como Mravinsky, Stokovsky e Furtwängler, o maestro romeno faz parte de uma estirpe de grandes mestres desaparecidos. Quem o viu (e ouviu) anteontem à noite compreendeu que estava diante de uma espécie em extinção. Foi saudado de pé durante vários minutos. E o velho dinossauro também se emocionou.

Celi e seus bávaros voltariam em 1993, e no ano seguinte o Mozarteum programava nova dose dupla de peso, com a Sinfônica de Bamberg regida por Christoph Eschenbach (só Beethoven) e a Orquestra Real do Concertgebouw de Amsterdã com seu diretor, Riccardo Chailly, e um solista de 20 anos que ainda daria o que falar: o violinista russo Maxim Vengerov, que vinha de se tornar depositário do Stradivarius *Reynier* e do arco que pertencera a Jascha Heifetz. Ele tocou divinamente o não menos divino *Concerto* de Mendelssohn.

MAESTRO SERGIU CELIBIDACHE.
PH. LUCIANO FURIA
1978. LUCERNE
COL. LUCIANO FURIA

of the most powerful fortissimos ever heard in the theater, followed by a terrifying pause. The audience was still in the clouds when the maestro pulled the rug out from under them and left them in mid air. After so much sound, Celibidache created a dramatic vacuum that paralyzed the Municipal. For a moment, everyone held his breath; not really sure what to do. Then, the nervous applause began trickling in. It was total bafflement.

And in conclusion, Trindade wrote:

Sergiu Celibidache doesn't belong to our day and age. Like Mravinsky, Stokovsky, and Furtwängler, the Romanian maestro is part of a lost lineage of great maestros. Whoever saw (or heard) him on those two nights, realized he was witnessing a dying species. The old dinosaur Celibidache received a standing ovation for several minutes. And he was deeply moved.

Celibidache, or "Celi" as he was nicknamed, returned with his Bavarians in 1993, and in 1994, Mozarteum served a double shot with the Bamberg Symphony under Christopher

JESSY NORMAN.
TMRJ. 1994. COL. DELL'ARTE

Pela Dell'Arte de Myrian Dauelsberg, enquanto isso, sucediam-se atrações igualmente apetitosas. A Filarmônica de Leningrado apresentou-se aos cariocas em 1991 com Yuri Temirkanov, que três anos antes sucedera a Ievgueni Mravinsky, numa fulgurante *Sexta* de Tchaikovsky, à beira do histrionismo mas magnificamente plástica. A ela responderia, em 1998 – quando a orquestra retornou já rebatizada de Filarmônica de São Petersburgo –, uma *Quinta* que se destacou menos pela grandeza, em programa todo dedicado ao novecentismo russo no qual se destacou a sonoridade muito peculiarmente eslava das madeiras de São Petersburgo.

Antes da Orquestra Nacional de Lille, dos Musici e dos miríficos Arts Florissants de William Christie em 1994, 92 e 93 seriam marcados pelas divas Katia Ricciarelli e Montserrat Caballé, logo sucedidas, em 1994, por Jessye Norman, no mesmo ano do Quarteto Borodin e, mais uma vez, de Mstislav Rostropovich. Sobre dois desses monstros sagrados da vocalidade no século, os críticos cariocas não deixaram de se manifestar.

No *Jornal do Brasil*, Ronaldo Miranda deteve-se em 3 de dezembro de 1993 sobre a "interpretação de um intenso fascínio vocal" da grande Caballé em fim de carreira, frisando que "a grande soprano espanhola é um exemplo de artista que sabe envelhecer, escolhendo criteriosamente um repertório adequado às suas atuais potencialidades vocais"; ele também destacava – além do acompanhamento do pianista argentino Manuel Burgueras – "seus etéreos pianíssimos, que vão ficar, por muito tempo, na memória do público carioca".

No fim do ano seguinte, em dezembro, quando retornou Isaac Stern com a Orquestra de Câmara Franz Liszt, Luiz Paulo Horta, no *JB*, e o delicioso Antonio Hernandez no *Globo* terçavam armas em torno da imensa Jessye Norman. "O monumento vivo invadiu o palco em gestos ágeis,

|||||||||||||||||||||||||||||||||||||||||||||||||||||||||||||||||||||||||||

Eschenbach (in an all-Beethoven program) and the Royal Concertgebouw Orchestra from Amsterdam with director Riccardo Chailly and Russian violin soloist Maxim Vengerov. Vengerov, who, incidentally, had become the owner of Jascha Heifetz´s Stradivarius "Reynier" violin and bow. At that concert, Vengerov played like a god in Mendelssohn's no less godlike Violin Concerto.

Meanwhile, Myrian Dauelsberg at Dell'Arte was bringing in equally appetizing musical dishes. And in 1991, Rio audiences were treated to an almost histrionic, albeit dazzling and magnificent interpretation of Tchaikovsky's *Sixth* with Yuri Temirkanov, who three years before had replaced Ievgueni Mravinsky at the Leningrad Philharmonic. This same orchestra, now renamed the St. Petersburg Philharmonic, returned in 1998 to perform a remarkable, though less grandiose, Tchaikovsky's *Sixth*. The concert featured a full program of 19th-century Russian works that showcased the quite peculiar Slavic sound of the St. Petersburg woodwinds.

Before the Lille National Orchestra, I Musici, and William Christie's marvelous Arts Florissants arrived in 1994, the years 1992, and 1993 were noteworthy for the appearance of divas such as Katia Ricciarelli and Montserrat Caballé, and Jessye Norman in 1994. Incidentally, 1994 was also the year of the Borodin Quartet and the return of Mstislav Rostropovich.

Rio music critics spoke in very glowing terms about two of the century's greatest female voices. In the *Jornal do Brasil* on December 3,

MONTSERRAT CABALLÉ.
TRMJ 1999. COL. DELL'ARTE

sem míngua da majestade", começava Hernandez, que em seu estilo peculiaríssimo dava conta em seguida dos altos e baixos vocais da diva: "aplaudida de pé antes de mover os lábios", ela deu melodias de Ravel "com rara luminosidade", e sua "dicção em francês foi digna da classe de Bernac", mas na *Habanera* da *Carmen* "houve concessões [...] à demagogia, em quedas súbitas, por exemplo, que quebravam a linha do canto", e tudo começara com uma "impressão de achatamento" na emissão da voz. O piano ao seu lado, além disso, era "de lata enferrujada".

Já Horta ficou mais atento à grandeza da intérprete:

Jessye faz o que só os grandes artistas sabem fazer: estabelece com seu público uma relação de absoluta empatia. Ela tem voz imensa e um timbre personalíssimo, puxando para o escuro. Sua afinação também é peculiar, foge às vezes do centro da nota. Na ária de Sansão e Dalila, isso chegou a incomodar. Mas esta foi uma das árias que levaram o público ao delírio. Por quê? Porque ali ela pôs a sua grande alma. Jessye vive o que canta, seja um trecho de Parsifal *ou a quase cançoneta de Satie (deliciosa)* Je te veux. *Faz de sua arte um ato de infinito amor; e isso, parece, vai direto ao coração do público.*

Na segunda metade dos anos 90, a Sinfônica Brasileira continuou se arrastando sem recursos e passou por nova transição: em 1998 Roberto Tibiriçá entregou a batuta ao argentino-israelense Yeruham Scharovsky. Poucos convidados internacionais passaram pelo convívio da OSB nessa fase: a esplêndida pianista russa Lilya Zilberstein, que em 1995 mostrou sua opulência tonal também em recital; seus compatriotas o violinista Dimitri Sitkovetsky no mesmo ano, o pianista Mikhail Rudy e o violinista Boris Belkin em 1996; e em 1997, o pianista irlandês Barry Douglas, denso

¡¡

Ronaldo Miranda examined Caballé, now at the twilight of her career, and her "intensely fascinating vocal interpretation" and pointed out that "the great Spanish soprano is an example of an artist who knows how to gracefully age and wisely choose repertoire suited to her current vocal potential." Miranda went on to remark that, "alongside the accompaniment of Argentine pianist Manuel Burguera, Caballé's gossamer-like pianíssimos will be remembered by Rio concertgoers for a long time."

When Isaac Stern and the Franz Liszt Chamber Orchestra returned in December 1994, Luiz Paulo I Iorta in the *Jornal do Brasil* and the witty Antonio Hernandez in *O Globo* battled it out over the great Jessye Norman. "The great living monument nimbly came on stage without losing any of her majesty," said Hernandez who, in his very unique style, described the American diva's ups and downs: she received "a standing ovation even before she moved her lips," and when she sang Ravel's melodies "with uncommon brightness" her "French diction was up there with Bernac's." However, regarding the *Carmen Habanera,* Hernandez had this to say: "in the sudden drops that broke the lyrical line, for example, there were concessions … to demagogy," and it all began with the "impression of flatness" in her voice. The piano, moreover, sounded like a "rusty can" next to her.

Horta, however, paid more attention to the singer's grandeur:

Jessye does what all great artists know how to do: she builds an absolutely empathic relationship with her audience. Her voice is immense and her timbre, leaning to the dark side, is very much hers. Her pitch is also peculiar and at times it sways away from the note's center. In the Samson and Delilah *aria, that was bothersome. Yet, it was that*

no *Concerto nº 1* de Brahms e eletrizante no bis da paráfrase de Liszt sobre o *Rigoletto*, além de Bella Davidovich e Vladimir Viardo, reforçando o plantel russo.

Beneficiando-se entre 1995 e 1998 de uma gestão dinâmica, chefiada por Emilio Kalil, o Municipal festejou o cinquentenário da arte de Paulo Fortes e apresentou as Irmãs Labèque e um outro duo pianístico ilustre, o das brasileiras Lilian Barretto e Linda Bustani, em 1995; comemorou em 1996 o centenário de morte de Carlos Gomes – não com montagens de ópera, é verdade, mas com um concerto –, trouxe o Ensemble Intercontemporain com Pierre Boulez e um repertório moderno inusitado para os padrões locais e ainda convidou o Quarteto Guarnieri; em 1997 homenageou Lorenzo Fernandez e Francisco Mignone centenários, além de receber Teresa Berganza e Leona Mitchell; e brindou seu público em 1998 com uma integral das sinfonias e concertos de Beethoven.

Refundada em 1994 com o patrocínio da Petrobras, a orquestra Pró Música de Armando Prazeres passava a frequentar mais assiduamente o Municipal, tendo aberto espaço para a música de compositores brasileiros, mas perdendo seu fundador, morto tragicamente em 1999. Uma outra refundação – a da Orquestra Sinfônica do Estado de São Paulo – começaria a ecoar no grande palco carioca no fim da década.

As atividades do Mozarteum esmoreceram um pouco na segunda metade da década, envolvendo apenas a Orquestra Sinfônica Tchaikovsky da Rádio de Moscou, com Vladimir Fedoseyev, em 1996, e a Filarmônica da Ópera de Kiev em 1999 com Vladimir Koschuchar. Mas a Dell'Arte segurou a peteca e outras empresas entravam em campo – entre elas a Antares, responsável por uma proeza: ter feito desfilarem em 1996, perante um público desabituado das grandes vozes,

||||||||||||||||||||||||||||||||||||||||||||||||||||||||||||||||||||||||||||||||||||||||||||

very air that drove the audience wild. Why? Because she sang it from her great soul. Jessye lives what she sings, be it a selection from Parsifal *or Satie's lovely café-concert song,* Je te veux. *She turns her art into an act of everlasting love and that's what apparently touches audiences' hearts.*

During the second half of the 1990s, the OSB, still dragging itself along without support, underwent a new transition: in 1998 Roberto Tibiriçá handed the baton over to Argentine-Israeli Yeruham Scharovsky. The OSB received few guest artists during this time: the splendid Russian pianist Lilya Zilberstein, who, in 1995, showcased her tonal lushness in a recital; and that same year, her fellow countrymen, violinist Dimitri Sitkovetsky and pianist Mikhail Rudy; violinist Boris Belkin came in 1996. In 1997: two more Russian artists, Bella Davidovich and Vladimir Viardo as well as Irish pianist Barry Douglas in a penetrating rendition of Brahms's Concerto No. 1 and an electrifying encore of Liszt's *Rigoletto-Paraphrase.*

While the Municipal benefitted from Emilio Kalil's dynamic management from 1995 to 1998, it celebrated the 50th anniversary of the art of Paulo Fortes in 1995 and presented the Labèque sisters as well as a renowned Brazilian piano duo: Lilian Barreto and Linda Bustani. That year saw a performance by the Guarnieri Quartet as well as a concert rather than a staged opera in memory of the centennial of the death of Carlos Gomes: Pierre Boulez and the Ensemble Intercontemporain in a performance of unusual contemporary music for unaccustomed local ears.

as divas Kathleen Battle, June Anderson e Barbara Hendricks ainda na plena posse de seus meios vocais. A Allegro, por sua vez, esquentou o mês de agosto de 1995 com Pinchas Zukerman e seus amigos cameristas e a fulgurante Midori, com Beethoven e Tchaikovsky, mas também Schnittke, Bartók e Szymanowski no repertório de seu violino.

Se vieram ainda, em 1995, a Academy of St. Martin-in-the-Fields com Neville Marriner, a Staatskapelle Berlin com Barenboim num programa Beethoven, o fino Vladimir Ashkenazy ao piano em Beethoven e Prokofiev e o não menos requintado Quarteto de Tóquio, dois pontos altos terão sido ouvir Elgar (as deslumbrantes *Variações Enigma*) com uma orquestra inglesa, a Royal Philharmonic, regida por Yehudi Menuhin, e o raro oratório *Elias*, de Mendelssohn, com a Orquestra e Coro Gulbenkian de Lisboa dirigidos por Michel Corboz, com solistas como Sandrine Piau, Elizabeth Graf, Reinaldo Macias e Peter Lika.

1996 tampouco foi avaro de grandes nomes, a começar pela volta de Ashkenazy, desta vez à frente da Orquestra de Jovens da União Europeia, com Christian Tetzlaff solando o *Concerto para Violino* de Tchaikovsky. Dois pianistas idiossincráticos, o jovem Ievgueni Kissin e o menos jovem Ivo Pogorelich, marcaram presença, assim como Maxim Vengerov com seu violino e o Quarteto Guarneri de Nova York. Mas à parte Kurt Masur à frente de sua Orquestra da Gewandhaus de Leipzig (na *Romântica*, de Bruckner), o *frisson* do ano – que se repetiria no ano seguinte – foi o flamejante Ievgueni Svetlanov, com a Orquestra Sinfônica de Estado da Rússia num programa Tchaikovsky. Não contente com uma plasticidade gestual que quase tornava visual a experiência musical, Svetlanov sentou-se numa das cadeiras e cruzou os braços durante um dos números extras, para mostrar como seu "instrumento" era capaz de obedecer à sua vontade até tocando sozinho!

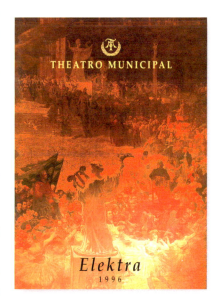

CAPA DO PROGRAMA | PROGRAM COVER,
ELEKTRA. DESIGN SYLVIA MONTEIRO
TMRJ. 1996

In 1997, the Municipal celebrated the centennials of Lorenzo Fernandez and Francisco Mignone, treated the public to the complete cycle of Beethoven symphonies, and brought in Teresa Berganza and Leona Mitchell.

Sponsored by oil giant Petrobras, the Pró Música de Armando Prazeres Orchestra came back to life in 1994 and began appearing more frequently at the Municipal where it opened doors for music by Brazilian composers. Unfortunately, its founder Armando Prazeres met a tragic death in 1999. Another reborn ensemble, the Orquestra Sinfônica do Estado de São Paulo, also performed on Rio's stage towards the end of the decade.

Mozarteum's activities waned somewhat in the second half of the decade, bringing in only the Tchaikovsky Symphony Orchestra of Moscow Radio with Vladimir Fedoseyev in 1996 and the Kiev Opera Philharmonic with Vladimir Koschuchar. At any rate, Dell'Arte kept the ball rolling and other producers were also entering the field including Antares, who performed the feat of booking concerts with such divas as Kathleen Battle, June Anderson, and Barbara Hendricks, all at the height of their vocal powers, for audiences unaccustomed to hearing such great voices. Moreover, Allegro made August 1995 an exciting month with performances by Pinchas Zukerman and his chamber player friends, and the dazzling violinist Midori with a repertory of Beethoven, Schnittke, Bartók, and Szymanowski.

Nineteen ninety-five also saw the Academy of St. Martin-in-the-Fields with Neville Marriner, Barenboim, and the Staatskapelle Berlin in an all-Beethoven program, Vladimir Ashkenazy's elegant piano performing Beethoven and Prokofiev, and the equally classy To-

Em 1997, os cariocas foram brindados com a estreia *in loco* de Kiri Te Kanawa, uma das vozes de sonho do século, artista de expressividade requintada mas algo distante, quando não fria, que se apresentou – com o pianista Grant Gershon – em programa avaro de notas (pouco mais de uma hora de música) e de emoções. Em compensação, Teresa Berganza exalava musicalidade, humor e afeto por todos os poros, ainda com o timbre cálido, a pelica bronzeada e o cobre lustroso do registro médio belamente preservados, num recital acompanhado de pianista de finíssimo trato, Juan Antonio Alvarez Parejo. Em ano decididamente atípico deste ponto de vista, uma terceira grande voz – esta no apogeu – aportou no Municipal: a do barítono russo Dimitri Hvorostovsky, em programa eclético acompanhado pelo pianista Mikhail Arkadiev.

Foi também o ano em que teve início uma espécie de surto repetitivo da *Sinfonia nº 5* de Mahler, tocada inicialmente pela Orquestra de Jovens da Sinfônica de Boston e regida depois por Marek Janowski à frente da Orquestra Sinfônica Alemã de Berlim e meses mais tarde por Simon Rattle com a Sinfônica de Birmingham, neste caso em programa comportando também – original acoplagem! – a *Serenata Gran Partita* de Mozart. Riccardo Chailly com a Orquestra do Concertgebouw de Amsterdã e Zubin Mehta com a Filarmônica de Israel voltariam à *Quinta* mahleriana respectivamente em 1998 e 2001. Pensar que Mahler criou nove outras sinfonias e que os programadores tampouco ignoram que Sibelius ou Shostakovich, Nielsen e Martinu, Prokofiev, Elgar, Santoro, Hindemith e dezenas de outros compositores também se esmeraram na composição de sinfonias!

Pelo menos Kurt Masur voltou com Bruckner – desta vez a *Terceira* – em seu programa desse mesmo ano de 1997 com a Filarmônica de Nova York, e a Filarmônica de Buenos Aires trouxe as

kyo Quartet. Other highlights included Elgar's dazzling *Enigma Variations* with the Royal Philharmonic from England under Yehudi Menuhin and Mendelssohn's rarely performed oratory *Elijah* with Lisbon's Orquestra e Coro Gulbenkian conducted by Michel Corboz, and soloists Sandrine Piau, Elizabeth Graf, Reinaldo Macias, and Peter Lika.

The next year featured fewer great names but included the return of Ashkenazy, this time conducting the European Union Youth Orchestra with violin soloist Christian Tetzlaff in Tchaikovsky's Violin Concerto, two idiosyncratic young pianists – Ievgueni Kissin and the slightly older Ivo Pogorelich – and violinist Maxim Vengerov with New York's Guarnieri Quartet. The thrill of the year, however, was Kurt Masur, who returned in 1996, leading the Leipzig Gewandhaus Orchestra in a performance of Bruckner's *Romantic Symphony*. Also, the fiery Ievgueni Svetlanov with the Russian State Symphony Orchestra appeared an all-Tchaikovsky program. Not happy with his tangible gestures that made the musical experience almost visual, Svetlanov sat down in one of the chairs and crossed his arms during one of the encores as if to show that his "instrument" was capable of obeying his wishes even when playing alone!

One of the century's great dream voices and an expressive and somewhat distant if not cold, artist, Kiri Te Kanawa appeared in 1996 with pianist Grant Gershon in a program bereft of notes (a little less than half an hour of music) and feeling. Teresa Berganza, however, made up for that with musicality, humor, and affection emanating from every pore. Her warm tone, with its golden hues and shining copper-like tones in the middle range beautifully preserved, was accompanied by Juan Antonio Alvarez Parejo, an extremely refined pianist. In a

Variações Concertantes de Ginastera e os *Três Tangos para Bandoneón e Orquestra* de Piazzolla. Zubin Mehta e seus israelenses retornaram mais uma vez, Pinchas Zukerman regeu e solou (o *Concerto para violino* de Beethoven) com a English Chamber Orchestra, a Orquestra de Câmara de Genebra regida por Tierry Fischer ofereceu o raro e belo *Concerto para Instrumentos de Sopros, Tímpanos, Percussão e Cordas* do compatriota Frank Martin e a Filarmônica de Estrasburgo acompanhou Nelson Freire no *Terceiro* de Bartók. Depois da emoção de ouvir o transcendente Radu Lupu tocando o *Quarto* de Beethoven com a fina Orquestra de Câmara Orpheus, a cereja no alto do bolo da temporada foi o show de escuta fina e cultura musical dado pela Orquestra de Câmara da Filarmônica Tcheca em repertório todo eslavo.

Em matéria de transcendência, 1998 seria marcado por nova apresentação de Itzhak Perlman com seu violino do céu não isento de artes demoníacas, acompanhado em bela simbiose – na *Kreutzer* de Beethoven e na *Sonata* de Franck – pelo pianista Samuel Sanders. Se a Filarmônica de São Petersburgo já era conhecida com seu maestro Temirkanov, a Orquestra de Filadélfia aportava pela primeira vez com sua sonoridade opulenta, sob a batuta de Wolfgang Sawallisch. Vieram também a Sinfônica de Montreal com Charles Dutoit; a Filarmônica de Liège com Pierre Bartholomée e um Boris Belkin suntuosamente afeito aos riscos no denso e escarpado *Concerto para Violino* de Sibelius; e a Orquestra Nacional da Espanha, num belíssimo concerto em que Rafael Frühbeck de Burgos soube rebuscar magicamente a aristocracia camerística das evocações ciganas e andaluzas da música de Manuel de Falla. Além do Quarteto de Tóquio acompanhado de Barry Douglas ao piano, brilhou ainda na temporada Dell'Arte a Academy of Ancient Music de Christopher Hogwood.

definitely atypical year from this standpoint, a third great singer at the height of his powers made an appearance: Russian baritone Dimitri Hvorostovsky in an eclectic program accompanied by pianist Mikhail Arkadiev.

Nineteen ninety-six was also the year when Mahler's Symphony No. 5 received numerous renditions, first by the Boston Youth Orchestra and then by Marek Janowski and the Berlin German Symphony Orchestra, and a few months later by Simon Rattle and the Birmingham Symphony in a program that paired Mahler with an unusual match: Mozart's *Serenata Gran Partita*.

Riccardo Chailly and the Amsterdam Concertgebouw and Israel Philharmonic returned and performed Mahler's *Fifth* in 1998 and 2001 respectively. So many performances of the same piece are hard to imagine since producers must know Mahler wrote nine other symphonies and that names such as Sibelius, Shostakovich, Nielsen, Martinu, Prokofiev, Elgar, Santoro, Hindemith, and dozens of others also made worthwhile contributions to the symphonic repertoire.

At least Kurt Masur returned to perform Bruckner – this time his Symphony No. 3 with the New York Philharmonic in 1997. That year also brought in the Buenos Aires Philharmonic in a performance of Ginastera's *Variaciones Concertantes* and Piazzola's *Tres Tangos para Bandoneón y Orchestra*. Other highlights: Zubin Mehta and his Israeli ensemble returned that year; Pinchas Zucherman conducted and soloed (Beethoven's Violin Concerto) with the English Chamber Orchestra; the Geneva Chamber Orchestra under Thierry Fischer offered their Swiss compatriot Frank Martin's lovely but rarely heard Concerto for wind instruments,

Mas o grande motivo de satisfação para os melômanos cariocas em 1998 terá sido ouvir a Orquestra Sinfônica do Estado de São Paulo pela primeira vez em sua nova fase, comandada por John Neschling em programa com a *Quarta* de Brahms, *Estância*, de Ginastera, e a rara abertura *Werther*, de Alexandre Levy, bela manifestação de um certo mendelssohnismo tardorromântico desencavada dos arquivos empoeirados por iniciativa da Osesp em sua auspiciosa refundação: o Brasil dotando-se pela primeira vez de uma orquestra de padrão realmente mundial.

MAESTRO JOHN NESCHLING.
PH. MARCIO SCAVONE.
COL. MARCIO SCAVONE.

No último ano da década voltou Mstislav Rostropovich, repetindo um de seus cavalos de batalha – o *Concerto para Violoncelo* de Dvořák – com a Sinfônica de Budapeste regida por Tamás Vásáry. Uma única grande voz brindou o público do TM com suas artes este ano: o baixo-barítono belga José van Dam, em programa de *Lieder* e *Chansons* todo feito de meias-tintas e matizes sombreados. Se a Filarmônica da Rádio França estreou as raras *Métaboles* de Henri Dutilleux sob o comando de Marek Janowski, Lorin Maazel regeu o *Pássaro de Fogo* pela milionésima vez, nesta oportunidade com a inconfundível poeira de seda das cordas da Filarmônica de Viena.

Vieram também, em 1999, a Orquestra da Rádio de Hanôver, a Filarmônica de Colônia com James Conlon e o Octeto de Cordas da Filarmônica de Berlim, além da

timpani, percussion, and strings; and finally the Strasburg Philharmonic joined forces with pianist Nelson Freire in a performance of Bartók's Piano Concerto No. 3.

After experiencing the thrill of hearing the transcendental Radu Lupu perform Beethoven's Piano Concerto No. 4 with the Orpheus Chamber Orchestra, the season's cherry on the cake for discerning music connoisseurs was a concert featuring the Czech Philharmonic Chamber Orchestra in a program of all-Slavic music. In terms of transcendence, Itzhak Perlman's violin, accompanied by pianist Samuel Sanders in a lovely symbiosis of Beethoven's *Kreutzer* and Franck's Sonata, sounded heavenly with a bit of black magic thrown in. Maestro Temirkanov and the St. Petersburg Philharmonic were already known to Rio audiences, but the lush sound of the Philadelphia Orchestra's debut under the baton of Wolfgang Sawallisch was a new treat. Other appearances included the Montreal Symphony with Charles Dutoit, the Liege Philharmonic with Pierre Bartholomée and violinist Boris Belkin, magnificently at home with the risks of Sibelius's deep and rugged Violin Concerto. The Spanish National Orchestra performed an exquisite concert where Rafael Frühbeck magically made the most of the chamber grandeur in the gypsy and Andulusian evocations of Manuel de Falla's music. In addition to the Tokyo Quartet accompanied by pianist Barry Douglas, the Dell'Arte season sparkled with Christopher Hogwood and the Academy of Ancient Music.

Still, the main reason for the satisfaction of Rio's music lovers in 1998 was probably the chance to hear the Orquestra Sinfônica do Estado de São Paulo (OSESP) for the first time in its new phase under conductor John Neschling in a program consisting of Brahms's Symphony No. 4, Ginastera's *Estancia*, and Alexander Levy's rarely heard overture, *Werther*, a

Orquestra de Câmara de Moscou e Montserrat Caballé acompanhada da Sinfônica da Bahia. Enquanto Pierre Amoyal solava o *Concerto para Violino* de Mendelssohn com a OSB e seu novo diretor, Scharovsky, dois pianistas de exceção marcaram o ano: Lazar Berman em Liszt e nos *Quadros de uma Exposição* de Mussorgsky; e Nelson Freire de volta ao Municipal depois de ausência de cinco anos, em programa exclusivamente Chopin.

Em sua meteórica passagem pela direção musical do Theatro Municipal, Fabio Mechetti fez a orquestra da casa pulsar com garra e força tranquila numa bela *Quarta* de Brahms, para em seguida acompanhar o Trio Beaux Arts – que recém-integrara Antonio Meneses como violoncelista – num lépido *Concerto Tríplice* de Beethoven. ∎

work permeated with lovely late Mendelssohnian romanticism. Thanks to the efforts of the OSESP during its auspicious revamping, Levy's forgotten work was salvaged from a dusty file cabinet. Brazil finally had its own world-class orchestra.

In the decade's last year, Mstislav Rostropovich returned with his war horses – Dvořak's Cello Concerto with the Budapest Symphony under Tamás Vásáry. Only one great voice treated the TM audience to its art in 1999: Bass baritone José van Dam, in a program consisting of *lieder* and *chansons,* all performed with twilight-like colors and shadowy nuances. The Radio France Philharmonic premiered Henry Dutilleux's seldom-performed *Métaboles* under Marek Janowski, and Lorin Maazel conducted *The Firebird Suite* for the millionth time, with the unmistakable silk dust of the Vienna Philharmonic strings.

Other appearances in 1999 included the Hanover Radio Orchestra, the Cologne Philharmonic with James Conlon, the Berlin Philharmonic String Octet, the Moscow Chamber Orchestra, and Montserrat Caballé accompanied by the Sinfônica da Bahia. Pierre Amoyal was the featured soloist in Mendelssohn's Violin Concerto with the OSB and its new director, Scharovsky. Two outstanding pianists also graced the Municipal's stage that year: Lazar Berman performing Liszt and Mussorgsky's *Pictures at an Exhibition,* and, after a five-year absence, Nelson Freire in an all-Chopin program

In his meteoric rise as the Theatro Municipal's musical director, Fábio Mechetti injected verve and peaceful strength into the house orchestra in a beautiful rendition of Brahms's Symphony No. 4. Mechetti also accompanied the Trio Beaux Arts – who had recently taken on cellist Antonio Meneses – in a joyous rendition of Beethoven's Triple Concerto. ∎

O IV Carlton Dance Festival abriu a década de 1990. O Tanztheater Wuppertal de Pina Bausch (1940-2009) apresentou-se nos dois últimos dias de março e em 1º de abril de 1990. Foram encenações de imagens fortes, desconcertantes e, ao mesmo tempo, poéticas.

Referência mundial, a bailarina e coreógrafa alemã é reconhecida como uma das contribuições mais ricas e inovadoras da cena artística da atualidade. Pina redefiniu os rumos da dança com uma proposta em que dança, teatro, música e outras referências artísticas são incorporadas para criar um espetáculo. Certa vez, ao ser indagada sobre seu trabalho, disse: "O que me interessa não é como as pessoas se movem, mas sim o que as move". Em sua trajetória artística construiu uma dramaturgia da dança. Seu foco, portanto, nunca esteve em sequências de técnica brilhante, como rápidas e múltiplas piruetas e grandes saltos, mas sim nas emoções e nos sentimentos que conduzem as pessoas em seu dia a dia e as atitudes daí resultantes. Em suas obras as fronteiras entre dança e teatro se dissolvem, reorganizando-se e inaugurando um modo único e bem distinto de encenação.

Em cena seus bailarinos fazem tudo, menos aquilo tradicionalmente reconhecido como dança, isto é, sequências de passos realizados linearmente ao som de música. Eles correm, cantam, gritam, choram, se jogam, se desesperam, se alegram e se entristecem, explicitando as relações construídas no cotidiano em sociedade. Tudo isso em ações simultâneas e repetições que criam diferentes possibilidades de entendimento para o que é dado a ver. Nada é linear ou previamente explicitado. O espectador, assim como o bailarino de Bausch, é conduzido ao turbilhão de emoções que costuma emergir em suas peças.

Ouviu-se um Grito Vindo da Montanha, de 1984, foi a obra apresentada no Carlton Dance. O crítico teatral Macksen Luiz foi certeiro ao apontar que "o tempo de Pina Bausch tem outra

BEATRIZ CERBINO

The IV Carlton Dance Festival opened the 1990s. Pina Bausch's (1940-2009) Tanztheater Wuppertal gave performances on March 30, 31, and April 1, 1990. These performances included strong, disturbing, yet simultaneously poetic, images.

Internationally well known, the German dancer and choreographer was recognized as having made one of the richest and most innovative contributions to the current arts scene. Pina redefined the direction of dance with her idea that dance, theater, music, and other artistic references be incorporated in the performance. In an interview, she said, "What interests me is not how people move, but what moves people." Throughout her artistic trajectory she constructed a dramaturgy of dance. Her focus, therefore, was never on sequences of brilliant technique, such as quick, multiple pirouettes and great leaps, but in the emotions and feelings that drive people in their day-to-day lives and the attitudes that result from them. In her works, the frontiers between dance and theater dissolve, and then are reorganized to inaugurate a unique and very distinct *mis-en-scène*.

Her dancers do everything on stage except that which is traditionally recognized as dance, in other words, linear sequences of steps danced to the sound of music. They run, sing, yell, cry, throw themselves, and become desperate, happy, or sad by making explicit the relationships built in society every day. This is done via simultaneous repetitive actions that create different possibilities of understanding what is being viewed. Nothing is linear or previously explained. Like Bausch's dancers, the spectator is driven to the flood of emotions that often emerge in her works.

coreografia". É exatamente na construção dessa outra relação espaço-tempo-movimento que a coreógrafa elabora sua obra.

> *O espetáculo não oferece ao espectador uma história que se apreenda da mesma maneira que a fábula tradicional. [...] Apenas captam-se emoções primordiais. A história é o que menos importa, dentro de uma aparente sucessão de imagens anárquicas. Pina explora os elementos que apoiam uma história, transferindo para imagens referências díspares de um imaginário comum.[1]*

A própria Pina, em entrevista coletiva no Rio de Janeiro, disse que não desejava que o público tentasse "descobrir a história da peça", mas vivesse a emoção do momento como ela se apresentasse.[2] São nos impactantes textos visuais levados à cena que se pode encontrar a chave para o espetáculo, não para um entendimento linearmente organizado, mas para a percepção de que

PINA BAUSCH TANZTHEATER,
CRAVOS | NELKEN.
PH. TRISTAM KENTON/GUARDIAN NEWS &
MEDIA LTD. 2010

The 1984 *On the Mountain a Cry Was Heard* was the piece presented at Carlton Dance. Theater critic Macksen Luiz was right when he pointed out that "...for Pina Bausch, time has another choreography." It's in this exact construction of a different relationship among time-space-movement that the choreographer presented her work.

> *The performance doesn't offer the spectator a story one learns in the same way as a traditional tale... they just capture primordial emotions. Within an apparent succession of anarchic images, the story is what matters least. Pina explores the elements that support a story, transferring passing references to a common imaginary.[1]*

In a collective interview in Rio de Janeiro, Pina herself said she didn't want audiences to try to "discover the story of the piece," but rather to feel the emotion the moment it appears.[2] One can find the key to her works in the striking visual texts onstage: not the key to a linearly

ali se fala da vida, de relacionamentos e de seus desencontros. Sem hierarquias, sem uma ordem clara, de maneira crua e direta.

No intervalo, do primeiro para o segundo ato, ao som da cantata de Heinrich Schutz que inspirou a peça, uma bailarina permaneceu imóvel em cena, chorando durante os vinte minutos do intervalo, até que as pessoas retornassem aos seus lugares. O estranhamento foi grande. Menor, porém, do que o causado em 1980, quando estiveram pela primeira vez no Rio de Janeiro, apresentando-se no Teatro João Caetano, com as coreografias *Sagração da Primavera*, *Café Müller* e *Kontakthof*. Na ocasião, parte do público deixou o teatro com exclamações de "isso não é dança!".

Pina Bausch retornou ao Theatro Municipal em agosto de 1997, com dois diferentes programas: sua versão para a ópera *Ifigênia em Táuris*, de Gluck, criada em 1974, e *Cravos*, de 1982. O público, então, já estava mais acostumado com suas propostas cênicas. O impacto visual causado por *Cravos*, com seus mais de oito mil cravos espalhados pelo palco do Municipal, foi desconcertante. Força e fragilidade, humor e horror, em cenas que se sucedem sem uma ordem aparente, mas fazem todo sentido quando observadas em conjunto. Pina Bausch usou elementos triviais de maneira altamente sofisticada para fazer dança da melhor qualidade.

Em 1992, o Carlton Dance ocupou mais uma vez o palco do Municipal. Em sua quinta edição o Festival já demonstrava sua importância para a dança carioca, e brasileira, por trazer informações antes não acessadas por nosso público. Entre suas atrações, estava a companhia canadense La La La Human Steps, criada em 1980 por Édouard Lock (1954). O La La La explora a velocidade e os movimentos altamente técnicos e radicais. Com seis bailarinos em cena e música ao vivo, um

organized understanding, but to an awareness that life, relationships, disagreements are being discussed in a cruel and direct way, without hierarchies or a clear order.

In the intermission between the first and second act of a piece inspired by and set to the sound of a Heinrich Schutz cantata, a dancer remained motionless on stage, crying throughout the 20-minute intermission until everyone returned to his or her seats. The discomfort was enormous, although less so than in 1980, when the company first performed in Rio de Janeiro at the Teatro João Caetano, presenting *The Rite of Spring, Café Müller,* and *Kontakthof.* During that occasion, part of the audience left the theater exclaiming, "This is not dance!"

Pina Bausch returned to the Theatro Municipal in August 1997, with two different programs: her version of Gluck's opera *Iphigenia in Taurus* from 1974 and *Carnations* from 1982. By then, audiences were already more accustomed to her theatrical ideas. With its more than 8,000 carnations spread across the stage, the visual impact of *Carnations* was disturbing. Strength and fragility, and humor and horror characterized scenes that appeared to have no clear order, but which made complete sense when viewed as a whole. Pina Bausch used trivial elements in a highly sophisticated way to create dance of the highest quality.

In 1992, Carlton Dance occupied the Municipal stage once again. Then in its fifth edition, the festival had already demonstrated its importance for dance in both Rio and Brazil by bringing information normally unavailable to our audiences. Among its attractions was the Canadian company La La La Human Steps created in 1980 by Édouard Lock (1954). La La La explored speed and extremely technical and radical movements. The show, *Infante, c'est*

guitarrista e um baterista, o espetáculo *Infante, c'est Destroy* lotou o TM. Era grande a expectativa em torno das apresentações, especialmente para ver Louise Lecavalier (1958), então bailarina-musa de Lock. Associada durante anos à imagem da companhia, por sua força física, rapidez e agilidade, Lecavalier impressionou, sobretudo, pelos *barrel jumps*, saltos que parecem piruetas realizadas na horizontal. Assinatura de Lock, presente em algumas de suas coreografias, esses saltos podem ser tomados como um dos parâmetros da dança frenética, vigorosa, de alto impacto criada pelo coreógrafo.

Segundo Édouard Lock, em entrevista ao *Jornal do Brasil*, o estranhamento inicial com suas peças era comum: "a maioria da plateia olha, mas não vê um balé. Mas com o impacto da velocidade, depois de 15 minutos, as pessoas descobrem o fluxo da energia, o sentimento e a vontade do corpo".[3] A plateia descobriu essa conexão, pois ovacionou Lock e a companhia.

De alto nível também foi o programa 'Homenagem aos balés russos' apresentado pelo Ballet do Theatro Municipal, em dezembro de 1996, quando o francês Jean-Yves Lormeau era seu coordenador artístico. No lugar do quebra-nozes, entrou em cena o fauno; no lugar da tradição do balé, a tradição do moderno. Constaram do programa três coreografias do repertório dos Ballets Russes de Diaghilev, que podem ser apontadas como responsáveis por instaurar a modernidade no balé: *L'Aprés-midi d'un Faune*, de 1912, *Sagração da Primavera*, de 1913, e *Les Noces*, de 1923. As duas primeiras criadas por Vaslav Nijinsky (1890-1950) e a terceira por sua irmã, Bronislava Nijinska (1891-1972).

A homenagem, inédita no Brasil, foi uma oportunidade rara de assistir ao vivo essas três coreografias, montadas com extremo cuidado, em produções de ótima qualidade. Passadas oito décadas desde a estreia desses balés, ainda houve quem se incomodasse com os movimentos fortes, ines-

GRUPO CORPO, *21*, 1992. PH. JOSÉ LUIZ PEDERNEIRAS. COL. GRUPO CORPO

GRUPO CORPO, *NAZARETH*.
1993. PH. JOSÉ LUIZ PEDERNEIRAS.
COL. GRUPO CORPO

Destroy, performed to a sold-out Theatro Municipal and featured six dancers onstage and live music with an electric guitarist and a drummer. Audiences had high expectations for the company and were especially anxious to see Louise Lecavalier (1958), who was Lock's dancer-muse at the time. Lecavalier's physical strength, speed, and agility had linked her with the company's image for years. Above all, she astonished audiences with her barrel jumps and leaps that were a kind of horizontal pirouette. These jumps can be understood on the same level as the choreographer's frenetic, vigorous, high-impact dance. They functioned as Lock's signature move and were featured in some of his dances.

In an interview with the *Jornal do Brasil*, Édouard Locke admitted the initial sensation of strangeness was common. "…most of the audience watches, but doesn't see the dance. But after 15 minutes, the impact of speed makes people discover the flow of energy and both the body's feeling and will."[3] The audience must have discovered this connection because it gave Lock and his company a standing ovation.

Another excellent program, *Homenagem aos balés russos* [Homage to the Ballets Russes], was presented by the Ballet do Theatro Municipal in December 1996, when the French dancer Jean-Yves Lormeau was artistic director. A faun came onstage instead of nutcracker, and it featured the tradition of modern rather than conventional ballet. Diaghilev is thought to be one of those responsible for modernizing ballet and the program included three dances from his Ballets Russes: *L'Aprés-midi d'un Faune*, from 1912; *The Rite of Spring*, from 1913; and *Les Noces*, from 1923. Vaslav Nijinsky (1890-1950) created the first two and his sister, Bronislava Nijinska (1891-1972) created the third.

perados e angulares, como apontaram Nayse López e Barbara Heliodora em suas críticas, no *Jornal do Brasil* e em *O Globo*, respectivamente.[4]

Das três obras, apenas *L'Aprés-midi d'un Faune* já havia sido apresentada no Theatro Municipal. Oitenta e três anos depois da montagem encenada pelo próprio Nijinsky no TM, Paulo Rodrigues deu uma interpretação precisa, em montagem supervisionada por Charles Jude (1953), *étoile* da Ópera de Paris.

Les Noces, remontada por Maria Palmeirim, foi aplaudida calorosamente, com destaque para Ana Botafogo.[5] A forte peça de Nijinska impressionou por sua contemporaneidade, tanto pela elaboração cenográfica quanto pela movimentação utilizada. A cantata de Igor Stravinsky e os cenários e figurinos da artista plástica russa Natalia Gontcharova, associados à coreografia de Nijinska, construíram um espetáculo de grande impacto.

PAULO RODRIGUES, *L'APRÈS-MIDI D'UN FAUNE*. TMRJ. 1996. PH. BRUNO VEIGA

A peça mais esperada da noite era, sem dúvida, *Sagração da Primavera*, apresentada apenas nove vezes, entre sua estreia em Paris e Londres, para depois ser retirada do repertório dos Ballets Russes. Os remontadores da obra, Millicent Hodson e Kenneth Archer, investigaram por dezessete anos até completarem suas pesquisas e levar *Sagração* de volta ao palco, o que ocorreu em 1987, com o Joffrey Ballet.

Em sua crítica, Nayse López salientou a potência da partitura de Stravinsky, os cenários e figurinos de Nicholas Roerich, que, em conjunto com a coreografia de NIjinsky, criaram um espetáculo impressionante, "em especial a cena do sacrifício final – de extrema dificuldade, com pés e mãos

The homage, the first of its kind in Brazil, was a rare opportunity to see carefully staged, high-quality productions of these three dances in person. Both Nayse López and Barbara Heliodora mentioned in their respective reviews in the *Jornal do Brasil* and *O Globo*[4] that even though eight decades had passed since the premiere of these ballets, some were still uncomfortable with their strong, surprising, and angular movements.

L'Aprés-midi d'un Faune was the only one that had already been performed at the Theatro Municipal. Eighty-three years after the production staged at the Theatro Municipal by Nijinska himself, Paulo Rodrigues gave a meticulous interpretation in a staging supervised by Charles Jude (1953), star of the Paris Ópera.

Les Noces, restaged by Maria Palmeirim, was warmly applauded, with special praise for Ana Botafogo.[5] Nijinska's strong piece was impressive for its contemporary quality, set and costumes, and for movements. Igor Stravinsky's cantata and the sets and costumes by the Russian artist Natalia Gontcharova, both associated with Nijinska's choreography, created a performance that had enormous impact.

CECILIA KERCHE. FOYER TMRJ. COL. BALLET DO TMRJ

The piece audiences were undoubtedly waiting for was *The Rite of Spring,* which, after its premiere in Paris and London, had only been performed nine times before being eliminated from the Ballets Russes repertory. Millicent Hodson and Kenneth Archer spent 16 years researching *Rite* before the Joffrey Ballet brought it back in 1987.

totalmente invertidos, saltos pesados e pernas arrastadas, totalmente estranhos ao mundo do balé romântico de onde NIjinsky surgiu".[6]

Hodson e Archer trabalharam um mês com o Ballet do Theatro Municipal, cuidando de cada detalhe.[7] Sobre o trabalho Hodson ressaltou: "É uma coreografia dificílima, porque inverte várias posições habituais dos bailarinos, exige músculos que nunca foram utilizados para dançar e, mesmo assim, eles estão excelentes em poucas semanas."[8] Resultado conferido na estreia, com o público aplaudindo calorosamente.[9]

No ano seguinte, em 1997, o Ballet do Theatro Municipal chamou mais uma vez atenção pelo programa 'Seis coreógrafos', que estreou em abril com peças de Dalal Achcar, *Cardinal*, Deborah Colker, *Paixão*, Lia Rodrigues, *Resta um*, Regina Miranda, *Contra-ataque*, Rodrigo Pederneiras, *Prelúdios*, e Rodrigo Moreira. Programa que, segundo Nayse López, foi uma descoberta de novos, apaixonados, vibrantes e excelentes corpos: "ver os bailarinos do Theatro Municipal, sem sapatilhas, em movimentos de risco, força e teatralidade totalmente diferentes do seu habitual é um privilégio".[10]

Mikhail Baryshnikov fechou a década com seu espetáculo 'Uma noite de música e dança', com o White Oak Ensemble, em novembro de 1998. Além de três números musicais foram apresentadas quatro coreografias: *Tryst*, de Kraig Patterson, *Dança com três Tambores e Flauta*, do mestre kabuki Tamasaburo Bando, *Em Memória de Jerome Robbins*, na verdade trechos de duas obras de Robbins, e *Heartbeat: MB*, de Christopher Janney e Sara Rudner. Um Municipal lotado recebeu com reverência e emoção o bailarino, um mito da dança.

Sem mais dançar os balés de repertório que marcaram sua carreira, com as incríveis piruetas

ANA BOTAFOGO, BALLET DO TMRJ, *LES NOCE*.
1996. PH. BRUNO VEIGA

In her review, Nayse López cited the power of Stravinsky's music and of Nicholas Roerich's sets and costumes, which, together with Nijinska's choreography, created an impressive performance, "especially the extremely difficult scene of the final sacrifice, with feet and hands completely inverted, heavy leaps, and dragging legs that were total strangers to the world of romantic ballet that produced Nijinska."[6]

Hodson and Archer worked with the Ballet do Theatro Municipal for one month, mindful of every detail.[7] Talking about the work, Hudson emphasized, "It's a very difficult choreography because it inverts several positions that are habitual for dancers; even so, in just a few weeks, they (the dancers) are excellent."[8] The end result was seen on opening night when the public applauded enthusiastically.[9]

The following year, in 1997, the Ballet do Theatro Municipal once again attracted attention for its program, *Seis coreógrafos*, which opened in April with Rodrigo Moreira, Dalal Achcar's *Cardinal*, Deborah Colker's *Paixão*, Lia Rodrigues's *Resta um*, Regina Miranda's *Contra-ataque*, and Rodrigo Pederneiras's *Prelúdios*. According to Nayse López, the program discovered new, passionate, vibrant, and excellent bodies. "It's a privilege to see the Theatro Municipal dancers barefoot, doing risky moves with a strength and theatrical quality that are totally different from what they usually do."[10]

ou grandes saltos, Baryshnikov, de maneira inteligente, apropriou-se de outras danças, mais adequadas ao seu corpo, então com 50 anos. Os solos que apresentou nessa turnê nacional mostraram uma aproximação de sua formação clássica com a dança contemporânea, e também como ele continuava a encantar plateias com sua arte.

Com silêncios e, muitas vezes, movimentos mínimos, Baryshnikov surpreendeu mais uma vez pela sabedoria exemplar presente em sua dança. Ao construir o espaço cênico apenas com seu corpo, com seus movimentos – não havia cenário –, e deixar de lado qualquer tipo de figurino mais elaborado, o bailarino despojou-se de artifícios, inclusive de movimentação, para construir seu trabalho.

Heartbeat: MB, dançada ao som das batidas de seu coração, usa a tecnologia não como fim, mas como um meio para criar um dos mais emocionantes momentos da noite. Em movimentos quase todos improvisados, Baryshnikov apresentou, para uma plateia em êxtase, o melhor da dança. ∎

MIKHAIL BARYSHNIKOV.
PH. TIMOTHY FADEK/BLOOMBERG.
GETTY IMAGES

In November 1998, Mikhail Baryshnikov closed the decade with his show *A Night of Music and Dance* with the White Oak Ensemble. They presented three musical numbers and four choreographies: *Tryst* by Kraig Patterson; *Dance with Three Drums and Flute* by the Kabuki master Tamasaburo Bando; *In Memory of Jerome Robbins*, which featured excerpts from two of Robbins's dances; and *Heartbeat: MB* by Christopher Janney and Sara Rudner. A sold-out Municipal greeted Baryshnikov, a dance legend, with reverence and warmth.

No longer dancing the classic repertory ballets filled with the incredible pirouettes and great leaps that had defined his career, Baryshnikov, intelligently chose other dances that were more appropriate for his 50-year-old body. The solos he performed on this national tour reconciled his classical training with contemporary dance, and also demonstrated that he continued to enchant audiences with his artistry.

With silence, and frequently, minimal movements, the consummate wisdom present in Baryshnikov's dance was astonishing. Using only his body to construct the stage space – there was no set – and banning any kind of more elaborate costumes, the dancer built his dance by ridding himself of all artifice, including that related to movement.

Heartbeat: MB, danced to the sound of his own heartbeats, used technology not as an end, but as a means to creating one of that night's most moving moments. Using almost all completely improvised movements, Baryshnikov presented great dance to an almost ecstatic audience. ∎

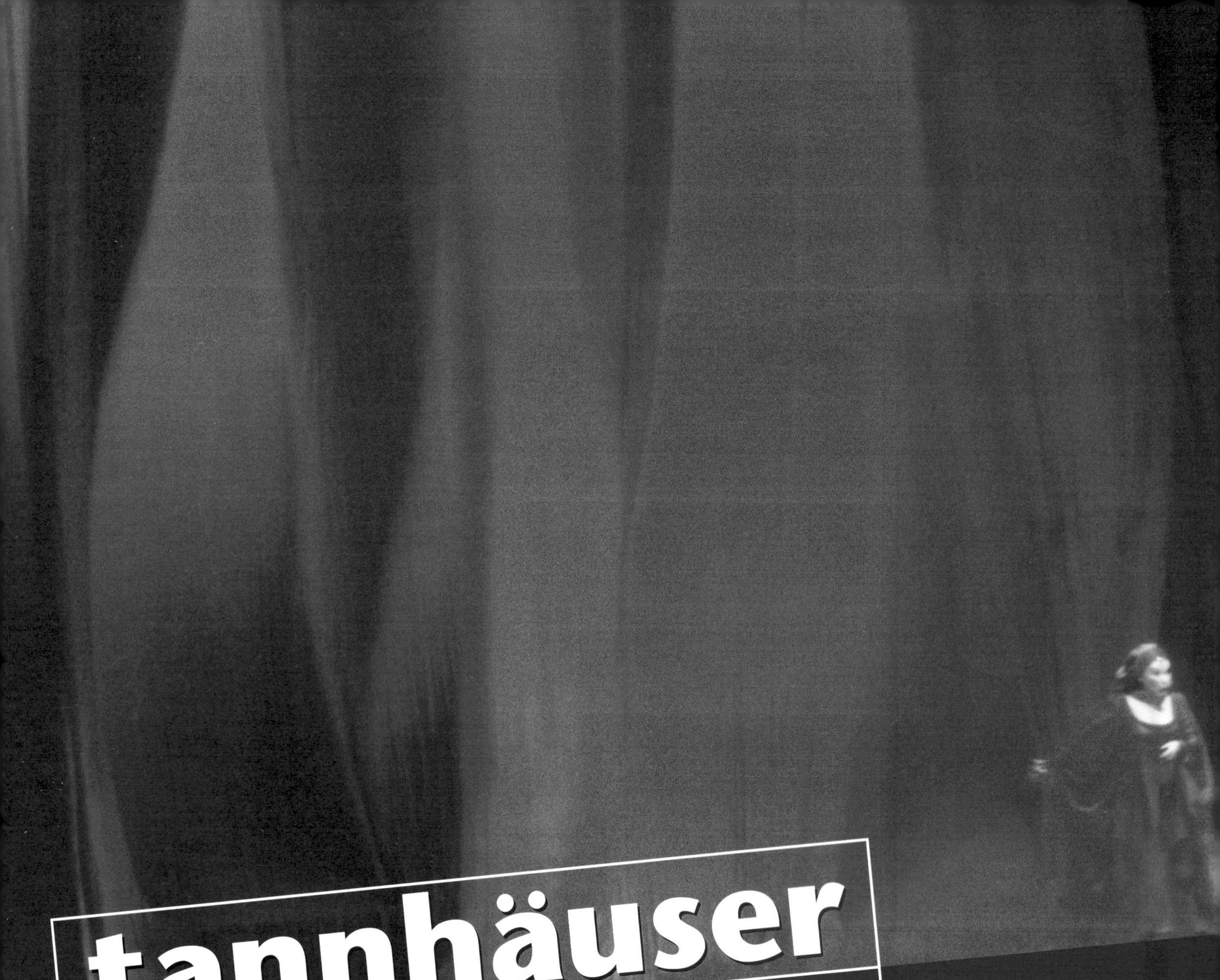

tannhäuser

ópera em 3 atos
música e libreto

Richard Wagner

DO RIO DE JANEIRO

2000 >2008

MAESTRO LUIZ FERNANDO MALHEIRO

LA TRAVIATA,
CAPA DO PROGRAMA | PROGRAM COVER.
DESIGN EVELYN GRUMACH
TMRJ, 2001. COL. EVELYN GRUMACH

ópera
opera

BRUNO FURLANETTO

PÁGINA ANTERIOR | PREVIOUS PAGE
TANNHÄUSER, CAPA DO PROGRAMA |
PROGRAM COVER.
DESIGN EVELYN GRUMACH.
TMRJ, 2001. COL. EVELYN GRUMACH

Em 2000 *Il Guarany* marcou o aparecimento de Erwin Schrott como Cacique. É também quando entra em cena Luiz Fernando Malheiro, autêntico maestro de ópera no Brasil atual. Monta-se um divertido *Candide*, traduzido astuciosamente por Claudio Botelho com engraçados cenários e figurinos de Charles Möeller, trazendo brilhantes atuações de Fernando Portari e Sandro Christopher. Apesar de Malheiro a montagem de *Carmen* foi irregular, mas brilharam Luis Lima e Krassimira Stoyanova, uma das melhores Micaelas já vistas. *O Morcego*, de Richard Strauss, dirigida por Dalal Achcar e Henrique Morelenbaum encerrou o século XX, os cenários e figurinos de José Varona eram espetaculares e tivemos uma rara aparição de Paulo Szot.

2001 traz de volta *Simon Boccanegra*, de Verdi, bela encenação do Teatro Colón e admiráveis interpretações de Eliane Coelho, Portilla e Konstantinov. Em seguida, uma montagem que marcou época: *Tannhäuser*, a esplêndida concepção de Werner Herzog para o Teatro de La Maestranza de Sevilha é apresentada com um elenco praticamente nacional – o que nunca tinha acontecido em Wagner – e a comovente Cheryl Studer. *La Sonnambula*, discutida encenação de Aidan Lang, nos trouxe Schrott e Raúl Gimenez. Seguiu-se outra grande produção: *La Traviata* dirigida por Sonja Frisell com gigantescos cenários de Gianni Quaranta e figurinos de Dada Saligeri. E o ano se fecha com a volta do sucesso que foi *Candide*.

2002 prometia bem com uma colaboração entre o Municipal e o Festival de Ópera do Amazonas. Iniciou com a *Turandot* no gelo de Píer Francesco Maestrini e a imperiosa Giovanna Casolla. Mas, questões políticas no Governo do Estado entram em cena e prejudicam a programação do Municipal.

Nos anos 2000-01, por exemplo, realizou-se um projeto intitulado "Ópera do Meio-Dia". Foram encenados – em frente à escadaria nobre da entrada – trechos de 30 óperas diferentes, com os canto-

Il Guarany **marked the appearance** of Erwin Schrott as Cacique, in 2000. Then Luiz Fernando Malheiro, the genuine opera maestro in Brazil today, came on the scene. At that time, an amusing *Candide* was staged with a cunning translation by Cláudio Botelho, sets and costumes by Charles Moeller, and brilliant performances by Fernando Portari and Sandro Christopher. Even with Malheiro, *Carmen* was irregular, but there were excellent performances by Luis Lima and Krassimira Stoyanova, the best Micaela we've ever seen. The century ended with *The Bat* by Richard Strauss, directed by Dalal Achcar and Henrique Morelenbaum with spectacular sets and costumes by José Varona and a rare appearance by Paulo Szot.

Simon Boccanegra returned in 2001 in a lovely production from the Colón with beautiful performances by Eliane Coelho, Portilla, and Konstantinov. One series that marked the era was a production from Seville of *Tannhäuser*, with a gorgeous concept by Werner Herzog and an almost Brazilian cast – something that had never happened with Wagner – and the moving Cheryl Studer. *La Sonnambula*, with a controversial staging by Aidan Lang, allowed us to hear Schrott and Raúl Gimenez. Another large production followed: Sonja Frisell directed *La Traviata* with spectacular sets and costumes by Gianni Quaranta and Dada Saligeri. The year closed with the return of the successful *Candide*.

The year 2002 was promising. It started with a *Turandot* on ice by Píer Francesco Maestrini and the imperious Giovanna Casolla. However, state government policy issues arose and seriously damaged the continuity of the program established by the direction of Theatro Municipal.

In the years 2000-01, for example, the "Midday Opera" ("Ópera do Meio-Dia") project was established. Selections from 30 different operas were staged - in front of the main entry

res a caráter, acompanhados por piano, e 13 concertos de canções eruditas. O sucesso foi enorme, mas o projeto, infelizmente, não teve continuidade em 2002, apesar de o repertório já estar organizado.

Em 2002 a ópera só voltou no final do ano com duas importações de São Paulo, *Madama Butterfly*, dirigida por Carla Camurati, onde conhecemos a excelente japonesa Eiko Senda, e *João e Maria*, versão em português de *Hänsel und Gretel*.

Os próximos quatro anos serão de altos e baixos. Começou-se bem com *Tosca*, encenação sóbria e correta de Ron Daniels. Em seguida a *Tristan und Isolde* que entrou para a história do Theatro. A encenação de Gerald Thomas não poderia ser ortodoxa. Uma desconhecida "Associação Wagneriana" ou "de Amigos de Wagner", foi para o espetáculo alardeando que se ele não fosse de acordo com as "regras" de Wagner, vaiaria. Fechado o pano o grupo começou a vaia. Gerald para se "defender" entrou fantasiado de guerreiro teutônico, lança, escudo e tudo mais. Aí as risadas e vaias se misturaram. E Gerald cometeu o erro de fazer um gesto grosseiro e baixo: a vaia do público, ofendido pela escatologia do gesto, tomou conta do Theatro. Uma pena, porque o espetáculo em si era interessante e o primeiro ato excelente. A destacar a emocionante Isolda de Jayne Casselman e revelação do baixo Luiz Henrique Molz.

2004 iniciou com uma excelente *Zauberflöte* devida à direção de Moacyr Góes, aos cenários de Helio Eichbauer e um ótimo grupo de cantores brasileiros. Mas *Un Ballo in Maschera* não funcionou. O *Elisir d'Amore* foi um meio termo, com destaque para Fernando Portari. Ainda em 2004 tivemos um projeto de sucesso – mas que durou só um ano – foi o de montar no Auditório do Anexo óperas completas acompanhadas por piano. A destacar as estreias de *Trouble in Tahiti* de Bernstein e *Comédia na Ponte* de Martinu.

MADAMA BUTTERFLY, EIKO SENDA.
TMRJ, 2002.
PH. VÂNIA LARANJEIRA.
COL. CARLA CAMURATI

staircase – accompanied by the piano, and 13 concerts of erudite songs were held. Although it met with huge success, the project was unfortunately discontinued in 2002 in spite of the repertory already having been organized.

Opera performances resumed at the end of the year with two imports from São Paulo: *Madam Butterfly*, directed by Carla Camurati, which introduced us to the excellent Japanese soprano, Eiko Senda, and *João e Maria*, a Portuguese-language version of *Hänsel and Gretel*.

The next four years were filled with highs and lows. They got off to a good start with Ron's Daniel's somber and well-done staging of *Tosca*. *Tristan und Isolde* was a historic Municipal production. It would have been impossible for Gerald Thomas to direct an orthodox production. An unknown "Wagnerian Association" or "Friends of Wagner," went to the show boasting that if the production didn't follow Wagner's "rules," it would be booed. When the curtain fell, the booing started. In self-defense, Gerald came onstage dressed as a Teutonic warrior complete with lance and shield, prompting a mixture of laughter and boos. Gerald made the mistake of making an obscene gesture and the theater echoed with boos by audience members offended by the scatological gesture. It was a pity because the first act was brilliant and the production itself was interesting and featured Jayne Casselman's moving Isolde and a breakthrough performance by bass Luiz Henrique Molz.

The year 2004 began with an excellent production of *The Magic Flute* directed by Moacyr Góes and designed by Helio Eichbauer, with an excellent group of Brazilian singers. However, *Un Ballo in Maschera* didn't work out. *Elisir d'Amore* was neither good nor bad, although Portari was excellent. That same year we had a successful project – but that only lasted a year

SIMON BOCCANEGRA, ELIANE COELHO /
ALFREDO PORTILLA. TMRJ, 2001.
PH. VÂNIA LARANJEIRA

Em 2005 *Macbeth* nos mostrou os talentos de Rodrigo Esteves e Luiz-Ottavio Faria, e *Les Pêcheurs de Perles* o de Luciano Botelho. O ano terminou com uma primeira audição, *Erwartung,* de Schönberg defendida por Laura de Souza. 2006 foi o ano das novidades. Comemorando Mozart o público tomou conhecimento de *Idomeneo,* com a ressalva de que os cenários dificultavam a movimentação cênica. Voltou *Zauberflöte* de dois anos atrás, com elenco diferente. Novidade foi o raro *Capuleti e Montecchi,* de Bellini, numa encenação moderna onde brilhou Luisa Francesconi. No fim do ano, a ópera de Silvio Barbato *O Cientista* foi muito bem recebida pelo público, com o autor regendo (lembrando que Barbato regeu a maioria das óperas desde 2002).

Em 2007 há mudança de governo e de direção do TM. O ano começa com uma encenação paulistana de *Le Nozze di Figaro* – porém, carente dos recursos necessários. A ópera mais popular de Mozart estava esquecida de nosso Theatro desde 1947, exceto por uma solitária récita, em alemão, em 1959. Seguiu-se uma novidade, *Orfeo,* de Monteverdi, mas que não levou ao público o conhecimento real dessa ópera. A Symphonica Toscanini, com o Coro del Maggio Musicale Fiorentino, sob a regência de Lorin Maazel nos deram uma *Aida,* em concerto, com algumas estrelas: Guleghina, Fraccaro e Pons. No meio do ano mudou a direção. E assim, só tivemos duas óperas no ano. Repetiu-se a dose em 2008 quando só subiram à cena *La Bohème* e *Fidelio.*

Em outubro de 2008 o Theatro Municipal foi fechado para extensas obras de restauração, internas e externas, e para uma necessária modernização de seu palco, preparando-se assim para dar melhores condições técnicas a espetáculos de ópera do mais alto nível. ∎

ÓPERA DO MEIO DIA. TMRJ, 2001. PH. VÂNIA LARANJEIRA

ACIMA | ABOVE
CANDIDE, FERNANDO PORTARI / SANDRO CHRISTOPHER. TMRJ, 2000. PH. VÂNIA LARANJEIRA

– which was the staging, in the Annex's Auditorium, of complete operas accompanied by the piano. The premieres of Bernstein's *Trouble in Tahiti* and Martinu's *Comedy on the Bridge* deserve to be noted.

In 2005 *Macbeth* brought us the talents of Rodrigo Esteves and Luiz-Ottavio Faria, while *Les Pêcheurs de Perles* gave us that of Luciano Botelho. The year ended with the new *Erwartung* sung by Laura de Souza. The year 2006 was filled with new productions. A Mozart celebration introduced audiences to an *Idomeneo* but, regretfully, the sets obstructed the stage movements. The 2004 production of *The Magic Flute* returned with a different cast. Another novelty was a modern staging of the rare *Capuleti e Montecchi* featuring Luisa Francesconi. At the end of the year, Silvio Barbato conducted his opera, *O Cientista* [The Scientist], which was very well received by the public.

In 2007, there was a new governor and new theater directors. The year began with a São Paulo production of *The Marriage of Figaro*, Mozart's most popular opera, lacking the required resources. Except for one solitary performance in German, in 1959, it hadn't been seen at the Municipal since 1947. It was followed by a new performance, Monteverdi's *Orfeo*, which failed to truly present this opera to the public. In the middle of the year, the directors changed once again and consequently only two operas were staged that year. The same thing was repeated in 2008 when only two productions were staged: *La Bohème*, and *Fidelio*.

In October 2008, the theater was closed for extensive remodeling, both inside and outside, and for a much needed upgrading of its stage in order to be able to host the highest level opera productions. ∎

PÁGINA ANTERIOR | PREVIOUS PAGE
TANNHÄUSER. TMRJ, 2001. PH. VÂNIA LARANJEIRA

LA TRAVIATA, ANDREA FERREIRA. TMRJ, 2001. PH. VÂNIA LARANJEIRA

Os anos 2000 começaram com uma estreia brasileira importante no palco do Theatro Municipal: a Filarmônica de Berlim vinha ao país pela primeira vez, sob a regência de seu titular, Claudio Abbado. No *Globo*, Luiz Paulo Horta assim saudava o charme discreto do regente italiano, em seu programa com a *Nona* de Dvořák seguida dos *Noturnos* de Debussy e da *Valsa* de Ravel (com direito, no extra, à Ária das *Bachianas Brasileiras nº 5* solada por Claudia Riccitelli): "Claudio Abbado, que está para deixar a direção da orquestra depois de dez anos de fecundo trabalho, não é o mais carismático dos regentes. Mas ele e a orquestra deram-se bem sob o aspecto do profissionalismo total. Porque não tem a flama de um Karajan, ou as intuições geniais de um Bruno Walter, Abbado pode dar à partitura – e ao próprio trabalho dos músicos – uma espécie de atenção amorosa que produz belos resultados."

Outra falange entre as primeiras do mundo – a Sinfônica de Chicago – acabou de dar estofo orquestral ao ano, em outubro, regida na Sinfonia nº 1 de Mahler pelo mesmo Daniel Barenboim que a conduziu, como solista, no Concerto K 467 de Mozart. No *Globo*, Horta não se eximiu da comparação, ao comentar um concerto em que destacou o "acabamento irretocável" dos músicos americanos.

O que faz de Daniel Barenboim um maestro fora de série (além de grande pianista) é o domínio absoluto que ele exerce sobre o seu conjunto. Neste sentido, o concerto da Chicago foi mais impressionante que o da Filarmônica de Berlim. Não porque seja uma orquestra melhor, mas porque Claudio Abbado nunca possuiu sobre seus berlinenses uma autoridade comparável à de Barenboim no seu próprio território.

Dois meses antes, o polivalente Barenboim mostrara sua sonoridade culta e o legato cantante num recital Liszt/Albeniz. Entre os visitantes de 2000 estiveram também Helmuth Rilling com os

concerts & recitals
CLÓVIS MARQUES

The new century opened with an important Brazilian debut on the Municipal's stage: the Berlin Philharmonic and conductor Claudio Abbado arrived in Brazil for the first time. In *O Globo*, Luiz Paulo Horta hailed the Italian conductor's discrete charm in a program of Dvořák's *Ninth*, followed by Debussy's Nocturnes, Ravel's *La Valse*, and an addition on the program: the aria from the *Bachianas Brasileiras* No. 5 with soloist Claudia Riccitelli. "Claudio Abbado, who's about to step down as the orchestra's director after ten years of fruitful work, isn't the most charismatic conductor around. Still, total professionalism has made him and the orchestra successful. Although he lacks the flair of a Karajan or the brilliant intuitive grasp of a Bruno Walter, Abbado still gives the score, and the musicians' work, a kind of loving care that brings beautiful results."

Another phalanx among the world's major orchestras, the Chicago Symphony, enriched the orchestral year in October when Daniel Barenboim conducted Mahler's Symphony No.1 and was featured piano soloist in Mozart's Concerto K467. In *O Globo,* Horta didn't shy from making a comparison when he wrote about the "impeccable polish" of the American musicians:

What makes Daniel Barenboim an outstanding maestro (and also a great pianist) is his absolute mastery over his ensemble. In that sense, the concert with the Chicago Symphony was more impressive than the one by the Berlin Philharmonic. Not because the orchestra is better, but because Claudio Abbado doesn't hold the same authority with his Berliners as Barenboim does on his turf.

Gächinger Kantorei e a Orquestra Bach-Collegium de Stuttgart num programa Bach; a Filarmônica de Estado da Renânia-Palatinado com Theodor Guschlbauer regendo Antonio Meneses no elegíaco Concerto para violoncelo de Elgar; a Sinfônica da Rádio de Colônia com Semyon Bychkov e dois ilustres conjuntos de tradições nacionais diferentes no movimento de recuperação estilística das músicas mais antigas: o borbulhante English Concert de Trevor Pinnock numa integral dos *Concertos de Brandeburgo*; e o saltitante Concerto Italiano de Rinaldo Alessandrini, outro cravista passado à direção orquestral.

Na frente nacional, os corpos estáveis do Theatro abriram o milênio com uma produção caprichada da *Carmina Burana* de Carl Orff, a cargo do regente inglês Lionel Friend. A OSTM também recebeu o violinista francês Pierre Amoyal e a soprano americana Barbara Hendricks. A Petrobras Pró-Música, onde Roberto Tibiriçá assumia a direção musical depois de breve período na OSB, apresentou-se com o pianista russo Mikhail Rudy.

Se Zubin Mehta renovou o contato dos cariocas com a quase obrigatória *Quinta* de Mahler em 2001, à frente da Filarmônica de Israel, Kurt Masur também voltou com a *sua* orquestra – a Filarmônica de Nova York –, mas num programa Richard Strauss em que a soprano Christine Brewer mostrou sua versão das *Quatro Últimas Canções*. A Sinfônica da BBC, por sua vez, trouxe um dos pianistas mais finos e prestigiados do momento – o norueguês Leif Ove Andsnes, no *Primeiro* de Brahms – e voltou por sua vez a outro esteio repetitivo da programação das orquestras estrangeiras no Municipal: o *Pássaro de Fogo* stravinskiano.

Equilíbrios mais delicados eram curtidos na música de câmara, com o fogoso Trio Wanderer parisiense, e, no repertório barroco, Il Giardino Armonico e seu regente, o flautista Giovanni An-

KEN-DAVID MASUR / KURT MASUR / ROBERTO MINCZUK.
TMRJ, 31.07.2010. COL. OSB

Two months before, the versatile Barenboim showcased his refined sound and singing legato in a Liszt/Albéniz recital. Visiting artists in 2000 included Helmuth Rilling with the Gächinger Kantorei mixed choir and the Stuttgart Bach-Collegium Sttugart ensemble in an all-Bach program: the German Philharmonic Orchestra Rhineland-Palatinate with Theodor Guschlbauer conducting and Antonio Meneses featured as soloist in Elgar's elegiac Cello concerto; and the Cologne Radio Symphony with Semyon Bychkov. Two renowned ensembles of different national traditions of historically informed period practices also stopped by: Trevor Pinnock's sparkling English Concert in a performance of Bach's complete Brandenburg concertos, and conductor and harpsichordist Rinaldo Alessandrini's with the Concerto Italiano.

The house orchestra (OSTM) opened the millennium with an upscale production of Carl Orff's *Carmina Burana* led by English conductor Lionel Friend. The OSTM also welcomed French violinist Pierre Amoyal and American soprano Barbara Hendricks. And the Orquestra Petrobras Pró-Música (OPPM), where Roberto Tibiriçá was now musical director after a brief term with the OSB, performed with Russian pianist Mikhail Rudy.

Zubin Mehta and the Israel Philharmonic visited Rio's audiences again in 2001 with Mahler's almost compulsory *Fifth,* and Kurt Masur also returned with *his* orchestra – the New York Philharmonic, in a Richard Strauss program where soprano Christine Brewer performed her version of *Four Last Songs*. The BBC Symphony Orchestra brought one of the finest and most renowned pianists of his generation, Norwegian Leif Ove Andsnes in Brahm's Concerto No. 1. and wrapped things up with one of the most played house standards: Stravinsky's *Firebird Suite.*

tonini, carreando a voz luminosa da soprano Gemma Bertagnolli. O pianista húngaro Dezsö Ranki e a soprano Jessye Norman completaram o time de celebridades em recital, mas também houve Paul Badura-Skoda e Bruno Leonardo Gelber com a OSB, Barry Douglas com a Petrobras Pró-Música e Shlomo Mintz com a OSTM.

Entre os solistas recebidos em 2002 pela OSB – o violinista Hagai Shaham, os pianistas Linda Bustani e José Feghali –, Cristina Ortiz deu um programa que se destacou pela presença numerosa de compositores brasileiros (Lorenzo Fernandez, Camargo Guarnieri, Frutuoso Vianna) nem sempre lembrados no repertório pianístico em nossas salas. Era o ano, por sinal, em que outra estrela do pianismo nacional, Arnaldo Cohen, fazia o mesmo, não só tocando peças solo de autores pátrios incluídos num recente CD por ele gravado como pondo de novo em circulação – com a Petrobras Pró-Música – o envolvente, apesar de raso, *Concerto em Formas Brasileiras* de Hekel Tavares. Dois violinistas estrangeiros de alto coturno também tocaram com a OPPM: o russo Boris Belkin e o americano Joshua Bell.

Além da volta da Filarmônica de São Petersburgo com Yuri Temirkanov, vieram o Conjunto de Câmara da Academy of St. Martin-in-the-Fields; a Orquestra do Século XVIII regida pelo violinista Thomas Zehetmair, que solou o Concerto nº 1 de Mozart; o inquieto e interessante Gidon Kremer com sua Kremerata Baltica tocando de Vivaldi a Piazzola, passando por Mahler; a mezzo americana Jennifer Larmore e – cereja no bolo – o pianista Nikolai Lugansky, com sua não menos interessante mistura de precisão cirúrgica e sonoridade espetacular, num programa incluindo os Estudos opus 25 de Chopin e os *Momentos Musicais* de Rachmaninov, além de peças do raro Nikolai Medtner.

||||||||||||||||||||||||||||||||||||||||||||||||||||||||||||||||||||||||||||||||||||||

More delicate balances were to be enjoyed in chamber music performances with the fiery Trio Wanderer from Paris and Il Giardiano Armonico in a baroque program with conductor and flautist Giovanni Antononi and the sparkling voice of soprano Gemma Bertagnolli. Other celebrities appearing in recitals included Hungarian pianist Dezsö Ranki, soprano Jessye Norman, Paul Badura-Skoda, and Bruno Leonardo Gelber with the OSB, Barry Douglas and the OPPM, and Shlomo Mintz with the OSTM.

Soloists with the OSB in 2002 included violinist Hagai Shaham, pianists Linda Bustani and José Feghali, and pianist Cristina Ortiz, in a program highlighting Brazilian composers (Lorenzo Fernandez, Camargo Guarnieri, Frutuoso Vianna) who aren't always remembered in the piano repertory performed in our halls. That year also featured another Brazilian piano star, Arnaldo Cohen, who not only showcased Brazilian composers in a recent CD dedicated to solo pieces by Brazilian composers, but also resurrected Hekel Tavares's catchy albeit lightweight *Concerto em Formas Brasileiras* with the OPPM. Two major international violinists also played with the OPPM: Russian Boris Belikin and American Joshua Bell.

Yuri Temerikanov and the St. Petersburg Philharmonic returned, as did the Academy of St. Martin in the Fields Chamber Orchestra. Other ensembles in 2002 included: the *Orchestra of the Eighteenth Century* conducted by violinist Thomas Zehetmair who was also featured soloist in Mozart's Concerto No. 1; the restless Gideon Kremer and the Kremerata Baltica played Vivaldi, Piazzolla, and Mahler; American mezzo soprano Jennifer Larmore also graced the hall and finally, the icing on the cake, pianist Nikolai Lugansky, who displayed his fascinating blend of pinpoint precision and spectacular sound in a program consisting

O violoncelista Fábio Presgrave despontava na época, tendo solado o Concerto nº 1 de Saint-Saëns com a OSB e participado ao lado do clarinetista Cristiano Alves dos bis camerísticos que a pianista Maria João Pires ofereceu em sua tardia estreia carioca, em abril de 2003, na série Os Pianistas da mesma orquestra. Michel Dalberto, Kurt Masur e um violinista "de ponta" então no auge da fama no cenário internacional – o jovem Nikolaj Znaider – estiveram entre os convidados da OSB nesse ano, enquanto a Petrobras Pró-Música trazia Pascal Rogé, Joshua Bell e Nelson Goerner e abria uma série dedicada aos compositores brasileiros, com concertos de obras de criadores como Osvaldo Lacerda e Ernani Aguiar, que ofereceu seu movimentado *Te Deum* em estreia mundial.

Depois de um 2003 fraco em atrações internacionais, 2004 foi o ano em que Martha Argerich e Nelson Freire incendiaram juntos duas noites do Theatro. Tivemos a estreia de Isaac Karabtchevsky com sua nova orquestra – que seria rebatizada Petrobras Sinfônica – e Silvio Barbato, à frente da OSTM agora dirigida por ele, deu uma *Infância de Cristo* de magníficas credenciais berliozianas. Enquanto a OSB recebia dois solistas franceses do primeiro time – o pianista Jean-Philippe Collard e o violinista Renaud Capuçon –, a Petrobras oferecia suas estantes a outro ás do arco francês, Augustin Dumay, também regente.

Se o Concerto Italiano de Rinaldo Alessandrini repetia a oferta da integral dos *Concertos de Brandeburgo* de Bach, dois pontos altos do ano foram o violinista grego Leonidas Kavakos em arrebatadora interpretação do Concerto de Sibelius com a Sinfônica da BBC regida por Jukka-Pekka

NELSON FREIRE / MARTA ARGHERICH. TMRJ, 2010. COL. DELL'ARTE

of Chopin's Études, Opus 25, Rachmaninoff's *Musical Moments,* and rarely heard compositions by Nikolai Medtner.

Cellist Fábio Presgrave was also beginning to make a name for himself at the time, having soloed in Saint-Saëns's Concerto No. 1 and alongside clarinetist Cristiano Alves in the chamber music encores offered by pianist Maria João Pires at her late debut in Rio in April 2003 in the series Os Pianistas [The Pianists] with the house orchestra. OSB guests included Michel Dalberto, Kurt Masur, and a top-notch violinist at the height of his career on the international scene, the young Nikolaj Znaider. The OPPM brought Pascal Rogé, Joshua Bell, and Nelson Goerner and kicked off a series dedicated to Brazilian composers featuring concerts with works from such creators as Osvaldo Lacerda and Ernani Aguiar whose *Te Deum* received its world premiere.

Although 2003 was meager in international offerings, 2004 was the year Martha Argerich and Nelson Freire together set the house ablaze for two nights at the Municipal. That year also witnessed the debut of Isaac Karabtchevsly and his new orchestra, now renamed Petrobrás Sinfônica, and Sílvio Barbato leading the OSTM as its director in Berlioz's magnificent *The Childhood of Christ*. While the OSB welcomed two first-rate French soloists, pianist Jean-Philippe Collard and violinist Renaud Capuçon, the Petrobrás offered its podium to another great French string player and conductor, Augustin Dumay.

In 2004, Rinaldo Alessandrini's Concerto Italiano repeated its offering of Bach's complete Brandenburg Concertos and the year's two high points were Greek violinist Leonidas Kavakos in a rapturous performance of Sibelius's Violin concerto with the BBC Symphony

Saraste e a tragédia lírica *David et Jonathas*, de Marc-Antoine Charpentier, oferecida pelos Arts Florissants de William Christie.

Sem um diretor fixo em 2005, a OSB não brilhou em sua temporada, enquanto Isaac Karabtchevsky montava grandes operações de prestígio e bilheteria na Petrobras Sinfônica cuja frente vinha de tomar: obras corais como o *Réquiem* de Verdi, a *Missa da Coroação* de Mozart e a *Nona* de Beethoven; o início de um ciclo Mahler; uma nova série Os Violinistas, que trouxe Shlomo Mintz e Augustin Dumay; e dois violoncelistas brasileiros se destacando – Antonio Meneses com um novo *Concertino* de seu conterrâneo pernambucano Clóvis Pereira e Hugo Pilger oferecendo o raro e belo *Tout un Monde Lointain* de Henri Dutilleux.

O jovem pianista chinês Lang Lang, sensação do momento, estreou no pedaço com a Orquestra do Festival de Verbier regida por Jirí Belohlávek, dando do Concerto nº 1 de Tchaikovsky, em novembro, uma versão histriônica que contrastou com a interiorização densa oferecida na mesma obra, em agosto, pela grande georgiana Elizo Virzaladze, acompanhada da Filarmônica de São Petersburgo a cargo de Nikolai Alexeev. Em matéria de pianistas, foi também o ano da estreia do fenomenal (mas igualmente musical) Arcadi Volodos num programa Schubert/Liszt.

Em 2006, Roberto Minczuk assumiu a direção musical da OSB com iniciativas como a estreia de uma obra do americano John Adams sobre o atentado das Torres Gêmeas e um programa dedicado à música de cinema de Chostakovich, este sob a batuta de Jamil Maluf, além da presença de solistas como a violinista Nadja Salerno-Sonnenberg e o pianista Dominique Merlet. O compositor polonês Krzysztof Penderecki regeu obras suas à frente da Petrobras Sinfônica, que comemorou o centenário de Radamés Gnattali e deu prosseguimento às grandes manifestações coral-sinfônicas

Orchestra conducted by Jukka-Pekka Saraste, and Marc-Antoine Charpentier's lyrical tragedy *David and Jonathan* offered by William Christie and the Arts Florissants.

The OSB had a lackluster season in 2005 since there was no steady director. Isaac Karabtchevsky and the Petrobrás Sinfônica, however, were putting together major productions and box office winners: choral works such as Verdi's *Requiem*, Mozart's *Coronation Mass,* and Beethoven's *Ninth*; the start of a Mahler cycle; a new series, Os Violonists [The Violinists], that brought in Shlomo Mintz and Augustin Dumay. Karabtchevsky also brought in two outstanding Brazilian cellists: Antonio Menezes performing *Concertino by* Clóvis Pereira (who's also from Menezes's home state of Pernambuco), and Hugo Pilger in a beautiful rendition of the rarely heard cello concerto *Tout un Monde Lointain* by Henry Dutilleux.

Lang Lang, the young Chinese pianist who was making quite a splash at the time, debuted with the Verbier Festival Orchestra conducted by Jirí Belohlávek, in a flashy performance of Tchaikovsky's Concerto No. 1: a sharp contrast with Georgian pianist Elizo Virzaladze's profoundly introspective rendition of the same piece in August with the St. Petersburg Philharmonic under Nikolai Laexeev. And speaking of pianists, 2004 was also the year of Arcadi Volodos's phenomenal (but equally musical) debut in a Schubert/Liszt program.

Roberto Minczuk was appointed director of the OSB in 2006 and gave the premiere of a work by American composer John Adams inspired by the attack on the Twin Towers. The OSB, this time with conductor Jamil Maluf, violinist Nadja Salerno-Sonnenberg, and pianist Dominique Merlet, also offered a program of Shostakovich's film scores. Renowned Polish composer Krzysztof Penderecki conducted his works with the Petrobrás Sinfônica

iniciadas um ano antes com a maravilhosa *Grande Missa em Dó Menor* de Mozart sob a batuta de Jerzy Semkov, a *Rapsódia para Contralto* de Brahms com Nathalie Stutzmann, o *Te Deum* em dó maior de Bruckner e a *Sinfonia dos Mil* de Mahler (com a colaboração da Sinfônica de Porto Alegre), além de trazer o barítono inglês David Pittman-Jennings para a sofrida *Sinfonia nº 13, Babi Yar*, de Chostakovich. Entre as atrações internacionais do ano, destacaram-se a Akademie für Alte Musik com ninguém menos que Nikolaus Harnoncourt e o violinista Maxim Vengerov num programa exigente e nada virtuosístico do ponto de vista convencional (Beethoven, Prokofiev, Chostakovich), acompanhado do pianista Igor Levit.

2007 foi o ano de Yo Yo Ma com Kathryn Stott num programa que mesclava a *Sonata* de Franck para violino, adaptada para o cello, e a *Arpeggione* de Schubert a compositores contemporâneos do *crossover*, como Piazzola e Gismonti. A Orquestra do Festival de Schleswig Holstein apresentou-se com Christoph Eschenbach e a Sinfônica Toscanini e o Coro do Maio Musical Florentino deram com Lorin Maazel uma versão de concerto da *Aída* de Verdi, tendo Maria Guleghina no papel-título. Vieram também dois conjuntos de música antiga, o italiano Cappella della Pietà dei Turchini, de Antonio Florio, e o espanhol Capilla Real de Madrid; além da Orquestra de jovens Gustav Mahler num programa de seu epônimo: a *Sexta* e uma seleção dos *Knaben Wunderhorn* com o barítono americano Thomas Hampson.

YO YO MA, TMRJ, 2010.
COL. DELL'ARTE

which, incidentally, also celebrated Radamés Gnattali's birthday centennial. Furthermore, the Petrobrás also continued the previous year's choral-symphonic productions: Mozart's wonderful *Great Mass in C Minor* conducted by Jerzy Semkov; Brahm's *Rhapsody for Contralto* with Nathalie Stutzmann; Bruckner's *Te Deum in C Minor,* and Mahler's *Symphony of a Thousand* (with the Sinfônica de Porto Alegre) in addition to a performance with English Baritone David Pittman-Jennings in Shostakovich's doleful Symphony No. 13 (*Babi Yar*). Outstanding international attractions that year included the Akademie für Alte Musik with none other than Nikolaus Harnoncourt, and violinist Maxim Vengerov in a demanding program (Beethoven, Prokofiev, and Shostakovich) accompanied by pianist Igor Levit.

Yo Yo Ma and Kathryn Stott appeared in 2007 in a program that brought together Franck's Violin sonata (transcribed for cello), Schubert's *Arpeggione Sonata* and contemporary crossover composers such as Piazzolla and Gismonti. The *Schleswig-Holstein Festival* Orchestra with Christoph Escenbach appeared, as did the Toscanini Symphony and the Coro del Maggio Musicale Fiorentino with Lorin Maazel in a concert version of Verdi's *Aida* with Maria Guleghin in the title role. Two ancient music ensembles also dropped in: the Cappella della Pietà dei Turchini with Antonio Florio, and from Spain, the Capilla Real de Madrid. The Gustav Malher Youth Orchestra also performed the Mahler's *Sixth* and a selection from *Knaben Wunderhorn* with American baritone Thomas Hampson.

The Petrobrás Sinfônica featured violinist Sarah Chang with Ennio Morricone as part of its film music series. The orchestra paid homage to Beethoven in performances of his *Missa Solemnis* and a complete cycle of the piano concertos with Bruno Leonard Gelber. In addition

A Petrobras Sinfônica apresentou-se com a violinista Sarah Chang e, em sua série de música de cinema, com Ennio Morricone, fazendo ainda um grande apanhado beethoveniano que comportou a *Missa Solemnis* e a integral dos *Concertos para Piano* com Bruno Leonardo Gelber. Além de oferecer o *Oedipus Rex* de Stravinsky, a OSB convidou Kurt Masur, o violinista Pinchas Zukerman e a cellista Sol Gabetta, trouxe de novo Kiri Te Kanawa e percorreu repertórios brasileiros com o *Uirapuru* de Villa-Lobos, o belo *Concerto para Orquestra* de seu fundador então centenário, José Siqueira, e a estreia do *Concerto para Violoncelo* de Edino Krieger, com Antonio Meneses.

O ano de 2008 não foi particularmente excitante na vida de concertos, mas a Orquestra Hallé e a Filarmônica de Liège puderam ser ouvidas, assim como Maria João Pires com o violoncelista Pavel Gomziakov. A OSB trouxe solistas como a violinista Leila Josefowicz, Kathleen Battle com uma voz ainda bela, assim como o violinista russo Eugene Ugorsky e seu conterrâneo, o pianista Boris Belkin – este sob a regência de Ken-David Masur, o filho de Kurt, estreando no Rio. Antes de fechar as portas em outubro de 2008 para a grande reforma preparatória do centenário, o Theatro Municipal apresentou duas produções de sua série Música e Imagem, com Roberto Minczuk regendo orquestra, coro e solistas em música de Kurt Weill ligada a montagens cênicas de Bertolt Brecht; e, no fim da temporada, a cantata *Alexander Nevsky*, de Prokofiev.

ALEXANDER NEVSKY, MAESTRO ROBERTO MINCZUK REGENDO O CORO E A ORQUESTRA SINFÔNICA DO TMRJ | MAESTRO ROBERTO MINCZUK CONDUCTING THE CHOIR AND THE SYMPHONIC ORCHESTRA OF TMRJ. SOLISTA | SOLOIST IRINA TCHISTYAKOVA. 2008, TMRJ. PH. HENRIQUE PONTUAL. COL. TMRJ

to offering Stravinsky's *Oedipus Rex,* the OSB welcomed other guests such as Kurt Masur, violinist Pinchas Zuckerman, cellist Sol Gabetta, and brought back Kiri Te Kanawa. The orchestra also performed Brazilian compositions such as Villa-Lobos's *Uirapuru* [an Amazon bird], a centennial celebration in memory of José Siqueira (the orchestra's founder) in a performance of his lovely *Concerto para Orquestra*, and the world premier of Edino Krieger's *Concerto para Violoncelo* with soloist Antonio Menezes.

The next year, 2008, was not particularly exciting in terms of concerts, but the Hallé Orchestra and the Liège Philharmonic made appearances, as did pianist Maria João Pires alongside cellist Pavel Gomzaikov. The OSB brought in violinist Leila Josefowicz, Kathleen Battle and her still gorgeous voice, as well as Russian violinist Eugene Ugorsky and his compatriot pianist Boris Belkin, the latter with conductor Kurt Masur's son – Ken-David Masur – making his Rio debut. Before closing in October 2008 for major remodeling for the centennial celebration in 2010, the Theatro Municipal put on two productions for its series Música e Imagem [Music and Image] with Roberto Minczuk conducting the orchestra, chorus, and soloists in a performance of music by Kurt Weill and stage settings by Bertolt Brecht. The orchestra also performed Prokofiev's cantata *Alexander Nevsky* towards the end of the season.

Although the Theatro Municipal is the city's main concert hall, it was built primarily as an opera and ballet house with only an orchestra pit, since an exclusively symphonic hall for the city and state of Rio was unnecessary at that time. That the TM continues to host more recitals and concerts than opera or dance productions is a paradox that endures to this day as we celebrate the theater's centennial. While Rio's Cidade da Música (a music and perfor-

Principal sala de concertos do Rio de Janeiro, o Theatro Municipal foi construído para ser uma casa de ópera e balé, com a orquestra no fosso. O aparente paradoxo – apenas aparente, pois na verdade a realidade carioca e fluminense não permitia ou requeria no início do século XIX um hall exclusivamente sinfônico – persiste ainda hoje, no centenário, quando a Cidade da Música, construída para dar ao Rio esse espaço cosmopolita que faltava, demora tanto para decolar, enquanto o TM continua abrigando mais concertos e recitais do que montagens de ópera e dança.

Concluída a primeira década do século XXI, confirmam-se algumas tendências que começaram a se manifestar na passagem dos anos 1980 para a década de 1990: escasso número de grandes solistas internacionais, pouco acessíveis por causa dos cachês cobrados, e que desde os anos 60 tendem a se apresentar, quando vêm ao Rio, na Sala Cecília Meireles; e ocupação majoritária do TM por iniciativas de fora, enquanto as produções da casa preenchem os espaços restantes em quantidade pouco significativa e padrão artístico globalmente inexpressivo. É a síndrome do "palco de aluguel", nutrida pela falta de convicção do poder público no terreno da música clássica e começando a alertar o público e os setores interessados na sociedade para a necessidade de reformar o sistema de gestão da casa.

O debate prossegue e ainda não rendeu frutos que permitam ao Theatro Municipal contar com uma direção artística independente das pressões políticas e dos entraves burocráticos, capaz de programar com continuidade e larga antecipação temporadas de produções próprias com financiamento seguro, na busca de qualidade em padrão internacional. Enquanto isto, o público não deserta, sempre fiel, na vida de concertos da cidade, a essa casa que pode não ser idealmente gerida, mas nunca lhe falta. ∎

mance center still under construction in Barra da Tijuca, one of Rio's more affluent neighborhoods) built specifically to provide Rio with a badly needed cosmopolitan performance hall is taking so long to get off the ground, the theater continues to serve a vital role in the city's musical life.

At the close of the first decade of the 21st century, some trends that began appearing in the late 1980s and the start of the 1990s have been confirmed: few engagements with major international soloists because of their high concert fees. Those important artists that do make it to Rio tend to perform at the Sala Cecília Meireles concert hall. Furthermore, most of the house's major productions come from outside initiatives while house productions are few in number and far below international artistic standards. This "rented stage" syndrome fueled by the government's lack of conviction in the music world is starting to alert the public and other interested parties about the need to revamp the theater's management system.

Although the debate is ongoing, it still hasn't produced results capable of providing the Theatro Municipal with an artistic management board free from political pressures and red tape. What's urgently needed is management capable of advance programming that has continuity, with guaranteed funding for mounting in-house productions that attain international standards of quality. Meanwhile, in the city's musical life, audiences remain faithful to a concert hall which, although not ideally managed, has always been there. ∎

Em abril de 2000, o Ballet de Hamburgo, dirigido pelo bailarino e coreógrafo norte-americano John Neumeier (1942) desde 1973 apresentou *Sylvia*, coreografia de 1997, criada por Neumeier para o Ballet da Ópera de Paris, a partir da produção original de 1876, do francês Louis Mérante (1828-1887), também feita para a Ópera de Paris, com música de Leo Delibes.

Reconhecido pela alta qualidade técnica de seus bailarinos, o Ballet de Hamburgo apresentou uma obra com referências contemporâneas para falar de amor, força e poder. Segundo Silvia Soter, crítica de dança do jornal *O Globo*, Neumeier investiu na expansão de seu vocabulário coreográfico, criando uma peça em que a movimentação do balé e uma apresentação contemporânea do gestual, assim como dos cenários e figurinos, estabelecem um diálogo para contar a história de Sylvia, ninfa de Diana, e seu amor pelo pastor Aminta. Segundo Soter, "o contraste entre a força do gesto concreto dos arcos e os *ports-de-bras* românticos do solo de Diana ilustra este encontro de épocas na própria técnica clássica".[1] Embora não tenha suscitado grande entusiasmo no público, que não chegou a lotar o Municipal, sua presença contribuiu para a compreensão da dança construída a partir das releituras dos balés de repertório.

Em setembro de 2000, o LaLaLa Human Steps retornou ao Rio de Janeiro, depois de oito anos de ausência, com o espetáculo *Salt*. Vertiginoso, por conta da rapidez e exatidão dos movimentos, da velocidade com que os duos se organizam e se desfazem, e extremamente sensual e erótico, a coreografia de Édouard Lock surpreendeu pelo uso da sapatilha de ponta, diretamente ligado à técnica e à estética do balé. Entretanto, o que se viu foi dança contemporânea, em uma complexa investigação sobre as possibilidades de movimentação do corpo, com o uso da repetição para estruturar a peça, como apontou Silvia Soter:

In April 2000, the Hamburg Ballet, which American dancer and choreographer John Neumeier (1942) had directed since 1973, presented *Sylvia*. Neumeier had created it for the Paris Opera Ballet in 1997 using the original 1876 production, also made for the same company by French choreographer Louis Mérante (1828-1887), with music by Leo Delibes.

Known for the high technical quality of its dancers, the Hamburg Ballet presented a work with contemporary references to discuss love, strength, and power. According to Silvia Soter, dance critic for the newspaper, *O Globo*, Neumeier had invested in expanding his choreographic vocabulary by creating a piece where ballet movements, contemporary presentation of gesture, and sets and costumes dialogue to tell the story of Sylvia (Diana's nymph) and her love for the shepherd Aminta. According to Soter, "the contrast between the power of the concrete gesture of the arcs and the romantic *ports-de-bras* in Diana's solo illustrates the meeting of two periods in classical technique itself.[1] Although audiences weren't enthusiastic about the production – the Municipal didn't sell out – the performance helped understand dance created by new readings of standard repertory.

In September 2000, LaLaLa Human Steps returned to Rio de Janeiro after an eight-year absence with the show *Salt*. Édouard Lock's choreography was surprising for the way it used toe shoes, which are directly connected to ballet technique and aesthetics. In a highly sensual and erotic fashion, the choreography's dizzying pace used the right movements and speed to join and separate duets. Nonetheless, as Soter suggested, this was contemporary dance; a complex exploration of physical possibilities and movements that used repetition to form the piece.

BEATRIZ CERBINO

PÁGINA ANTERIOR | PREVIOUS PAGE
ANA BOTAFOGO, *ONEGUIN*. TMRJ, 2004.
PH. MÁRIO VELOSO

Salt se organiza, basicamente, em uma sucessão de duos [...] Sobre as pontas, cada bailarina responde aos impulsos das mãos intrometidas de seus partners. Por frações de segundos, elas experimentam o eixo para perdê-lo em seguida. A ponta se torna um recurso de eficiência absoluta para a irreversibilidade dos giros e dos desequilíbrios.[2]

Iluminação, cenografia e música, sem falar nos excelentes bailarinos, construíram um espetáculo primoroso, tecendo "quadros de oposição e casamento entre o acústico e o elétrico, entre luz e sombra, entre o corpo longilíneo do balé a vertigem contemporânea".[3] A plateia que lotava o TM ovacionou a companhia.

Em agosto de 2000 o Grupo Corpo fez sua primeira apresentação da década no Municipal, inaugurando uma série de temporadas, de modo geral uma a cada dois anos, que entrou para o calendário artístico da cidade e que, invariavelmente, lotou o Theatro. A própria lógica estabelecida pela companhia de sempre mostrar sua nova criação junto com uma antiga, estabeleceu um diálogo em que uma interfere na percepção da outra, criando caminhos para a descoberta das duas obras.

O público pode acompanhar a escrita coreográfica de Rodrigo Pederneiras e suas transformações ao longo dos anos: a exploração de outras faixas do espaço, como o chão, e também diferentes possibilidades de articulação do corpo, tanto individualmente quanto com outros corpos, um jogo de formas e encaixes que cada nova coreografia inaugurou de maneira inteligente e de extrema competência.

Em *O Corpo*, coreografia apresentada em 2000 – precedida por *21*, de 1992 –, a trilha de Arnaldo Antunes, primeira feita pelo músico para um espetáculo de dança, as questões do urbano,

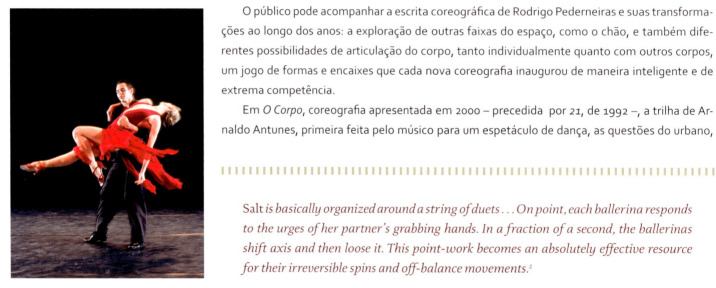

GRUPO CORPO, *LECUONA*. PH. JOSÉ LUIZ PEDERNEIRAS. COL. GRUPO CORPO

Salt is basically organized around a string of duets... On point, each ballerina responds to the urges of her partner's grabbing hands. In a fraction of a second, the ballerinas shift axis and then loose it. This point-work becomes an absolutely effective resource for their irreversible spins and off-balance movements.[2]

The excellent dancers, not to mention the lighting, sets, and music created a fantastic show and painted "pictures both of marriage and divorce between acoustic and electric, shadow and light, the slender body of ballet and contemporary vertigo."[3] The sold-out theater gave the company a standing ovation.

In August 2000, Grupo Corpo gave its first performance at the Municipal that decade, inaugurating a series of seasons, usually every other year, which became part of the city's artistic calendar, and invariably sold out the theater. The company's logic of always introducing a new piece together with an old one established a dialogue in which one work blurred the perception of the other, and thus created paths where both works could be discovered.

Over the years, audiences kept abreast of Rodrigo Pederneiras's choreographic writings and transformations: his exploration of other strips of space, such as the floor, and also of different possibilities of bending and stretching the body both individually and with other ones. Thus, each new dance intelligently and competently inaugurated a game of shapes and dovetailing.

In 2000, the group presented *O Corpo*, along with the piece *21* (1992). *O Corpo*, set to Arnaldo Antunes's first dance soundtrack, explored the obsessions and restlessness of urban

GRUPO CORPO, *BREU*. PH. JOSÉ LUIZ PEDERNEIRAS. COL. GRUPO CORPO

life. Antunes's sound added new colors to one of Grupo Corpo's trademarks: the strict relationship between music and dance. Rodrigo Pederneiras movements were straightforward and full-bodied.[4]

In her review in *O Globo* on August 17, 2000, Soter remarked that: "with its tribal electronic beat, the music transforms the *Brazilianness* of the company's trademark hip movements into occasionally violent waves, and proposes new physical paths to be explored".[5]

Two years later, in September 2002, the group performed *Santagustin* together with the 1997 work *Parabelo*. In the new piece, Rodrigo Pederneiras used duets to speak about love and physical attraction and managed to avoid falling into the trap of doing something facile and agreeable, while throwing in a dash of humor. With music by Tom Zé and Gilberto Assis, and costumes by Ronaldo Fraga, the choreographer invested in new movements and others closer to traditional ballet. According to *Jornal do Brasil* critic Roberto Pereira, Pederneiras created a piece that "calls for a closer look."[6]

In September 2004, Pederneiras explored the theme of love in *Lecuona*, although this time without humor. Instead, he chose to invest in glamour and passion, and cast aside the wiggling hips. Another important difference was the music which used compositions by the Cuban composer Ernesto Lecuona (1895-1963) instead of a new soundtrack. There were 12 duets and a *grandfinale*, presented as four separate sections, with pairs of men (in black) and women (in flowing dresses and high heels). The sensuality of their onstage meetings gained distinct qualities with each song – boleros, tangos, and waltzes.[7] Along with a performance of *Nazareth* from 1993, the emotional and pleasant dance in *Lecuona* seduced and engrossed the audience.

suas inquietações e obsessões entram em cena. A estreita relação entre dança e música, uma das características do Grupo, ganhou novos matizes com a sonoridade de Antunes. A movimentação criada por Rodrigo Pederneiras respondeu de maneira mais seca e maciça.[4]

Segundo Silvia Soter, em sua crítica no jornal *O Globo* de 17 de agosto de 2000: "num pulsar tribal e eletrônico, a música transforma a *brasileirice* da movimentação dos quadris – marca registrada desta companhia – em ondulações, às vezes, violentas dos troncos dos bailarinos, propondo novos caminhos físicos a serem explorados".[5]

Dois anos depois, em setembro de 2002, foi a vez de *Santagustin*, apresentada junto com *Parabelo*, de 1997. Na nova criação, Rodrigo Pederneiras trabalhou com duos para falar de amor e da atração entre os corpos, evitando a armadilha do fácil e do agradável, mas sem deixar de lado o bom humor. Com música de Tom Zé e Gilberto Assis, e figurinos de Ronaldo Fraga, o coreógrafo investiu tanto em novos movimentos quanto em outros mais próximos do balé, conforme salientou o crítico Roberto Pereira, do *Jornal do Brasil*, criando uma peça que é "um convite ao olhar cuidadoso".[6]

Em 2004, também no mês de setembro, *Lecuona* retomou a temática do amor, dessa vez deixando de lado o humor e investindo no glamour e na paixão, em que as quebradas de bacia também foram deixadas de lado. Outra importante diferença foi a música utilizada: ao invés de uma trilha inédita, foram usadas composições do cubano Ernesto Lecuona (1895-1963). Com doze duos e um *grandfinale*, apresentados como quadros separados, em pares formados por um homem e uma mulher, eles de preto e elas de vestidos esvoaçantes e de salto alto, a sensualidade dos encontros mostrados em cena ga-

ROBERTA MARQUES / THIAGO SOARES / ROSTROPOVICH (CENTRO | CENTER), *ROMEU E JULIETA*. TMRJ, 2002. PH. VÂNIA LARANJEIRA

Since it celebrated its 30th anniversary in September 2005, Grupo Corpo didn't have to wait two years to return to the Theatro Municipal. The company brought a new work that year: *Onqotô* (a slang expression from the state of Minas Gerais that means "where am I?"), with music by Caetano Veloso and José Miguel Wisnik. *Onqotô* deals with philosophical and existential issues as a way of reflecting on the universe and the group's career. *Lecuona* (2004) was part of the same program because its lightness contrasted with the weight of the bodies present in the new work. Rodrigo Pederneiras's choreographic writing also showcased a new element: the connection between solos and falls.

The next choreography in 2007, *Breu*, made further use of weight and falls with a specially created soundtrack by Lenine. Paulo Pederneiras created the lighting and sets, while Freusa Zechmeister designed the costumes. The two, incidentally, had worked together since the group's founding. The piece was vigorous, intense, and vibrant and based on contrast and tension and the interplay between black and white.[8] And since *Breu* had been preceeded by *Sete ou oito peças para um ballet* (1994), the dancers' estranged bodies could be seen in even greater contrast.

According to Soter, Pederneiras's choreography in *Breu* was more like a curve, with new contours printed on hips and torsos: "the lines blend and the group becomes a blob, an almost shapeless blob that throbs, explodes, and often violently returns to the ground exhausted."[9]

nham qualidades distintas a partir de cada uma das músicas dançadas – boleros, tangos e valsas.[7] Mostrado junto com *Nazareth*, obra de 1993, *Lecuona* seduziu e envolveu o espectador em uma dança de emoção e prazer.

Nas comemorações dos 30 anos da companhia, em setembro de 2005, o Grupo Corpo não esperou dois anos para retornar ao Theatro Municipal, trazendo nesse mesmo ano sua nova produção: *Onqotô*, com música de Caetano Veloso e José Miguel Wisnik. Corruptela mineira para a pergunta "onde que eu estou?", *Onqotô* partiu de questões filosóficas e existenciais para refletir sobre o universo e sobre a própria trajetória do grupo. Não à toa fez parte do programa *Lecuona*, mostrando o contraste entre a leveza da peça de 2004 e o peso dos corpos presente na nova criação que investe na ligação com o solo e nas quedas, elemento novo na escrita coreográfica de Rodrigo Pederneiras.

O uso do peso e de quedas foi aprofundado na coreografia seguinte, *Breu*, de 2007, com trilha inédita de Lenine. Elaborada a partir de contrastes e de tensão, do jogo entre o preto e o branco,[8] a peça tem iluminação e cenário de Paulo Pederneiras e figurinos de Freusa Zechmeister, colaboradores desde a fundação do grupo. *Breu* é uma peça vigorosa, intensa e vibrante, em que o estranhamento dos corpos ganhou mais contraste ao ser precedido por *Sete ou oito peças para um ballet*, de 1994.

Em *Breu* a dança de Pederneiras virou mais uma curva, segundo Silvia Soter, com novos contornos impressos nos quadris e nos troncos: "as linhas se amalgamam e o grupo se transforma em massa, uma massa quase sempre disforme, que pulsa, explode e retorna exausta ao chão, muitas vezes com violência".[9]

ANA BOTAFOGO / THIAGO SOARES /
MARIANELA NUÑEZ / STEFFEN DAUELSBERG.
THIAGO SOARES / DALAL ACHCAR.
MYRIAN DAUELSBERG / MARIANELA NUÑEZ /
THIAGO SOARES. COL. DELL'ARTE

Grupo Corpo's performances during three-and-a half decades made it one of the best contemporary dance groups in Brazil because "the thinking behind its dancing is good. Very good."[10]

The first decade of 2000 was also important for the Ballet do Theatro Municipal, which, despite few appearances, performed a season every year. In addition to traditional productions of *Coppélia*, *Giselle*, *The Nutcracker*, and *Swan Lake,* three ballets attracted attention both for the quality of the works themselves and the house company's restagings: John Cranko's *The Taming of the Shrew* in 2001; Vladimir Vassileiv's *Romeo and Juliet* in 2002; and Cranko's *Onegin* in 2003. The technical and interpretive quality of the Municipal's dancers was noteworthy in all these works and featured names such as André Valadão, Cecília Kerche, Marcelo Misailidis, Vítor Luiz, and especially Roberta Marques, and Thiago Soares, both currently at the Royal Ballet, and Ana Botafogo.

As Katharina in *The Taming of the Shrew,* Juliet, and Tatiana in *Onegin*, Ana Botafogo demonstrated dramatic and technical finesse and absolute mastery of the stage. Roberto Pereira wrote about her perfect performance in *Onegin*, singled out as one of the high points of her career, and emphasized that

> *Maturity, wisdom, technique, and drama are the ingredients in her dance that spread throughout the stage and theater....She can modulate her character's slightest differences between acts....And she makes audiences leave the theater sure of one thing: Ana Botafogo is a diva.*[11]

BALLET DO THEATRO MUNICIPAL DO RIO DE JANEIRO, *O QUEBRA NOZES* | THE NUTCRACKER. DIREÇÃO | DIRECTION DALAL ACHCAR. TMRJ, 2001. PH. VÂNIA LARANJEIRA

DESENHO DE JOSÉ VARONA PARA O CENÁRIO DE *O QUEBRA NOZES* | DRAWING FOR THE NUTCRACKER SCENERY BY JOSÉ VARONA

The first decade of the century crowned Ana Botafogo's brilliant career with roles in which she was able to safely and intelligently bring together her technical virtuosity and theatrical skills. The Deborah Colker Company attracted the public to its various presentations at the TMRJ and was a great success during this decade.

In June 2003, the Frankfurt Ballet, directed by American dancer and choreographer William Forsythe (1949), gave two performances at the Municipal. Forsythe, who had directed the company from 1984 to 2004, when the group broke up, created the Forsythe Company in 2005.

In an extremely short 2003 season, the sold-out Municipal had the opportunity to see three works: *N.N.N.N* (2002), *Enemy in the Figure* (1989), and *Quintett* (1993) – and to understand why Forsythe is considered one his generation's most important choreographers. With ballet as his starting point, Forsythe sets contemporary ideas about this art in motion.

In July 2004, the Merce Cunningham Dance Company's appeared at the Municipal, performing its rich, unique dance for Rio audiences. Cunningham, who'd been at the helm of his company for half a century, had constantly come up with new ways of organizing choreography based on techniques he'd developed. That was clear for audiences in the 1999 production of *Biped*, in which virtual bodies, projected by a computer program he was using to research movement, created the atmosphere. Cunningham's paths never led to self-complacency and this was clearly seen in the night's second piece, *Sounddance* from 1975. As Roberto Pereira pointed out, watching this performance is "another chance to see that dance is a string of ideas rather than steps."[12]

In July 2007, almost ten years after his solo show in Rio de Janeiro, Mikhail Baryshnikov returned to the Theatro Municipal, this time with Hell's Kitchen Dance, a company of young

Por tudo o que vem apresentando em suas três décadas e meia de existência, o Grupo Corpo é considerado um dos melhores grupos de dança contemporânea do Brasil, pois "o pensamento de dança que se constrói ali é bom. Muito bom". [10]

A década de 2000 também foi importante para o Ballet do Theatro Municipal que, apesar de ter dançado pouco, realizou temporadas em todos os anos. Além das tradicionais montagens de *Coppélia*, *Giselle*, *O Quebra-Nozes* e *O Lago dos Cisnes* chamam atenção três balés, tanto pela qualidade da obra em si quanto pela remontagem apresentada pela companhia do Municipal: *A Megera Domada*, de John Cranko, em 2001; *Romeu e Julieta*, de Vladimir Vassileiv, em 2002; e *Onegin*, também de Cranko, em 2003. E em todas essas obras ficou evidente a qualidade técnica e interpretativa dos bailarinos da casa, com nomes como André Valadão, Cecília Kerche, Marcelo Misailidis, Vítor Luiz, Roberta Marques e Thiago Soares, os dois atualmente no Royal Ballet, e, especialmente, Ana Botafogo, se destacando.

CIA. DEBORAH COLKER, *VASOS*.
PH. FLAVIO COLKER. COL. DEBORAH COLKER

Tanto em Katharina, de *A Megera Domada*, quanto em Julieta e Tatiana, de *Onegin*, Ana Botafogo evidenciou seu requinte técnico e dramatúrgico com domínio absoluto do palco. Sobre sua interpretação perfeita em *Onegin*, apontada como um dos pontos altos de sua carreira, Roberto Pereira assinalou:

BALLET DO THEATRO MUNICIPAL DO RIO DE JANEIRO, *NASCIMENTO*, (COREÓGRAFO | CHOREOGRAPHER DAVID PARSONS). TMRJ, 2001. PH. VÂNIA LARANJEIRA

Maturidade, sabedoria, técnica e dramaticidade são elementos dissolvidos em sua dança que se espalha por toda a cena, por todo o teatro. [...] Consegue modular com minúcia as diferenças de sua personagem entre os atos [...] E faz o público sair do teatro com uma certeza: Ana Botafogo é uma diva.[11]

A década de 2000 coroou a brilhante carreira de Ana Botafogo, com papéis em que pode mostrar seu virtuosismo técnico e sua competência teatral, aliados de maneira segura e inteligente. Sucesso também foram as apresentações da Companhia Deborah Colker, que atraiu um público numeroso ao Municipal nesta década.

Em junho de 2003, o Ballet de Frankfurt, dirigido pelo bailarino e coreógrafo norte-americano William Forsythe (1949), realizou duas récitas no Municipal. Forsythe, que dirigiu a companhia por vinte anos, de 1984 a 2004, quando o grupo foi desfeito, criou em 2005 a Forsythe Company.

Na curtíssima temporada carioca de 2003, o público que lotou o Municipal teve chance de assistir três obras – *N.N.N.N*, de 2002, *Enemy in the Figure*, de 1989, e *Quintett*, de 1993 – e entender por que o coreógrafo é considerado um dos mais importantes de sua geração. Ao tomar o balé como ponto de partida, Forsythe coloca em movimento um pensamento contemporâneo dessa arte.

Em julho de 2004 foi a vez da Merce Cunningham Dance Company apresentar-se no Municipal, mostrando uma dança completamente distinta, e por isso mesmo um cenário de extrema riqueza para o espectador carioca. Com meio século de atividade à frente de sua companhia, Cunningham inaugurou constantemente formas de organizar sua dança, a partir da técnica que burilou, como o que se viu em *Biped*, de 1999, em que a ambientação é composta por corpos virtuais de imagens

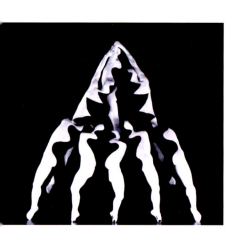

MOMIX, *LUNAR SEA*.
2005. COL. MOMIX

dancers created in 2006. The company actually started as a project for training excellent young dance students at the NewYork-based Baryshnikov Arts Center/BAC, inaugurated in 2005.

Baryshnikov was featured in two of the program's three works: *Years Later* and *Come in*, while the excellent dancer William Briscoe performed in *Rom*. In Benjamin Millepied's *Years Later*, the background featured images of Baryshnikov as a young man, performing ballet variations. Still, the piece shunned any hint of nostalgia. The flow of time was demonstrated by showing a body with other skills in another dance, this time, one that wisely defined the dancer's physical limits and possibilities.

The same Baryshnikov also appears more generously and without pretense alongside the group in *Come in*. What the audience witnessed on stage was the best form of dance, not in the body of an erstwhile virtuoso like Baryshnikov, but in the virtuosity of his intelligence.[13]

The first decade of 2000 overflowed with great dance performances, with seasons that clearly defined different ways of organizing the body and stage settings. From ballet to contemporary dance, everything was right there on the Municipal's stage, where plenty of information flowed to Rio audiences. ■

projetadas pelo programa de computador que utilizava para suas pesquisas de movimento. A segunda peça da noite, *Sounddance*, de 1975, confirma o caminho da não acomodação e intensa pesquisa trilhado pelo coreógrafo. Como afirma Roberto Pereira, assisti-lo é a "oportunidade de confirmar que dança não é uma sucessão de passos, mas ideia".[12]

Em julho de 2007, quase dez anos depois de seu espetáculo solo no Rio de Janeiro, Mikahil Baryshnikov retornou ao Theatro Municipal, dessa vez com a Hell's Kitchen Dance, companhia criada em 2006, formada por jovens bailarinos. Tratou-se, na verdade, de um projeto de formação de jovens estudantes de dança – todos ótimos – de seu centro de artes, inaugurado em 2005, o Baryshinikov Arts Center/BAC, com sede em Nova York.

Baryshinkov dançou duas das três coreografias apresentadas, *Years Later* e *Come in*, enquanto *Rom* foi dançada pelo excelente William Briscoe. Em *Years Later*, criada por Benjamim Millepied, o bailarino tem como pano de fundo imagens suas bem jovem, executando variações de balé; a peça, porém, consegue escapar da nostalgia. A passagem do tempo é uma citação para mostrar um corpo com outras competências, executando outra dança, que sabiamente estabelece seus limites e possibilidades.

É esse Baryshnikov que também surge em *Come in*, ao dançar com o grupo de maneira generosa e sem afetações. O que se viu em cena foi dança em sua melhor forma, não no corpo do virtuose, que Baryshnikov já foi um dia, mas no virtuosismo de sua inteligência.[13]

A década de 2000 foi plena de boa, ótima, dança. Do balé ao contemporâneo, tudo esteve presente no palco do Municipal, irrigando de informações o público carioca. ∎

CECILIA KERCHE, *LAGO DOS CISNES*.
PH. VÂNIA LARANJEIRA

MOMIX, *LUNAR SEA*.
2005. COL. MOMIX

NOTAS

INTRODUÇÃO

1. *A Notícia*, 24 mar. 1904.
2. *A Notícia*, 2 maio 1895.
3. *Idem*.
4. *A Notícia*, 31 mar. 1904.
5. *A Notícia*, 5 jan. 1905.
6. Para saber mais sobre as implicações dessa montagem ver Nicolau Sevcenko em *Orfeu extático na metrópole*. Esta encenação paulista teve direito a cena de congada interpretada por negros e minueto dançado pelas moças da alta sociedade com vestidos de seda bordado com fios de ouro, cenários de Washington Rodrigues, a contribuição da alta sociedade com móveis e objetos de valor, e até o apoio de Washington Luiz, então governador de São Paulo. E o mais importante, os atores eram também ilustres figuras da sociedade paulistana.
7. *A Notícia*, 13 set. 1906.
8. *Gazeta de Notícias*, Cinemathographo, Joe (João do Rio), 18 jul. 1909.
9. *Gazeta de Notícias*, Cinemathographo, Joe (João do Rio), 6 jun. 1909.
10. Tanto Artur Azevedo quanto João do Rio insistem nesta questão.
11. Entrevista com Gianni Ratto, "O teatro é uma filha da mãe que não morre nunca", *O Folhetim*, n. 5, out. 1999. Ed. Teatro do pequeno gesto.
12. Heliodora, Barbara. De como se deve amar o teatro: O Mambembe pelo Teatro do Sete. *Jornal do Brasil*, Suplemento Dominical, 21 nov. 1959.
13. Heliodora, Barbara. Mambembe 51 anos depois. *O Globo*, 2 jun. 2010.
14. Ver também: Chaves Jr., Edgard de Brito. *Memórias e glórias de um teatro*: sessenta anos de história do Teatro Municipal do Rio de Janeiro. Rio de Janeiro: Companhia Editora Americana, 1971. E do mesmo autor, *Diário do Municipal* (1971-1990). Rio de Janeiro: Gryphus, 1993.

O PONTO DE PARTIDA: A CIDADE EM BUSCA DO SEU TEATRO

1. *Jornal do Commercio*, 15 jul. 1909.
2. *Idem*.
3. *Theatro Municipal do Rio de Janeiro*. Rio de Janeiro: Sextante, 1987 (edição original 1913). p. 18.
4. Luccock, John. *Notas sobre o Rio de Janeiro*. Belo Horizonte: Itatiaia, 1975. p. 47.
5. Cruls, Gastão. *Aparência do Rio de Janeiro*. Rio de Janeiro: José Olympio, 1965. p. 165, v. II.
6. Gerson, Brasil. *História das ruas do Rio de Janeiro*. Rio de Janeiro: Lacerda, 2000. p. 96.
7. Cruls, *op. cit.*, p. 64.
8. Dimas, Antonio (Org.). *Bilac jornalista*. São Paulo: Edusp/Unicamp/Imp. Oficial, 2006. p. 582, v. I.
9. Cavalcanti, Nireu. *O Rio de Janeiro setecentista*. Rio de Janeiro: Jorge Zahar, 2004. p. 173.
10. Foi encontrada uma escritura, lavrada em 1719, formalizando a criação de uma sociedade destinada a gerir um teatro de marionetes, mas não há documentos indicando que usasse o mesmo espaço que viria a ser o da "Ópera dos vivos". Ver Cavalcanti, *op. cit.*, p. 171.
11. Coaracy, Vivaldo. *Memórias da Cidade do Rio de Janeiro*. Rio de Janeiro: José Olympio, 1955. p. 118.
12. Cruls, *op. cit.*, p.118; Augusto Maurício. *Meu velho Rio*. Rio de Janeiro: Prefeitura do Distrito Federal, Secretaria Geral de Educação e Cultura [s.d.] p. 101-2; Azevedo, M. D. Moreira de. *O Rio de Janeiro*; sua história, monumentos, homens notáveis, usos e curiosidades. 3. ed. Rio de Janeiro: Livraria Brasiliana, 1969. v. II.
13. Cavalcanti, *op.cit*, p. 176.
14. Paixão, Múcio da. *O teatro no Brasil*. Rio de Janeiro: Moderna, 1917. p. 69-74, p. 79-82.
15. Ebel, Ernst. *O Rio de Janeiro e seus arredores em 1824*. São Paulo: Comp. Edit. Nacional, 1972. p. 80.
16. Luccock, *op.cit.*, p. 60-61.
17. *Idem*.
18. Marinho, Henrique. *O teatro brasileiro; alguns apontamentos para a sua história*. Paris/Rio de Janeiro: H. Garnier, 1904. p. 20, 22, 49, 52, 55, 60-1, 69, 74-7; Cruls, *op. cit.*, p. 308-310.
19. Walsch, Robert. *Notícias do Brasil*. Belo Horizonte: Itatiaia/Edusp, 1985. p. 204, v. I.
20. Coaracy, *op.cit.*, p. 122-125; Marinho, *op. cit.*, p. 20, 22, 49, 52, 55, 60-1, 69, 74-7.
21. Machado de Assis. *Obra completa*. Rio de Janeiro: Nova Aguilar, 1985. p. 668. v. III.
22. Raeders, Georges. *O inimigo cordial do Brasil, o Conde de Gobineau no Brasil*. São Paulo: Paz e Terra, 1988. p. 66.
23. Lima, Herman. *História da caricatura no Brasil*. Rio de Janeiro: José Olympio, 1963. p. 558, v. I.
24. Raeders, *op. cit.*, p. 171-172.
25. Machado de Assis, *op.cit.*, p. 470.
26. *Ibid.*, p. 622.
27. Lima, *op. cit.*, p. 556.
28. *Ibid.*, p. 557.
29. Gerson, *op. cit.*, p. 96-97.
30. Raeders, *op. cit.*
31. Gerson, *op. cit.*, p. 101.
32. Cruls, *op. cit.*, p. 546.
33. Rezende, Beatriz; Valença, Rachel (Org.). *Lima Barreto: Toda crônica*. Rio de Janeiro: Agir, 2004. p. 66, v. 1.
34. Machado de Assis, *op. cit.*, p. 621-622.
35. Magalhães Jr., Raimundo. *Arthur Azevedo e sua época*. São Paulo: Saraiva, 1953. p. 198.
36. *Ibid.*, p. 199.
37. *Idem*.
38. *Ibid.*, p. 200.
39. *Ibid.*, p. 203.
40. Dimas, *op. cit.*, p. 361, v. II.
41. Del Brenna, Giovanna Rosso (Org.). *O Rio de Janeiro de Pereira Passos – Uma cidade em questão II*. Rio de Janeiro: PUC, 1965. p. 19.
42. *Ibid.*, p. 65.
43. Nunes de Azevedo, André. A reforma Pereira Passos: uma tentativa de integração urbana. *Revista Rio de Janeiro*, Rio de Janeiro, n. 10, p. 59, maio-ago. 2003.
44. Del Brenna, *op. cit.*, p. 289.
45. *Ibid.*, p. 158.
46. *Ibid.*, p. 219.
47. Dimas, *op. cit.*, p. 384.
48. Liernur, Jorge Francisco. Rio de Janeiro y Buenos Aires: 1880-1930. In: Turazzi, Maria Inez; Priamo, Luis; Liernur, Jorge Francisco. *Rio de Janeiro-Buenos Aires*: Duas cidades modernas. Buenos Aires: BICE-BNDES, 2004. p. 32.
49. *Ibid.*, p. 33.
50. Melo Franco, Afonso Arinos. *Rodrigues Alves*. Rio de Janeiro: José Olympio, 1973. p. 351, v. I.
51. Del Brenna, *op. cit.*, p. 159 e 233.
52. *Ibid.*, p. 245.
53. *Ibid.*, p. 254.
54. *Ibid.*, p. 245.
55. *Ibid.*, p. 258 e 261.
56. *Idem*.
57. *Ibid.*, p. 294.
58. Liernur, *op. cit.*, p. 38-39.
59. Del Brenna, Giovanna Rosso. Ecletismo e transformação urbana. In: Fabris, Anateresa (Org.). *Ecletismo na arquitetura brasileira*. São Paulo: Nobel, 1987. p. 57.
60. Edmundo, Luís. *Recordações do Rio Antigo*. Rio de Janeiro: Exército, 1950. p. 166.
61. Rezende, *op. cit.*, p. 88; Santos, Afonso Carlos Marques dos (Coord.). *O Rio de Janeiro de Lima Barreto*. Rio de Janeiro: RioArte, 1983. p. 205-206, v. II.
62. Reis, José de Oliveira. *O Rio de Janeiro e seus prefeitos*. Prefeitura do Rio de Janeiro, 1977. p. 29.
63. Del Brenna, Ecletismo..., *op. cit.*, p. 57.
64. Del Brenna, O Rio de Janeiro..., *op. cit.*, p. 335.
65. *Idem*.
66. *Jornal do Brasil*, 13 nov.1906.
67. *Idem*.
68. *Jornal do Commercio*, 13 nov. 1906.
69. João do Rio. *Theatro Municipal do Rio de Janeiro*. Rio de Janeiro: Salamandra, 1987. p. 123, 124, 136.
70. *O Malho*, 11 jul. 1903.
71. Magalhães Jr., *op. cit.*, p. 204.
72. Rezende, *op. cit.*, p. 71.
73. *Gazeta de Notícias*, 13 jul. 1909.
74. *Jornal do Brasil*, 11 jul. 1909.
75. *Idem*.
76. *Ibid.*, 3 jul. 1909.
77. *Fon-Fon*, 10 jul. 1909, p. 7.
78. *Gazeta de Notícias*, 12 jul. 1909.
79. *Fon-Fon*, 10 jul. 1909, p. 19.
80. *Idem*.
81. *Jornal do Brasil*, 8 jul. 1909.
82. *Fon-Fon*, 24 jul. 1909.
83. *Rezende, op. cit.*, p. 68 e 71.
84. *Fon-Fon*, 24 jul. 1909, p. 7.
85. *Idem*.
86. Edmundo, *op. cit.*, p. 165.
87. *Fon-Fon*, 3 jul. 1909, p. 7.

88 Edmundo, *op. cit.*, p. 165.

89 Lenzi, Maria Isabel Ribeiro. *Pereira Passos*: Notas de viagem. Rio de Janeiro: Sextante, 2000. p. 101.

90 *Jornal do Commercio*, 11 jul. 1909.

91 *Ibid.*, 15 jul. 1909.

92 *Idem.*

93 *Idem.*

94 *Idem.*

95 *Fon-Fon*, 10 jul. 1909.

96 *Gazeta de Notícias*, 30 jul. 1909.

97 Carta enviada de Paris, de 10 mar. 1909, acervo da família de Américo Rangel.

98 Edmundo, *op. cit.*, p. 168.

99 *Jornal do Commercio*, 14 jul. 1909.

100 *O Paiz*, 15 jul. 1909.

101 Edmundo, *op. cit.*, p. 166.

102 *Fon-Fon*, 24 jul. 1909, p. 16.

103 Edmundo, *op. cit.*, p. 166.

104 *Ibid.*, p. 165.

105 Rezende, Beatriz; Valença, Rachel (Org.). *Lima Barreto*: Toda crônica. Rio de Janeiro: Agir, 2004. p. 71, v. I.

106 Santos, *op. cit.*, p. 205-206, v. II.

107 *Jornal do Commercio*, 15 jul. 1909.

108 *A Tribuna*, 15 jul. 1909.

1909 >1919

TEATRO 1909 >1919

1 Chaves Jr., Edgard de Brito. *Memórias e glórias de um teatro*: sessenta anos de história do Teatro Municipal do Rio de Janeiro. Rio de Janeiro: Companhia Editora Americana, 1971.

2 *Careta*, 09 nov. 1912, p. 33.

3 *Careta*, 17 maio 1913 – "Almanaque das glórias" (assinado por Voltaire, pseudônimo de Leal de Souza), p. 07.

4 João-José. *Revista da Semana*, 26 out. 1912, p. 2.

5 Kruss, J. *Correio da Manhã*, 22 out. 1912.

6 Castro, Victorino de. O Momento Theatral. *Fon-Fon*, 26 out. 1912.

ÓPERA 1909 >1919

1 Marinuzzi, Lia Pierotti Cei; Gualerzi, Giorgio; Gualerzi, Valeria (Org.). *Gino Marinuzzi Tema con variazioni*. Milano: Arnoldo Mondadori Editore, 1995. p. 168-169.

CONCERTOS E RECITAIS 1909 >1919

1 Na Rua do Passeio, depois transformado em sede do Automóvel Clube.

2 Alvim Corrêa, Sérgio Nepomuceno. *Orquestra Sinfônica Brasileira, 1940-2000*. Rio de Janeiro: Fundação Nacional de Arte – Funarte, 2004. p. 14.

3 Reproduzido por: Romero Pereira, Avelino. *Música, sociedade e política*: Alberto Nepomuceno e a República Musical. Rio de Janeiro: Editora UFRJ, 2007. p. 47.

4 *Ibid.*, p. 196.

5 Romero Pereira, *op. cit.*, p. 193.

6 Reproduzido por: Resende, Beatriz; Valença, Rachel (Org.). *Toda Crônica*: Lima Barreto. Rio de Janeiro: Agir, 2004.

7 Alvim Corrêa, *op. cit.*, p. 15.

8 Romero Pereira, *op. cit.*, p. 217.

9 Esta informação e as anteriores sobre os primeiros concertos no Theatro Municipal constam de Edgard de Brito Chaves Jr. (*Memórias e glórias de um teatro*: Sessenta anos de história do Teatro Municipal do Rio de Janeiro. Rio de Janeiro: Companhia Editora Americana, 1971) que serve de base a este histórico.

10 Itálico no original.

11 Chaves Jr., *op.cit.*, p. 429.

12 *Ibid.*, p. 430.

13 Mariz, Vasco. *Villa-Lobos, o homem e a obra*. 12. ed. Rio de Janeiro: Academia Brasileira de Música/ Francisco Alves, 2005. p. 67.

14 Mariz, Vasco. *Vida musical*. Rio de Janeiro: Civilização Brasileira, 1997. p. 102.

DANÇA 1909 >1919

1 Cf. Garafola, *Lynn. Diaghilev's Ballets Russes*. Oxford: Oxford University Press, 1989.

2 *Jornal do Brasil*, coluna "Palcos e salões", 18 out. 1913, p. 12.

3 Chaves Jr., Edgard de Brito. *Memórias e glórias de um teatro*: sessenta anos de história do Teatro Municipal do Rio de Janeiro. Rio de Janeiro: Companhia Editora Americana, 1971. p. 270.

4 Pavlova, Adriana. *Maria Olenewa*: a sacerdotiza do ritmo. Rio de Janeiro: Funarte: Fundação Theatro Municipal do Rio de Janeiro, 2001. p. 13. Sucena, Eduardo. *A dança teatral no Brasil*. Rio de Janeiro: MinC: Fundacen, 1989. p. 225.

5 *Jornal do Brasil*, coluna "Palcos e salões", 18 ago. 1917, p. 9.

6 *Revista da Semana*, 28 ago. 1916, p. 20.

7 *Jornal do Brasil*, coluna "Palcos e salões", 25 ago. 1916, p. 10.

8 *A Notícia*, 26 ago. 1916, p. 7.

9 *Correio da Manhã*, coluna "Theatro e Musica", 12 maio 1918, p. 4; *Jornal do Brasil*, coluna "Palcos e Salões", 05 e 23 maio 1918, p.8.

10 *Jornal do Brasil*, coluna "Palcos e Salões", 10 set. 1919, p. 10.

1920 > 1929

CONCERTOS E RECITAIS 1920 >1929

1 Heitor, Luiz. *150 anos de música no Brasil*: 1800-1850. Rio de Janeiro: Livraria José Olympio, 1956. p. 187-188.

DANÇA 1920 > 1929

1 Em seu livro (*Memórias e glórias de um teatro*, p. 272) Edgar de Brito Chaves Jr. registra que apenas um espetáculo foi efetuado pela companhia de Massine, já Adriana Pavlova, (*Maria Olenewa*: a sacerdotiza do ritmo, p. 13), afirma que foram realizados dois: o primeiro em 14 de julho, e um segundo, sem indicação de data. Neste texto, será usada a indicação de Chaves Jr., já que não foi possível confirmar a realização da segunda récita.

2 Pereira, Roberto. *A formação do balé brasileiro*. Rio de Janeiro: FGV, 2003. p. 95-99.

3 Chaves Jr., *op. cit.*, p. 274-275.

4 *O Globo*, coluna "O Globo nos Theatros", 28 jul. 1928, p. 5.

5 Bandeira, Manuel. *Crônicas inéditas I 1920-1931*: Manuel Bandeira. Organização, posfácio e notas: Julio Castanon Guimarães. São Paulo: Cosac Naify, 2008. p. 121-122.

6 Pavlova, *op. cit.*, p. 26.

1930 > 1939

TEATRO 1930 >1939

1 *Jornal do Brasil*, 29 out. 1938.

CONCERTOS E RECITAIS 1930 > 1939

1 Chaves Jr., Edgard de Brito. *Memórias e glórias de um teatro*: Sessenta anos de história do Teatro Municipal do Rio de Janeiro. Rio de Janeiro: Companhia Editora Americana, 1971. p. 465.

2 Heitor, Luiz. *150 anos de música no Brasil*: 1800-1850. Rio de Janeiro: Livraria José Olympio Editora, 1956. p. 188-90.

3 Heitor, Luiz. *Música e músicos do Brasil*. Casa do Estudante do Brasil, 1950. p. 351.

4 *Ibid.*, p. 353.

5 *Ibid.*, p. 355.

6 *Ibid.*, p. 360.

7 Chaves Jr., *op. cit.*, p. 470.

8 Heitor, *Música...*, *op. cit.*, p. 261-62.

9 *Ibid.*, p. 262.

10 *Ibid.*, p. 364-65.

DANÇA 1930 >1939

1 *Jornal do Brasil*, coluna "Teatros", 22 set. 1933, p. 16.

2 *Fon-Fon*, coluna "Notas de Arte", 30 set. 1933, p. 37.

3 Pereira, Roberto. *A formação do balé no Brasil*. Rio de Janeiro: FGV, 2003. p. 113.

4 *O Globo*, 10 jul. 1939, p. 6.

5 *Correio da Manhã*, coluna "Correio Musical", 15 jun. 1937, p. 8.

6 Pereira, *op.cit.*, p. 178 -182.

7 *Correio da Manhã*, 21 jun. 1939, p. 8.

8 *Correio da Noite*, 28 jun. 1939, p. 7. Pereira, *op.cit.*, p. 135.

9 Cf. Cerbino, Beatriz. *Cenários cariocas*: o Ballet da Juventude entre a tradição e o moderno. Tese (Doutorado em História) – Instituto de Ciências Humanas e Filosofia, Universidade Federal Fluminense, Niterói, 2007.

10 *Correio Carioca*, coluna "Música", 6 jul. 1939, p. 4. *Diário de Notícias*, coluna "Música", 6 jul. 1939, p. 6. *Correio da Manhã*, coluna "Correio Musical", 11 jul. 1939, p. 5. *A Nota*, 13 jul. 1939, p. 5.

11 *Jornal do Brasil*, coluna "Teatros", 1 jul. 1939, p.15.

1940 > 1949

CONCERTOS E RECITAIS 1940 >1949

1 O teremin é um instrumento eletrônico inventado em 1919 pelo russo Lev Termen, consistindo numa caixa com osciladores de frequência cujos sons são emitidos à aproximação das mãos.

2 Muricy *apud* Alvim Corrêa, Sérgio Nepomuceno. *Orquestra Sinfônica Brasileira, 1940-2000*. Rio de Janeiro: Fundação Nacional de Arte – Funarte,

2004. pp. 32-33. As aspas dentro das aspas ('dos moldes em que se fundamentam...') remetem à citação do manifesto de lançamento da OSB.

3 Alvim Corrêa, Sérgio Nepomuceno. *Orquestra Sinfônica Brasileira, 1940-2000*. Rio de Janeiro: Fundação Nacional de Arte – Funarte, 2004. p. 18.

4 *Ibid.*, p. 21.

5 Preocupado com efeitos.

DANÇA 1940 > 1949

1 *Correio da Manhã*, coluna "Correio Musical", 7 jun. 1940, p. 5.

2 *Diário de Notícias*, coluna "Música", 30 maio 1940, p. 9.

3 Chaves Jr., Edgard de Brito. *Memórias e glórias de um teatro*: sessenta anos de história do Teatro Municipal do Rio de Janeiro. Rio de Janeiro: Companhia Editora Americana, 1971. p. 283.

4 *Fon-Fon*, coluna "Notas de arte", 5 jun. 1941, p. 21, 52-53.

5 Disponível em: < http://balanchine.org/balanchine/display_result.jsp?num=193>. Acesso em: 8 mar. 2010.

6 Disponível em: <http://balanchine.org/balanchine/display_result.jsp?id=265&current=1&sid=santa rosa&searchMethod=exact>. Acesso em: 8 mar. 2010.

7 Disponível em: <http://balanchine.org/balanchine/display_result.jsp?num=200>. Acesso em: 9 mar. 2010.

8 Cerbino, Beatriz. *Cenários cariocas*: o Ballet da Juventude entre a tradição e o moderno. Tese (Doutorado em História) – Instituto de Ciências Humanas e Filosofia, UFF - Niterói, 2007. Passim.

9 Chaves Jr., *op. cit.*, p. 284-288.

10 *Diário Carioca*, coluna "Música", 25 abr. 1942, p.11.

11 *Diário de Notícias*, coluna "Música", 6 maio 1944, p. 9.

12 *O Globo*, nov. 1944, p. 9.

13 *O Cruzeiro*, 31 ago. 1946, p. 28.

14 *Diário Carioca*, coluna "As artes", 18 ago. 1946, p. 1, seção 2.

15 Walker, Kathrine Sorley. *De Basil's Ballets Russes*. New York: Atheneum, 1983. p. 137.

16 *Jornal do Brasil*, coluna "Teatros", 20 maio 1949, p. 13.

17 *Diário Carioca*, coluna "As artes", 22 maio 1949, p. 6.

1950 > 1959

CONCERTOS E RECITAIS 1950 > 1959

1 Alvim Corrêa, Sérgio Nepomuceno. *Orquestra Sinfônica Brasileira, 1940-2000*. Rio de Janeiro: Fundação Nacional de Arte – Funarte, 2004. p. 52.

2 Trecho ilegível no recorte consultado na Biblioteca Nacional.

3 Alvim Corrêa, *op. cit.*, p. 54.

4 *Ibid.*, p. 60.

DANÇA 1950 > 1959

1 *Diário de Notícias*, coluna "Música", 25 maio 1951, 2ª seção, p. 3; *Correio da Manhã*, coluna "Música", 27 maio 1951, 1º caderno, p. 9; *Diário Carioca*, coluna "Artes", 31 maio 1951, p. 6.

2 *Diário Carioca*, coluna "Artes", 31 maio 1951, p. 6.

3 *Idem.*

4 *Correio da Manhã*, coluna "Música", 5 jun. 1951, 1º caderno, p. 7.

5 *Jornal do Brasil*, coluna "Teatros", 6 jun. 1951, p. 10.

6 Para uma discussão sobre bailado nacional consulte-se Pereira, Roberto. *A formação do balé brasileiro*. Rio de Janeiro: FGV, 2003.

7 *Correio da Manhã*, coluna "Música", 23.11.1951, p. 7; *O Globo*, coluna "O Globo na música", 29 nov. 1951, p. 6; *Diário de Notícias*, coluna "Música", 12 dez. 1951, 2ª seção 2, p. 3.

8 *Correio da Manhã*, coluna "Música", 8 abr. 1952, p. 9; *Diário Carioca*, coluna "Artes", 27 maio 1952, p. 6; *Jornal do Brasil*, coluna "Teatros", 8 abr. 1952, p. 10.

9 *Diário Carioca*, coluna "Artes", 12 maio 1955, p. 6.

10 *O Cruzeiro*, 21 maio 1955.

11 *Diário de Notícias*, coluna "Música", 2 out. 1955, 2ª seção, p. 3.

12 *Diário de Notícias*, coluna "Música", 14 out. 1955, 2ª seção, p. 3; *O Globo*, coluna "O Globo na Música", 6 out. 1955, p. 4.

13 *Correio da Manhã*, coluna "Música", 12 nov. 1955, p. 11; *Diário de Notícias*, coluna "Música", 20 nov. 1955, 2ª seção, p. 3.

14 *Jornal do Brasil*, coluna "Teatros", 4 nov. 1959, 2º caderno, p. 4.

15 *Jornal do Brasil*, coluna "Teatros", 3 jun. 1952, p. 9.

16 *Jornal do Brasil*, coluna "Teatros", 14 jun. 1952, p. 11.

17 *Correio da Manhã*, coluna "Música", 22 jun. 1954 e 6 jul. 1954, 1º caderno, p. 11.

18 *Diário de Notícias*, coluna "Música", 1 out. 1953, 2ª seção , p. 3.

19 *Correio da Manhã*, coluna "Música", 2 out. 1953, 1º caderno, p. 9.

20 *Jornal do Brasil*, coluna "Teatros", 3 out. 1953, 2º caderno, p.2.

21 *Idem.*

22 *Diário Carioca*, coluna "Artes", 01 ago. 1959, p. 7; *Diário de Notícias*, coluna "Música", 2 ago. 1959, 2ª seção, p. 3; *Correio da Manhã*, coluna "Música", 2 ago. 1959, 1º caderno, p. 17; *O Globo*, coluna "O Globo na Música", 6 ago. 1959, 2º caderno, p.13; *Jornal do Brasil*, coluna "Ballet", Revista de Domingo, 9 ago. 1959, p. 2.

1960 > 1969

CONCERTOS E RECITAIS 1960 > 1969

1 Alvim Corrêa, Sérgio Nepomuceno. *Orquestra Sinfônica Brasileira, 1940-2000*. Rio de Janeiro: Fundação Nacional de Arte – Funarte, 2004. p. 68.

2 *Ibid.*, p. 72.

DANÇA 1960 > 1969

1 *Jornal do Brasil*, coluna "Música", 5 jun. 1960, 1º caderno, p. 6.

2 *Jornal do Brasil*, coluna "Teatros", 7 jun. 1960, 2º caderno, p. 3.

3 *Jornal do Brasil*, 30 jun. 1960, 1º caderno, p. 6.

4 *Correio da Manhã*, coluna "Música", 14 dez. 1960, 2º caderno, p. 3.

5 *Ibid.*, 13 out. 1960, 2º caderno, p. 3; *Jornal do Brasil*, coluna "Teatros", 16 out. 1960, 2º caderno, p. 10.

6 *Jornal do Brasil*, coluna "Teatros", 16 out. 1960, 2º caderno, p. 10.

7 *Diário de Notícias*, coluna "Música", 20 jun. 1965, 2ª seção, p. 3.

8 *Ibid.*, 24 maio 1963, 2ª seção, p. 3.

9 *Correio da Manhã*, coluna "Música", 24 maio 1963, 2º caderno, p. 3.

10 *Idem.*

11 *Diário de Notícias*, coluna "Música", 23 abr. 1967, 2ª seção, p. 3.

12 *Ibid.*, 27 abr. 1967, 2ª seção, p. 3.

13 *Correio da Manhã*, coluna "Música", 27 abr. 1967, 2º caderno, p. 2.

1970 >1979

DANÇA 1970 > 1979

1 Katz, Helena. "Stagium: lições de perseverar". Disponível em: <http://www.helenakatz.pro.br/midia/helenakatz11278508526.jpg>. Acesso em: 6 jul. 2010.

2 *Correio da Manhã*, 21 jul. 1972, 1º caderno, p.5.

3 *Jornal do Brasil*, coluna "Música", 21 jul. 1972, Caderno B, p. 2.

4 *Jornal do Brasil*, 21 jun. 1979, Caderno B, p. 1.

5 *Idem.*

6 Bogéa, Inês (Org.). *Oito ou nove ensaios sobre o Grupo Corpo*. São Paulo: Cosac & Naify, 2001. p. 23.

7 *Jornal do Brasil*, coluna "Dança", 10 abr. 1976, Caderno B, p. 2.

8 *O Globo*, 10 ago. 1978, p. 41; *Jornal do Brasil*, 11 ago. 1978, Caderno B, p. 7.

9 *Idem.*

10 *Jornal do Brasil*, coluna "Zózimo", 10 ago. 1978, p. 3.

11 *O Globo*, coluna "Carlos Swan", 5 out. 1979, Grande Rio, p. 10; *Jornal do Brasil*, 5 out. 1979, Caderno B, p. 1.

12 *Jornal do Brasil*, 5 out. 1979, Caderno B, p. 1.

13 *Idem.*

1980 > 1989

CONCERTOS E RECITAIS 1980 > 1989

1 Alvim Corrêa, Sérgio Nepomuceno. *Orquestra Sinfônica Brasileira, 1940-2000*. Rio de Janeiro: Fundação Nacional de Arte – Funarte, 2004. p. 98.

2 *Idem.*

DANÇA 1980 > 1989

1 *Jornal do Brasil*, 6 out. 1981, Caderno B, p. 2; Caderno B, 11 out. 1981, p. 5.

2 *Idem.*

3 *Ibid.*, 3 out. 1983, Caderno B, p. 2.

4 *Idem.*

5 *Ibid.*, 5 maio 1984, Caderno B, p. 1.

6 *O Globo*, 27 maio 1985, Segundo Caderno, p. 8.

7 *Idem.*

8 *Jornal do Brasil*, 15 maio 1987, Caderno B, p. 6.

9 *Ibid.*, 6 maio 1985, Caderno B, p. 1.

10 *Idem.*

11 *Ibid.*, 19 maio 1988, Caderno B, p. 4-5.

12 *Idem.*

13 *Ibid.*, 13 nov. 1987, Caderno B, p. 4.

14 *O Globo*, 14 nov. 1987, Segundo Caderno, p. 4.

15 *Jornal do Brasil*, 11 abr. 1988, Caderno B, p. 2.

16 *Ibid.*, 13 abr. 1988, Caderno B, p. 2.

17 *Ibid.*, 18 nov. 1988, Caderno B, p.4.

18 *Ibid.*, 14 abr. 1989, Caderno B, p.1.

19 *Ibid.*, 22 abr. 1989, Caderno B, p. 4.

1990 > 1999

CONCERTOS E RECITAIS
1990 > 1999

1 Alvim Corrêa, Sérgio Nepomuceno. *Orquestra Sinfônica Brasileira, 1940-2000.* Rio de Janeiro: Fundação Nacional de Arte – Funarte, 2004. p. 104-105.

DANÇA 1990 > 1999

1 *Jornal do Brasil*, 2 abr. 1990, Caderno B, p. 1.

2 *Ibid.*, 30 mar. 1990, Caderno B, p. 1.

3 *Ibid.*, 25 jun. 1992, Caderno B, p. 2.

4 *Jornal do Brasil*, 13 dez. 1996, Caderno B, p. 4; *O Globo*, 14 dez. 1996, Segundo Caderno, p. 5.

5 *Idem.*

6 *Jornal do Brasil*, 13 dez. 1996, Caderno B, p. 4.

7 *Ibid.*, 2 dez. 1996, Caderno B, p. 1.

8 *Idem.*

9 *O Globo*, 14 dez. 1996, Segundo Caderno, p. 5.

10 *Jornal do Brasil*, 26 abr. 1997, Caderno B, p. 5.

2000 > 2009

DANÇA 2000 > 2009

1 PEREIRA, Roberto. *Ao lado da crítica.* Rio de Janeiro: Funarte, 2009. v. 1, p. 42.

2 *Ibid.*, p. 54.

3 *Idem.*

4 KATZ, Helena. *Grupo Corpo cria "O corpo", inquieto e obsessivo.* Disponível em: <http://www.helenakatz.pro.br/midia/helenakatz61260796311.jpg>. Acesso em: 19 ago. 2010.

5 PEREIRA, *op. cit.*, p. 53.

6 *Ibid.*, p. 111.

7 *Ibid.*, p. 188-189.

8 *Ibid.*, p. 172.

9 *Ibid.*, p. 173-174.

10 *Ibid.*, p. 111.

11 *Ibid.*, p. 154-155.

12 *Ibid.*, p. 178-180.

13 *Ibid.*, p. 167-170.

NOTES

INTRODUCTION

The other bibliographic references are included in portuguese notes

6 The São Paulo staging featured a *congada* (a dramatic African dance) interpreted by Afro-Brazilians, a minuet with highsociety young ladies wearing embroidered silk dresses, and settings created by Washington Rodrigues. Furthermore, the upper classes contributed furniture and valuable objects for the stage props, and even São Paulo Governor Washington Luiz helped put on the play. The most important thing, however, was that the actors were also illustrious figures from São Paulo's upper crust. For more information on the impact and implications of this staging, see Nicolau Sevcenko's book *Orfeu extático na metrópole* (Ed. Companhia das Letras, 2009).

IN THE BEGINNING: A CITY IN SEARCH OF ITS THEATER

10 A 1719 deed was found that established a society for the management of a puppert theater, but there are no documents indicating that the same venue was later used for the "Ópera dos vivos". See Cavalcanti, *op. cit.*, p. 171.

97 Letter sent from Paris, dated 10/3/1909, Américo Rangel's family collection.

1909 >1919

CONCERTS & RECITALS
1909 >1919

9 This information and the previous information about the first concerts at the Theatro Municipal are in Edgard de Brito Chaves Jr.'s, *Memórias e glórias de um teatro: Sessenta anos de história do Teatro Municipal do Rio de Janeiro*, Companhia Editora Americana, 1971, which serves as a base for this story.

1920 > 1929

DANCE 1920 > 1929

1 In his book, *Memórias e glórias de um teatro*, p. 272, Edgar de Brito Chaves notes that Massine's company performed only one show, although Adriana Pavlova, in *Maria Olenewa: a sacerdotiza do ritmo*, p. 13, states that there were two: the first on July 14 and another with no reference as to its date. This text will use Chaves's information since it was not possible to confirm the second recital.

1940 > 1949

CONCERTS AND RECITALS
1940 > 1949

1 The theremin is an electronic instrument that was invented in 1919 by the Russian, Lev Termen. It consisted of a box with oscillators of frequency that emitted sounds based on the position of the player's hands.

2 Muricy *apud* Alvim Corrêa, Sérgio Nepomuceno. *Orquestra Sinfônica Brasileira, 1940-2000.* Rio de Janeiro: Fundação Nacional de Arte – Funarte, 2004. pp. 32-33. The quotation marks inside the quotation marks ('the patterns that they are based on...') refer to citations of the OSB's founding manifesto.

Apesar das intensas pesquisas efetuadas, nem sempre foi possível identificar as pessoas citadas e retratadas no material reproduzido no livro. Embora a reprodução seja permitida pelo art. 46, incs. III e VIII, da Lei de Direito Autoral Brasileira (9.610/98), se alguém considerar ter sido publicada alguma obra ou imagem de forma inadequada, pedimos contactar os autores pelo email **umseculoemcartaz@gmail.com**, para que possamos apreciar o caso.

Despite intense research efforts, it was not always possible to identify the people cited and portrayed in the material reproduced in this book. Although reproduction is permitted by the Brazilian Copyright Law (9.610/98), article 46, paragraphs III and VIII, should anyone consider that any work or image has been published here in an inadequate manner, please contact the authors by email **umseculoemcartaz@gmail.com**, so that we can review the case.

BIBLIOGRAFIA
BIBLIOGRAPHY

ALVIM CORRÊA, Sérgio Nepomuceno. *Orquestra Sinfônica Brasileira, 1940-2000*. Rio de Janeiro: Fundação Nacional de Arte – Funarte, 2004.

ANDRADE, Ayres de. *Francisco Manuel da Silva e seu tempo*. Rio de Janeiro: Coleção Sala Cecília Meireles, 1967.

AUGUSTO MAURÍCIO. *Meu velho Rio*. Rio de Janeiro: Prefeitura do Distrito Federal, Secretaria Geral de Educação e Cultura [s.d.].

AZEVEDO, M. D. Moreira de. *O Rio de Janeiro*; sua história, monumentos, homens notáveis, usos e curiosidades. 3. ed. Rio de Janeiro: Livraria Brasiliana, 1969. 2 v.

BANDEIRA, Manuel. *Crônicas inéditas I 1920-1931*: Manuel Bandeira. Organização, posfácio e notas: Júlio Castañon Guimarães. São Paulo: Cosac Naify, 2008.

BELARDI, Armando. *VOCAÇÃO E ARTE*: Memórias de uma Vida para a Música. São Paulo: Manon, 1986.

BIANCOLLI, Louis; Bagar, Robert (Eds). *The Victor book of operas*. New York: Simon and Schuster, 1949.

BOGÉA, Inês (Org.). *Oito ou nove ensaios sobre o Grupo Corpo*. São Paulo: Cosac Naify, 2001.

BOURET, Daniela (Comp.). *TEATRO SOLÍS* - 150 Años de Historia desde el Escenário. Montevideo: IMM - Departamento de Cultura - Teatro Solis, 2006.

BRAGA, Claudia (Org.). *Barbara Heliodora*, escritos sobre teatro. São Paulo: Perspectiva, 2007.

BRAGA, Suzana. *Tatiana Leskova*: uma bailarina solta no mundo. Rio de Janeiro: Lacerda Editores, 2005.

CAAMAÑO, Roberto. *La Historia del Teatro Colon*. Buenos Aires; Cinetea, 1969. 3 v.

CAMPOS, Maria José Talavera; LIMA, Nicola Caringi. *Zola Amaro*. Um soprano brasileiro para o mundo. Pelotas: Editora Universitária – Ufpel, 1998.

CARDOSO, André. *A Música na corte de D. João VI*. São Paulo: Martins Fontes, 2008.

CARMNER, James (Ed.). *Stars of the opera 1950-1985*. New York: Dover Publications, Inc., 1986.

_____. *The Great Opera Stars in Historic Photographs 1850-1940*. New York: Dover Publications, Inc.,1978.

CARTER, Alexandra. *Rethinking dance history*: a reader. Nova York, Londres: Routledge, 2004.

CAVALCANTI, Nireu. *O Rio de Janeiro setecentista*. Rio de Janeiro: Jorge Zahar, 2004.

CERBINO, Beatriz. História da dança: considerações sobre uma questão sensível. In: PEREIRA, R; SOTER, S. *Lições de dança 5*. Rio de Janeiro: UniverCidade, 2005.

_____. *Cenários cariocas*: o Ballet da Juventude entre a tradição e o moderno. Tese (Doutorado em História) – Instituto de Ciências Humanas e Filosofia, Universidade Federal Fluminense, Niterói, 2007.

_____. *Leda Iuqui*: o bailar da mestra. Rio de Janeiro: FAPERJ, Fundação Theatro Municipal do Rio de Janeiro, 2002.

_____. *Madeleine Rosay*: a poetisa do gesto. Rio de Janeiro: FAPERJ, Fundação Theatro Municipal do Rio de Janeiro, 2002.

_____. *Nina Verchinina*: um pensamento em movimento. Rio de Janeiro: Funarte/Série Memória, Fundação Theatro Municipal do Rio de Janeiro, 2001.

CERQUEIRA, Paulo de Oliveira Castro. *Um século de ópera em São Paulo*. São Paulo: Guia Fiscal, 1954.

CHARTIER, Roger. O mundo com representação. In: _____. *À beira da falésia*: a história entre certezas e inquietudes. Porto Alegre: Universidade/UFRGS, 2002.

CHAVES Jr., Edgard de Brito. *Memórias e glórias de um teatro*: sessenta anos de história do Teatro Municipal do Rio de Janeiro: Companhia Editora Americana, 1971.

_____. *Diário do Municipal* (1971-1990). Rio de Janeiro: Gryphus, 1993.

COARACY, Vivaldo. *Memórias da Cidade do Rio de Janeiro*. Rio de Janeiro: José Olympio, 1955.

CRULS, Gastão. *Aparência do Rio de Janeiro*. Rio de Janeiro: José Olympio, 1965. 2 v.

CYPRIANO, Fabio. *Pina Bausch*. São Paulo: Cosac Nayf, 2005.

DEL BRENNA, Giovanna Rosso (Org.). *O Rio de Janeiro de Pereira Passos – Uma cidade em questão II*. Rio de Janeiro: PUC, 1965.

_____. Ecletismo e transformação urbana. In: FABRIS, Anateresa (Org.). *Ecletismo na arquitetura brasileira*. São Paulo: Nobel, 1987.

DIAS, José. *Três séculos de Casas de Espetáculos no Rio de Janeiro*. Século XVIII, XIX e XX. Tese de Doutorado – Universidade de São Paulo, São Paulo, 1999.

DILLON, Cesar A.; SALA, Juan A. *El teatro musical en Buenos Aires*. Buenos Aires: Ediciones de Arte Gaglianone, 1999.

DIMAS, Antonio (Org.). *Bilac jornalista*. São Paulo: Edusp/Unicamp/Imp. Oficial, 2006. 2 v.

EBEL, Ernst. *O Rio de Janeiro e seus arredores em 1824*. São Paulo: Comp. Edit. Nacional, 1972.

EDMUNDO, Luís. *Recordações do Rio Antigo*. Rio de Janeiro: Exército, 1950.

ERMAKOFF, George (Org.). *Theatro Municipal do Rio de Janeiro – 100 anos*. Rio de Janeiro: G. Ermakoff Casa Editorial, 2010.

ESCOLA ESTADUAL DE DANÇA MARIA OLENEWA. Um sonho feito de cores.

EEDMO. Fundação Theatro Municipal do Rio de Janeiro. Rio de Janeiro: EMC Edições, 2008.

FARO, Antonio José; SAMPAIO, Luiz Paulo. *Dicionário de balé e dança*. Rio de Janeiro: Jorge Zahar, 1989.

FERNANDES, Ciane. *Pina Bausch e o Wuppertal Dança-Teatro*: repetição e transformação. São Paulo: Annablume, 2007.

GARAFOLA, Lynn. *Diaghilev´s Ballets Russes*. Oxford: Oxford University Press, 1989.

GARCÍA-MÁRQUEZ, Vicente. *The Ballets Russes*: Colonel's de Basil's Ballets Russes de Monte Carlo 1932-1952. New York: Knopf, 1990.

GERSON, Brasil. *História das ruas do Rio de Janeiro*. Rio de Janeiro: Lacerda, 2000.

GOMES, Angela de Castro. Cultura política e cultura histórica no Estado Novo. In: ABREU, M.; SOHIET, R.; GONTIJO, R. (Orgs.). *Cultura política e leituras do passado*: historiografia e ensino de história. Rio de Janeiro: Civilização Brasileira, 2007.

HEITOR, Luiz. *150 anos de música no Brasil*: 1800-1850. Rio de Janeiro: Livraria José Olympio, 1956.

_____. *Música e músicos do Brasil*. Casa do Estudante do Brasil, 1950.

IMAGENS 2001. Theatro Municipal do Rio de Janeiro. Dalal Achcar. Fundação Theatro Municipal. Rio de Janeiro, 2001.

JOÃO DO RIO. *Theatro Municipal do Rio de Janeiro*. Edição de photo: Musso. Rio de Janeiro, 1913.

_____. *Theatro Municipal do Rio de Janeiro*. Rio de Janeiro: Salamandra, 1987.

KURTH, Peter. *Isadora*: uma vida sensacional. São Paulo: Globo, 2004.

KUTSCH, K. J.; RIEMENS, Leo. *Grosses Sängerlexikon*. Bern und München: K.g. Saur Verlag GmbIH & Co., 1999.

LENZI, Maria Isabel Ribeiro. *Pereira Passos*: Notas de viagem. Rio de Janeiro: Sextante, 2000.

LIERNUR, Jorge Francisco. Rio de Janeiro y Buenos Aires: 1880-1930. In: TURAZZI, Maria Inez; PRIAMO, Luis; LIERNUR, Jorge Francisco. *Rio de Janeiro-Buenos Aires*: Duas cidades modernas. Buenos Aires: BICE-BNDES, 2004.

LIMA, Herman. *História da caricatura no Brasil*. Rio de Janeiro: José Olympio, 1963. 5 v.

LUCCOCK, John. *Notas sobre o Rio de Janeiro*. Belo Horizonte: Itatiaia, 1975.

LUSTOSA, Heloisa Aleixo; ACHCAR, Dalal (Apres.). *Theatro Municipal 90 Anos*. Rio de Janeiro: MNBA, 1999.

MACHADO DE ASSIS. *Obra completa*. Rio de Janeiro: Nova Aguilar, 1985. 3 v.

MAGALHÃES JR., Raimundo. *Arthur Azevedo e sua época*. São Paulo: Saraiva, 1953.

MARINHO, Henrique. *O teatro brasileiro*; alguns apontamentos para a sua história. Paris/Rio de Janeiro: H. Garnier, 1904.

MARINUZZI, Lia Pierotti Cei; Gualerzi, Giorgio; Gualerzi, Valeria (Org.). *Gino Marinuzzi tema con variazioni*. Milano: Arnoldo Mondadori Editore, 1995.

MARIZ, Vasco. *Vida musical*. Rio de Janeiro: Civilização Brasileira, 1997.

_____. *Villa-Lobos, o homem e a obra*. 12. ed. Rio de Janeiro: Academia Brasileira de Música/Francisco Alves, 2005.

MAYER-SERRA, Dr. O. (Org.). *Enciclopedia de la musica II*. México: Editorial Atlante, 1944.

MELO FRANCO, Afonso Arinos. *Rodrigues Alves*. Rio de Janeiro: José Olympio, 1973. 2 v.

MIRANDA NETO, Antonio Gomes de. *Meio Século de Temporadas Líricas Internacionais*. Guanabara: Secretaria de Educação e Cultura do Estado da Guanabara, 1954.

NUNES DE AZEVEDO, André. A reforma Pereira Passos: uma tentativa de integração urbana. *Revista Rio de Janeiro*, Rio de Janeiro, n. 10, p. 35-63, maio-ago. 2003.

OTERO, Décio. *Marika Gidali*: singular e plural. São Paulo: SENAC, 2001.

_____. *Stagium*: as paixões da dança. São Paulo: Hucitec, 1999.

PAIXÃO, Múcio da. *O teatro no Brasil*. Rio de Janeiro: Moderna, 1917.

PAVLOVA, Adriana. *Maria Olenewa*: a sacerdotisa do gesto. Rio de Janeiro: Funarte/Série Memória, Fundação Theatro Municipal do Rio de Janeiro, 2001.

PEREIRA, Roberto (Org.). *A formação do balé no Brasil*. Rio de Janeiro: FGV, 2003.

_____. *Ao lado da crítica*: 10 anos de crítica de dança: 1999-2009. Rio de Janeiro: Funarte, 2009.

_____. *Os passos de Juliana Yanakieva*. Niterói/RJ: Niterói Livros, 2001.

PORTINARI, Maribel. *Eugenia Feodorova*: a dança de alma russa. Rio de Janeiro: Funarte/Série Memória, Fundação Theatro Municipal do Rio de Janeiro, 2001.

PRADO, Décio de Almeida. *Teatro em progresso*. São Paulo: Perspectiva, 2002.

RAEDERS, Georges. *O inimigo cordial do Brasil*, o Conde de Gobineau no Brasil. São Paulo: Paz e Terra, 1988.

REIS, José de Oliveira. *O Rio de Janeiro e seus prefeitos*. Prefeitura do Rio de Janeiro, 1977.

RESENDE, Beatriz; Valença, Rachel (Org.). *Toda crônica*: Lima Barreto. Rio de Janeiro: Agir, 2004.

REZENDE, Beatriz; VALENÇA, Rachel (Orgs.). *Lima Barreto*: Toda crônica. Rio de Janeiro: Agir, 2004. 2 v.

RIENZO, Cristiane Rebello Di. *Memória da Refrigeração e do Ar Condicionado no Brasil*. Uma História a ser Contada. São Paulo: Sindratar, 2004/2007.

ROMERO PEREIRA, Avelino. *Música, sociedade e política*: Alberto Nepomuceno e a República Musical. Rio de Janeiro: Editora UFRJ, 2007.

SANTOS, Afonso Carlos Marques dos (Coord.). *O Rio de Janeiro de Lima Barreto*. Rio de Janeiro: RioArte, 1983. 2 v.

SÉRIE MEMÓRIA DO THEATRO MUNICIPAL. Rio de Janeiro: Fundação Nacional de Arte – Funarte, Fundação Theatro Municipal do Rio de Janeiro, 2001.

SEVCENKO, Nicolau. A capital irradiante: técnica, ritmos e ritos do Rio. In: _____ (Org.). *História da vida privada no Brasil*: República: da Belle Époque à Era do Rádio. São Paulo: Companhia das Letras, 1989. v. 3.

SILVA JR., Paulo Melgaço da. *75 anos* – A História que fez Estórias. Rio de Janeiro: Imprinta, 2002.

SUCENA, Eduardo. *A dança teatral no Brasil*. Rio de Janeiro: Fundação Nacional de Artes Cênicas, Ministério da Cultura, 1988.

THE LETTERS OF ARTURO TOSCANINI. Edited and Translated by Harvey Sachs. Chicago: The University of Chicago Press, 2006.

THEATRO MUNICIPAL DO RIO DE JANEIRO. Relatório de Gestão 1995/1998. Emilio Kalil. Fundação Theatro Municipal. Rio de Janeiro, dez. 1998.

VACCARINO, Elisa Guzzo (Org.). *Pina Bausch*: teatro dell'esperienza, danza della vita. Genova: Costa & Nolan, 2005.

VELLOSO, Monica Pimenta. Escritas de si e do tempo: a dança como metáfora. In: VELLOSO, M. P.; ROUCHOU, J.; OLIVEIRA, C. (Orgs.). *Corpo*: identidades, memórias e subjetividades. Rio de Janeiro: Maud X, 2009.

_____. Trunfo às ondas do mar: linguagens e espaços urbanos no Rio de Janeiro. In: PESAVENTO, Sandra Jatahy (Org.). *Escrita, linguagem, objetos*: leituras de história cultural. Bauru/SP: Edusc, 2004.

WALKER, Kathrine Sorley. *De Basil's Ballets Russes*. New York: Atheneum, 1983.

WALSCH, Robert. *Notícias do Brasil*. Belo Horizonte: Itatiaia/Edusp,1985. 2 v.

PERIÓDICOS
JOURNALS AND MAGAZINES

A Noite

A Notícia

A Tribuna

Careta

Correio da Manhã

Correio da Noite

Diário do Notícias

Fon-Fon

Gazeta de Notícias

Jornal do Brasil

Jornal do Commercio

O Globo

O Malho

O Paiz

O Seculo

Paratodos

Revista da Semana

Rio

MEIO ELETRÔNICO
INTERNET

http://www.jotacarlos.org
http://www.helenakatz.pro.br/
http://www.hodsonarcher.com/
http://www.merce.org/
http://www.ndt.nl
http://www.pina-bausch.de/en
http://www.revistafenix.pro.br/pdf2/Artigo%20Daniela%20Reis.pdf
http://www.sankaijuku.com/link_e.html
http://www.theatromunicipal.rj.gov.br/

ABREVIATURAS E ACRÔNIMOS
ABBREVIATIONS AND ACRONYMS

AGCRJ	Arquivo Geral da Cidade do Rio de Janeiro
BPRJ	Biblioteca Pública do Rio de Janeiro
CEDOC-FUNARTE	Centro de Documentação - Fundação Nacional de Artes
CPDOC-FGV	Centro de Pesquisa e Documentação Fundação Getúlio Vargas
CPDOC/JB	Centro de Pesquisa e Documentação Jornal do Brasil
EEDMO	Escola Estadual de Dança Maria Olenewa
FBN	Fundação Biblioteca Nacional
IMS	Instituto Moreira Salles
IPEAFRO	Instituto de Pesquisas e Estudos Afro-Brasileiros
MNBA	Museu Nacional de Belas Artes
MR	Museu da República
MT/FUNARJ	Museu dos Teatros / Fundação de Artes do Estado do Rio de Janeiro
MVL	Museu Villa-Lobos
UFRJ	Universidade Federal do Rio de Janeiro
Ph.	Foto / Photo
Col.	Coleção / Collection

AUTORES
AUTHORS

Nubia Melhem Santos

Editora e organizadora de publicações sobre patrimônio cultural brasileiro e divulgação científica. Formada em Letras pela PUC-RJ, trabalhou no IPHAN por 18 anos e foi editora das peças gráficas do Theatro Municipal do Rio de Janeiro de 1999 a 2002. Em 2006 ganhou o Prêmio Jabuti de Melhor Livro de Arquitetura, Urbanismo, Comunicação, Fotografia e Artes, pela organização de *O Porto e a Cidade: o Rio de Janeiro de 1568 a 1910,* com Cláudio Figueiredo e Maria Isabel Ribeiro Lenzi (Editora Casa da Palavra). Publicou também sobre o Rio de Janeiro o livro *Era uma vez o Morro do Castelo* (IPHAN) com José Antonio Nonato e *Burle Marx: jardins e ecologia* (Jauá Editora e SENAC Rio) com Marcia Pereira Carvalho e Paulo Santos Filho.

Nubia Melhem Santos is an editor and publications manager who focuses on two main subjects: Brazilian cultural heritage and scientific information. She studied in Literature at PUC-RJ and worked at IPHAN for 18 years. She was the publisher of graphic material for Theatro Municipal do Rio de Janeiro from 1999 to 2002. In 2006 Nubia won the Prêmio Jabuti for the best book on Architecture, Urbanism, Communication, Photography and Art, having organized the publication of *O Porto e a Cidade: o Rio de Janeiro de 1568 a 1910*, with Claudio Figueiredo and Maria Isabel Ribeiro Lenzi (Editora Casa da Palavra). Other publications on Rio de Janeiro are: *Era uma vez o Morro do Castelo* (IPHAN) with José Antonio Nonato and *Burle Marx: gardens and ecology* (Jauá Editora and SENAC-RJ) with Marcia Pereira Carvalho and Paulo Santos Filho.

Cláudio Figueiredo

Jornalista e tradutor, tendo trabalhado na Bloch editores, no *Jornal do Brasil* e também na TV Globo – como roteirista. É autor do livro *As duas vidas de Aparício Torelly, o Barão de Itararé* (Record, 1987) e do texto de *O porto e a cidade – O Rio de Janeiro entre 1565 e 1910* (Casa da Palavra, 2005), Prêmio Jabuti 2006 na categoria Arquitetura e Urbanismo, Comunicação e Artes.

Journalist and translator, having worked in Bloch Editors, in *Jornal do Brazil* and also in TV Globo – as screenwriter. He is the author of *The Two Lives of Aparício Torelly, Baron of Itararé* (book edited by Record, 1987) and of a text on *The Harbour and the City –Rio de Janeiro between 1565 and 1910* (Casa da Palavra, 2005). He was awarded the Jabuti Prize in 2006 in the architecture and urbanism, Communication and Arts category.

Barbara Heliodora

Doutora em artes na área de teatro da USP. Professora Emérita da UNIRIO. Tradutora da obra de Shakespeare, entre dezenas de obras em literatura e dramaturgia. Crítica de teatro do jornal *O Globo*.

Doctor of Arts specialized in theatrical arts at USP. She is Professor Emeritus at UNIRIO. Barbara is the major translator of Shakespeare's works in Brazil, as well as of dozens of works on literature and dramaturgy. She is also responsible for theatrical critique in the *O Globo* newspaper.

Bruno Furlanetto

Formado em Direito pela PUC, estudou piano e música com Esther Scliar e abandonou a advocacia para estudar direção de ópera na Itália, trabalhando nos teatros San Carlo, de Nápoles, Massimo, de Palermo, Carlo Felice, de Gênova, e Regio, de Turim. Traduziu e participou de diversas publicações sobre música e ópera. Desde 1988 está na Divisão de Ópera do Theatro Municipal do Rio de Janeiro.

Graduated in law at PUC, studied piano and music with Esther Scliar and abandoned law to study Opera direction in Italy, working in theatres San Carlo in Naples, Massimo in Palermo, Carlo Felice in Genova, and Regio in Turin. He translated and participated in several publications about music and opera. He is in the Opera Division of the Municipal Theater of Rio de Janeiro since 1988.

Clóvis Marques

Jornalista e tradutor, Clóvis Marques escreve sobre música na revista Concerto e no site www.opiniaoenoticia.com.br. Acaba de lançar pela editora Civilização Brasileira a coletânea de críticas, reportagens e entrevistas *A música falada*, panorama da vida musical no Rio e em São Paulo entre 1997 e 2008, com textos publicados no *Jornal do Brasil* e outros periódicos. Seus livros anteriores são *Mário Tavares, uma vida para a música* (Funarte, 2001) e *Sala Cecília Meireles, 40 anos de música* (Funarj, 2006).

Journalist and translator, Clovis Marques writes about music in *Concerto* magazine and on the website www.opiniaoenoticia. com.br. He has just published an overview of musical life in Rio and São Paulo between 1997 and 2008, with texts from *Jornal do Brazil* and other periodicals, called *Musica Falada* (*Spoken Music*) (Editor Civilização Brasileira), a collection of articles, music critiques and interviews. His previous books are *Mário Tavares, a life for music* (Funarte, 2001) and *Sala Cecília Meireles, 40 years of music* (Funarj, 2006).

Beatriz Cerbino

Graduada em dança na UniverCidade/RJ. É mestre em Comunicação e Semiótica pela PUC-São Paulo, e doutora em História pela UFF, com estágio de doutoramento na New York University, no departamento de Performance Studies. É professora do Departamento de Artes e Estudos Culturais da UFF, no curso de Produção Cultural, no Pólo Universitário de Rio das Ostras, e no Programa de Pós-Graduação em Ciência da Arte. É autora de textos e livros sobre dança, entre eles *Nina Verchinina: um pensamento em movimento* (Funarte, 2001).

Bachelor of Arts with a Dance Major from UniverCidade/RJ. Her Master's degree is in Communication and Semiotics from PUC-São Paulo, and her PhD in History is from UFF, with a doctoral specialization at New York University´s Department of Performance Studies. She is Professor of Cultural Production in the Department of Arts and Cultural Studies at UFF at Rio das Ostras, and in the Postgraduate Program of Art Science. She is the author of texts and books about dance, such as "Nina Verchinina: a thought in motion" (Funarte, 2001).

Laís Chamma

Pós-graduada em comunicação pela PUC-RJ. Profissional de reconhecida capacidade na função de diretora de produção e de atendimento, tendo trabalhado em várias agências como: MPM Propaganda, Estrutural e WBrasil Rio, e atuado como diretora de produção e produtora executiva em filmes de longa-metragem, exibidos no mercado interno e externo, entre os quais: *Luz del Fuego*, *Águia na Cabeça*, *O Cobrador* (co-produção Brasil/México/Argentina), *ZuZu Angel*, *Salve Geral (Time of fear)*, este último escolhido para representar o Brasil no Oscar 2009.

Laís Chamma is recognized as Unit Production Manager and Executive Producer of feature movies for Brazilian and foreign markets. Among the most important are: *Luz del Fuego*, *Águia na Cabeça*, *O Cobrador* (co-production Brazil/Mexico/Argentina), *ZuZu Angel*, *Salve Geral (Time of fear)* the later having been chosen to represent Brazil at the 2009 Oscars. Her skills extend to contact consulting for publicity agencies and she worked with well-known agencies such as MPM Propaganda, Estrutural e WBrasil. Laís is a Communication major from PUC-RJ where she also attended her post-graduate courses.

Evelyn Grumach

Designer, fundadora da *eg.design*, com Carolina Ferman. Desenvolve projetos para diferentes segmentos como exposições, identidades corporativas e *design* editorial. Premiada diversas vezes, conquistou o Prêmio Jabuti na categoria livro de arte com o *Catálogo Raisonné de Candido Portinari* (2004). Participa constantemente de mostras de design nacionais e internacionais e tem projetos recentes publicados pela Taschen.
É professora de Projeto de Design e Biônica para Comunicação Visual na PUC-Rio.

Evelyn Grumach is a designer and co-founder of eg.design along with Carolina Ferman. Her projects cover a range of different areas such as expositions, corporate identity and editorial design. She received various prizes for her work, and recently won the Jabuti, prize awarded to the best book on Art, *Catálogo Raisonné de Candido Portinari* (2004). Evelyn frequently participates in national and international design exhibits. She is a professor at PUC-RJ, and teaches Design Project and Bionics for Visual Communication.

Paulo dos Santos Filho

Fotógrafo, é Diretor de Fotografia da TV Globo, e atua também na área de publicidade. É autor, entre outros, do ensaio fotográfico sobre a obra do paisagista Roberto Burle Marx, publicada no livro *Burle Marx: jardins e ecologia* (Jauá Editora/Editora Senac-Rio).

Paulo Santos Filho is a photographer and director of photography for TV Globo who also works in advertising. He is the author of a photographic essay about the works of landscape designer Roberto Burle Marx published in the book *Burle Marx: jardins e ecologia* (Jauá Editora/Editora Senac Rio).

Bernardo Santos Cox

Fotógrafo, publicou, entre outros, ensaio no livro *Vale das Laranjeiras*, em 2008, (Jauá Editora) e em 2009, *Cidadania em Debate*, reportagem fotográfica da série homônima (Museu da República / Jauá Editora).

Bernardo Santos Cox is a photographer whose published works include an essay for the book *Vale das Laranjeiras* (Jauá Editora, 2008), and *Cidadania em Debate*, a photographic report of the series of the same name (Museu da República / Jauá Editora, 2009).

AGRADECIMENTOS
ACKNOWLEDGEMENTS

Ady Addor
Ana Botafogo
Ana Lucia Ferreira Olivia (Museu dos Teatros)
Aniela Jordan
Andressa Vitória da Padilha
Antonio Lembo
Arnaldo Cohen
Áurea Hammerli
Ballet do Theatro Municipal do R.J.
Ballet Stagium
Beatrice Sasso
Beatriz Secchin Braga
Bibi Ferreira
Bruno Furlanetto
Bruno Veiga
Carla Rossana Chianello Ramos (Periódicos – FBN)
Carlos Augusto Strazzer (in memoriam)
Carlos Chamma
Carlos Morejano
Cassio Loredano
Cecil Thiré
Cecilia Kerche
Cesar Dillon
Cesarina Riso
Coro do TMRJ
Cristina Bueno
Cristina Martinelli
Cristina Ortiz
Dalal Achcar
David Pinheiro
Débora Colker
Dedé Veloso
Diana Santos Chaves
Dina Sfat (in memoriam) - Isabel Kutner,
Ana Kutner, Clara Kutner
Distefano Fonseca Vieira (Periódicos – FBN)
Diva Pieranti
Edino Krieger
Edson Meirelles
Eduardo Alvares
Eduardo Augusto de Brito Cunha
Eduardo Macedo
Elaine Magalhães (Biblioteca Pública do RJ)
Eleonora Oliosi
Eliana Andrea Basbaum
Elisa Baeta
Elisabeth Affonso (Museu dos Teatros)
Emílio Martins
Esther Chamma de Carlos (in memoriam)
Fernando Bicudo
Fernanda Montenegro
Flávio Silva
Béjart Ballet Lausanne
Gabi Leib
George Ermakoff

Geraldo Matheus Torloni
Glaucia Pessoa
Glória Braüniger (Funarte)
Glória Queiroz
Grupo Corpo
Helga Loreida
Hélio Ary
Helio Eichbauer
Henrique Morelenbaum
Ira Maciel
Irlanda Maciel
Isaac Karabtchevsky
Ítalo Rossi
Janice Melhem Santos
Jessy Norman
Jesuína Passaroto
João Elias
João Fortunato de Carvalho
Jocy de Oliveira
Joelma Ismael (Funarte)
John Nescheling
Jorge Delaura
José Dias
José Franceschi
José Luiz Pederneiras
Kurt Masur
Lais Rodrigues
Laís Souza Brasil
Leandro de Paula Santos (OSB)
Léia Pereira da Silva (Iconografia - FBN)
Leo Ladeira
Leonardo Thierry
Lilian Fontes Moreira
Luciana Medeiros
Luis de Lima (in memoriam)
Luiz Carlos Izidoro
Luiz Henrique Sá
Luiza Chamma
Luiz Paulo Horta
Lydia Quintaes
Magaly Cabral (Museu da República)
Marcelo Dischinger
Marcelo Misailidis
Márcia Cláudia Figueiredo (Funarte)
Márcia Haydée
Márcia Prestes (Marinha)
Marcio Scavone
Maria da Conceição Paes Quintanilha (BPRJ)
Maria Isabel Ribeiro Lenzi
Maria Angélica
Maria José Talavera Campos
Maria Luisa Noronha
Maria Regina Salles
Mario Rodrigues Barreto
Mário Veloso

Maya Plisetskaya
Mírian Cavour
Momix
Monica Athayde Lopes
Monah Delacy
Montserrat Caballée
Myrian Dauelsberg
Nathalia Timberg
Nelly Gnattali
Nelson Freire
Nelson Portella
Nicete Bruno
Nilson Penna
Nora Esteves
Oduwaldo Braga
Orquestra Sinfônica Brasileira
Orquestra Sinfônica do TMRJ
Orquestra Petrobras Sinfônica
Paulo Goulart
Paulo Jabur
Paulo Melgaço (EEDMO)
Paula Vianna Prates
Paulo José
Paulo Rodrigues
Pedro Belchior (Museu Villa-Lobos)
Pedro Ismael de Oliveira Neto
Renata Sorrah
Renée de Vielmond
Ricardo Cohen
Roberta Marquez
Roberto Minczuk
Roberto Ricardo Duarte
Ruth Staerke
Sérgio Britto
Sérgio Cabral
Sergio Casoy
Silvio Barbato (in memoriam)
Silvio Da-Rin
Silvio Viegas
Sheila da Silva (Periódicos – FBN)
Sonja Figueiredo
Silvia Pinho (Museu da República)
Steffen Dauelsberg
Tatiana Leskova
Tereza Rachel
Thiago Soares
Tobias Visconti
Tônia Carrero
Valéria Cysneiros (Div. Música – FBN)
Vera Mangas (Museu da República)
Verônica Falcão
Zilca Fortes

GOVERNO DO ESTADO DO RIO DE JANEIRO
RIO DE JANEIRO STATE GOVERNMENT

GOVERNADOR | GOVERNOR
Sérgio Cabral Filho

VICE-GOVERNADOR | DEPUTY GOVERNOR
Luiz Fernando Pezão

SECRETÁRIA DE CULTURA | CULTURE SECRETARY
Adriana Scorzelli Rattes

SUBSECRETÁRIA DE AÇÃO CULTURAL |
SUBSECRETARY OF CULTURAL ACTION
Bia Caiado

SUBSECRETÁRIA DE AÇÕES INSTITUCIONAIS |
SUBSECRETARY OF INSTITUTIONAL ACTIONS
Olga Campista

SUBSECRETÁRIO EXECUTIVO | EXECUTIVE SUBSECRETARY
Luiz Zugliani

FUNDAÇÃO THEATRO MUNICIPAL
DO RIO DE JANEIRO

PRESIDENTE | PRESIDENT
Carla Camurati

ASSESSORA ESPECIAL DA PRESIDÊNCIA |
SPECIAL ADVISOR TO THE PRESIDENCY
Maria Regina Sales

ASSESSORES DA PRESIDÊNCIA | ADVISORS TO THE PRESIDENCY
Ana Paula Ribeiro de Macedo
Ciro Pereira da Silva

CHEFE DE GABINETE | CHIEF OF STAFF
Monica Athayde Lopes

ASSESSORA DE COMUNICAÇÃO SOCIAL |
SOCIAL COMMUNICATIONS OFFICER
Debora Ghivelder

ASSESSORA JURÍDICA | LEGAL OFFICER
Fliane Baptista de Souza

DIRETOR ARTÍSTICO | ARTISTIC DIRECTOR
Roberto Minczuk

MAESTRO TITULAR DA ORQUESTRA SINFÔNICA |
PRINCIPAL CONDUCTOR OF THE SYMPHONIC ORCHESTRA
Silvio Viegas

ASSESSORES ARTÍSTICOS | ARTISTIC ADVISORS
Bruno Furlanetto
Cirlei de Hollanda

DIRETOR DO CORPO DE BAILE |
DIRECTOR OF THE CORPS DE BALLET
Hélio Bejani

MAESTRO TITULAR DO CORO | CHOIRMASTER
Maurílio dos Santos Costa

DIRETORA OPERACIONAL | OPERATIONAL DIRECTOR
Sonja Figueiredo França

DIRETOR ADMINISTRATIVO E FINANCEIRO |
ADMINISTRATIVE AND FINANCIAL DIRECTOR
Silvio Cesar Moreira dos Santos

DIRETORA DA ESCOLA ESTADUAL DE DANÇA MARIA OLENEWA |
DIRECTOR OF THE MARIA OLENEWA STATE DANCE SCHOOL
Maria Luisa Noronha

ASSOCIAÇÃO DOS AMIGOS
DO THEATRO MUNICIPAL

PRESIDENTE | PRESIDENT
Carlos Maximiano Mafra de Laet

VICE-PRESIDENTE | VICE PRESIDENT
Gustavo Martins de Almeida

SECRETÁRIO | SECRETARY
José Luiz Silveira Miranda

DIRETORA EXECUTIVA | EXECUTIVE DIRECTOR
Esmeralda Ryff

PRODUÇÃO | PRODUCTION
Armando Mata

ASSOCIADOS BENEMÉRITOS | HONORARY MEMBERS
João Pedro Gouvêa Vieira (in memoriam) Wagner Victer

ASSOCIADOS DIAMANTE | DIAMOND MEMBERS
Ana Carolina Torrealba Affonso e Luiz Guilherme Magaldi Affonso, Bethy Lagardère.

ASSOCIADOS OURO | GOLDEN MEMBERS
Alex Harry Haegler, Alkindar Machado Bona, Ana Luisa de Souza Lobo Morgado Horta, Ângela Gouvêa Vieira, Bento Gabriel Fontoura, Cristina Soares Carneiro Campello, Dannemann, Siemsem, Biegler e Ipanema Moreira, Eduardo Mariani Bittencourt, Eduardo Palhares, Elizabeth Anne Winston, Elisabety e Manoel Carlos G. de Almeida, Hélio Noronha Junior, Ilza Giestas Tristão, José Luiz Silveira Miranda, Jovana Gandelman, Leonardo Villela, Lucia Slerca, Luis Felippe Índio da Costa, Marcos Fernando de O. Moraes, Maria Theresa Blatter, Miguel J. Froimtchuck, Nelson Antonio Sendas, Ricardo Pernambuco Backheuser, Roberto Paulo Cezar de Andrade, Sérgio Fadel, Sonia Maria Moura P. da Silva Isnard, Vittorio Tedescchi.

ASSOCIADOS PRATA | SILVER MEMBERS
Adriana Saback de Sá Fraga, Adriana Salituro, Akiko N. Rutowitsch, Alexandre Magalhães da Silveira, Alita Bernardes Rodrigues, Ana Lúcia de Albuquerque Souza e Silva, Anna Victória Lemann Osório, Beatriz Kunning, Carla Mendes Abrunhosa Rodrigues, Carlos Alberto Brasil Fernandes, Carlos Eduardo Mota, Carlos Henrique Reis Malburg, Carlos José de Souza Guimarães, Claudia Augusta de Barros Corrêa, Clínica Santa Tereza, Cookie Richers, Denise F. Fabião Guasque, Edgard Lacerda Freire Junior, Eduardo Duarte Prado, Eduardo Weaver de Vasconcelos Barros, Eneida Vidigal de Lemos Menezes, Érika Meduna Hajdu, Esther Friedman, Flávia Lobão Tavares de Oliveira Costa, Francisco Thompson Flores Netto, Giralda Seyfert, Gustavo Tepedino, Hecilda Martins Fadel, Heloísa Amaral Peixoto, Hermann Nachbar, Irmgard Martinez, João Maurício A. Pinho Filho, Jorge Delaura Meyer Neto, Karl Herman Ruger, Kátia Poppe, Lavínia Cazzani, Lêda Pitsch, Lia Baptista de Carvalho, Lia Maria de Gomensoro, Luciana Sloper, Luiz Dilermando de Castello Cruz, Luiz Fernando Lopes Filho, Marcelo Ferman, Maria Helena Villela, Maria José Lopes Ferreira, Maria Lúcia Cantidiano, Marie Cristiane M. Meyers, Marilene Gomes Fernandes, Marlit Silva Cavalcanti Bechara, Moysés Levy Liberbaum, Noel Cordeiro Lima, Paulo César Costeira, Pedro Avvad e Associados Advogados, Pedro Carlos Basílio Thereza Cristina Fontes, Timóteo Naritomi, Ulisses Breder Ambrósio, Vera Severiano Ribeiro de Saules, Vicentina Valadares da Silveira, Vitor Sarkis, Hallack, Walter Felippe D'Agostino, Walter Pacheco Monken.

CIP-BRASIL. CATALOGAÇÃO-NA-FONTE
SINDICATO NACIONAL DOS EDITORES DE LIVROS, RJ

T35
   Theatro Municipal do Rio de Janeiro: um século em cartaz * running for a century / organização Nubia Melhem Santos; textos Barbara Heliodora... [et al.]; versão para o inglês Barbara Harrington... [et al.]; ensaio fotográfico Paulo Santos Filho. – Rio de Janeiro: Jauá, 2011.
   il. color

   Inclui bibliografia
   Textos em português e inglês
   ISBN 978-85-89410-04-5

   1. Teatro Municipal (Rio de Janeiro, RJ) – História. 2. Teatro Municipal (Rio de Janeiro, RJ) – Obras ilustradas. I. Santos, Nubia Melhem. II. Heliodora, Barbara. III. Santos Filho, Paulo.

11-0300.   CDD: 792.8098153
                    CDU: 792.053(815.3)

14.01.11 19.01.11   023976

DESIGNS ON THE DANCES OF VASLAV NIJINSKY.
VASLAV NIJINSKY / IDA RUBINSTEIN, *SCHÉHÉRAZADE*.
GEORGE BARBIER.
1913. COL. BRONISLAVA NIJINSKA.
MUSIC DIVISION. LIBRARY OF CONGRESS

Este livro foi iniciado em 2009, ano do centenário de inauguração do Theatro Municipal do Rio de Janeiro, e concluído em janeiro de 2011. O texto foi composto nas fontes Corbel e DTL Documenta e impresso em papel GardaMatt Art 150g/m², pela Ipsis Gráfica e Editor.

Work on this book began in 2009, which marked the centenary of the Rio de Janeiro Theatro Municipal, and was completed in January 2011. The text was composed in fonts Corbel and DTL Documenta and printed on GardaMatt Art 150g/m² paper by Ipsis Gráfica e Editor.